ZOROBABEL:
Reconstruindo o Templo

Z. RODRIX

ZOROBABEL:
Reconstruindo o Templo

ROMANCE

15ª edição

Editora Record
RIO DE JANEIRO • SÃO PAULO
2025

CIP-Brasil. Catalogação-na-fonte
Sindicato Nacional dos Editores de Livros, RJ.

	Rodrix, Z.
R619z	Zorobabel: Reconstruindo o Templo / Zé Rodrix. – 15ª ed. –
15ª ed.	Rio de Janeiro: Record, 2025.
	– (Trilogia do Templo; v.2)

      ISBN: 978-85-01-07254-2

      1. Romance brasileiro. I. Título. II. Série

      CDD: 869.93
05-2286   CDU: 821.134.3(81)-3

Copyright © José Rodrigues Trindade
Representado por AMS Agenciamento Artístico, Cultural e Literário Ltda.

Capa: Victor Burton
Foto do autor: Thomas Hinrich

Direitos exclusivos desta edição reservados pela
EDITORA RECORD LTDA.
Rua Argentina, 171 – Rio de Janeiro, RJ – 20921-380 – Tel.: (21) 2585-2000.

Impresso no Brasil

ISBN 978-85-01-07254-2

Seja um leitor preferencial Record.
Cadastre-se no site www.record.com.br e receba
informações sobre nossos lançamentos e nossas promoções.

EDITORA AFILIADA

Atendimento e venda direta ao leitor:
sac@record.com.br

"E a palavra de Yahweh me foi dirigida nestes termos:
As mãos de Zorobabel lançaram os fundamentos deste Templo:
(...)
Pois quem desprezou o dia dos pequenos acontecimentos?
Que eles se alegrem vendo a pedra escolhida na mão de Zorobabel!"

(Zacarias, 4, 8 e 10)

*Dedicado à memória de Vera Tanka,
xamã e amiga,
a quem devo meu retorno ao mundo dos vivos
no momento em que me era mais difícil
renascer.*

*Foram suas as palavras sábias
que me reergueram de onde eu jazia
e me recolocaram no Caminho.*

*Esta é a lição
que jamais se esquece.*

Império Babilônico

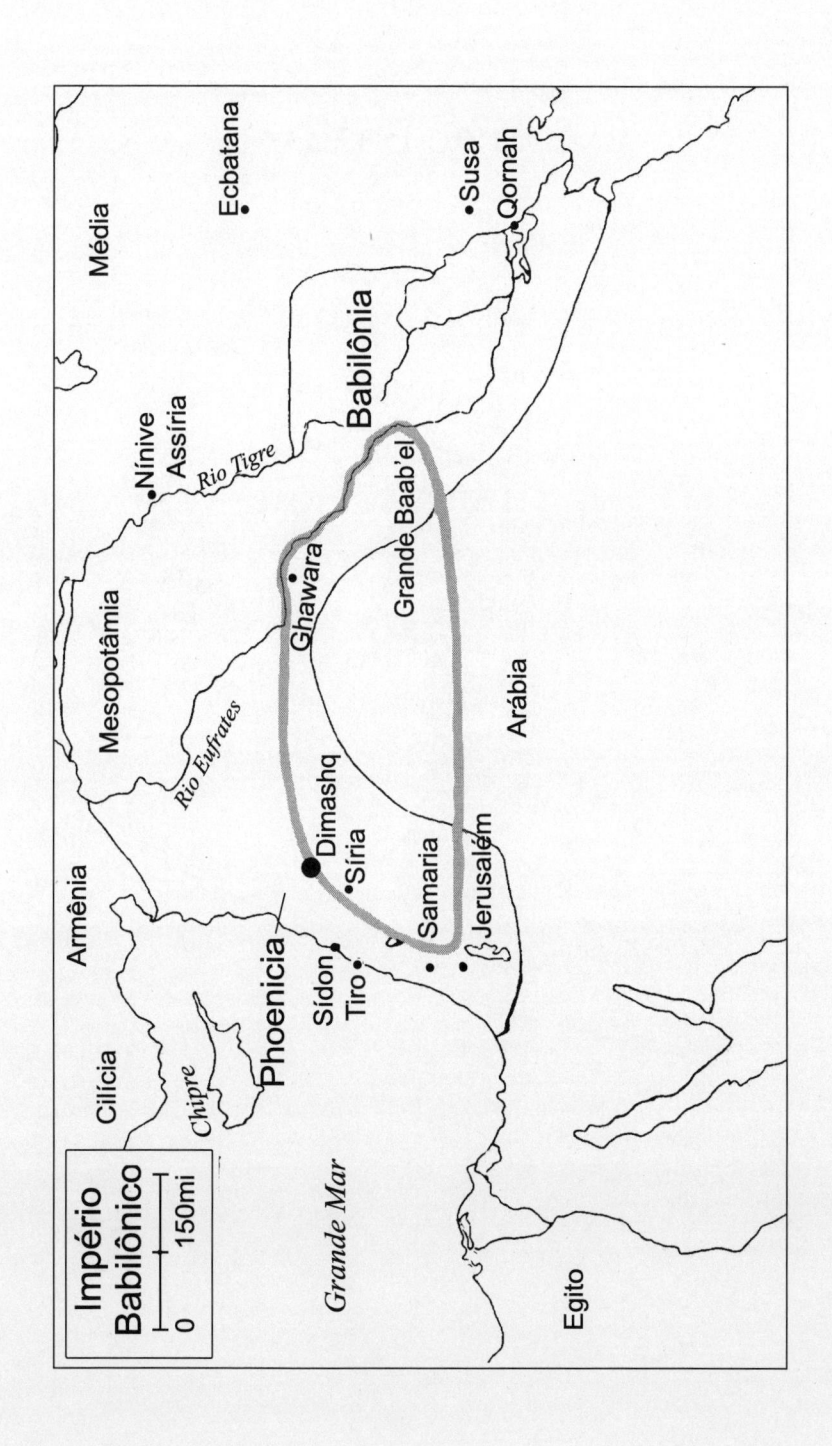

0 — 150mi

- Cilícia
- Chipre
- Armênia
- Mesopotâmia
- Assíria
  - Nínive
- Média
  - Ecbatana
- Babilônia
  - Ghawara
  - Grande Baab'el
- Rio Tigre
- Rio Eufrates
- Phoenicia
  - Sidon
  - Tiro
- Síria
  - Dimashq
- Samaria
- Jerusalém
- Arábia
- Susa
- Qornah
- Grande Mar
- Egito

Grande Baab'el

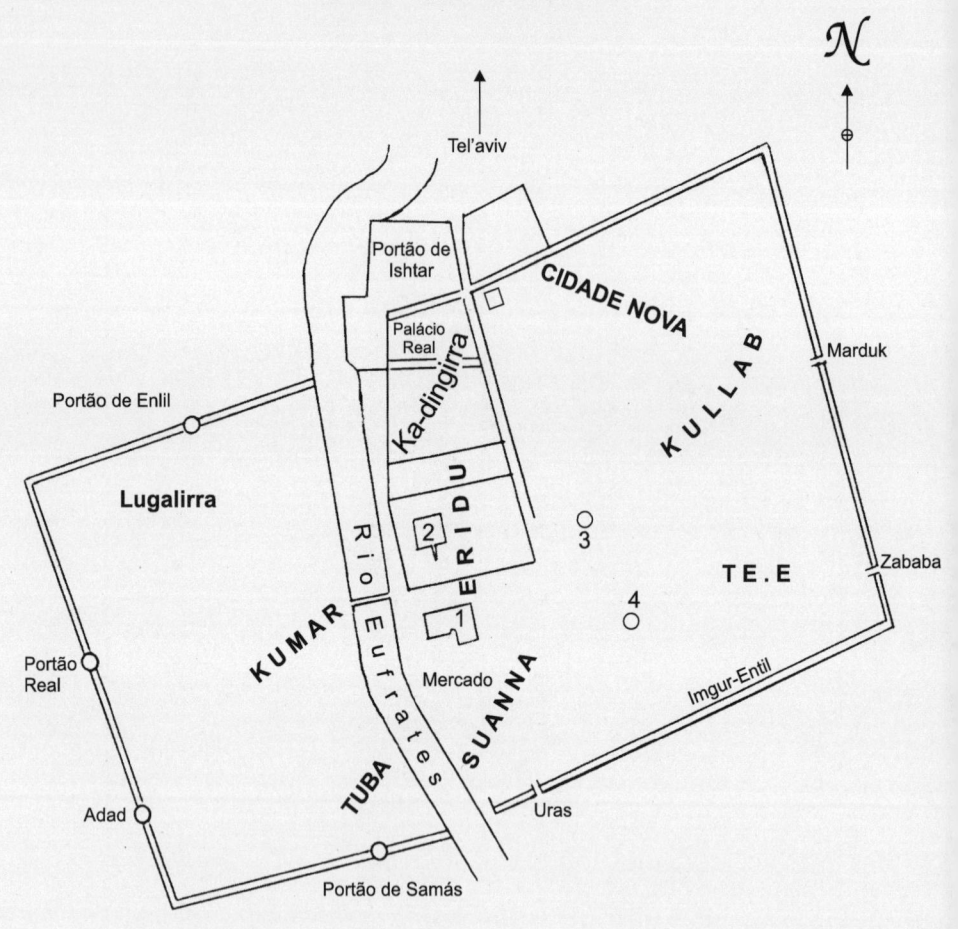

Map labels:
- Tel'aviv
- Portão de Ishtar
- Palácio Real
- Ka-dingirra
- CIDADE NOVA
- KULLAB
- Marduk
- Portão de Enlil
- Lugalirra
- KUMAR
- Rio Eufrates
- ERIDU
- TE.E
- Zababa
- Portão Real
- SUANNA
- Mercado
- Imgur-Entil
- Adad
- TUBA
- Uras
- Portão de Samás

1. Templo de Marduk (Torre de Baab'el)
2. Etementaki
3. Templo de Ishtar
4. Templo de Sin

Prólogo

Nebbuchadrena'zzar atacou Jerusalém pela segunda vez em uma noite escura, vinte anos depois da primeira invasão, e três anos depois de iniciado o cerco. Tudo foi pensado e repensado antes que seus exércitos percorressem com sofreguidão as ruas semidestruídas da capital do reino de Judah, parte de um Israel dividido, enfraquecido e sem nenhum resquício do imenso poder que antes tivera. Era degradante andar por essa cidade de pedra envelhecida, cujo Templo o deus Yahweh um dia habitara. Desde que Ele se fora, a cidade se esvaziara de Sua força, estando agora como uma casca vazia, um animal esventrado, do qual tudo já houvesse sido tirado e nada mais tivesse a dar.

A primeira invasão fora obra da juventude de Nebbuchadrena'zzar, o impulso para a luta que todos os jovens reis demonstram, como forma de exibir poderio e importância aos que os cercam. Os tesouros do Templo tinham sido parte do butim dessa invasão, e agora descansavam na Babilônia, na sala de seu tesouro, recheado de riquezas conquistadas aos judeus, aos egípcios, aos medos, aos persas, aos assírios. Mais do que o ouro e as riquezas, no entanto, o que dormia nessas salas sempre fechadas era a vida e a verdade desses povos, esvaziados dos símbolos de sua essência. O roubo que as guerras propiciam tira mais que a aparente perda material: tira a alma dos povos. E o povo de Judah pagava agora o preço da iniquidade de seu rei Salomão, que quatrocentos anos antes havia impensadamente traído as ordens de Yahweh, queimando incenso no altar de Atargatis.

Essa segunda invasão já era obra do rei maduro e ardiloso em que Nebbuchadrena'zzar se havia transformado depois de vencidos os dinastas assírios, capaz de planejar com grande riqueza de detalhes como finalmente se tornaria amo e senhor absoluto das almas de seus vencidos. Tomar-lhes as riquezas materiais nada representava: suas vontades ainda eram as vontades que Yahweh vinha moldando desde a escravidão nas terras do Faraó do Egito, nos quarenta anos de miséria em pleno deserto, nos posteriores longos séculos de luta, conquista e crescimento.

O que ainda havia nessas almas era o orgulho de ser o Povo Escolhido, e Nebbuchadrena'zzar considerou durante longo tempo as possibilidades reais de dominá-los completamente. Em cada face vinda dessas terras estava o brilho de quem se sabe Filho de Deus, tão mais poderoso que os outros que Se considerava Único. Já haviam sido levados para o cativeiro na Babilônia dez mil exilados, entre os mais e os menos importantes da terra, desde o rei Jachin, sua mãe, suas mulheres e sua corte, assim como todos os homens capazes, os artífices, os ferreiros, os pedreiros.

Uma idéia lampejou em sua mente cruel: ele sabia que, mesmo à distância, vazio de Deus e despido de todas as riquezas que um dia exibira para a maior Glória de Yaweh, o Templo de Jerusalém continuava a ser o ponto para o qual se dirigiam as almas e as orações dos escravos de Judah. Tudo havia sido tentado para que esses escravos deixassem de voltar suas esperanças para sua terra natal: Nebbuchadrena'zzar havia até mesmo inventado um novo rei para Judah, mudando o nome de seu tio, o meio-babilônio Mahanias, para Zedeqias, forçando ao povo que dominava um falso rei, numa nova tentativa de quebrar-lhes o orgulho.

Zedeqias, mesmo sendo meio-babilônio, era sobrinho de Yoachim e filho de uma filha de Jeremias, nascida em Lebna, e Yahweh, cada vez mais irado contra Seu povo, observava atentamente os que o comandavam, de uma maneira ou de outra. O novo rei de Judah, ouvindo as palavras da mãe, que lhe narrava as profecias de Jeremias, seu avô, revoltou-se contra seu sobrinho Nebbuchadrena'zzar, dando-lhe o pretexto de que necessitava para a destruição de Jerusalém. Entre os novos aliados de Zedeqias estava o Faraó do Egito, que temia o poder de Nebbuchadrena'zzar, e necessitava de Judah como tampão entre seu reino e os babilônios. Depois de três anos de sítio, durante os quais a peste e a fome se instalaram cada vez mais profundamente nos corpos enquanto a incerteza sobre o futuro se abatia sobre as almas, Nebbuchadrena'zzar, *livre dos exércitos egípcios que pusera em fuga, finalmente invadiu Jerusalém por uma brecha em suas muralhas.*

Zedeqias pôde ver todos os seus filhos sendo assassinados antes de ter seus olhos perfurados pelos ferros em brasa dos carrascos de Nebbuchadrena'zzar, realizando a profecia que dizia que ele iria à Babilônia mas não a veria. Depois, acorrentado a um Grande número de outros sediciosos, foi levado para a escravidão na grande Baab'el. Mais uma vez, Nebbuchadrena'zzar sabia escolher: entre esses escravos só se encontravam homens de grande valor, pois ele pretendia grandes obras em sua terra, tornando a Babilônia mais poderosa e mais rica. Os mais pobres, os mais fracos, os mais velhos e sem utilidade foram deixados para trás, nessa terra cada dia mais despida de sua força, para que vivessem da melhor maneira possível, orando a seu Deus e esperando que a morte lhes viesse em breve, como uma bênção.

Ainda era pouco: era preciso destruir o objeto no qual se concentravam as energias poderosas desse Yahweh, que mesmo à distância ainda exibia grande poder. A glória da Babilônia exigia que Yahweh fosse desenraizado do centro do mundo: para que o poder dos deuses da Babilônia se erguesse sobre todos os outros, era necessário que os de Judah perdessem definitivamente a seu deus, e para isso urgia arrasar o Templo que Yahweh um dia habitara.

Nebbuchadrena'zzar poderia ter convocado todos os seus soldados, que em um instante rojariam ao chão as paredes do Templo que Salomão erguera: mas isso era pouco. Era preciso que os restos desse templo fossem transformados em fumaça olorosa, que subisse pelos céus para as narinas de Marduq, e que ele e apenas ele pudesse desses restos usufruir, tomando de Yahweh os resíduos do que um dia havia sido Seu. Por isso, convocou seu cozinheiro-chefe, o brilhante Nabbu'zzardan, exigindo dele um banquete divino, que marcasse para sempre a vitória dos deuses da Babilônia sobre o deus de Judah.

Nabbu'zzardan obedeceu fielmente a seu senhor: o Templo de Jerusalém foi posto abaixo, para que cada pedaço de madeira que nele houvesse alimentasse as fogueiras do grande banquete em honra a Marduq e seu protegido Nebbuchadrena'zzar. Assim foi feito, e durante três dias e três noites a fumaça subiu em grandes rolos pelo céu. Feliz com o cumprimento de suas ordens, Nebbuchadrena'zzar deu a Nabbu'zzardan o tí-

tulo de Grande General de seus exércitos. Os escravos que seguiam para a Babilônia, olhando por sobre os ombros caídos, puderam ver esse sinal de sua derrota mesmo estando a grande distância de sua terra natal. E choravam copiosamente, recordando-se de uma outra coluna de fumaça que um dia os tinha protegido da fúria de um Faraó egípcio.

O banquete foi o coroamento da vitória de Marduq e Nebbuchadrena'zzar sobre Yahweh e seu povo: entre os escravos, o velho Jeremias, profeta que antes exortara os de Judah à luta contra o inimigo, agora pedia a todos que se curvassem à vontade de Yahweh, e que em seu cativeiro na Babilônia vivessem em paz e amizade com seus algozes. Era um pedido difícil de ser atendido, mas Jeremias lembrava a todos a promessa de Yahweh: depois de dez semanas de anos de escravidão, o povo escolhido seria de novo senhor de sua terra e de seu destino. Mas para que isso acontecesse era preciso que o Templo, agora destruído, fosse reerguido em toda a sua Glória e Beleza. A promessa de setenta anos de jugo era o preço que Judah pagaria pelos erros de seus filhos, mas a reconstrução do Templo trazia em si a promessa de novos dias de leite e mel, pois Yahweh estaria de volta entre os Seus, habitando a Cidade Santa de Jerusalém, em sua Casa por sobre a Pedra, umbigo do Universo, Fonte de toda a Força, como já o fizera quatrocentos anos antes.

Havia apenas que preservar a Justiça. E para isto havia que existir, como em todos os tempos desde a Criação, Trinta e Seis Homens Justos, sobre os ombros dos quais o Universo estivesse sustentado. Nenhum desses Trinta e Seis Homens Justos chega algum dia a saber que o é, mas cada uma de suas ações, ainda que sem sentido imediato, tem esse objetivo: preservar a Justiça.

Esta é a história de um desses homens.

Capítulo 1

Nunca prestei atenção ao fato de que era escravo, durante minha infância e juventude na Grande Baab'el. Nossa vida em meio a essa imensa cidade de grandes terraços e varandas à beira do Eufrates era vivida sem um segundo de preocupação com o passado ou o futuro. Só o presente importava: poucos viviam para o passado de uma Jerusalém que o tempo se encarregara de desfazer, e meu desinteresse pelo que tínhamos sido era absoluto. Falo em meu nome e em nome dos outros que conheci, por saber que o que andava em suas mentes e almas era o mesmo que andava na minha: a completa inconsciência de nosso próprio valor, numa vida sem anseios nem desejos, a não ser aqueles que vão da mão para a boca, no dia-a-dia de quem vive nas ruas.

Eu e meus companheiros éramos gente da rua. Tínhamos casa e família, mas num mundo em que a vida era cada vez mais vivida do lado de fora das moradias, onde tudo se fazia, indo-se ao interior delas quase que exclusivamente para dormir, não era de admirar que nós, nova geração de babilônios, preferíssemos estar ao relento, cada vez mais longe dos que nos haviam antecedido e mais perto daquilo que acreditávamos ser nosso destino, sem realmente acreditar nele, nesse tempo risonho e franco em que somos todo-poderosos e nem os deuses ou a morte têm coragem de nos enfrentar. Quando jovens, sentimo-nos capazes de tudo, e nada nos pode vencer em combate, seja o Dilúvio ou uma intervenção direta dos próprios deuses.

Era um mundo maravilhoso, a Baab'el de minha juventude: dos grandes terraços à beira dos rios que a cercavam, víamos os canais de todos os tamanhos, larguras e profundidades, pelos quais circulavam sem parar as embarcações dos mais diversos tipos, levando e trazendo as riquezas com que a Natureza nos aquinhoava e as pessoas de todas as raças que nos formavam, entre palácios que se erguiam a alturas inacreditáveis, como diziam os que já haviam viajado pelo resto do mundo. A cidade se apoiava em incontáveis colunas de tijolos cozidos, moldados no rico barro que o Tigre e o Eufrates depositavam no mar, todas de grossura impressionante. Por várias vezes já havíamos tentado, de mãos dadas, abarcar a circunferência de algumas delas, em vão: meu amigo Daruj sempre procurava uma coluna que pudesse ser abraçada por nós, mas mesmo quando conseguíamos juntar tantos meninos quanto os dedos de cinco mãos, a tarefa se mostrava irrealizável. Os tijolos de que eram feitas eram cozidos quase que à beira do mar na cidade de Qornah, que muitos anos antes fora banhada pela água salgada: os dois rios, ao mesmo tempo em que iam se aproximando um do outro, derramavam tal quantidade de lama em sua foz, que empurravam o mar para mais longe, fazendo de Qornah uma cidade mais interiorana a cada dia que passava. Os operários que faziam esses tijolos tinham trabalho duplo: primeiro os moldavam em formas de madeira, sendo seguidos pelos escribas do barro, que traçavam em sua superfície os sinais determinados pelos sacerdotes, para abençoar as peças da construção de seu Império, perpetuando sua história em cada edifício erguido. Depois de secos ao sol, os tijolos eram cozidos em grandes fornos alimentados pela nafta de que o território era quase todo encharcado, e uma vez esfriados eram colocados em formas de tamanho um pouco maior, para que em volta deles fosse moldado um novo tijolo, como uma casca protetora, novamente garatujada pelos escribas e novamente posta a secar e cozer, indo depois ser depositados nas grandes barcaças que os levariam através dos canais a todos os lugares onde fossem necessários.

O grande Império da Babilônia era como esses tijolos, permanentemente dividido entre a aparência e a essência das coisas. Nós, seus habitantes, não importa de onde tivessem vindo nossos pais ou a que deuses eles prestassem homenagens, também éramos como esses tijolos: nosso interior estava oculto por uma casca mais ou menos grossa de hábitos e costumes. Enquanto jovens a casca protetora era fina o bastante para que o que nela se inscrevesse ficasse também marcado em nosso interior, mas com o passar dos anos a casca se endurecia, cristalizando-se em modos e maneiras mais ou menos idênticos, e os de Baab'el nos tornávamos um conjunto de identidade quase infinita, da qual acabávamos por nos orgulhar. A necessidade de destaque individual que os seres humanos possuem era entre nós perfeitamente dispensável, pois a vida em Baab'el era direcionada exclusivamente para o que trouxesse ganho e fortuna, e esse padrão de igualdade se media pela forma como exibíamos os sinais de riqueza que nos igualavam a todos os outros.

Re'hum, nosso companheiro de cara fechada e sobrancelhas cerradas, sempre acompanhado pelo fracote Sam'sai, ouviu dizer que no terraço do mercado, à beira do Eufrates, havia chegado uma enorme partida de braceletes de ônix e lápis-lazúli vindos do Egito. A moda nessa temporada em Babilônia era o uso de incontáveis braceletes, e todos, homens, mulheres, crianças, até mesmo macacos, cães e aves de estimação, os usavam. Aquilo que antes servira para diferenciar os ricos dos pobres tornara-se uma constante para todos, igualando-nos no modo babilônio de ser: até que essa moda ganhasse o descaso dos poderosos, que imediatamente inventariam outra coisa para colocar em seu lugar, destacando-se dos que possuíam menos que eles, nada era mais importante que os braceletes, pois todos, sem exceção, tinham que tê-los, não sendo possível viver sem eles.

Re'hum era ousado, e nos propôs:

— Vamos, amigos! Quem somos nós para dispensar um momento como este, em que nosso coração baterá mais forte, em que o sangue correrá mais depressa em nossas veias, em que nossa vida estará um pouco mais próxima à dos deuses que olham para nós?

Sam'sai, fraco e agitado, pulou em nossa frente como um alucinado:

— É a oportunidade de fazer com que os deuses invejem a nós, simples mortais! O que nos custa gastar nossa manhã em uma expedição ao cais, onde conseguiremos pelo menos alguns braceletes para nosso próprio uso? Pelo menos para nosso uso... — adicionou, com um ar de grande cinismo, que nos fez rir despregadamente. — É preciso dizer mais?

Pronto, estávamos convencidos: seria uma deliciosa aventura, com a qual nos faríamos um pouco mais homens, como era nosso projeto desde que nos uníramos pela primeira vez. Era comum entre nós essa união em torno de alguma coisa inesperada, alguma aventura perigosa que nos desse a sensação de sermos todo-poderosos, na medida de nossa arrogância juvenil.

Yeoshua, meu companheiro de bairro, com seus cabelos encaracolados, sempre tremia mais que todos nós quando uma aventura dessas se aproximava. No seu caso, era apenas medo, e ele aprendera a confessá-lo sem hesitar. Nós, ao contrário, só dizíamos "Vamos!, e o tremor de nossas mãos, lábios e pernas era o da excitação ante o perigo, como da primeira vez em que nos juntáramos numa dessas excursões, para nos apoderarmos do que não nos pertencia. Essa sensação de poder sobre o futuro era o que buscávamos, mas cada vez que a alcançávamos ela se desfazia tão rapidamente que imediatamente procurávamos outra maneira de renová-la. Nosso grupo, exatamente igual a tantos outros grupos de jovens aventureiros que faziam das ruas da Grande Baab'el o seu território de lutas e diversões, era de tamanho variável, com um núcleo que nunca mudava: além de mim e de Yeoshua, vindos do bairro dos alfaiates, o bairro onde moravam e trabalhavam quase todos os que tinham famílias nascidas em Judah, também incluía: o mal-encarado Re'hum e seu duplo-oposto invariável, Sam'sai, ambos do bairro dos tintureiros, onde todos tinham vindo da Samaria; Mitridates, um também jovem samaritano cuja família vinda de Soqo chegara havia pouco tempo à Grande Baab'el, cheio de talento para contas e valores; e o filho do mais importante tapeceiro persa da cidade, o ousado Daruj, nosso estrategista, general, lutador principal, nossa garantia de sucesso caso alguma coisa corresse mal.

O medo de Yeoshua, por incrível que pareça, era o que nos impulsionava para coisas cada vez mais ousadas, das quais sempre ríamos muito, depois que o perigo passava. Combinamos para a madrugada do dia seguinte o Grande Castigo aos Egípcios, como meu vizinho Yeoshua havia denominado nossa aventura, e voltamos para nossas casas, ao norte da grande cidade, às margens do canal denominado Che'bar, limite final de nosso bairro, chamado de *tel'aviv* pelos de Judah que lá viviam. A noite já caía sobre a cidade de Marduq, deus de Baab'el, o maior de todos os deuses da Babilônia. Nossos passos, antes tão ágeis e determinados, começaram a se tornar hesitantes, indecisos, fracos e arrastados. Qualquer um perceberia perto de que casa estávamos chegando, já que seu morador entrava em mutismo quase absoluto, deixando-se ficar para trás até desaparecer pela porta da casa de sua família. Era sempre assim, e eu hoje compreendo que, por mais diferentes que fôssemos, nos unia a sensação de que em nossas casas não havia quem nos amasse ou nos compreendesse.

Eu e Yeoshua morávamos perto um do outro, no bairro dos alfaiates, e quando Daruj começou a arrastar seus pés, deixando gradativamente de falar conosco quase no limite entre nosso bairro e a rua onde vivia com seus pais, eu e Yeoshua percebemos que o pedaço mais desinteressante de nossa vida estava por começar. As estrelas no céu, os cheiros das comidas preparadas nas casas, as conversas, risos e imprecações que tomavam o ar marcavam a travessia dessa fronteira entre a deliciosa vida agitada da maior cidade do mundo e a entediante vida familiar que se aproximava a cada segundo. Eu não gostava disso, portanto afivelei em minha face a máscara do tédio absoluto, única defesa contra o que minha família significava e que eu chegava quase a abominar. Tudo o que me fazia feliz estava fora de casa: dentro dela, eu só encontrava os sinais de uma vida sem sentido, na nostalgia de um lugar que já não existia. Os momentos em que minha família chorava por uma Sião sem existência real só conseguiam me entediar, e por isso arrastei meus pés o mais lentamente que pude, cruzando o limiar dos dois mundos. Quando percebi, já estava dentro da casa onde me sentia o mais infeliz dos moradores.

Era o *Shabbath*, aquelas horas sagradas entre dois pores-de-sol durante as quais nada se fazia, nada se comia, nada se realizava, imitando um deus que fizera o mundo em seis dias e descansara no sétimo. Sobre a mesa estavam acesas as lamparinas de azeite, e meu pai, a cabeça coberta por seu manto, balbuciava suas infindáveis orações. Em volta dele, minhas irmãs, meu irmão Shimei e minha mãe, ungidamente contritos, ocultavam suas faces nas mãos, balbuciando a oração que eu já não suportava mais ouvir:

— Oh, Yahweh, junto aos rios da Babilônia, nos assentamos e choramos, lembrando-nos de Sião....

Minha família se entregava às emoções das lembranças que lhes davam a certeza de outra vida, outro mundo, enquanto a mim só interessava o mundo presente, a rica Baab'el de minhas aventuras. Olhos fechados, braços caídos ao longo do corpo, eu sequer fingia prestar atenção aos resmungos de meu pai: minha mente estava verdadeiramente longe de tudo, esperando ardentemente que se satisfizessem com o que eu lhes podia dar, minha presença e minha passividade.

Quando as orações terminaram, meu pai me olhou com a sisudez que lhe era peculiar, sem proferir uma palavra sequer. Por motivos que nunca pude vir a perceber, eu fora criado no silêncio quase absoluto, na exigência extremada, na obediência mais estrita. Meu pai nunca me estendera a bênção de sua mão carinhosa ou de sua palavra doce, como eu o via fazer com minhas irmãs e meu irmão mais novo. Eu acabara aprendendo a ler em seu olhar sempre frio as coisas que ele me pretendia fazer saber, as admoestações, o constante desagrado, os cada vez mais raros elogios. Um abismo se cavara entre nós, e eu considerava meu pai o responsável por ele, não entendendo o que pretendia de mim, nem percebendo o quanto eu mesmo colaborava na erosão do terreno fértil entre nós. Não havia a menor possibilidade de uma ponte que nos unisse: meu pai só atirava cordas em direção ao passado, enquanto eu firmava minha vida cada vez mais no futuro. O tempo, hoje sei, não existe: mas eram as duas pontas opostas dessa coisa não existente o que nos afastava um do outro. Enquanto minhas irmãs e irmão se colocavam em volta dele para ouvir as histórias de um povo outrora grande, eu esperava apenas que me esquecessem, ansiando mais uma vez fugir para a grande cidade que nos cercava, pois a casa de minha família era o único lugar da terra onde eu era completamente infeliz.

Meu pai, Salatiel, era *rosh'ha'golah* dos judeus que moravam na Grande Baab'el, capital do Império da Babilônia: sendo um dos mais velhos entre os poucos que haviam sobrevivido aos massacres de Nebbuchadrena'zzar e de seus sucessores no comando desse império, tinha toda a comunidade de Judah reunida à sua volta. Os homens, as mulheres, as crianças, e principalmente os velhos, estavam sempre esperando de meu pai a palavra profética que lhes garantisse num futuro muito próximo o retorno à terra que Yahweh nos dera, onde viveriam para sempre em comunhão com Ele. Cabia a meu pai manter viva a tênue chama de esperança da volta a Sião. Não havia nada que me interessasse menos que isso: por que ansiar pelo que não existe, quando a Bela e Grande Baab'el ali estava, a meu alcance, e tudo o que eu precisava fazer era estender o braço e apanhar o que desejava? A língua falada nesses momentos também me agastava profundamente: eu não era um desses de Judah, eu não queria ser um desses de Judah, eu nunca seria um desses de Judah. Por mais que os sons fossem familiares, por tê-la ouvido durante toda a minha infância, o que a Babilônia me ensinara quando eu caíra em suas ruas pela primeira vez era mais do que a língua de um povo: era o meu prazer. Eu preferia indubitavelmente falar a língua franca do brilhante povo de Baab'el, dono da imensa torre que um dia tocara os céus, e que se podia ver de qualquer ponto da cidade. Um povo que ergue uma torre que toca os céus é muito mais interessante que um povo que pretende apenas tocar uma terra morta, falando uma língua também morta que eu cada vez esquecia mais.

Meu pai contava mais uma de suas intermináveis histórias sobre Yahweh e Moisés nas terras do Faraó. Era insuportável: lendas sem sentido, inventadas por alguém de grande e fértil imaginação, que com elas tentava explicar não só a nossa grandeza em face da adversidade, como também nossa pequenez diante de um deus que nos impusera sermos o foco de toda a Sua atenção. Minhas irmãs e irmão, de idades diversas, ouviam atentamente suas palavras, e eu só desejava que ele se calasse. Meu pai, no entanto, nunca se calava, até que tivesse enchido nossa cabeça com tudo o que queria, e sempre em excesso:

— Moisés estava apascentando o rebanho de seu sogro Jeter, e indo atrás das ovelhas acabou por subir o monte Horeb muito acima de qualquer lugar que já conhecesse. Entre as pedras, num campo de areia branca, estava um arbusto em chamas. Era um fogo que ele nunca havia visto, pois ardia sem queimar, e o arbusto mantinha suas folhas verdes em meio às labaredas. Era Yahweh que aparecia a ele dessa forma, já que nenhum homem pode vê-Lo como realmente é e continuar vivo.

Recordo vivamente da figura de meu pai, com a cabeça coberta, os olhos semicerrados, entoando a história sem sentido que não me interessava em absoluto. A visão de seu rosto enevoado por lembranças de outros tempos está até hoje gravada indelevelmente em minha memória:

— E Yahweh disse a Moisés: "Eu vi a miséria de meu povo que está no Egito, ouvi seu clamor por causa de seus opressores, pois Eu conheço as suas angústias. Por isso, desci ao mundo que criei a fim de libertá-lo da mão do Faraó. Vai, pois, que eu te enviarei ao Faraó, para libertar meu povo, os filhos de Israel." E Moisés disse: "Mas, Senhor, quem sou eu para ir ao Faraó e libertar os filhos de Israel?"

Alguma coisa nessa história não soava bem: por que esse deus daria uma missão tão importante a um simples pastor de ovelhas? Meu irmão e irmãs bebiam as palavras de meu pai com verdadeira fascinação, enquanto eu, oculto nas sombras do aposento, tentava compreender o que tornava essas tolices matéria de tanto interesse. Um muxoxo escapou de meus lábios, e meu pai, erguendo quase que sem sentir os seus olhos baços pela idade, adivinhou-me dentro da sala, minha cabeça mal coberta, meus cabelos cacheados, as roupas que tentavam imitar as dos grandes senhores de Baab'el, sandálias sujas da poeira avermelhada das ruas que eram meu território. Por que me fazia sentir como se eu fosse o inimigo, o traidor, o não-judeu, com seu olhar recriminador? Sua voz continuou contando a história, como que dirigida exclusivamente a mim:

— Moisés então perguntou a Yahweh: "Mas quando eu for ao povo de Israel e lhes disser que o Deus de nossos pais me enviou, hão de me perguntar qual é o nome desse Deus. O que lhes responderei?" E Yahweh disse a Moisés: "Eu Sou Aquele que Eu Sou."

Não pude deixar de rir: que resposta mais sem sentido a desse deus estúpido! O olhar de meu pai me alcançou através da sala com a força de um relâmpago, e eu tive que enfrentá-lo, com o queixo erguido e o peito estufado, como um garnisé que desafiasse o galo mais velho em uma capoeira, pelo direito de senhorio. Por sorte, minha irmã Abisag, sem notar o conflito que se avizinhava, perguntou, com voz clara:

— Pai, por que Yahweh não pode aparecer como é?

Meu pai, sem desviar os olhos de mim, respondeu:

— A visão de Yahweh está acima da capacidade dos homens: nada que é vivo pode vê-Lo e continuar vivo. Como a mente das criaturas pode pensar em compreender Aquele que não tem nem princípio nem fim?

Eu ri alto: um deus que diz ser sem dizer o que é já me parecia estranho, quanto mais um que alega não ter nem princípio nem fim! Tudo no mundo tem princípio e fim, e deuses assim tão diferentes de suas criaturas não podiam mesmo conseguir mais que a destruição de sua obra. Era certamente por isso que o deus de meu pai agora era apenas o deus de um povo vencido, do qual eu me recusava a ser parte, pelo menos enquanto Marduq permanecesse sólido no alto da grande torre de Baab'el.

Salatiel, meu pai, ergueu-se de seu assento com fogo no olhar. Durante um instante pareceu crescer, e se avolumou sobre mim, mesmo sendo apenas um velho com um palmo a menos de altura que eu, violentamente movido por sua crença sem sentido num deus inútil. Ergueu suas mãos para o céu, gritando:

— Ó, Senhor meu Deus!

Era o que ele sempre fazia: a isso se seguiria uma peroração sem objetivo definido, incluindo uma praga que mais dia menos dia cairia sobre a cabeça do iníquo que era eu. Nada me cansava mais que a repetição exaustiva dessas tolices, e abri minha boca num bocejo imenso.

Meu movimento foi interrompido pela rápida mão de meu pai, que me esbofeteou em plena face com toda a força de que ainda era capaz. Ninguém na sala moveu um músculo, paralisados todos por seu inesperado gesto. Eu, atônito, fixei meu olhar em sua face encanecida, enquanto um movimento de ódio sem tamanho subiu de meu coração até minha garganta, escapando por entre meus lábios como um grito animal. Naquele momento, éramos dois homens que se enfrentavam, não pai e filho: o berro que dei fez tremer a todos, menos a ele. Olhos nos olhos, sua mão ainda erguida no resquício do gesto que me havia ferido a face que ardia, minha boca aberta no final do fôlego que eu expelira sem pensar, estávamos transformados em pedra, estátuas vivas feitas de incompreensão e desafio.

O impasse se resolveu pelo choro de Shimei, meu irmão mais novo, assustado com o que nunca havia visto. Meu pai abaixou a cabeça, derrotado: o chefe dos judeus da Babilônia, *rosh-ha-golah* de todo um povo, havia esbofeteado seu primogênito. Com as lágrimas a querer irromper de meus olhos, mordendo a língua e travando os lábios para que o choro não me enfraquecesse frente a meu mais terrível inimigo, recuei em afrontoso silêncio, sem tirar meus olhos dele, até sentir contra minhas costas a madeira da porta da rua. Virei-me para abri-la, e ouvi às minhas costas a voz agora trêmula de meu pai:

— Se saíres por essa porta em pleno *shabbath* sem minha ordem....

Não ouvi o resto: abri a porta, única reação que podia me dar ao luxo de ter sem que minhas faces molhadas revelassem o turbilhão de emoções que me afogava a alma, e mergulhei desgovernadamente nas ruas, único lugar onde a alma ansiosa que habitava dentro de mim podia se esquecer de onde eu vinha e o que me acontecera. Antes que meu pai dissesse que eu não era mais seu filho e que estava morto, antes que rasgasse as vestes como tantas vezes eu o vira fazer por esse ou aquele que tivesse rejeitado entre seus seguidores, eu abria mão dele. Nada do que ele queria dar me interessava, nada do que ele tinha a dizer encontrava eco em minha vida. Eu me libertava. Não entendia o porquê do choro que me encharcava a ponta do manto cada vez que eu o passava pelas faces. Pois se estava livre, e agora era meu próprio dono, e o mundo grandioso da Grande Baab'el era inteiramente meu!!

Se soubesse nesse dia aquilo que me aguardava neste mundo, talvez tivesse recuado para a casa de meu pai, nela me abrigando para todo o sempre. Mas eu precisava seguir o caminho que se me apresentava: completei o gesto e fechei atrás de mim a porta dessa casa, onde agora meu corpo não habitava mais, ouvindo os gemidos de desespero dos que haviam ficado dentro dela. Nesse exato momento, como que por magia, o mundo de Judah desapareceu de dentro de mim: costumes, histórias, a própria língua escorreram para dentro de um buraco negro sem fundo, repentinamente se apagando como se nunca houvessem existido.

Andei algumas braças saboreando o fato de estar finalmente livre do jugo de meu pai, sabendo que ele estava rasgando as roupas que trazia, confirmando minha morte entre os de Judah, a quem eu desejava nunca ter pertencido. Os sons e cheiros do centro de Baab'el, onde ficavam os palácios dos grandes, à distância desse *tel'aviv* onde morávamos, me atraía como o mel às abelhas, e eu, respirando profundamente a minha primeira noite de liberdade absoluta, parei num beco ao lado da casa dos pais de Yeoshua. Assoviei a primeira frase da canção que sempre cantávamos antes de nossas aventuras, nosso código de chamada e reconhecimento. Meu amigo, com a cara estremunhada, debruçou-se sobre o muro do terraço, onde dormia ao ar livre sob o dossel de pano grosso. Apertando os olhos, Yeoshua finalmente me reconheceu e, entre a bruma do sono que o assomava mais que a qualquer um de nós, arrastou-se pelas paredes abaixo, vindo a bater os pés no chão perto de mim.

RECONSTRUINDO O TEMPLO

Sendo íntimos, nem nos saudamos. Por estar sempre juntos, falávamos uma língua silenciosa, feita mais de olhares e resmungos que de palavras, e nos entendíamos bem. Na verdade, Yeoshua me entendia bem melhor que eu a ele: pequeno, olhos muito escuros e cabelos encaracolados, sempre revoltos e grudados na fronte pelo suor que lhe escorria das faces e perlava de gotas seu nariz redondo e sardento, ele tinha a capacidade inata de perceber com antecipação o que estava por acontecer. Não foram poucas as vezes em que nossas aventuras, marcadas para o fracasso por nossa própria inexperiência, sofreram uma reviravolta positiva graças a algum aviso que Yeoshua nos dera. O medo que ele sentia de todas as coisas se somava à sua capacidade de prever o resultado delas, sendo o resultado disso a mais sábia das premonições, com que ele nos brindava nos momentos certos, tornando-o companheiro perfeito para o sucesso de tudo o que fazíamos. Eu era um palmo maior que ele, e nessa época meu lábio superior e minhas faces morenas já exibiam os primeiros sinais da cerrada barba negra que se tornaria minha mais forte característica física. Passei o braço sobre o ombro de Yeoshua, quase o esprememdo:

— Acorda, cãozinho! Por que perder tempo dormindo, quando as ruas de Baab'el nos aguardam, para nos brindar com tesouros? Dormir é perda de tempo: deixemos para dormir depois de velhos, quando finalmente estivermos gastando a fortuna que hoje amealhamos!

— Se sobrevivermos, se amealharmos, se nos permitirem aproveitar essa fortuna ilusória em que só tu e o mal-humorado Re'hum acreditam. — disse Yeoshua, entre um bocejo e outro. — Nunca conseguimos mais do que o estritamente necessário para a mesma noite, e olhe lá! No dia seguinte nada resta, fazendo-nos precisar de mais uma aventura...nesse passo, nunca ficaremos ricos...

— Ficaremos! Não existe em toda Baab'el grupo mais valoroso que o nosso!

Yeoshua, andando a meu lado, coçando a cabeça e o peito com as pontas dos dedos, soltou uma grande risada:

— Não exageremos, por caridade! Qualquer ladrãozinho manco do porto, com apenas uma das mãos e de olhos fechados, é capaz de mais ganhos que todos nós juntos! Não consigo suportar vaidade sem fundamento. Não somos nada, amigo. Somos apenas o rebotalho da escória do que foi rejeitado pela cidade! Meninos do bairro errado tentando ser o que não podemos ser!

Foi minha a vez de desmanchar mais ainda seus cabelos:

— Pequeno cabrito, se não fosses tão medroso, juro que te dava uma coça! Mas és bem capaz de começar a gritar e acordar toda Baab'el com teus gritos! Não crês em nosso poder?

— Poder? — Yeoshua, agora plenamente acordado, gargalhou alto, acordando em algum lugar um cão, que acordou outro um pouco mais longe, e mais outro ainda além. — Olha este vasto mundo do qual a grande Baab'el é apenas uma parte, e cujo teto abriga incontáveis estrelas. Que poder é o nosso perto do poder que tem Aquele que criou tudo isso?

Yeoshua de vez em quando se tornava uma cópia em ponto pequeno de meu pai. A súbita lembrança de Salatiel me fez apertar o cenho, apagando o bom humor que eu vinha mostrando até então. Meu amigo percebeu e me perguntou o que acontecera. Contei-lhe então o mais rapidamente possível o que tinha se passado, e Yeoshua fechou os olhos e sacudiu a cabeça, preocupado:

— Um pai erguer a mão para um primogênito é quase tão grave quanto um primogênito erguer a mão para um pai. Mas a verdade é que, sendo teu pai, ele tem alguns direitos sobre ti.

— Nunca! — esbravejei. — Os velhos e estúpidos hábitos da terra de Judah não valem nada! Somos de Baab'el! Somos os senhores do mundo! Vivemos de hoje em diante e sempre para a frente! O futuro é o único objetivo possível, já que o passado simplesmente passou!

— Não é bem assim, meu amigo! O passado nunca se vai! Nada que os homens fazem em seu tempo sobre a terra, nenhuma verdade ou mentira, nenhuma maldade ou bondade alguma vez se apaga. Continua tudo aqui, entre nós, por menos que possamos perceber, e vive e trabalha através de tantas mudanças nas vidas de todos nós e nossos futuros!

— O passado é um sepulcro, Yeoshua!

— Não! O passado é o campo onde estamos plantados para viver e crescer! Eu não quero saber de nenhum futuro que quebre os laços com o passado! Não te enganes, meu amigo: por mais que queiras acreditar nisso, não somos senhores de nada, nem mesmo de nossas próprias vidas!

RECONSTRUINDO O TEMPLO

Minha gargalhada de escárnio pela exagerada frase de Yeoshua escondia minha tristeza: como tantas vezes antes, eu estivera pronto a jurar que nunca mais cruzaria a soleira da casa paterna, e como tantas vezes antes, a saudade da vida que lá se vivia ganhava cores agradáveis em minha memória e coração. Quando Yeoshua dissera que não queria saber de nada que quebrasse os laços com o passado, imediatamente comecei a me recordar dos raros bons momentos, e meu coração quase amoleceu. Quase, porque meu recuo não chegou a se concretizar: as ruas da Grande Baab'el à nossa frente desviaram minha alma do caminho de retorno, e eu segui em frente arrastando Yeoshua pela mão. Na Grande Baab'el, eu sabia, estava meu futuro, que não dependia de nada que o passado tentasse enfiar à força em minha vida.

Centro do mundo, pólo de poder, fonte de riquezas e prazeres para quem dela fosse habitante, Baab'el ocupava as duas margens do Eufrates, duplicando-se na direção do poente da mesma forma que a antiga e bela Nínive dos Dinastas assírios um dia se espelhara em ambas as margens do Tigre. A luz da lua cheia que boiava no céu era ofuscada pelas inúmeras luzes que brilhavam dentro das casas, palácios, hospedarias e tabernas de que a margem do Eufrates era coalhada, por cima das pontes que atravessavam esse rio, caminho preferencial de nossa vida: um enorme e constante movimento de homens, animais e cargas passava sem cessar de uma margem a outra, fornecendo aos palácios tudo aquilo de que necessitassem. De dentro dessas construções saíam risos e odores de lautos banquetes, e a música que cada um desses lugares produzia, feita de pedaços de todas as músicas do mundo conhecido, era a mais linda cacofonia de todas. Nada mais belo e fascinante, contudo, que as pessoas dessa terra maravilhosa, cada uma indiscutível símbolo do grande Império Babilônio. Eu me sentia parte dessa mistura infinitamente diversa e igual que sempre preenche os espaços dos grandes impérios, me achando tão parecido com nossos senhores babilônios, que, ao lado deles, ninguém saberia dizer verdadeiramente quem eu era. Como eu, havia egípcios, medos, persas, povos de Judah, da Samaria, da antiga Assíria, fenícios com a cor do sol e do sal em suas faces crestadas, os desconfiados romanos e seus eternos desafetos da Etrúria, os gregos de todas as ilhas exiguamente vestidos, e todos sempre acompanhados de suas fêmeas, cada uma delas a perfeita concretização de um sonho oculto, e todos sempre tão ocupados, e com tantas tarefas a cumprir para seu próprio deleite, que se podia dizer, sem medo de errar, ser a Grande Baab'el uma cidade que não conhecia o sono. Hoje percebo que éramos, sem exceção de um só, escravos dos babilônios: mas minha vontade só desejava essa deliciosa escravidão ao prazer sob todas as formas, de que a Grande Baab'el era prenhe.

A rua que descemos dava na beira do grande rio, murado de forma monumental pelas gerações e gerações de reis que haviam decidido fazer de Baab'el o maior e mais inexpugnável de todos os lugares. A muralha interna, de tijolos feitos do barro tirado pela abertura do grande canal, tinha sua parte superior algumas braças acima da externa, da qual qualquer um podia admirar a grandiosidade das obras que se repetiam por sobre as duas margens do rio, iluminadas aqui e ali por archotes feitos do betume que se aglutinava em grandes coalhos nas margens do Is, riqueza da cidade do mesmo nome, a oito dias de viagem da Grande Baab'el. Esse mesmo betume tinha sido usado como cimento entre as fileiras de tijolos das muralhas, grudando-os de tal forma que não havia maneira de separá-los uns dos outros, especialmente porque, numa variação da técnica egípcia de construção, a cada treze fileiras uma rede de caniços entretecidos reforçava a estrutura, tornando-a obra eterna. Pontes de madeira endurecida pelos vapores do betume e apoiadas em grossas colunas de tijolos de cada lado ligavam a muralha interna à externa, sempre coalhada de soldados do Império, que a percorriam de ponta a ponta, normalmente a pé, mas de vez em quando em grandes carros de guerra puxados por oito cavalos ágeis, disparando aparentemente sem destino pela estrada calçada que ficava no alto desse paredão, com o ruído de um trovão.

Foi na ponte pela qual passamos que vimos uma figura conhecida, sentada com o queixo entre as mãos, os cotovelos apoiados nos joelhos, olhando sem piscar as manobras dos soldados e dos cavalos, que faziam curvas inacreditáveis nos espaços em que a muralha se alargava em meio às casas de guarda, retomando sua corrida na direção contrária sem diminuir a velocidade. Daruj, filho do tapeceiro persa, estava como sempre apenas interessado em tudo que fosse a vida militar, e era capaz de esquecer-se de comer, beber e até mesmo respirar para não perder algo que lhe atraísse a atenção entre a azáfama da soldadesca. Nessa noite de ansiedade pela aventura da manhã seguinte, também ele não conseguira conciliar o sono, e ali estava, perdido em seus jovens sonhos de conquista, que acreditava poder realizar apenas com a força de seu braço ágil.

O pulo que demos à sua frente, gritando, quase o derrubou da amurada, mas quando nos reconheceu abriu um largo sorriso:

— Aventureiros! Já a postos para a batalha de hoje? Eu não consegui dormir. Vim aqui observar o movimento dos barcos no rio, e esperar que o sol nasça para vigiar ainda melhor o porto onde faremos o ganho deste dia. Se Re'hum crê que eu sou capaz de deixar a estratégia de nossa aventura para a última hora, está bastante equivocado. A vigilância insone e constante é sempre a melhor garantia. Um soldado como eu sabe disso.

Eu e Yeoshua, com o cinismo que se nos tornara natural, encarapitamo-nos um de cada lado de Daruj, cujos olhos brilhavam. Nossa cara estava séria, mas o olhar que nos demos mutuamente significava que Daruj mais uma vez se arrependeria de cada palavra que acabara de proferir.

— Ora, um soldado! — escarneceu Yeoshua. — Apenas uma ferramenta sem corte nas mãos de um general ambicioso! O general manda, o soldado obedece, e nunca pergunta por quê.

— Se perguntasse — adicionei eu, com um fingido esgar de desprezo na boca —, veria que nem ele sabe por que obedece nem o general sabe por que manda...

Daruj foi ficando furioso, seus olhos à luz bruxuleante dos archotes tomando a aparência dos de um réptil perigoso. Mas nossa súbita risada o desarmou: era assim que sempre fazíamos, e ele era a eterna vítima de nossas críticas à sua paixão incontrolável. Admirávamos a capacidade de amar a vida de soldado que ele tinha, e sabíamos que esse amor era verdadeiro. Daruj bufou comicamente para cada um de nós, dizendo:

— Quanto ao soldado, tendes razão: é apenas uma ferramenta, criado por ignorância ou pobreza ou vaidade, ou as três coisas juntas. Pensais que eu desejo ser apenas um desses, que vivem a vida entre ordens e contra-ordens, batalhas e curativos, vida e morte? Não: o que me encanta é saber que todos esses homens que vemos aí embaixo, executando com tanta precisão as suas manobras, são apenas a realização dos desejos de um general, de um comandante, de um rei. Quem obedece sabe apenas que deve obedecer: mas quem manda sabe perfeitamente o quê e por que está mandando. Para isso, é preciso conhecer a fundo a alma dos soldados, para que a ordem mais absurda seja aceita e obedecida sem hesitação. Eu sonho ser um deles, exclusivamente para um dia poder ser mais que eles.

Nossa gargalhada chamou a atenção de uma sentinela que espreitava o espaço entre as duas muralhas abaixo de nós e que, assustada com nossa súbita alaúza, só pôde gritar e brandir sua lança, batendo-a com estrépito no peitoral de metal que lhe cobria o torso. Ainda rindo, mas com a pressa que um susto sempre causa, descemos o mais rapidamente possível pelas colunas de tijolos, colocando os pés nos espaços que incontáveis outros pés haviam cavado em forma de escada na sua superfície, baixando vertiginosamente para o espaço escuro que ficava entre as duas muralhas, no qual tínhamos o hábito de nos ocultar, já que nem mesmo o mais claro dia de sol conseguia dissipar as sombras que ali vicejavam.

Nesse lugar à margem da margem, entre dois mundos de valores tão diversos, estávamos na verdade em uma paupérrima imitação da Grande Baab'el que nos circundava. Ali estavam os fundos das casas que tinham sido construídas à beira do Eufrates, nas quais os mais ricos e poderosos entre os poderosos e ricos de Baab'el habitavam: pelas portas de madeira e bronze, entre montes de lixo apodrecido, escapavam os sons de suas diversões. Entre esses espaços nos alicerces da muralha interna de Baab'el se haviam criado cópias empobrecidas de tudo que os poderosos da grande cidade haviam erguido, e era nessas imitações baratas da riqueza da Babilônia que eu e meus amigos, crentes no prazer absoluto, nos confraternizávamos, usufruindo dos restos de que os poderosos abriam mão, em seu infinito desperdício. Repetíamos seus gestos, seus hábitos, suas diversões, tudo deformado pela ótica da pobreza que nos cercava e na qual nos mantínhamos equilibrados, achando estar perto do poder pela imitação, sem perceber que quanto mais perfeita ela fosse, mais afastada dele nos manteria. Iguais a toda gente pobre que não sabe o quanto é pobre, imitávamos sempre e da pior maneira possível os hábitos dos que nos subjugavam, encontrando nisso um prazer que hoje não sei descrever, mas que era tão real e verdadeiro quanto as trevas em que nos movíamos.

Capítulo 2

A lama da beira do Eufrates, endurecida pelo uso constante e pelas incontáveis fundações de tijolos erguidas umas sobre as outras a cada rei que reconstruíra Baab'el em maior magnificência, era o chão desse beco entre muralhas. Aí onde nenhuma réstia de sol batia, a umidade pantanosa da terra se entranhava fedorentamente em tudo, no espaço entre as duas muralhas de Baab'el. Era o mais forte dos perfumes, se é que assim posso chamar o odor do qual nunca me esquecerei, ainda que viva mil anos: a ele se juntavam o do lixo e dos dejetos humanos, das comidas em decomposição, tudo isso ligado pelo inesquecível cheiro da pobreza, marca absoluta do território onde nos movíamos, acreditando-nos livres por aí estar.

Chegamos à porta da Taberna do Boi Gordo, mal e mal iluminada por duas lâmpadas de azeite barato, presas em buracos das paredes. Lá dentro, falsamente protegida pela escuridão, fervia a ralé de Baab'el, com a qual nos misturávamos todas as noites em busca da felicidade, sem perceber que isso era o que ali menos havia. Os freqüentadores eram o que a cidade tinha de pior: como os ricos, a quem sempre tencionavam imitar, também se organizavam de forma hierárquica, obtendo grande satisfação nesse arremedo de aristocracia. No fundo, onde o chão se erguia formando alguns degraus, algumas dessas pessoas se espalhavam em velhos assentos jogados ao lixo pelos donos originais, e que mesmo cambaios serviam de descanso e mesa de comer. A seus pés se espalhavam, derramando-se pelos degraus, aqueles que os acolitavam e adulavam em busca de comida e bebida, como cães mantidos em estado de permanente inanição.

RECONSTRUINDO O TEMPLO

A dona da taberna, mulher como todas as *siduris* que comandavam as tabernas da Grande Baab'el, era quase um boi de tão gorda, à frente de uma gigantesca estátua babilônia construída com os próprios tijolos da parede onde estava: seu corpo sobre o sofá era quase tão grande quanto o corpo da estátua, representada lateralmente, com pernas de touro, corpo e rabo de leão, asas de águia e uma cabeça de rei assírio de barbas frisadas. Alguém, de extrema e cruel habilidade, rasgara na superfície dos tijolos que formavam a face desse rei um riso cruel e deformado, transformando-o em alguma coisa mais sórdida do que já era. Mas nada nem ninguém era tão sórdido quanto a senhora desses domínios, cuja atenção os freqüentadores insistiam em atrair, aos gritos de:

— Bel'Cherub! Bel'Cherub!

Bel'Cherub era a rainha daquelas pessoas, que lhe davam mais atenção que ao próprio Belshah'zzar, atualmente ocupando o trono em Baab'el, enquanto seu tio Nabuni'dush flanava por perto de Teimah. Sempre se presta obediência ao poder mais próximo, e este monstruoso ser que um dia fora mulher, a face tão distorcida quanto a da estátua às suas costas, era o foco dos olhos de todos os que a cercavam. Comia de forma desordenada, servindo-se de todos os pratos que eram postos à sua frente, de cada um tomando uma ou duas mordidas e logo afastando o alimento, para que o próximo, que já lhe chamava a atenção, fosse tratado da mesma forma. Bel'Cherub, rainha dos subterrâneos de Baab'el, abandonava cada ave assada, cada perna de carneiro, cada prato de tâmaras cristalizadas, cada pedaço de carne de búfalo e de pão, e este era imediatamente repartido aos gritos por seus acólitos famintos, que o dilaceravam mais desordenadamente ainda, numa fome tão grande quanto o desperdício que Bel'Cherub exibia. Os sucos e molhos desses alimentos engordurados escorriam pela mal frisada barba postiça que todas as proprietárias de tabernas em Baab'el usavam, empapando a orla de sua túnica, tornando o tecido sobre seus gigantescos seios quase translúcido, não fosse a sujeira que nele se entranhava. Os olhinhos pequenos, redondos, escuros, eram como os dos porcos que em Baab'el se criavam em meio ao lixo, e seu maxilar projetado para a frente, exibindo dentinhos serrilhados por sobre um lábio inferior inchado, acentuava ainda mais essa semelhança. Bel'Cherub era a rainha da ralé, e exigia de cada um de seus súditos o mesmo respeito que qualquer poderoso exige.

ZOROBABEL

Havíamos chegado a esse lugar quando, depois de nossa primeira aventura arriscada, o roubo de uma carga de tecidos fenícios que nos deixara o coração saltando na garganta, descobríramos que o que roubáramos precisava ser trocado por dinheiro para valer alguma coisa. De indagação em indagação, acabamos caindo nessa taberna, onde a gigantesca Bel'Cherub pontificava, e num primeiro momento creio ter sentido mais medo que o próprio Yeoshua, quando Re'hum, nosso malhumorado companheiro, respondeu bruscamente a uma pergunta de um dos guardiães de Bel'Cherub. O homem puxou de sua espada de bronze, e o ruído das armas sendo desembainhadas nos cercou em um átimo: e então a gorda rainha dos ladrões de Baab'el ergueu a mão e, rindo às gargalhadas, perdoou nossa juventude, ficando com tudo o que havíamos trazido e liberando-nos sem um arranhão, com um aviso para que lá não voltássemos jamais. Acabamos voltando, é claro, porque o proibido tinha uma capacidade incomensurável de atração. Ao nos ver outra vez em seus domínios, Bel'Cherub se regozijou com nossa presença, porque para ela o que importava era ampliar o número de seus súditos.

Dentro de pouco tempo, éramos tolerados na corte dos ladrões: pouco visados como éramos pelos guardas de Baab'el, sempre rendíamos mais que as aventuras dos bandidos que todos conheciam, e que em meio a qualquer multidão se destacavam como um furúnculo prestes a explodir. Nossa aparência jovem e mais normal permitia que nos misturássemos aos habitantes de Baab'el sem que ninguém se desse conta de nós, e assim acabávamos por conseguir presas melhores que as dos súditos de Bel'Cherub. Estas presas acabavam sendo revendidas por preços melhores que os originais, a quem as desejasse mas efetivamente não as pudesse ter. Não duvido que algumas delas fossem roubadas mais de uma vez, e mais de uma vez revendidas: havia em Baab'el uma infinidade de estratos sociais bem definidos, fatias de população tão organizadas em degraus quanto nossos templos, uns acima dos outros, e os de baixo usufruíam exatamente daquilo que sobrava dos de cima, como dizia Bel'Cherub:

— Somos auxiliares dos deuses, dando aos habitantes de Baab'el tudo aquilo que desejam. Ser rico é ter aquilo que se pode ter, e a riqueza e a pobreza só se distinguem a partir da opinião que cada um tem delas. Quem deseja muito alguma coisa não se importa de tê-la ligeiramente usada, desde que a tenha. Coisas, roupas, jóias, enfeites... até mesmo mulheres um tanto usadas ainda têm seu valor...

    Nessa noite, pela primeira vez desde que nos conhecêramos, ela fez sinal para que ocupássemos o pé de seu divã. Um rosnado de admiração indignada percorreu a sala: que valor teríamos para que Bel'Cherub nos escolhesse, em lugar de seus asseclas mais próximos? Ela tinha planos para nós, e preferia ter-nos sob sua guarda a suportar-nos independentes. Com um gesto magnânimo, limpando com sua gorda mão encardida a baba que deixara na boquilha da *narg'hilla,* estendeu-a a nós. Era uma honra, e nós a aceitamos, porque partilhar o *tam'bakha* fumado por Bel'Cherub indicava uma elevação de nossa posição em sua corte de ladrões. Essa mistura do *hashish* com outras ervas, principalmente o sumo das papoulas que nasciam além do país de Cabul e lhe ampliava grandemente os efeitos, era de uso corrente entre os babilônios, que a consumiam em todas as oportunidades possíveis. Ainda hoje não entendo bem o que nos levava a isso, mas sei que essas ervas, o vinho, alguns cogumelos que nasciam nos campos úmidos onde os búfalos pastavam, e que quando ingeridos davam resultados delirantes, eram coisas de uso constante. Nós raramente fazíamos uso delas, mas nessa noite, impossibilitados de recusar a benesse que a *siduri* nos dava, experimentamos a mistura acre que se evolava fresca de dentro da vasilha de vidro egípcio.

    Foi exatamente nesse momento que, na porta da taberna, assomaram as caras de nossos companheiros Re'hum e Sam'sai, sua eterna sombra. O constante mau humor de Re'hum pesava em sua fonte escura, e quando ele nos viu em posição de destaque, essa fronte se escureceu mais ainda, enquanto seus olhos negros faiscavam. Daruj, sempre atento, foi o primeiro a vê-lo, e com grandes gritos o chamou para perto de nós. Re'hum hesitou, mas uma frase sussurrada em seu ouvido pelo dissimulado Sam'sai o fez rir, cruelmente. Ele veio em nossa direção, até que Bel'Cherub o percebesse, saudando-o:

    — Ah! O chefe dos meus melhores ladrõezinhos! Onde estavas? Teus companheiros chegaram antes de ti!

    A gargalhada de Daruj ao ouvir Re'hum ser chamado de "chefe" explodiu em nossas faces, fazendo com que todas as cabeças se virassem em nossa direção. A competição entre os dois era flagrante e antiga: mas Daruj, pela sua natural capacidade de liderança, era quem acabava sempre sendo seguido por nós e por quem mais estivesse conosco, com exceção de Sam'sai, franzino e magro como uma ratazana de rio e com o mesmo olhar falso. Re'hum tinha ódio dessa liderança natural, e sempre que podia apresentava oportunidades de aventura, decidindo como seriam vividas, colocando-se na posição de responsável pelos lucros que ela trouxesse. Bel'Cherub percebia essa disputa, e jogava com os dois: seu prazer era, sem dúvida, manipular os acontecimentos e as emoções das pessoas que a cercavam, pois só assim se sentia mais e mais poderosa, e tão mais poderosa seria quanto mais sangrentos fossem os resultados de suas manobras. Estava absolutamente atenta a Daruj e Re'hum, esperando o momento em que um dos dois, como tantas vezes já acontecera naquela taberna, se atirasse à garganta do outro e que ambos ali se destroçassem, numa sangrenta luta de morte. Era o espetáculo da morte o que todos desejavam, esperando que Daruj e Re'hum os satisfizesse com seu cortejo de miséria e dores.

Isso não aconteceu entre eles: de uma das aberturas escuras ao fundo da taberna saíram dois lutadores untados de óleo, da cabeça aos pés, já aos sopapos, enquanto a audiência gritava, apostando ora num ora noutro, imediatamente engalfinhados. O conflito entre esses dois homens substituiu o que Bel'Cherub tentara criar entre meus dois companheiros, e até mesmo ela, com desfastio, os abandonou, dando sua atenção aos que começavam a se dilacerar. Rolando até o centro da sala, os dois se agarravam da maneira que podiam, enquanto uma jovem de cabelos negros e desgrenhados era trazida amarrada até perto de Bel'Cherub, que a segurou com a mão esquerda, quase abarcando a sua magra cintura.

Como em todas as tabernas da Grande Baab'el, os viajantes cansados ali encontravam abrigo entre jornadas, alimento para satisfazer seu corpo moído, um pouco de calor humano com que se aquecer, e principalmente aquilo que havia de pior e mais perigoso em nossa terra, as perversões pelas quais a Grande Baab'el se tornava cada vez mais famosa no resto do mundo. Pelo que ouvíamos contar, a Taberna do Boi Gordo, sob a mão férrea da cruel *siduri* Bel'Cherub, era aquela onde mais se podia afundar nos vícios, sem sequer um instante de consideração por qualquer das virtudes. Nossos corações saltavam: sabíamos que a mulher manietada era mais uma virgem que seria deflorada com escândalo e à vista de todos pelo vencedor da luta. O cheiro do sangue que já escorria das machucaduras e cortes que infligiam um ao outro fazia girar nossas cabeças, excitando dentro de nós aquilo que tínhamos de mais selvagem e animalesco. Em meio à agitação, vi que Yeoshua, as mãos em concha, tampava os olhos para não ver o resultado, e também que Re'hum, em vez de fitar a luta sangrenta, fixava o olhar duro em Daruj.

Fosse eu naquele dia este que sou hoje, teria certamente abandonado a taberna, saído em carreira desabalada e desaparecido rio acima, nas terras de Mari ou Haran, onde ninguém me conhecia. No entanto, lá fiquei, olhando os homens que reuniam o fim de suas forças para destruir-se. O mais atarracado deles avançou com a mão em garra e enfiou dois dedos no olho esquerdo do adversário, que berrava enquanto o estapeava de todas as maneiras, chutando e se contorcendo. A mão hirta no entanto penetrava mais e mais na órbita do outro, e a um berro que este soltou vimos um sangue mais escuro correr por suas faces abaixo. Seus gestos foram ficando mais desordenados à medida que o outro aprofundava os dedos para dentro do crânio, e eu pude perceber que tudo o que ele queria era livrar-se da dor dessa mão feito verruma que já tocava a matéria dentro de sua cabeça. A audiência gritava, pedindo mais sangue, mais força, mais morte! O atarracado, num súbito impulso de seus músculos inchados, enfiou os dedos até o fundo do olho, fazendo o sangue esguichar. A cabeça do mais alto, agitando-se descontroladamente de lado a lado, caiu para trás, e seus joelhos amoleceram, levando-o ao chão. A platéia do mórbido espetáculo ergueu-se de uma vez, aos gritos, saudando o vencedor, que, com o olhar esgazeado e coberto tanto de seu próprio sangue quanto do sangue do adversário, tentava retomar o fôlego. Bel'Cherub, com um riso torpe na cara inchada, atirou sobre ele a mulher, fazendo-a tropeçar sobre os próprios pés:

— Olha teu prêmio, Na'zzur! Serás capaz de ser tão cruel com ela quanto foste com teu inimigo?

Os guinchos de terror da mulher, ao ver o olhar do vencedor do combate, só nos fizeram rir. Na'zzur, atirando-a de bruços sobre o degrau mais próximo, ergueu sua túnica e, da mesma forma que os animais, começou a tentar penetrá-la, enquanto a platéia o exortava. Os altos brados da platéia logo começaram a se transformar em gritos de reclamação, pois era patente que Na'zzur nada estava conseguindo, e sua irritação aumentou quando ele, avançando para a frente sem controle, recebeu de sua presa uma cotovelada no nariz, que começou a sangrar, fazendo-o levantar-se e pular com as mãos na cara, tentando livrar-se da dor. A mulher se arrastou para longe de seu alcance, mas Na'zzur, possesso de dor, apanhou um escudo de bronze que ali estava baixando-o com toda a força na cabeça dela.

A mulher caiu e não se mexeu mais. Bel'Cherub esticou um pé encardido calçado com coturnos de pele à moda tíria, cutucando o corpo, percebendo que já estava sem vida. Furiosa, ergueu-se um pouco de seu assento e gritou:

— Ora, ponham para fora esse maldito Na'zzur, que estragou mais da metade de nossa diversão! Não tens controle de teus atos, imbecil? Era mesmo preciso que matasses o teu prêmio? Fora com ele!

Um monte de homens avançou para o estúpido responsável por duas mortes nesta noite, e sem hesitar o atiraram com violência para fora da taberna, aos som de risos e muxoxos de desprezo. Ninguém pensou nas duas vítimas. Re'hum, a nosso lado, alargava as ventas com a boca entreaberta, como que aspirando o cheiro de sangue dos cadáveres, sobre quem algumas moscas ja começavam a adejar. Nenhum de nós, naquela sala suja, pensou em algum instante na vida que estivera dentro de cada um dos mortos, e que, ao se apagar, fizera de seus corpos os restos imóveis em que estavam transformados. Hoje posso compreender, pois passei por isto várias vezes: quem está imerso em amargor permanente, um dia se olvida por completo de que a doçura existe e passa a crer que sua vida foi feita exatamente para ser asssim, amarga e nada mais.

No entanto, como nada no mundo existe sem que traga em si o veneno de seu contrário, atrás de Bel'Cherub uma voz se ergueu, ao mesmo tempo suave e forte, atravessando a massa de maus sentimentos em que estávamos mergulhados, como um fio de água limpa mais poderoso que a sujeira da torrente escura onde desaguasse. Ouvi pela primeira vez as palavras de que nunca mais me esqueci, cantadas no

aramaico que todos falávamos na Grande Baab'el, tão sonoras e belas, que nunca, nunca mais se apagaram de minha alma:
— Que me beijes com os beijos de tua boca! Teus amores são melhores do que o vinho, o odor dos teus perfumes é suave...
Da escuridão por trás de Bel'Cherub surgiu um homem muito sujo, de longas barbas hirsutas, com os olhos cobertos por um pano encardido. Tudo em seu modo de ser, a maneira como andava, tateando o caminho com a ponta dos pés, o jeito como sua cabeça se erguia, revelava um cego, carregando em sua mão esquerda uma harpa babilônia, apontada para a frente. Seus pés e sandálias eram impressionantemente limpos, e os trapos sujos que o cobriam quase o faziam desaparecer na escuridão da sala, mas sua voz clara e forte era exatamente o oposto de sua figura, e eu fechei meus olhos para ouvi-lo, em meio aos fumos do *tam'ba-kah*:
— ... teu nome é como o óleo que escorre, e as donzelas se enamoram de ti...
A música que acompanhava essas palavras era tão belamente parte delas, que parecia nunca terem existido separadas. O silêncio se fez absoluto na Taberna do Boi Gordo, enquanto o cego tomava lugar em um degrau, logo abaixo de um archote fumarento, sem parar de cantar:
— Arrasta-me contigo, corramos! Leva-me, ó rei, a teus aposentos e exultemos, alegremo-nos em ti! Mais que o vinho, celebremos teus amores... com razão se enamoram de ti...
As últimas palavras cantadas fizeram correr um arrepio por todos os corpos: era como se fizessem de cada um esse rei tão poderoso, trazendo de volta a lembrança perfeita do maior prazer vivido, revivendo-o integralmente. Um suspiro sentido escapou de todas as bocas, enquanto o cego, a face voltada para cima, experimentava as cordas de seu instrumento, arpejando duas séries de notas tão belas, que, juro, me trouxeram um nó à garganta.
Todos, até mesmo Bel'Cherub, tinham sua atenção fixa no cego, que seguiu cantando, acompanhado pelos delicados sons da harpa, uma série de canções. Formavam, quando juntas, uma história, cantada ora por um homem, ora por uma mulher. A bela voz do cego vivia cada um desses personagens, fazendo com que, quando suave e aguda, eu enxergasse em minha imaginação uma bela mulher de olhos amendoados e sorriso

dúbio, e quando grave e poderosa, a mim mesmo, mais velho, mais forte, mais vivido. Meus companheiros com certeza sentiam coisa parecida: Yeoshua suava mais do que de costume, Daruj estufava o peito, Re'hum mordia o lábio inferior enquanto apertava os olhos pequeninos e indecifráveis, e Sam'sai, com a agilidade de um rato, corria seu olhar por todas as faces à sua volta, tentando delas beber o prazer que aparentemente nunca encontrava dentro de si.

Eu jamais imaginara que isso fosse possível: a música nunca fora um de meus interesses, porque nunca me tocara profundamente. Isto que o cego nos dava, no entanto, era maior que qualquer coisa que eu tivesse conhecido: a emoção que ele criava, eu nunca sentira, nem sabia ser possível, porque ele falava de uma maneira totalmente nova sobre coisas que nunca ouvíramos antes. Era como se, ao penetrar em minha alma, a música se tornasse uma espécie de espírito imortal, desse momento em diante caminhando pelas salas e corredores de minha memória, para sempre se repetindo, viva e imutável, como nesse primeiro momento em que cobriu pelo ar a distância que nos separava.

O cego continuava cantando e percorrendo as oito cordas da harpa: a música que nela produzia, tão simples e ao mesmo tempo tão complexa, juntando palavras e sons da harpa e da garganta, me trouxe lágrimas aos olhos. Essa sensação, essa emoção, esse aperto no peito, eu nunca mais esqueceria, porque meu corpo o reconhecera antes que meus sentidos o fizessem. Perseguiria para sempre essa mesma sensação, e não me envergonho de dizer que chorei, movido por alegria e tristeza imensas, quando de sua voz mais grave ouvi as seguintes palavras:

— Roubaste meu coração, minha irmã, noiva minha: roubaste meu coração com um só de teus olhares, uma volta de teus colares. Que belos são teus amores, minha irmã, noiva minha: teus amores são melhores do que o vinho, e mais fino que outros aromas é o odor de teus perfumes...

Sempre que esse cego ia à Taberna do Boi Gordo, a casa se enchia três vezes mais do que nos outros dias: e cada um comia por três, e bebia três vezes mais vinho que de costume, e amava pelo menos três vezes mais, porque os sentidos se excitavam três vezes mais que em qualquer outra ocasião. Um momento como esse marca os homens de uma maneira toda especial: em meu caso, essa marca era mais especial ainda, já que nunca em minha vida eu desejara tanto uma mudança como a que a música me mostrava. Tudo o que eu queria a partir daquele momento era viver como esse cego, capaz de criar a beleza absoluta com a voz e os dedos, invejando-o de tal forma, que não me incomodaria de viver na sujidade nem de perder a luz de meus olhos, caso pudesse ter esse talento de que ele dispunha com tanta prodigalidade.

    As últimas notas da harpa acompanharam a derradeira canção que o cego cantou nessa noite mágica, quando minha vida, podendo ser diferente do que foi, debruçou-se momento a momento sobre mim mesmo e levou-me até onde hoje estou. Nos anos que se seguiram, quando pensei sobre essa noite, estas eram as palavras que me vinham à mente, menos lembranças que destino traçado, tanto emoção quanto abalo físico, e mais verdadeiras que qualquer outra coisa que eu pudesse saber sobre o mundo e sobre mim mesmo:

— Cruel como os abismos é a paixão, suas chamas são chamas de fogo, e ainda assim uma pequena faísca do Deus que nos criou. As águas da torrente jamais poderão apagar o amor, nem os rios afogá-lo. E se alguém quisesse dar tudo o que tem para comprar o amor, seria tratado com desprezo...

    Essa frase ecoou pelas paredes, e o cego levantou-se, tateando em busca da saída, e quando percebemos o fim desse momento de beleza e demos por sua falta, ele já não estava mais entre nós. Os urros da multidão a chamá-lo — Feq'qesh! Feq'qesh! — não o trouxeram de volta: era impossível recriar o momento que já se tinha passado, e cuja beleza agora existia apenas no pantanoso território das lembranças. Só nos restava usar da melhor maneira possível a excitação dos sentidos com que sua música nos presenteara. A maior parte de nós, sem hesitar, debruçou-se sobre o primeiro ser vivo que lhe cruzou o caminho, chafurdando em luxúria na tentativa de aprisionar o momento inefável que havia experimentado. A sala escura tornou-se um turbilhão de corpos nus em pleno gozo de suas sensações, como se novamente tivéssemos nos tornado o mar de carne informe de que um dia o mundo fora feito. Era nisso e para isso que os da Grande Baab'el viviam: a satisfação sem limites dos sentidos físicos, o prazer pelo prazer e nada além disso.

    Eu, no entanto, passei por sobre os homens e mulheres que se moviam ondulantemente e atravessei a porta de saída. Olhando para o céu muito acima de minha cabeça, por entre as duas altas e escuras muralhas em cujo fundo me encontrava, sorri para uma nesga de lua que aparecia no céu à minha esquerda, com a alma repleta, como nunca antes, e como raras vezes depois.

Capítulo 3

O sol inclemente de Baab'el nunca tocava o fundo do território úmido entre as duas muralhas, mas a claridade do dia era tão forte que atravessou minhas pálpebras fechadas, verrumando no fundo do meu crânio a dor de cabeça que me acompanhava depois de todas as noitadas. Sempre tive pálpebras finas, e desde muito pequeno precisei tampar a cabeça com algum pano escuro para poder dormir, se o lugar onde estava fosse muito iluminado. Uma simples réstia de luz que tocasse minha face me acordava: e nos últimos tempos, em que a escuridão vinha sendo usada para viver, começara a dormir cada vez menos, porque os períodos de sono que me restavam eram sempre diurnos, por isso mesmo entrecortados pela luz do dia, até que se tornasse impossível voltar a descansar. Em parte pelos excessos da noite anterior, em parte porque a luz era uma agressão aos meus olhos, acordei, sem saber quem era, muito menos onde estava.

O que me acordou não foi só a luz, mas também o coturno ferrado de um soldado do Império, acariciando as minhas costelas com a delicadeza que lhe era costumeira. Sua altura foi suficiente para encobrir o sol sobre minha face, e por um instante eu quase pedi que ele ali se mantivesse, claro que sem enfiar-me o pé nos rins, como agora fazia, para que eu dormisse um pouco mais. Isso era impossível: tudo o que o soldado queria era que eu levantasse e me pusesse de pé, porque na Grande Baab'el só os muito poderosos permaneciam deitados em presença de um soldado do Império. Ergui-me, estremunhado, e, mantendo os olhos baixos, nem mesmo lancei minha visão sobre o soldado que me sacolejava, esperando que minha aparente humildade fosse suficiente para que me deixasse em paz. Meus companheiros de aventuras, atraídos pelo ruído e gritos que o soldado produzia, saíram do interior da Taberna do Boi Gordo e viram um soldado fortemente armado me sacudindo. Movidos por companheirismo, cercaram o soldado com uma pressão um tanto acima do normal, porque, afinal, aquele que me sacudia era um dos militares responsáveis pela segurança da Grande Baab'el e do Império.

Era hábito de quem vivia no território que ficava à sombra das muralhas tratar da pior maneira possível aos soldados, quando isso pudesse ser feito em segurança e sem testemunhas, ou quando seu número superasse em muito o dos homens da lei. Esse soldado era mais bravo que os que costumeiramente espancávamos, sempre que os encontrávamos num dos inúmeros becos escuros desse território escuso: debatendo-se inesperadamente, livrou-se de todos nós e, encostando as espáduas na parede, sacou da espada de lâmina larga, estendendo-a à sua frente, aumentando a distância entre nós e ele. Um impasse: nosso número e audácia eram exatamente o suficiente para que a força e armamentos do soldado se anulassem, mas não para vencê-lo, principalmente porque ele vociferava em altos brados, chamando a atenção de outros habitantes do lugar, que começavam a colocar suas caras amassadas do lado de fora de seus esconderijos. Ninguém estava interessado em salvar a vida do soldado, sendo alguns até capazes de aplaudir com verdadeira alegria a sua morte, ao mesmo tempo que adorariam ganhar alguma coisa extra com a delação dos responsáveis.

Estávamos todos, portanto, paralisados. O impasse só se resolveu quando Bel'Cherub, arrastando para fora da Taberna do Boi Gordo o seu corpanzil descomunal, colocou-se entre nós, cuspindo ofensas ao soldado:

— Na'zzur, filho de um imbecil com uma porca, o que está acontecendo? O que queres com meus meninos?

Nesse instante, percebi que por baixo do fardamento estava o vencedor da luta da noite anterior, o mesmo animal que matara outro homem com as próprias mãos nuas, e que, movido por incontrolável impulso, arrebentara a cabeça da mulher de que não conseguira usufruir. O rosto vincado, que na noite anterior estivera coberto de sangue e denotara apenas cansaço, agora tinha a boca torcida num rito cruel.

No entanto, mesmo sendo representante do poder do Império, era submisso à gigantesca Bel'Cherub, que, colocando as mãos ao lado do corpo como se cintura tivesse, o enfrentava, de queixo erguido:

— São gente minha, como tu também és. E gente minha não briga entre si, a não ser que eu dê ordens expressas para isso! Não te esqueças, porco, que eu sou dona tanto de ti quanto deles! E me deves mais obediência que a este Belshah'zzar que o tio colocou no trono de Baab'el enquanto experimenta os prazeres ocultos de Teimah! Sou eu que te alimento! Se dependesses do soldo que te dão e do rancho que te servem, estarias debaixo da terra faz tempo! Cumpre o teu dever para comigo!

Bel'Cherub à luz do sol se mostrava como realmente era, mais monstruosa ainda que dentro de sua taberna, iluminada pela luz mortiça dos archotes de nafta fumarenta. Sem a barba postiça que as *siduri* costumavam usar em seu trabalho, seu queixo triplo redobrava por sobre seu peito, e Yeoshua, pertinho de meu ouvido, sussurrou:

— Para que a barba postiça? Bastava deixar crescer os fiapos que tem no queixo...

Era verdade: o queixo de Bel'Cherub era coalhado de pêlos grossos e negros, em pouca quantidade, mas asquerosamente espalhados, a maioria debaixo de seu lábio inferior, sombreando-o e tornando-o mais proeminente do que já era, mais estranho ainda por ser ela uma mulher, mesmo não parecendo. Não pude deixar de rir: afinal, minha alma livre e audaz, como a de todos os jovens da minha idade, nunca se furtava a um momento de diversão. Minha risada desarmou o soldado Na'zzur, que abaixou a espada e me desmanchou os cabelos, com força, é verdade, mas sem mais nenhuma vontade de me retalhar:

— Bel'Cherub, era melhor que colocasses uma marca em teus protegidos, como se faz com os bois na margem do Tigre! Assim, nenhum de nós corre o risco de estripar algum asseclatão!

— Quem ousar tocar um de meus meninos, seja até mesmo o próprio Marduq ou um de seus filhos, enfrenta a minha fúria! — disse Bel'Cherub, aproximando-se de Na'zzur. — Mas por que falas deles como se fosses diferente? Eles e tu, Na'zzur, estão todos sob meu braço!

Era longo o braço de Bel'Cherub: alcançava todos os desvãos da Grande Baab'el, das profundezas escuras onde se ocultava até os palácios dos verdadeiramente ricos, na outra margem, aí incluídos os marginais e os que deviam combatê-los, unidos por suas diferenças e ficando cada vez mais semelhantes. Eu me fizera parte disso, por curiosidade, por rebeldia, e agora me tornara mais propriedade de Bel'Cherub que membro de minha própria família. A face de meu pai se tornava cada vez mais apagada em minha mente, junto com as de minha mãe, meu irmão e minhas irmãs, tornando-se gradativamente igual a tantos sem-rosto com quem cruzamos pelo mundo, e que até mesmo em nossos sonhos, quando em nossos sonhos aparecem multidões, nada têm de diferente uns dos outros.

    Do fundo da viela escura surgiu nosso companheiro Mitridates, ocultando sob as dobras de seu manto o braço esquerdo mirrado e encolhido como uma asa de pássaro. Isso não afetava em nada nem a sua capacidade de realizar as tarefas a que se impunha nem a sua peculiar maneira de viver. Ele originalmente nos chamara a atenção por seu talento com os números, e graças a ele nossas negociações com Bel'Cherub sempre rendiam mais do que ela pretendia. Sua capacidade de calculista o transformara em nosso contador, e ele mantinha em algum lugar oculto de nossas vistas uma contabilidade completa de todos os rendimentos de nossas aventuras. Fazia isso para provar-nos que podíamos e devíamos abrir mão de nossa ligação com Bel'Cherub, porque já tínhamos capacidade de sobreviver sozinhos no mundo de falcatruas que era nosso território de colheita. Dentre nós, apenas ele acreditava nisso: Daruj achava a idéia por demais temerária, Re'hum e Sam'sai respeitavam cegamente o poder de Bel'Cherub, Yeoshua tinha medo, e eu sequer dava atenção ao assunto: por isso, Mitridates, com sua posição minoritária e seu defeito físico, ficava um tanto à parte de nossas aventuras, aparecendo apenas na hora em que as contas deveriam ser ajustadas.

    Bel'Cherub gostava pouco de Mitridates, por motivos óbvios: mas tinha que aceitá-lo entre nós, e com a tranqüilidade de quem conhece a verdade por trás dos números, ele só agia com ela de forma estritamente matemática, fazendo uso daquilo que chamava de cálculo das possibilidades quando as situações ficavam tensas, dizendo:

— O balanço final de nossos negócios só é feito depois que já estamos mortos. Por isso, para que tentar descobrir enquanto vivos quem tem mais que o outro? Mantém a tua contabilidade em dia, meu irmão, e espera: algum deus um dia virá fechar definitivamente as tuas contas...

RECONSTRUINDO O TEMPLO

Naquela manhã, Bel'Cherub estava especialmente irritada: seu comportamento se estabelecia sem sentido ou razão, e ninguém podia pretender imaginar como estaria o seu humor a qualquer momento do dia. Variável a extremos, Bel'Cherub podia passar da alegria ao ódio sem que sua respiração sequer se acelerasse, e qualquer um podia ser alvo do bem ou do mal que ela exsudava como suor da pele viscosa. Mitridates, impermeável a tudo, sempre permanecia impassível frente à maior demonstração de alegria ou à maior tempestade de ódio.

Bel'Cherub, brandindo sua mão inchada a milímetros do nariz de nosso companheiro, disse:

— Desta vez, não, aleijado! Desta vez eu ficarei com a parte do leão! Chega de dar o que não quero a quem não merece! Dois de cada três braceletes que forem conseguidos devem ser entregues a mim porque são meus, e o que sobrar só pode ser vendido a mim! E se eu vier a descobrir que algum dos meninos está negociando braceletes sem meu conhecimento, o teu outro braço vai virar farinha na mó de minha ira!

Enquanto ela dizia isso, o soldado Na'zzur empinava o peito, batendo as armas na couraça, como era hábito dos soldados do Império quando queriam amedrontar seus inimigos. Mas Mitridates, sempre calmo, respondeu:

— Fica calma, *siduri*: não queremos nada que não nos pertença. E diz a teu sabujo que se acalme: ele devia estar cumprindo o seu dever para com Belshah'zzar, que é quem lhe paga o soldo!

— O soldo que o Império me paga não chega para encher-me sequer o buraco de um dente podre que tenho na boca! Se não fosse Bel'Cherub, eu estaria à míngua, como mais um dos indigentes da Grande Baab'el... agora, se achas que eu não deva receber de Bel'Cherub o que ela me dá, faz-me uma proposta: quem sabe eu deixe de ser dela e passe a ser teu, aleijado?

A mão de Bel'Cherub estalou inesperadamente na face de Na'zzur, deslocando seu capacete. O que mais me impressionou foi a cordura com que o soldado se submeteu à *siduri* que era sua real e verdadeira senhora. Em vez de reagir com a mesma violência impulsiva da noite anterior, curvou a cabeça, tocou o peito com o queixo, e, estranhamente, deixou escapar um suspiro de prazer de seus lábios crestados.

— Aqui sou eu quem decide quanto cada um vale — disse Bel'Cherub, rindo com arrogância. — Eu quero, eu compro, eu mando, eu dispenso.

Numa sociedade como a nossa, era essencial que cada papel fosse vivido com clareza. A verdadeira honestidade na Grande Baab'el significava vender-se e permanecer vendido, não se admitindo em hipótese nenhuma o uso de duas caras, a não ser no caso dos soldados do Império, pois sua dubiedade servia tanto aos grandes senhores dos belos palácios dourados quanto aos mestres do ganho equívoco, como Bel'Cherub. No caso de Na'zzur, entretanto, havia alguma coisa a mais: ele certamente sentia grande prazer em estar subjugado a ela, e sempre buscava algum tipo de confronto exclusivamente para que ela o castigasse, dando-lhe a satisfação desse estranho desejo que o movia.

Mitridates meteu o braço bom dentro do manto e retirou uma tabuinha de argila onde os risquinhos feitos com o pequeno cinzel dos escribas se agrupavam em três fileiras ordenadas. Bel'Cherub estranhou:

— O que é isso?

— Nossas contas, *siduri*, desde que este grupo começou a trabalhar contigo. A parte do leão já é tua, e só podemos fazer render o que nos sobra se nós mesmos o negociarmos. Deixar contigo o que é nosso e contar com tua benevolência para pagar-nos o que nos é devido não funciona: será melhor desistir da empreitada, ou então fazer um acordo com outra *siduri*...

Os olhos de Bel'Cherub tomaram a cor do sangue que lhe subiu à cabeça, uma grossa veia arroxeada começou a pulsar em sua testa suada, e eu juro que a *siduri* inchou e cresceu mais da metade do seu já gigantesco tamanho, como um sapo em busca de vítimas:

— A única *siduri* digna deste nome na Grande Baab'el sou eu! Belshah'zzar é rei, mas meu poder é maior que o dele! Tu te arriscas muito, aleijado, enfrentando assim a tua senhora! Posso fazer com que Na'zzur te corte a cabeça!

Na'zzur, com rapidez, reafirmou as palavras de Bel'Cherub, puxando sua espada de bronze e encostando-a sob o queixo de Mitridates. A amizade que nos unia nos fez avançar em direção a ele, como que para protegê-lo: Daruj foi mais ágil, mas eu e Yeoshua demos nosso passo à frente logo após, e Re'hum e Sam'sai, ainda que mais lentos, acabaram por unir-se a nós, em uma espécie de roda compacta que cercava tanto nosso amigo quanto os que o ameaçavam. Na'zzur estranhou nossa atitude, e Bel'Cherub, que detestava a proximidade de qualquer pessoa, sentiu-se sufocada e se debateu, querendo abrir espaço. Em vão: nosso aperto era constante, e com nossos corpos dispostos a tudo, como nos exigia a audácia de nossa juventude, cada vez a apertávamos mais.

Mitridates, com a espada de Na'zzur na garganta, e a sufocada Bel'Cherub estavam cada vez mais cercados por nós. Olhando de soslaio, pude perceber que Re'hum e Sam'sai haviam cada um produzido um afiado e pontudo caco de vidro egípcio, com os quais espetavam o peito da *siduri*. Nesse impasse, apenas Mitridates manteve a calma, falando com voz tranqüila:

— Minha garganta cortada não será a única, e amanhã nem eu farei as contas nem a *siduri* usufruirá dos prazeres de sua taberna. Acho isso um desperdício: o sangue derramado no chão não terá nenhuma utilidade, e nenhum deus se aproveitará desse sacrifício. Perderemos nossas vidas, ninguém irá ao porto recolher os braceletes que deram início a esta disputa... é isso que desejas, *siduri*?

A palavra *siduri* na boca de Mitridates era quase ofensiva, mas os cacos de vidro na garganta de Bel'Cherub eram ofensa ainda maior. Ela respirou profundamente, apertando os olhinhos de porco: ao abri-los, sua face se distendeu em um sorriso rigorosamente falso, mas extremamente reassegurador, porque não havia mais sangue em seus olhos:

— Está bem, aleijado: não é hora nem lugar para nos desavirmos uns com os outros. Se isso te deixa feliz, concordo que a terça parte dos lucros seja negociada por ti. Não faz grande diferença em minha fortuna. Na'zzur, abaixa tua espada. Entre... amigos, isso não deve acontecer....

A palavra amigos soou tão falsa na boca de Bel'Cherub quanto *siduri* soara na de Mitridates, mas a monstruosa tinha finalmente compreendido os agudos argumentos em sua pele, recuando para o mesmo lugar de antes. Na'zzur abaixou a espada, Mitridates estendeu a tabuinha para Bel'Cherub, que a aceitou com um certo desprezo, e todos nos movemos para trás, sem tirar os olhos uns dos outros, porque a confiança entre bandidos é sempre fruto da constante desconfiança. Bel'Cherub refugiou-se sob o batente da porta de sua taberna, e Na'zzur, fiel protetor de sua ama, como deveria ser de seu rei, ficou à frente de seu corpanzil, para que nenhum de nós conseguisse, num rompante, atacá-la.

O silêncio entre nós dizia mais que muitas palavras. A figura de Bel'Cherub perdeu-se nas sombras, a de Na'zzur a seguiu, a porta da Taberna do Boi Gordo fechou-se, e nosso grupo se encontrou sozinho sob o sol da Grande Baab'el, ao fim de um enfrentamento que graças à frieza de Mitridates se resolvera a contento. Bel'Cherub, em outras condições, não deixaria por isso mesmo o que acontecera: e para pessoa tão ciosa de seu poder, vê-lo contestado dessa forma não era coisa que se esquecesse facilmente.

Saímos dali em forçada alegria, buscando um arco que nos levasse para dentro da cidade. Era melhor chegarmos ao porto de maneira normal, pelas avenidas que a ele levavam, pois ninguém devia notar nossa presença. Por trás de nossa alacridade, a preocupação mostrava sua feia cabeça: disfarçávamos bem, mas nossa maneira de ser estava envenenada pela sensação de que alguma coisa ruim nos estivesse reservada, e as conversas em voz baixa de Re'hum e Sam'sai, cheias de olhares disfarçados e risadinhas sem motivo, ampliavam mais e mais essa sensação de estranheza. Em momentos difíceis, os dois sempre se isolavam de nós e ficavam com as cabeças muito próximas, sussurrando um com o outro, olhando sub-repticiamente para os lados, e rindo como se fossem depositários de um maravilhoso segredo que só eles conheciam. Daruj, entre nós, era o que mais se irritava com isso, e desta vez não foi diferente:

— Par de hienas, o que se passa? Seria possível dividir conosco o que vos causa tanta alegria? Ou não merecemos o conhecimento que os dois chacais do deserto estão partilhando?

Re'hum, como sempre, ficou rubro de ódio: o conflito entre ele e Daruj estava a cada dia mais acirrado, e nesta manhã, graças a Bel'Cherub, parecia bem pior: mas foi Sam'sai quem respondeu, com sua vozinha azeda:

— O que é que estás pensando, filho do tapeceiro? Não temos que te dar satisfação de nada, ainda não percebeste? Isso de que falamos é assunto nosso e só nosso!

— Pelo contrário, suricate fedorento. Se o que falam é sobre nós, como parece ser, queremos e vamos saber do que se trata. Anda, desembucha!

Daruj avançou para Sam'sai, decidido, mas Re'hum pulou na frente de seu assecla, com o caco de vidro egípcio que usara para ameaçar Bel'Cherub firmemente apontado para a garganta de Daruj. Os dois fixaram seus olhares um no outro, e, no meio do silêncio pesado, Re'hum deixou que saísse do fundo de sua garganta um rosnado animalesco, recheado da ira que lhe florescia no coração:

— Sai daqui, persa... ou te abrirei uma nova boca logo abaixo dessa que teu deus te deu... não tentes me impor uma autoridade que não tens, uma força que não possuis, uma chefia que não é tua! Não te reconheço como nada... e ninguém aqui algum dia te obedecerá... quem pensas que és?

— Te faço a mesma pergunta, animal! Quem pensas que és? Quem te disse que tens algum poder sobre alguma coisa além dessa imitação de homem que te lambe os pés? Vamos, tira o caco de vidro de minha garganta... pensei que essa tarefa era de teu criadinho... ele te obedece sempre, não é verdade? Regozija-te, Re'hum: tens pelo menos um que te obedece...

O ódio arroxeou novamente a face de Re'hum, mas ele, depois de algum tempo, abaixou o caco de vidro, com lentidão enervante. Tudo fingimento: quando Daruj desviou o olhar, o braço de Sam'sai projetou-se como um raio na direção de sua garganta, enquanto um sibilo escapava de sua boca através dos dentes cerrados.

Daruj tinha reflexos rápidos, mas foi apanhado de surpresa: mesmo saltando para trás, livrando o pescoço do ataque de Sam'sai, o pedaço de vidro riscou a parte carnuda inferior do braço direito que ele ergueu para defender-se, e o sangue espirrou. Empurrei Sam'sai para o chão, fazendo-o largar o caco de vidro, que Mitridates chutou para longe. O sangue corria do braço de Daruj, que meteu o pé na cara de Sam'sai, rojando-o ao pó. Enquanto um Yeoshua muito assustado segurava Daruj, enrolando-lhe o braço cortado com seu manto, que logo se empapou de sangue, vi que de todos nós o mais surpreso era Re'hum: seus olhos arregalados mostravam que ele não esperava por isso. Havia sido surpreendido pelo excesso de zelo de seu liderado, e agora teria que assumir o rompante de Sam'sai, de alguma maneira transformando-o em vantagem. Arrastando Sam'sai de onde ele estava caído, a cara sangrando pelo chute de Daruj, Re'hum vociferou:

— Estás fora de meu bando, Daruj! Estão todos fora de meu bando!

O ridículo da situação fez com que caíssemos na gargalhada: como é que a minoria derrotada podia pensar em expulsar a maioria? Éramos quatro contra dois, e mesmo assim Re'hum tentava arrogar-se um poder que não tinha. O ataque surpresa de Sam'sai, o ferimento de Daruj, o sangue que começava a empapar a terra a nosso redor criaram entre nós uma ruptura insustentável, dessas que não se esquecem: sangue posto fora do corpo sempre deixa manchas indeléveis nas vidas de quem por ele é tocado. Não havia mais como fingir inexistir o conflito que se prolongava de forma surda: chegáramos ao confronto, que nos colocara definitivamente em campos opostos. Não importa quem tinha vencido, perdido, quem dominava ou era dominado: estávamos para sempre separados. Bel'Cherub, de alguma maneira, conseguira nos dividir, e, sem que percebêssemos, reinava vitoriosa sobre nós.

Viramos nossas costas e saímos dali, deixando Re'hum e Sam'sai aos berros, xingando-nos de tudo o que era possível. Ainda joguei duas pedras na direção deles, e os dois se arrastaram para a sombra da Taberna do Boi Gordo. Yeoshua desenrolou o manto que colocara em volta do braço ferido de Daruj e viu que o corte, mesmo ainda muito aberto, já começava a criar uma crosta, que infelizmente se rompia de cada vez que o braço se movia, fazendo com que o sangue novamente brotasse.

Mitridates era um sujeito ponderado: vendo a nossa agitação por causa do corte que não se fechava, disse:

— Precisas ser costurado, e já. Temos de achar um cirurgião militar que faça o serviço.

Eu reagi mal à idéia do cirurgião militar, e Daruj reagiu pior ainda. Nada se comparava, no entanto, à palidez na cara de Yeoshua, que, imaginando os terrores pelos quais nosso companheiro ferido passaria, teve mesmo que sentar-se no chão, esperando que passasse a tontura que sentia. Daruj, aproveitando o momento, disse:

— Estás louco, Mitridates! Não vou entregar meu braço lutador aos cuidados de um açougueiro, principalmente depois de ver o efeito que essa idéia causa em meu irmão Yeoshua! Olhai o coitado: está a ponto de desfalecer, só de pensar no assunto! Não! Qualquer coisa menos isso!

O sangue continuava a correr: era preciso costurar a ferida. Respirando fundo, Yeoshua ergueu-se do chão e, ainda pálido, meteu a mão na bolsinha de couro que carregava em seu cinto, de lá tirando uma finíssima agulha de osso de peixe. Éramos, Yeoshua e eu, filhos de alfaiate, mas eu nunca carregara comigo nenhuma das coisas que faziam parte do dia-a-dia de meu pai: meu desejo era sempre ser o mais diferente possível dele. Yeoshua acreditava mais do que eu nessa vida familiar, trazendo sempre consigo estes apetrechos da arte de um grande artesão em mantos e saias. Um grande fio de linha azul de linho foi colocado no fino orifício logo acima da ponta, suas duas extremidades unidas com um nó delicado, e o conjunto estendido em minha direção. Meu ar de incompreensão deve ter sido extremo, mas Mitridates, sem rir, disse:

— A tarefa é tua, Zerub: eu só tenho um braço, Daruj não pode pensar-se a si mesmo, e Yeoshua... bem, Yeoshua ja fez muito em ter conseguido enfiar a linha na agulha. Não vês como empalidece novamente?

Segurando minha mão, Mitridates me empurrou para Daruj, que sorria confiante, ainda que um tanto inseguro. Foi esse sorriso de confiança que me deu forças para, durante um tempo que me pareceu interminável, espetar o braço de meu amigo, que rilhava os dentes, de olhos fechados, enquanto eu ajuntava as bordas do corte com pontos cada vez mais espessos, um ao lado do outro, próximos o bastante para que a pele se mantivesse unida. Infelizmente, minha capacidade como costureiro era quase nula: a pele escorregava por causa do sangue e da pequena camada de gordura, e por diversas vezes perdi um ou outro ponto já dado, tendo que desfazer os seguintes e recomeçar. Isso durou um bom tempo: no fim do corte, quando dei o último ponto e o amarrei com um nó, como tantas vezes vira meu pai fazendo, baixei minha boca para cortar a linha perto do braço de Daruj e senti na boca o gosto de seu sangue.

Afastei-me e olhei meu serviço: eu era realmente um péssimo costureiro. O que devia ser uma sutura reta e perfeita estava repuxada e enrugada em dois ou três pontos. O sangue não corria mais, e uma casca escura começava a se formar no início do corte, onde eu começara meu imperfeito trabalho. Eu aleijara Daruj mais do que qualquer cirurgião militar, e a tentativa de poupar Yeoshua do mal-estar também tinha sido inútil, pois ele estava desmaiado no colo de Mitridates. Daruj, sorrindo por entre as lágrimas de dor que lhe escorriam pelo rosto, apertou-me o ombro com a mão do braço esquerdo, dizendo:

— Irmão Zerub, devo-te a minha vida.

— Não digas isso! — Eu estava sinceramente envergonhado dos resultados de meus esforços como costureiro. — O que fiz está péssimo! Vai te deixar no braço uma cicatriz tão feia, que para sempre te fará lembrar de mim com ódio! Serei sempre, deste dia em diante, aquele que te aleijou....

— Cala-te, Zerub! — gritou Mitridates. — Salvaste a vida de Daruj, que te agradecerá por isso até o fim de seus dias!

— É verdade, é verdade! — gritou Daruj, tentando trazer-me de volta à realidade.

Infelizmente, por culpa de meu caráter um tanto depressivo, certamente abalado pelos últimos acontecimentos, caí em prantos, sentindo-me o pior dos homens sobre a terra. Mitridates deixou que a cabeça de Yeoshua caísse ao solo, vindo em minha direção, e Yeoshua, percebendo que eu precisava dele, desistiu de seu desmaio e aproximou-se de nós, formando um grupo compacto à minha volta, tentando acalmar meus temores. Daruj, vendo após algum tempo que eu já estava mais calmo, insistiu em me reassegurar de seus sentimentos em relação a mim:

— Zerub, meu irmão, o que me fizeste hoje foi um favor! Posso sem exagero alegar ter sido ferido em batalha, porque ao ver a cicatriz que se formará em meu braço ninguém duvidará que eu a tenha ganhado em combate, sendo pensado por um desses carniceiros que se nomeiam cirurgiões!

Eu quis chorar de novo, mas Daruj me segurou com mais firmeza.

— Escuta! Sabes que eu nasci para ser um soldado, e uma marca dessas só me ajuda! Não temas por mim: meu futuro me trará muitas dessas, e a última delas será aquela pela qual minha vida finalmente se esvairá. De nenhuma no entanto terei mais orgulho que desta, amigo, e cada vez que a olhar será para me lembrar com alegria que Zerub me salvou a vida!

Depois que me acalmei, pudemos dar atenção ao problema mais importante: como realizar a tarefa para a qual nos reuníramos, se nosso grupo se havia desmembrado e, mais que isso, estávamos desfalcados pelo ferimento no braço de Daruj? Yeoshua escolheu o pedaço menos empapado de sangue do manto, rasgando-o e enrolando da melhor maneira possível o braço de Daruj, prendendo uma tipóia em seu pescoço para que o braço ferido ficasse pendurado sem esforço. Um problema havia: cada vez que nos comprometíamos com uma aventura dessas, Bel'Cherub já incluía os possíveis lucros em sua contabilidade, e se detestava quando conseguíamos menos do que o combinado, o que dizer daquilo que não lhe daríamos, já que nada conseguiríamos produzir?

— Devíamos fugir da Grande Baab'el — disse Yeoshua, temeroso em excesso, como sempre. — Bel'Cherub, a *siduri* maldita, há de querer aproveitar-se disso para se vingar do que fizemos com ela... eu sei que Na'zzur logo estará em nosso encalço, ansioso pelo nosso sangue!

Daruj riu dos temores de Yeoshua, e eu também, mas Mitridates não: mantendo o ar frio e descansado de sempre, quase podíamos ouvir as possibilidades futuras sendo medidas e pesadas em sua cabeça, enquanto ele ponderava sobre as palavras de Yeoshua. Depois de certo tempo, quando nossas risadas já se tinham desvanecido, falou, em voz baixa:

— Não deixas de ter razão, Yeoshua. Mas graças Àquele que nos criou, o véu que cobre o Futuro é tecido pelas mãos da Misericórdia, e tudo o que ainda viveremos dorme intocado por nossas almas, mesmo que não por nossos desejos. Nem por isso é preciso dar aos que nos podem prejudicar a oportunidade que buscam. Temos que apanhá-los de surpresa, anulando os motivos que a esta hora estão urdindo contra nós.

— Bravo, Mitridates! — disse Daruj, sempre vibrante. — É isso que faremos, atacar antes que nos ataquem!

— Loucura! — choramingou Yeoshua, suando copiosamente. — Só dispomos dos dois braços de Zerub para a luta, e ele é o pior lutador dentre nós todos, com exceção de Mitridates e de mim mesmo!

— Mas quem falou em ataque? — disse Mitridates, batendo com a mão espalmada na testa. — Como atacar quem nos quer fazer mal, se não temos nem força nem número para isso? Re'hum e Sam'sai não estão mais conosco, e provavelmente ficariam do lado de Bel'Cherub, se um embate entre nós viesse a ocorrer. E onde os atacaríamos? Na Taberna do Boi Gordo? Bastaria um sinal de Bel'Cherub, e seus acólitos nos reduziriam a migalhas! Não, amigos, só nos resta uma coisa a fazer: realizar a aventura contra os egípcios, recolher o máximo de braceletes que pudermos e com eles comprar a nossa liberdade, ainda que momentânea!

Era ousado, era absurdo, mas Mitridates estava certo: a única coisa que poderia aplacar o ódio mortal de Bel'Cherub seria a riqueza. Tínhamos que conseguir o prometido, e com nossa parte comprar o perdão por nossa ousadia. Com Re'hum e Sam'sai fora do jogo, poderíamos entregar suas parcelas a Bel'Cherub, e com os devidos elogios, ainda que falsos, talvez conseguíssemos um afrouxamento do castigo que certamente estava sendo preparado para nós. A esta altura, provavelmente, Re'hum e Sam'sai já estariam em companhia dela, narrando à sua maneira o que acontecera, todos antegozando o que iriam fazer conosco quando falhássemos em entregar o butim de nossa aventura. Mitridates, mais uma vez, estava friamente certo: o que nos restava a fazer era cumprir o trato e, com seus lucros, tentar encerrar de uma vez por todas nossa ligação com a asquerosa exploradora.

Daruj entendeu isso antes de todos nós: ergueu-se, uma figura impressionante com seu braço enrolado em um trapo sangrento, os olhos brilhantes, o corpo retesado e pronto para saltar sobre o primeiro inimigo que lhe aparecesse à frente:

— Vamos, aventureiros! Só nos resta essa saída! Façamos dela a mais honrosa de todas, vençamos essa batalha!

Devíamos ser um grupo no mínimo estranho, quatro jovens tão diferentes uns dos outros, assim ensangüentados, caminhando juntos pelo território malcheiroso, buscando uma saída para o sol aberto. Andamos pelo menos uns trezentos passos antes que grossos pilares de tijolos indicassem que ali se enraizava uma das seis pontes que atravessavam o Eufrates, desde o tempo em que os Dinastas assírios o chamaram de Pura'ttu. Galgamos esses pilares da melhor maneira possível, apoiando-nos uns nos outros, e quando chegamos ao alto sentimos o sol da Grande Baab'el brilhando e queimando nosso rosto. O ruído da cidade ficou mais forte, um burburinho incontrolável e constante, fruto da incessante atividade de mais de duzentas e cinqüenta mil pessoas, que nunca paravam de mover-se, gritar, correr, lutar por sua sobrevivência, sem pensar em suas atitudes nem nas conseqüências das mesmas. Agitar-se sem parar, ainda que sem objetivo claro, era a marca mais forte de toda a Grande Baab'el e de todo o Império de Baab'y'lon, como de tantos outros antes deles e tantos outros depois, numa progressão infinita em direção ao futuro, que não podia ser parado.

Chegando no topo da muralha interna, vimos à nossa frente a Terceira Ponte sobre o Pura'ttu, como a tinham chamado os Dinastas assírios, ou Ponte de Nabuni'dush, em homenagem àquele que a reformara e lhe dera a aparência que agora tinha. Apoiada em grossos troncos de madeira trazidos da Fenícia e impermeabilizados pelo grosso betume, como era nosso uso, sustentava-se em grandes pilares formados por toras de madeira atadas umas às outras, que na sua parte de baixo, em vez de firmar-se no fundo do rio, estavam firmemente presas a grandes pranchões de madeira, mantidos lado a lado à força de cordas e de outras vigas, firmes o suficiente para que tudo ficasse de pé, mas soltos o bastante para que o movimento constante do Eufrates desse a essa ponte, como às cinco outras iguais a ela, um balanço que nunca cessava. Atravessar essas pontes requeria uma certa coragem, principalmente ao chegar a seu ponto central, onde o vão se arqueava para cima, ficando a quase quinze côvados da superfície da água, e as tábuas aparelhadas que formavam o assoalho por onde se andava se separavam o suficiente para que pudéssemos ver o rio lá embaixo. Tudo era previsto e calculado segundo as leis imutáveis dos números, que os escribas e sacerdotes da grande cidade dominavam à perfeição, e essas pontes eram apenas as menores das grandes obras que os senhores da Grande Baab'el erguiam, dando prova do poder de seu deus Marduq.

Apoiada nas cordas que formavam o corrimão da ponte estava uma impressionante multidão, e a ponte sacudia e rangia como se estivéssemos em meio a enorme tempestade. Não sabíamos por quê: devia ser alguma coisa de grande importância, a chegada vitoriosa de algum batalhão ou a imagem sagrada do deus de alguma das províncias internas que Belshah'zzar tivesse mandado buscar para entronizar no centro religioso da Babilônia. Olhando para a Segunda e a Quarta Pontes, ao sul e ao norte de nós por sobre o Eufrates, vimos que também estavam superlotadas, balançando tanto quanto essa que tentávamos cruzar. Chegamos a pensar que ninguém senão o próprio Marduq estivesse descendo o rio, preparando-se para tomar a Grande Baab'el com sua grandeza.

Mitridates sacudiu-me o cotovelo, mostrando-me no cais abaixo de nós o navio egípcio que era nosso objetivo, com sua forma alongada e tão diferente de nossos barcos, redondos e feitos de couro cru. Os barqueiros da Babilônia só usavam esses barcos: sendo o Eufrates um rio cheio de caudalosas interrupções em seu percurso, havia lugares pelos quais não havia como retornar, devido à força das águas e à altura das pedras. Todos desciam o rio, navegando por suas corredeiras mais perigosas, levando além da carga um jumento. Na volta, o barco era desmontado, sua armação de madeira desarticulada e enrolada em fardos cobertos com o couro que formava o barco e colocada sobre o lombo do jumento, para que ambos enfrentassem as estradinhas de terra e pedras que seguiam pelas duas margens do Eufrates. Pelo sul, os barcos que tivessem força podiam subir o Eufrates, e dentre eles os egípcios eram os que mais chegavam até nós, não apenas porque dispunham de muitos escravos aptos a remar sem esmorecer e carregar os barcos nos ombros onde o rio ficava raso, mas principalmente porque tudo o que fosse egípcio representava para os da Grande Baab'el o máximo em matéria de desejo e necessidade.

Nos esprememos entre a multidão, olhando para o molhe onde estavam o navio e a carga que ele trazia, embalada em palha e linho. Um só daqueles pacotes de braceletes negros e azuis podia comprar a nossa liberdade de Bel'Cherub. Só precisávamos aguardar o momento certo, tornando nosso aquilo que era deles. Já tínhamos feito isso várias vezes, e, dependendo do tamanho da carga, conseguíamos por vezes nos apropriar de muito mais que o desejado. Essa era a nossa esperança nessa manhã. O ferimento no braço de Daruj e a perda aparentemente definitiva de Re'hum e Sam'sai não eram nada de muito sério: quando se é jovem como éramos, nenhuma ferida é digna de muita preocupação. Com nossa atenção voltada para o sul do Eufrates, olhos grudados no barco egípcio, demoramos a notar que toda a multidão que se acotovelava na ponte em que estávamos, assim como nas outras, olhava ansiosamente para o norte, murmurando cada vez mais alto.

Subitamente, como uma revoada de pássaros, um grito cresceu e se espalhou, fazendo com que a multidão em nossa ponte se agitasse mais ainda, balançando perigosamente o passadiço. Na curva do Eufrates mais ao norte da Grande Baab'el, passando lentamente pelo palácio de Belshah'zzar, surgiu uma estranha embarcação, de fundo chato e estrutura muito alta para os padrões dos barcos que por ali navegavam. Aproximava-se perigosamente da ponte ao norte da nossa, e durante alguns momentos o murmúrio da multidão cresceu, pois a ponta de sua cabine esquisitamente decorada estava por se chocar com o piso dessa ponte: a estátua rebuscada que encimava o trono sob a tenda de pano dourado e franjado, no entanto, passou a uns quatro dedos da parte inferior do piso, arrancando da multidão um suspiro de alívio e uma onda de aplausos, pelo estalar alternado dos dedos das duas mãos e pelos gritos muito agudos. A curiosidade venceu nossa atenção, e nos enfiamos por entre as pessoas que coalhavam o passadiço, acabando apertados contra as cordas, balançando perigosamente sobre a água do Eufrates e vendo abaixo de nós a aproximação da barcaça. Yeoshua suava de medo, principalmente depois que alguns mais afoitos caíram ao rio, nadando atrás do grande barco que se preparava para encostar num dos molhes fluviais da Grande Baab'el.

Quando olhamos para o molhe, vimos Re'hum e Sam'sai atravessando a multidão em direção contrária. Estávamos perdidos: eles eram mais rápidos que nós, e certamente chegariam ao navio dos egípcios antes que pudéssemos alcançá-lo. Daruj gritou o nome de Re'hum, que procurou pelo som no meio do alarido da turba e finalmente ergueu os olhos, avistando-nos sobre a ponte. Daruj ergueu o braço enrolado no trapo vermelho de sangue, sacudindo-o no ar, e Re'hum riu com escárnio, empurrando Sam'sai para que andasse mais rápido. O butim, se butim houvesse, seria deles sem muita dificuldade, porque a confusão que cobria as margens do Eufrates certamente facilitaria em muito o ganho de pelo menos um fardo de braceletes. Nossa separação inesperada talvez tivesse fundamentos mais antigos do que pensávamos: Re'hum, com o apoio de Bel'Cherub, talvez já estivesse se preparando para nos alijar de seu convívio, iniciando um novo empreendimento com gente que lhe obedecesse cegamente, coisa que nós quatro, agora impotentes sobre a ponte balouçante, nunca estivéramos dispostos a fazer. Definitivamente postos em lados contrários, vimos com muita raiva sua aproximação do navio egípcio, feita exatamente como pretendíamos.

Só eu e Daruj olhávamos para Re'hum e Sam'sai: Yeoshua e Mitridates continuavam fixados no grande navio que estava encostando no molhe, sob as salvas da multidão. No momento em que Re'hum começou a galgar a balaustrada do navio egípcio, um grito de deslumbramento escapou da turba, atraindo nossa atenção. Homens ricamente vestidos, com barbas e cabelos frisados, as cabeças encimadas por pequenas tiaras circulares feitas de metal, haviam abaixado a parte de cima do passadiço mais alto, que era uma grande liteira feita de sândalo e cedro fenícios, marchetados de ouro vermelho e pedras brilhantes, com um grande dossel em formato cônico recoberto por tecido de fios dourados tão retos que refletiam a luz do sol em nossos olhos. A parte da frente desse dossel era de pano egípcio muito fino e transparente, fortemente tingido de azul-índigo, em tal intensidade que criava uma escura névoa, velando o ocupante da liteira. A armação, também feita de cedro, tinha imensa riqueza de detalhes: os desenhos e volutas marcados nas pranchas e toras de madeira fluíam tão naturalmente, que parecia que ninguém tivesse precisado riscá-los. Quando a grande liteira pousou ao chão, oito homens desceram do navio rolando pela prancha dois grandes círculos raiados, feitos de madeira e cobre, com peças de ouro móveis que corriam de um lado a outro de seus raios. Chegando ao lado da liteira, os que a carregavam ergueram-na uns dois palmos do chão onde pousava, e esses dois círculos foram encaixados em eixos das laterais, transformando-se em enormes rodas que deslizaram suavemente pelos pranchões do molhe.

A multidão se acotovelava em volta da liteira, batendo palmas ritmadas e assoviando de maneira muito aguda. Os homens da frente, com capacetes cônicos sobre as cabeças, peitorais de escamas de metal e estranhas botas de cano alto, amarradas por atilhos de couro cru, puxaram os cordões que estavam presos aos véus azul-escuríssimos, desvelando o interior da liteira. E o povo, num suspiro uníssono, fez um instante de silêncio, em que até mesmo o vento pareceu cessar, antes de explodir em gritos ritmados:

— Sha'hawaniah! Sha'hawaniah! Sha'hawaniah!

Dentro da liteira, coberta por véus do mesmo azul profundo, enfeitados em suas bordas com borlas negras e brancas presas ao tecido com fios de ouro e prata, estava uma figura esguia, que se ergueu do assento com lentidão e graça infinitas, deixando surgir pelas aberturas da frente do manto suas mãos pequenas, mantendo oculto o corpo ao qual pertenciam. A multidão, excitada além da conta, gritava o nome dela, e num repelão coletivo, sem que ninguém esperasse por isso, afastou os homens que seguravam os varões da liteira sobre rodas, começando a levá-la à frente com a força de seus músculos e gritos. De onde eu estava, tive a impressão de que as rodas já não mais tocavam o solo, e a liteira balouçava sobre os ombros da multidão como um navio nas corredeiras do Eufrates. Uma das mãos da figura avançou repentinamente para a frente, a um balouçar mais forte, apoiando-se num dos pilares que sustentavam o dossel com seus dedos, e deixou ver até o cotovelo, o antebraço, com três pulseiras tão polidas que faiscaram ao sol. Meu coração batia forte no meio da garganta, e a cabeça girava, ao balanço da ponte onde outra multidão se acotovelava gritando o nome "Sha'hawaniah!" Não me recordo como repentinamente já descíamos a ponte em declive acentuado, e por cima dos ombros e cabeças dos que estavam à minha volta eu via, cada vez mais perto, a liteira onde estava a figura que me prendera a atenção. Meus companheiros estavam à minha volta, e Mitridates teve que gritar para que o ouvíssemos:

— É Sha'hawaniah, a sacerdotisa da deusa em Dur-Qurigalzu, vindo pela primeira vez à Grande Baab'el para dançar para Marduq em seu próprio templo. Ela é a maior e mais jovem sacerdotisa de Ishtar, e pelo que dizem é a sua dança da fertilidade que tem sido a fonte do poder de Marduq e da Babilônia, desde a loucura de Nebbuchadrena'zzar.

— Foi Yahweh quem o enlouqueceu — disse Yeoshua, acotovelando-se conosco. — Nebbuchadrena'zzar destruiu Jerusalém para que nenhum deus tivesse poder sobre qualquer rei desse mundo. Nebbuchadrena'zzar acreditava não precisar de nenhum deus, por isso Yahweh lhe disse: "Eu, Yahweh, decreto que por minha ordem toda a autoridade te seja tirada, e que sejas afastado de todos os homens, e que vivas como os animais, comendo a grama do solo até que sete medidas passem e finalmente a morte te traga o entendimento de que sou Eu quem dá os direitos de soberania àqueles de que Me agrade."

Daruj fez um muxoxo:

— Tolice! Nenhum deus é poderoso a esse ponto. Se isso fosse verdade, o rei da Grande Baab'el hoje serias tu, Yeoshua, o melhor sacerdote que conheço entre os de Judah! Sacerdote e alfaiate, porque pelo menos costuras melhor que Zerub....

Daruj pôs-se a rir gostosamente enquanto descemos a ponte até pisar no molhe de pedra da Esagila, à direita da grande torre onde ficava o altar de Marduq, do outro lado da avenida. Eu, cansado de ouvir histórias como essa da boca de meu pai, mantive os olhos firmemente pregados na figura que seguia de pé dentro da liteira e no braço moreno que a apoiava como se estivesse apenas tocando o pilar de madeira, dando tal demonstração de força, que um toque mais direto de seus dedos longos talvez desfizesse esse pilar em pó. Forçando meu caminho assim que pisamos fora da ponte, fui chegando mais perto da liteira, entorpecido pelo que via e desejoso de ver mais. Com a força dos ombros, consegui finalmente postar-me ao lado do veículo, segurando com dificuldade o varão que era usado para impulsioná-la para a frente, olhando de baixo para cima, tentando perceber mais do que os véus de azul profundo me permitiam adivinhar.

O coração dos homens não pára apenas quando a morte chega: há momentos de inesperado tão violento, que a vida como que suspende seu ciclo infinito, estabelecendo no tempo uma cicatriz para sempre indelével. Assim que meus olhos tocaram a face encoberta da sacerdotisa de Ishtar, minha vida suspirou e cessou por um momento. Seus olhos de negro profundo atravessaram o azul carregado dos véus que a cobriam e pousaram em meus olhos inexperientes, fazendo com que minha alma envelhecesse mil anos em um instante. Minha boca se abriu, e o braço que sustentava o corpo esticou-se em minha direção, exibindo um delicado bíceps moreno perfeitamente desenhado, decorado com volutas de tinta negra tão finas que pareciam a teia das aranhas. A mão com cheiro de mel e patchuli tocou minha face, roçando as unhas longas e negras na minha ainda incipiente barba, e juro que pude ver atrás do azul dos véus o sorriso que essa mulher me deu, enquanto seus lábios deixavam escapar uma palavra sibilada, que nunca consegui saber qual era. Um sufocamento me tomou, e em meu baixo-ventre um nó se desfez, como um arco que se distendesse repentinamente. A flecha de meu desejo nunca mais abandonou esse arco, nem mesmo muito tempo depois, quando eu já aprendera o que essa mulher significava e meu corpo ansiava permanentemente por sua presença a meu lado. Estava disposto a lutar contra qualquer inimigo que pretendesse me impedir de estar com ela lado a lado, deus e deusa finalmente reunidos na mesma igualdade.

A liteira seguiu em frente, entrando na avenida cortada por passarelas suspensas. Eu estanquei, sem ver a multidão que por mim passava em direção à Grande Torre de Nim'rud, reconstruída por Nebbuchadrena'zzar como prova de seu poder sobre Yahweh, que já uma vez a havia derrubado. Nenhum poder me interessava nesse momento, a não ser a marca dos dedos e o arranhar leve das unhas sobre minha face. Obnubilado, saltei para a frente, sentindo que dali em diante eu estaria para sempre galgando uma torre só minha, não em direção ao céu onde um deus poderoso habitasse, mas sim ao mergulho final na profundeza dos olhos que entrevira, ainda que tudo contra isso conspirasse.

Capítulo 4

A turba ensandecida nos levava de arrasto pela avenida que as passarelas suspensas cruzavam, onde as pessoas se acotovelavam, apinhando-se frente ao Templo de Marduq e à Grande Torre de Nim'rud, do topo dos quais grossos rolos de fumaça branca subiam aos céus. Os cantos eram intensos, cada vez mais altos e rápidos, à medida que nos aproximávamos da Grande Torre. Do fundo dessa avenida que cortava a Grande Baab'el de nordeste a sudoeste, a procissão que deixara o templo de Ishtar vinha juntar-se ao grosso da multidão que tomava a avenida. Sobre uma liteira negra estava a *entu* de Ishtar, Grande Sacerdotisa da deusa em nossa cidade, seguida por suas adeptas organizadas em alas: *naditus, gadishtus, sinnishat-zikrums*, todas virgens com tarefas diversas nas salas hipostilas do Templo de Ishtar, reunidas na *ishtarati*, a Corte de Ishtar, formada por elas, pelas *kishretis*, sacerdotisas permanentemente encerradas no claustro de seu próprio mundo interior, e pelas *harimati*, as que se prostituíam em glória da deusa nas masmorras do Templo. A atitude dos habitantes de Baab'el era bastante dúbia em relação a essas *harimati*: as leis e costumes da Babilônia recomendavam que nunca se tomasse uma delas por esposa, mas existia entre todos um enorme respeito pelas mulheres que se prostituíam por um dever sagrado, admiradas como cortesãs dos deuses, havendo mesmo muitos que desejavam para suas filhas essa posição tão invejável quanto discutível. Todas as mulheres da Grande Baab'el tinham a obrigação de, pelo menos uma vez na vida, aceitar a moeda que um homem estranho lhes jogasse ao colo para que se deitasse com ele no recinto do Templo. Como essas cortesãs divinas eram todas símbolos vivos de Ishtar, as mulheres no meio da turba passaram a estalar os dedos e gritar para chamar-lhes a atenção, querendo com isso atrair as benesses e a fertilidade de que a deusa era pródiga. A liteira que viera na grande barcaça rolava pela poeira da avenida, e a procissão que vinha do norte estancou quando as duas liteiras se encontraram, quase em frente ao portão que levava à rampa da Grande Torre. A *entu* de Ishtar ergueu-se de seu trono, levantando a mão direita espalmada, e saudou a figura oculta sob os véus azul-escuros. Da boca da *entu* saíram sons que eu já havia ouvido mas aos quais nunca prestara a menor atenção. Era a oração a Ishtar, já que a recém-chegada ali era a própria deusa em visita. A *entu* a ela se entregava como fiel e não como sacerdotisa, abrindo o coração e cantando hinos de louvor a Ishtar: a deusa estava presente, e a multidão agia de acordo, cantando, gemendo, estalando os dedos e batendo as palmas ritmadas que serviam para acelerar cada vez mais os sentidos de todos.

Para mim, no entanto, esse dia tinha outra importância: pela primeira vez na vida, meu corpo se atirava para uma mulher. Eu a sentia como a deusa que representava, tornando-me nesse instante o devoto mais fiel dessa que se tornara o meu único interesse. Não apenas meu, por certo: eu via nos olhos à minha volta a mesma cupidez que brilhava nos meus, e se pudesse teria matado com minhas próprias mãos ciumentas todos os malditos que ousavam dirigir seus olhares para o objeto de minha adoração.

Os músicos de um lado e outro da liteira da *entu* deram um toque em seus instrumentos, harpa, tambores, clarinetes duplos, flautas e sistros, imediatamente começando a executar uma saltitante melodia de estrutura rítmica ímpar, nem um pouco natural, mas cujas figuras e frases repetidas iam-se acumulando em um grande movimento cadenciado, que nos confrangia o coração, empurrando nossos corpos para a frente e para o alto e regulando o fluxo de nosso sangue a seu bel-prazer. A multidão da qual eu fazia parte era apenas mais um dos instrumentos dessa orquestra, feita de carne, sangue e impulsos do desejo, crescendo a cada minuto, pulsando e se retorcendo como uma serpente que inchasse sem parar em sua incontrolável vontade de absorver o mundo. Outras orquestras no meio da multidão se uniram a esta, e o som dos instrumentos encheu todo o ar à nossa volta: tudo girava à volta dessa sonoridade, e as vozes de homens e mulheres uivavam cada vez mais forte, enquanto a liteira era erguida cada vez mais alto, aproximando-se da Grande Torre.

Até esse dia, eu não tinha me apercebido do poder que a música exerce sobre os seres vivos. Ela se instala em cada espírito como uma profecia do que pode acontecer, mostrando pelos ouvidos aquilo que os olhos entrevêem em seus sonhos mais delirantes. O cego da noite anterior, com seu fluxo de beleza em meio à sujeira da taberna, assim como esse poder imposto sobre a multidão da qual eu fazia parte, me mostravam ser a música a única língua que me interessaria falar desse momento em diante. Eu estava definitivamente encantado por sua absoluta força, da qual queria, precisava e tinha que ser parte. Refleti que, se o Criador nos tinha dado a música, deveria ter guardado para si alguma coisa ainda mais maravilhosa, que eu para sempre buscaria, da mesma forma que para sempre desejaria essa mulher desconhecida, sendo as duas, a música e a mulher, tudo aquilo por que eu ansiava.

A multidão saltava cada vez mais alto e gritava cada vez mais forte, erguendo a liteira de Sha'hawaniah e dirigindo seus passos para a rampa que circundava a Grande Torre de Nim'rud. A música crescia, os cantos já estavam roucos, e nada cessava: o cortejo seguia ondulante e brusco em direção aos primeiros degraus, quando uma agitação começou a se propagar da parte de trás da multidão para a frente. Num movimento inexplicável, abriram-se duas grandes alas, para que se aproximasse o cortejo grandioso de Belshah'zzar, rei-substituto da Grande Baab'el, representante de Marduq, e como tal o Único entre nós que podia tocar a grande Ishtar. Invejei esse homem, que vinha completamente nu sobre uma liteira de rodas quase tão altas quanto as da liteira de Sha'hawaniah. Ele estaria com ela nesse dia em intimidade maior do que qualquer de nós poderia imaginar, porque não só seus corpos estariam unidos, mas também Marduq e Ishtar, ocupando esses corpos, os usariam para garantir a fertilidade da Natureza. Minha inveja fazia sentido: Belshah'zzar era um tipo mole e adiposo, a pele descorada de quem raramente enfrenta o ar livre, piscando como se a luz do sol o cegasse, um tanto incomodado pela nudez que exibia, ainda que ela fosse a mais absoluta prova de seu poder. Eu era melhor que ele, e desejava mais que qualquer outro ser o rei em quem Marduq se corporificaria, para que Ishtar, personificada em Sha'hawaniah, entrasse comigo em conúbio amoroso. Ninguém tinha direito a essa nudez pública a não ser o rei e a sacerdotisa de Ishtar: mas, ao mesmo tempo que o corpo sem formas definidas do rei-substituto nos era exibido, Sha'hawaniah permanecia modestamente coberta pelos mantos de profundo índigo, sem mostrar mais que a mão, um pedaço de seu antebraço, um cotovelo, e o brilho do olhar em brasa perfurando o tecido à sua volta. Com meus olhos fixos em sua figura, eu orava para que um anátema qualquer caísse dos céus, uma chuva de enxofre, um raio de ira divina, destroçando todos que a cobiçavam, para que a nudez que eu pressentia fosse mostrada só a mim e a mais ninguém.

A Grande Torre de Nim'rud, destruída séculos atrás pela ira de um deus, fora mais tarde reconstruída por ordens de um outro, segundo as lendas. Nebbuchadrena'zzar havia tornado ponto de honra reerguer essa torre, antes de mandar erigir todos os seus monumentos e construir a grande estátua cujos restos ainda brilhavam ao sol na planície de Du'rah. Essa fora a grande obra do rei sob cujo comando Jerusalém caíra, e, ao que tudo indica, cada um de seus monumentos era a resposta que dava, em nome de Marduq, ao deus de Judah, senhor do templo que fora destruído em Jerusalém.

Nesse momento, só havia uma figura em meu espírito, a que eu adivinhava sob os véus, e por isso tomei a decisão de enfrentar a multidão e acompanhá-la o mais que pudesse, esperando regozijar meus olhos com a visão de sua nudez no momento em que ela, seguindo a tradição, se desfizesse por completo das roupas que não deixavam Ishtar tomar seu corpo. Mesmo que fosse com risco de minha própria vida, eu queria ter um vislumbre da maravilha que pressentia. Fui-me afastando de meus amigos e me enfiando pela turba adentro, colocando-me à frente da liteira de Sha'hawaniah. Meu desejo era avançar pela escadaria que se erguia, ligando-se ao primeiro plano inclinado em volta das oito torres superpostas que formavam a Grande Torre de Nim'rud: na borda dessa escadaria se postavam quase seis dezenas de sacerdotes de Marduq e de Ishtar, uma fila de cada lado, braços erguidos para o alto, aguardando que o deus e a deusa pisassem o primeiro dos degraus, para acompanhá-los até a sala no alto da torre, onde aconteceria sua união. Eu tinha que subir essa escadaria, mantendo-me à frente da procissão, para poder ver aquilo por que ansiava. Fui-me enfiando pelo meio do povo, acotovelado e empurrado, mas a cada instante ganhava mais e mais terreno: quando as duas liteiras tocaram o primeiro degrau da escadaria, e a música cessou instantaneamente, eu já era um dos que formavam a linha de frente dos fiéis, encostado na barriga enfeitada dos sacerdotes de Marduq, que olhavam a multidão por sobre minha cabeça. Atrás de nós, a turba se apertava, e a pressão em minhas costas era insuportável. Um sacerdote de Marduq, vestindo a longa saia de pele com os pêlos trançados, o torso nu e a cara completamente coberta por sinais riscados em negro sobre azul, acima da barba postiça e frisada, esticou a cabeça e pôs-se a entoar um hino de regozijo pelo reencontro do deus e da deusa, que a Grande Baab'el tanto desejava. Barbas postiças significavam poder, sendo marca de excelência e importância em toda a Babilônia: mas eu duvidava que Sha'hawaniah a estivesse usando, por baixo de seus véus. Seu poder certamente não necessitava desses sinais exteriores.

Não acreditem que eu soubesse de tudo isso naquele momento: essas noções só me vieram muitos anos depois, pela experiência que acumulei a partir das coisas que fiz. É difícil explicar o que me aconteceu: tudo estava centrado na figura de Sha'hawaniah, a única entre todos que se mantinha calma e composta, preparando-se para o momento em que seria veículo da manifestação de Ishtar, sua deusa de tanto poder. Eu precisava ver essa posse, não queria perder o momento em que deus e deusa se fizessem um só, mas, além isso, tinha que conhecer o corpo dessa mulher que me seduzia de maneira tão absoluta. Por isso, enquanto as alas de sacerdotes se abriam, forcei meu corpo para a frente, percebendo que Belshah'zzar e Sha'hawaniah haviam saltado de suas liteiras e começavam, lado a lado, a galgar seus quase trinta degraus. Eu e algumas outras pessoas nos mantínhamos à frente deles, e antes de alcançar o primeiro plano inclinado ouvi a litania dos sacerdotes, acompanhados pela música que novamente soava:

— Louvemos a Deusa, a maior de todas as Deusas, Amante de todos os povos, Rainha de todas as mulheres, vestida de Prazer e Amor, coberta de Poder e Volúpia! Teus lábios são doces, e em Tua boca mora a Vida, ó Gloriosa! Os véus que descem de Tua cabeça revelam, ocultando, a Tua bela figura e os Teus olhos brilhantes!

RECONSTRUINDO O TEMPLO

Um sacerdote avançou na direção de Sha'hawaniah, quase tocando o solo com um joelho, e estendeu a mão para seu manto. Sha'hawaniah, num repelão brusco, afastou o tecido das mãos do sacerdote, que ergueu os olhos, incrédulo. E pela primeira vez eu ouvi a voz dessa mulher, cujo timbre suave soou poderoso como a voz de uma verdadeira rainha:

— O que pretendes, *urigallu*? Que eu me dispa aos poucos, como já fui forçada a fazer em meu caminho para o Mundo Inferior, por ordens de minha irmã Ereqshi'gal? Deixa-me!

A sacerdotisa que representava a deusa em cerimônias como essa devia despir-se gradativamente, enquanto subia os planos inclinados que circundavam a Grande Torre de Nim'rud, para chegar completamente nua ao último patamar, onde ficava a Câmara da União, sob o Altar de Marduq. Mas Sha'hawaniah parecia decidida a quebrar essa tradição: soltando a mão de Belshah'zzar, que ridiculamente apressava o passo atrás dela sacudindo as banhas descoradas, pôs-se a subir o caminho de tijolos vitrificados. A bela figura envolta em tecidos azuis parecia deslizar rampa acima, e em cada parada para descanso, como rezava o ritual, um sacerdote dela se aproximava para pedir-lhe mais um pedaço das vestes, emulando o Guardião do Mundo Inferior. Depois que ela afastou com severidade a mão do terceiro deles, os oficiantes do culto perceberam que aquela não era uma sacerdotisa como as outras. A multidão, ensandecida pela música que soava cada vez mais alta em torno da Grande Torre, sentia a aproximação de um momento único, inesquecível, e que testemunhariam alguma coisa que nunca antes havia ocorrido. Por força de meu desejo, eu estava entre os que subiam a rampa à frente de Sha'hawaniah, perto de um pequeno grupo de músicos que ecoava nota por nota aquilo que era tocado cada vez mais alto e mais rápido abaixo de nós. Meus olhos não abandonavam a figura que ascendia: os movimentos de Sha'hawaniah, passando pelos patamares de descanso, onde sacerdotes se ajoelhavam com suas mãos inutilmente estendidas para a frente, eram ao mesmo tempo suaves e ansiosos, querendo alcançar o alto dessa torre onde os homens haviam um dia pretendido tocar o céu.

Depois de algum tempo, durante o qual o movimento ascendente não se interrompeu nem uma vez, as rampas começaram a fazer-se sentir, e muitos de nosso grupo deixaram-se vencer pelo cansaço, inclusive um dos músicos de Sha'hawaniah, exatamente o que tocava por sobre a cabeça um estranho tambor redondo de quase cinco palmos de diâmetro, em cuja borda tilintavam pequenos círculos de cobre. Eu o apanhei quando ele o abandonou, sacudindo-o por cima da cabeça enquanto o tocava com a mão esquerda, como o havia visto fazer. Talvez ela tivesse me visto fazer isso, talvez tenha sorrido para mim por sob seus véus, mas essa sensação não era mais que minha imaginação, porque ela parecia exclusivamente preocupada em alcançar o topo da Grande Torre de Nim'rud.

Repentinamente, lá estávamos nós, em pleno sol e vento, no topo da Grande Torre, cento e oitenta côvados acima da Grande Baab'el. O topo era um quadrado de tijolos com não mais que quinze côvados de lado, no centro do qual se erguia um grande altar no formato de mesa quadrada e feito de ouro puro, com pontas em cada um de seus ângulos, permanentemente tingidas pelo sangue e cinzas dos sacrifícios que ali se realizavam. As doze colunas atarracadas sobre as quais essa mesa se erguia eram de tijolos vitrificados e unidos com betume, e seus capitéis, esculturas dos doze signos do zodíaco, já que também era usada como ponto de observação dos astros, pois nada era feito no Império da Babilônia sem consultá-los. Marduq pontificava sobre esse templo, pois ao lado dessa mesa, impressionantemente grande, ficava sua estátua feita de ouro, a mesma que no décimo segundo dia da procissão de Ano Novo descia da torre para passear entre o povo. Debaixo da mesa de ouro estava um leito alto, forrado de tecido adamascado e rebordado em fios de ouro e prata, sobre o qual o deus e a deusa se acasalariam. Cercamos essa sala, sem incomodar os sacerdotes que se postavam em frente a cada uma das colunas, vestidos com saias peludas nas cores correspondentes a cada signo. A sala interna ficava em penumbra, e só depois de algum tempo dentro dela é que os olhos se acostumariam à semi-escuridão, permitindo enxergar alguma coisa. Para quem estava de fora, era quase impossível, pois só alguns detalhes eram iluminados pelos espelhos redondos de metal que, captando a luz do sol no exterior, refletiam-na em cada canto da cama ritual, suas arestas apontadas para os pontos principais da rosa dos ventos.

Era quase o meio do dia, e o sol estava a pino quando o rei Belshah'zzar, suando e bufando, finalmente chegou até o último patamar, apoiado nos ombros de alguns de seus acólitos, que resmungavam, porque tinha sido realmente um excesso de esforço carregar seu pesado rei pelas rampas acima. Sha'hawaniah estava de pé à frente do lado nordeste do altar, onde uma pequena escada de madeira permitia subir sobre a grande mesa: sua imobilidade era absoluta, mas seu corpo vibrava, na antecipação de alguma coisa que nenhum de nós sabia o que fosse. Com um gesto curto, ela nos silenciara a todos, seu silêncio conseguindo calar até mesmo os acólitos de Belshah'zzar. O vento soprava em nossos ouvidos, enquanto aguardávamos, em crescente excitação e desejo, que ela se despisse.

Sha'hawaniah, com um gesto quase imperceptível, tirou de cima de si a grande capa translúcida, encantando-nos e frustrando-nos ao mesmo tempo, pois estava coberta do pescoço para baixo por uma roupa quase colada à sua pele, feita de material muito mais fino e mais claro, atada por diversas cadeias de ouro e lápis-lazúli, no pescoço, abaixo dos seios, cintura, punhos e tornozelos, de forma que seu corpo ficava perfeitamente desenhado pelo vento, parecendo de vez em quando ser daquela cor tão inesperada, formada pela soma da tintura azul do pano e do tom azeitonado de sua pele. Era uma obra-prima de sabedoria nas artes da excitação, sensualidade e beleza, pois tudo mostrava sem nada revelar, a não ser uma estreita linha lateral que ia do pescoço até os pés, onde não havia nenhum tecido, e pela qual a pele aparecia como verdadeiramente era: brilhante e suave. Na cabeça, ela trazia um adereço de rede de ouro que cobria seu cabelo até a linha das orelhas: daí para baixo, essa cabeleira se dividia em uma série de tranças que desciam até a cintura. No alto da rede estava um pequeno crescente de ouro que coruscava ao sol, e dali saía uma pequena corrente, sustentando um lenço azul que lhe cobria a face dos olhos para baixo. Esses olhos tudo viam, até mesmo aquilo que não estava ao seu alcance, mas nunca esperei o choque que quase me projetou para fora de mim mesmo quando ela se virou de frente para nós, falando com grande autoridade:

— Ouve-me, Ishtar, Imaculada entre as Imaculadas, Tocha do Céu e da Terra, Tu que alteras os destinos e fazes de tudo um momento bom, tem Piedade de mim, ordena minha Fortuna, observa-me com Benevolência, aceita minha Afirmação!

Com movimentos tão graciosos quanto rápidos, Sha'hawaniah galgou os degraus de madeira e logo estava sobre a mesa, arrancando um sussurro de desagrado dos *urigallus* e *edus*: suas palavras foram descendo de boca a ouvido dos que ocupavam as rampas, chegando até o chão da Grande Baab'el, onde foram repetidas por milhares de pessoas, subindo de volta até nós como um murmúrio grave. E ela continuou:

— Permite, ó Ishtar, que eu proclame a todos a Tua Divindade, que eu alcance o meu Desejo!

Com um sinal de sua mão recoberta de anéis, Sha'hawaniah arrancou de seus músicos um primeiro acorde, imediatamente refletido em seus quadris, num movimento rotatório que a mim ainda parece impossível de ser executado, mesmo depois de tê-lo observado tantas vezes desde esse dia. Seus braços se ergueram, lentamente, a um som contínuo do clarinete duplo, enquanto as flautas acompanhavam o movimento cada vez mais rápido de seus dedos longos. Eu estava paralisado de encanto, e sequer percebi quando o tocador do adufe que eu manipulara desde o meio da rampa o retomou de minhas mãos, tamborilando seus dedos na pele, cada vez mais depressa, fazendo com que os pequenos pedacinhos de metal soassem junto com os movimentos dos dedos dela. O volume do som foi crescendo, e a um toque brusco da trompa e do tambor, a lira e os instrumentos de sopro começaram a soar a melodia, sobre uma base rítmica de seis batidas rápidas e duas lentas de tambor, sistro e adufes, sendo as duas lentas também marcadas pelos crótalos. Era tudo tão belo, tão emocionantemente vivo, que um nó de alegria se instalou em minha garganta, ao mesmo tempo que meu ventre se contraía e expandia, pois a cada som e batida dos músicos correspondia um movimento do corpo de Sha'hawaniah. Por todos que ali estávamos se espalhou um suspiro de prazer, e começamos a marcar as duas batidas lentas, com palmas, curtos assovios e gritos agudos. Esta participação se espalhou pela torre, descendo por seus imensos degraus como água por uma montanha íngreme, e de repente toda a Grande Baab'el estava de olhos fixos no altar sobre o qual Sha'hawaniah fazia o impensável, dançando publicamente o que Ishtar só dançava privadamente para Marduq, na obscuridade de sua câmara secreta, antes que seus copos e almas se unissem, tornando os dois deuses em apenas um.

Por mais que os *urigallus* se mostrassem irritados, e virassem os olhos para não assistir ao que consideravam um sacrilégio, a vontade da deusa tinha que ser respeitada: a sacerdotisa havia decidido que o ritual oculto seria mostrado a todos, indiscriminadamente, e nada havia que pudessem fazer quanto a isso. Ou aceitavam que a deusa estivesse usando o corpo de Sha'hawaniah como ferramenta de sua vontade sagrada, ou perdiam poder perante os devotos, hipótese essa que nunca agrada a sacerdotes. Meus olhos não abandonavam a figura de Sha'hawaniah, que agora fazia uma série de movimentos com origem no seu ventre, como se este se estivesse iluminando por dentro, à medida que se cobria de suor e o tecido a ele se ia colando. O corpo dessa mulher se movia em completo acordo com a música que era tocada, e a partir de um certo instante foi como se o próprio corpo produzisse a música, tal a identidade entre seus movimentos e o som dos instrumentos. Ainda assim, os olhos, encimando a mais poderosa fonte de excitação que já tive a oportunidade de encontrar em minha vida, exibiam uma qualidade tão espiritual, que ninguém duvidava serem corpo e espírito a mesma coisa. O ventre de Sha'hawaniah girava sobre si mesmo, lateralmente, de cima para baixo, manipulando nossas sensações e emoções de forma tão completa, que estávamos todos ligados a ele, no eco de outros ventres que nos houvessem posto no mundo e para os quais ansiássemos retornar, de uma maneira ou de outra. Tudo em seu corpo, parindo beleza e força, movia-se a partir do ponto gerador de seu ventre, onde a Criação do Universo está mais que viva, da qual nós homens sempre desejamos estar próximos, mas que nunca podemos conhecer verdadeiramente. O efeito dessa dança era incompreensível para a maioria, que não percebia como esses movimentos podem manipular emoções e sensações: seu poder era inegável, pois até mesmo o rei Belshah'zzar exibia uma ereção considerável, quase aparente por baixo de seu ventre adiposo e cheio de dobras. Estávamos todos unidos em coletiva excitação, sob o poder de Ishtar, manifestada no belo e bem proporcionado corpo de Sha'hawaniah.

Subitamente, sem que ninguém esperasse por isso, com um gesto das mãos de Sha'hawaniah, a dança se interrompeu, sem aviso, sem razão, deixando-nos a todos órfãos: os músicos calaram seus instrumentos, com exceção do tocador de harpa, que principiou a entoar um cântico suave, com voz tão bela que me trouxe lágrimas aos olhos:

— "Ishtar, Ishtar, desejada por todos os deuses! Sua palavra é respeitada, e reina suprema sobre todos! Ishtar é sua rainha, e a ela todos obedecem, todos ante ela se curvam, dela todos recebem a Luz, e o poder de suas palavras é o que enche de forças o rei!"

Nesse momento, os sacerdotes, retomando o ritual original, fizeram com que Belshah'zzar avançasse na direção de Sha'hawaniah, que olhava para ele do alto da pedra sobre a qual dançara: sem nenhum sinal de medo, ela chegou até a borda dessa pedra e de lá deixou-se cair, confiante de que seria apanhada por seus acólitos antes de tocar o solo. Assim aconteceu: foi acolhida nos braços dos doze sacerdotes que haviam unido seus braços em rede, e que gentilmente a puseram de pé, frente a frente com o gordo Belshah'zzar, que a olhava lubricamente, as ventas alargadas pela excitação, e ele e a sacerdotisa coberta de suor, sem tirar os olhos um do outro, penetraram na câmara obscura sob o altar de Marduq.

Tivesse eu uma faca, mãos mais fortes, quem sabe uma pedra, teria esmigalhado a cabeça desse asqueroso rei da Babilônia, que tocava meu objeto de adoração e ciúme: em meio a tantos como eu, só pude abaixar a cabeça e deixar que as lágrimas me corressem pelas faces abaixo, ouvindo os ruídos que Sha'hawaniah e o gordo rei faziam dentro da penumbra do leito sob o altar, realizando o conúbio sagrado do deus e da deusa. Não durou muito essa união: em apenas alguns instantes, o rei soltou um arquejo rouco do fundo da garganta, indicando a todos que a semente de Marduq já estava dentro do ventre de Ishtar, e que a fertilidade da Grande Baab'el estava garantida por mais um ano. Nesse exato instante, ao ouvir de novo a voz do tocador de harpa, desviei meus olhos de Sha'hawaniah, e num relâmpago recordei onde havia ouvido essa voz: fora na noite anterior, na Taberna do Boi Gordo, saída da boca do cego imundo a quem todos chamaram de Feq'qesh. Mas o homem que ali estava nesse momento era outro, ainda que o talhe e as feições fossem muito parecidos com as de Feq'qesh: estava limpo, parecia próspero, e seus olhos vivos não mostravam nenhum sinal de cegueira. Aproximei-me dele, enquanto a procissão começava a deixar o topo da Grande Torre, querendo perguntar-lhe como se passava da cegueira mais completa e suja para a visão mais perfeita e limpa. A voz se me trancava dentro da garganta, no entanto, como se dentro de mim todas as coisas tivessem perdido suas raízes e estivessem embatendo umas com as outras, no campo de batalha de meu espírito. Tudo concorria para isso: a excitação que Sha'hawaniah me causara, a maneira sub-reptícia com que eu galgara a Grande Torre, a experiência de beleza que a música e a dança me haviam proporcionado, e a tristeza por perceber que o corpo que eu ansiava ter entre minhas mãos era território exclusivo de deuses e de reis.

A guarda de Belshah'zzar se aproximou, para auxiliar seu rei na descida das rampas, e eu me aproximei mais e mais dos músicos, tentando misturar-me com eles, para não ser expulso como um cão vadio. Meu corpo bateu contra Feq'qesh, que me olhou sem emoção: percebendo para onde meu olhar se dirigia, compreendeu que os guardas de Belshah'zzar me causavam receio, e dirigiu-se a mim, falando em voz baixa:

— Tocaste muito bem o adufe, rapaz: onde o aprendeste?

— Nunca o havia tocado antes — disse eu, ajuntando baixinho o nome que me queimava a língua: — Feq'qesh...

O tocador de harpa logo compreendeu que eu era apenas um jovem curioso, movido por um impulso incontrolável de meu ser, e eu vi um estranho sorriso em seus olhos, pela primeira vez em nossas vidas. A simpatia entre nós foi instantânea e mútua, apesar de nossa diferença de idade: eu não tinha nenhuma consciência de que a música seria parte do território que trilharíamos juntos desse dia em diante. Continuamos descendo as escadas, atrás das comitivas de Belshah'zzar e Sha'hawaniah, minha atenção tão dividida que nem sei como consegui manter meus pés nos tijolos das rampas. Não conseguia compreender por que não era comigo que Sha'hawaniah realizava sua magia sentindo dentro de mim o impulso incontrolável de tê-la de qualquer maneira, sob qualquer condição, estando disposto a qualquer coisa para isso. Ao mesmo tempo, a beleza da música de Feq'qesh também se enraizava em meu coração, e nesse instante minhas duas paixões, a música e Sha'hawaniah, somaram-se definitivamente, tornando-se cada uma a face oculta da outra. Enquanto a comitiva descia em direção ao solo da Grande Baab'el, eu disse a Feq'qesh o quanto a sua música me impressionara, fazendo-o rir gostosamente:

— Com que então o jovem soube reconhecer-me sob meus disfarces? Isso é raro: poucos até hoje conseguiram enxergar por baixo da aparência asquerosa do cego Feq'qesh o músico dos templos da Grande Baab'el... Fico feliz, porque o prazer de encontrar um verdadeiro admirador de minha arte é maior que a preocupação por teres descoberto que o cego imundo e eu somos a mesma pessoa.

Eu disse a Feq'qesh que o que me fizera reconhecê-lo sob vestes tão diferentes tinha sido exatamente aquilo que ele chamava de "sua arte", para mim uma coisa de beleza incomparável, da qual eu pretendia nunca mais me afastar. Desviando o olhar para o alto, ele respirou profundamente e disse:

— Disseste que antes de hoje nunca havias tocado o adufe: é difícil de acreditar. O que fizeste, de improviso, demonstra uma capacidade rítmica que nem todos têm. Tu mesmo deves ter notado que a maioria das pessoas não sabe reconhecer uma medida de cinco tempos como a que tocamos hoje: mas tu, naturalmente, sem pensar nisso, imitaste com precisão o toque que meu companheiro dava, sem enganos nem perdas. Juras que nunca antes fizeste isso?

— Juro, Feq'qesh. A única coisa que eu conhecia como música até hoje são os hinos que meu pai entoa quando das comemorações....

A voz me faltou, porque a súbita lembrança dos cantos de meu pai, com sua voz grave, me trouxe uma tristeza infinita ao coração, perdendo-se imediatamente nos desvãos obscuros de meu espírito. Feq'qesh me olhou profundamente e sorriu:

— Calma, rapaz. Como te chamas?

— Zerubb'ben'Salatiel.

A surpresa de Feq'qesh não me pareceu muito verdadeira:

— Ben'Salatiel? És o filho do *rosh-ha-golah*?

Eu me espantei:

— Tu o conheces? Como?

— Não tinhas percebido que também sou um dos de Judah?

— Não, Feq'qesh, não tinha. Os de Judah que conheço, quando têm a tua idade, são todos ásperos e enclausurados em si mesmo, como meu pai, que sequer cruza o portão de nosso bairro, para não se misturar com aqueles que chama de "impuros".

Feq'qesh riu de novo, com uma ponta de tristeza nos olhos:

— Eu os conheço bem. Se não tomasse cuidado, talvez estivesse sendo constantemente apedrejado por eles.

— Mas — indaguei eu, ainda mais curioso —, se és como eu um

dos de Judah, como é que podes estar junto de uma sacerdotisa de Ishtar?

O vulto azul-escuro de Sha'hawaniah voltava a ocupar meu campo de visão, e Feq'qesh deixou em meu espírito a primeira das muitas dúvidas que ali se encarregou de plantar:

— Teu pai e os que ficam no bairro de Judah são uma minoria, Zerub. A grande maioria sequer se recorda que um dia habitou um lugar chamado Jerusalém, nem que faz apenas setenta anos que aqui estão. Há também os que chegaram muito antes deles, e que já não têm nenhuma ligação com a terra de seus avós, esse Sião pelo qual teu pai chora antes de cada *Shabbath*. Na verdade, o que importa em cada homem é o dom de que Yahweh o dotou: cada vez que minha voz se ergue, é em Sua honra, não importando a aparência das coisas externas. Dentro de mim existe um Templo onde ergo minha arte em holocausto ao Deus que me criou. É a beleza do que faço que a Ele importa, nada mais.

Não compreendi o que ele me dissera, e como estávamos no último lance de rampas, temi que Feq'qesh, ao chegarmos ao solo, se despedisse de mim. Não desejava isso: pretendia estar com ele o mais que pudesse, para com ele aprender tudo o que pudesse sobre a arte da música e mais tarde tornar-me um músico da Deusa, e quem sabe de Sha'hawaniah.... Sacudi a cabeça: começava a delirar, e se os sonhos são essenciais para a vida, os delírios sem sentido são certamente a sua destruição. Devia sonhar o sonho possível, na medida exata, sem exageros, sem delírios de grandeza. O corpo sinuoso de Sha'hawaniah se movia à minha frente, novamente oculto sob véus, e ainda assim mais exposto aos olhos de minha alma do que se tivesse ficado completamente desnudo. Eu desejava tê-la só para mim, ainda que soubesse que isso demandaria muito tempo e esforço.

Feq'qesh deve ter lido o que ia em meu coração, pois me perguntou, de chofre:

— Queres tornar-te um músico, Zerub? Queres ser um desses que lidam com o nada e o transformam em tudo, ainda que por um curto período de tempo e sem nenhuma permanência? Queres aprender como se faz isso?

Claro que eu o desejava, mais do que tudo, porque sabia que esse seria o primeiro grande passo no caminho inevitável até Sha'hawaniah.

Sorri, incapaz de dizer alguma coisa, e Feq'qesh, lendo minha alma melhor que eu mesmo, sorriu de volta:

— Então estamos combinados: a partir de agora, és meu aprendiz, e se tiveres empenho e paciência, acabarás por saber tudo o que eu sei. Um talento natural como o teu, tenho certeza, não aparece todo dia. Minha missão é ensinar, e, haja o que houver, te ensinarei tudo o que sei. Estamos acordados?

Não sabia como agradecer a Feq'qesh, pois ele me dava a maior oportunidade que um homem podia desejar: eu deixaria de ser quem era e passaria a ser exatamente quem desejava ser. Um presente desses, pensei, só se recebe uma vez na vida, e uma vez dado permanece conosco para sempre! Contei-lhe rapidamente que ainda no dia anterior havia abandonado a casa paterna, e ele sorriu, como se já soubesse disso. Quando pisamos o chão da Grande Baab'el, Feq'qesh pôs-se a contar-me como seria nossa convivência de mestre e aprendiz. De repente, para desgraça de meus sonhos, uma agitação à nossa frente chamou-nos a atenção, e eu vi um grupamento de soldados, liderados pelo asqueroso Na'zzur, escoltando meus amigos Mitridates, Daruj e Yeoshua, manietados. Rapidamente me ocultei atrás de Feq'qesh, que estacou e ficou olhando a cena. Na'zzur, rispidamente, apertava o braço de Daruj, e eu sabia a dor que meu amigo persa devia estar sentindo, pois o braço era exatamente aquele que eu havia costurado como pudera: seus gritos quase encobriam os rosnados de Na'zzur, que vociferava:

— Onde está o outro? Zerub, aparece! Onde está o cãozinho de Judah que me desrespeitou hoje pela manhã? Se não me disseres, eu te arranco esse braço!

Feq'qesh, percebendo meu abalo, tudo compreendeu: passando sua volumosa lira para a minha frente, ocultou-me dos algozes, perguntando-me:

— É a ti que procuram? Se não quiseres, não te encontrarão: posso ocultar-te até que passem, e estarás livre. São teus amigos?

— Os únicos que tenho! — sussurrei. — Por que fazem isso? É a vingança de Bel'Cherub, com certeza... e Na'zzur, tu bem o sabes, é um de seus sabujos... o que devo fazer, Feq'qesh?

Foi nesse momento que meu mestre me deu a primeira das inúmeras e valiosas lições que dele recebi em toda a minha vida, mesmo que levasse muitos anos para compreendê-las como tal: segurou-me pelos ombros e, olhando fixamente em meus olhos, disse:

— Faze exatamente aquilo que o teu coração mandar.

Fechei meus olhos com força: teria sido fácil mantê-los fechados, e esperar que os gritos de Na'zzur e de Daruj se afastassem. Mas se o fizesse, esses gritos permaneceriam para sempre em meus ouvidos, e eu seria pior que um bicho, por ter abandonado os únicos amigos que tinha. Abaixei a cabeça, num suspiro profundo, que Feq'qesh compreendeu melhor do que se eu tivesse dito alguma coisa. Apertando-me a mão com força, disse:

— Faze exatamente isso, e fica descansado: teu lugar como meu discípulo estará sempre reservado, não importa quando precisares dele. Segue teu caminho, Zerubb'ben'Salat'iel, e crê que o Deus que tira é o mesmo Deus que dá.

— Mas a bela arte que me ensinarias?

— A Vida é longa, Zerub, e a Arte mais ainda: em algum lugar do futuro está o tempo em que estaremos sempre juntos pelo bem da Arte e para a maior glória de Yahweh. Ainda é cedo para isso: segue teu caminho.

Assim dizendo, Feq'qesh saiu de minha frente, deixando-me cara a cara com Na'zzur, que, por um momento, com o sol em seus olhos, não me reconheceu. Mas Yeoshua, entre lágrimas, gritou meu nome, e eu, dando o primeiro passo no caminho que não desejava, como ainda faria tantas vezes em minha vida, sorri o mais cínico sorriso que pude e exclamei:

— Estás me procurando, Na'zzur?

Tudo se precipitou, quando os soldados do Império pularam em cima de mim, fazendo com que me ajoelhasse, enquanto os perdigotos de Na'zzur molhavam minha cara:

— Zerub! Que prazer em ver-te! Acreditei que eras esperto o bastante para fugir, mas vejo que me enganei... agora os quatro cãezinhos vão pagar o preço por seu engano. Não devíeis nunca ter abandonado o bando de Re'hum.

Daruj, ouvindo esse nome, tentou gargalhar, mas o soldado que o mantinha preso apertou-lhe novamente o braço ferido, fazendo-o urrar. E Na'zzur continuou:

— Agora preciso aplacar a ira de Bel'Cherub, com quem falhei vergonhosamente... o que farei de vós? Nenhum castigo é grande nem extenso o bastante, a não ser....

Com uma gargalhada obscena, Na'zzur virou-se para seu lugar-tenente, um tipo arruivado de olhos divergentes, e gritou:

— Como estamos de recrutas no Palácio de Belshah'zzar?

O alistamento! O terror de todos os jovens da Grande Baab'el! Era esse o castigo que Na'zzur nos prometia: por mais que nos debatêssemos, sob as risadas que cresciam, quanto mais nos aproximávamos do palácio de Belshah'zzar, mais terrível era o destino que se nos apresentava. Estávamos novamente unidos, eu e meus três companheiros, desta vez por uma desgraça em que nunca pensáramos antes. Ficaríamos a serviço de um rei sem valor, sob o comando de homens mais cruéis que a crueldade ela mesma, soldados que carregavam a própria sorte nas mãos sem trazer em seus corações nenhuma bondade, esmagados por violência e terror. O que mais me amedrontava era estar prestes a me transformar em um desses seres nojentos a quem desprezava, e sob cujo poder estava.

Enquanto os soldados de Na'zzur me manietaram e empurraram para a frente, sem dó nem piedade, pressenti as figuras de Sha'hawaniah e Feq'qesh se afastando dali, cada um para seu lado, levando consigo meus sonhos e minha felicidade. Nesse momento, minha alma mergulhou no terror absoluto, assim permanecendo até que os acontecimentos de minha vida me mostrassem que, no universo criado, existe muito mais que apenas os desejos, os terrores e as maquinações sem sentido das criaturas.

Capítulo 5

No alistamento militar da Grande Baab'el, essa conscrição que violentava as vontades, o mais terrível eram os hábitos de Belshah'zzar e sua corte de degradação e vícios. Esse rei depravado, representante da decadência que enfraquecera o Império da Babilônia, não era o rei verdadeiro, o *patesi* da Babilônia, mas sim um *puhu*, o substituto que assumia o lugar do verdadeiro rei sempre que um perigo qualquer ameaçasse o verdadeiro soberano. Belshah'zzar, sobrinho do *patesi* Nabuni'dush, sobre quem pesara um presságio de morte, tinha sido indicado como seu substituto oficial, liberando o verdadeiro rei para viver em segurança. O que se sabia é que Nabuni'dush, avesso às coisas do poder, urdira esse falso presságio em conluio com seus sacerdotes apenas para poder perseguir o sonho de sua vida, que era o estudo das cidades em ruínas da planície de Teimah. Fora viver entre elas com sua corte de estudiosos e servos, alcançando grande prazer na escavação e descoberta dos utensílios dos que o antecederam, refugiando-se no passado imutável por temer o futuro incognoscível. Nenhum de seus filhos demonstrara qualquer desejo de ser *puhu* do próprio pai, e apenas esse sobrinho, um fraco sem nada que o destacasse dentre os outros, acabara por aceitar o papel que o tio lhe exigia.

Bastou que a escolha se oficializasse e Nabuni'dush partisse em direção às ruínas de Teimah, para que Belshah'zzar se transformasse no rei de imensa presença na Grande Baab'el, quase como Nebbuchadrena'zzar, só que desta vez graças ao comportamento infinitamente mais desregrado que o de seus antecessores. Baab'el era o centro do mundo, e vários outros impérios, subjugados a seus desígnios, tentavam com dificuldade alcançar o patamar de excelência em que estávamos. Por vezes, isso era possível em termos de poder político, militar, quantidade de riquezas, mas em matéria de satisfação dos desejos físicos, ainda éramos os maiores do mundo. Nada havia entre nós que fosse impensável ou inexeqüível, e o povo da Grande Baab'el, por imitação de seu rei, tornou ponto de honra a superação dos limites físicos na busca incessante da satisfação, não importando de onde viesse ou de que maneira fosse alcançada. Graças a isso, tornamo-nos conhecidos, tanto por admiradores quanto por inimigos, como a Cidade dos Prazeres Infinitos.

O Palácio Real da Babilônia, ao norte da grande Porta de Ishtar, fora erguido sobre uma enorme estrutura de colunas e arcos, jardins planejados por Nebbuchadrena'zzar para agradar a uma de suas esposas, saudosa das montanhas verdejantes e floridas de seu país natal. Erguia-se acima desses jardins, pintado das mais diversas cores e incrustado das mais diversas pedras e metais preciosos, que o faziam brilhar ao sol como se feito de um pedaço de arco-íris. Como tudo na Grande Baab'el, no entanto, tinha subterrâneos que eram o oposto absoluto de sua aparência revelada: neles ficavam as casernas da guarda real, e, mais abaixo delas, as masmorras da Grande Baab'el, onde Belshah'zzar se divertia assistindo aos castigos de seus especialistas sobre seus inimigos. A tortura nessas masmorras havia sido elevada ao nível de arte, sob a cruel e ardilosa mente de Belshah'zzar, ainda que ele raramente encostasse as mãos em suas vítimas: gostava de estar junto delas, cheirando-lhes o medo no suor, próximo o bastante para quase provar-lhes o gosto ferroso do sangue com os lábios sedentos, divertindo-se profundamente quando os esfíncteres dos torturados cediam e o fedor de fezes e urina se espalhava pelos subterrâneos escuros, mas nunca suficientemente perto para poder considerar-se responsável pelos sofrimentos que sentiam. Os divertimentos que preferia, usando o corpo adiposo e emaciado sem nenhum tipo de preconceito, eram aqueles que haviam tornado famoso o Império da Babilônia: o prazer sensual sem limites, com quem quer que acendesse seu desejo. O que Belshah'zzar mais amava era visitar as masmorras no fim da noite, depois de uma das grandes festas orgiásticas que promovia dia após dia, e das quais também não participava ativamente, ficando próximo o suficiente para sentir todos os cheiros e ouvir todos os gritos, mantendo-se em seu trono de rei, perscrutando o ambiente com os olhinhos viciosos, de vez em quando erguendo-se para percorrer o grande salão e enxergar mais de perto alguma lubricidade que, por inusitada, lhe chamasse a atenção. Repentinamente, deixava o salão e, acompanhado de seus *vezzi'rim*, percorria as masmorras, onde completava sua dose de excitação daquela noite. A visão da sexualidade desabrida e da crueldade sem limites era a única combinação que conseguia despertar em Belshah'zzar o desejo sexual: na subida para seus aposentos, escolhia dois ou mais de seus guardas, que tinham de acompanhá-lo para mais uma noite de exageros, dos quais raros saíam incólumes. Os membros da guarda real de Belshah'zzar, exatamente por esse motivo, eram todos jovens, para supri-lo de companhia masculina em suas noites de prazer, depois que ele já estivesse excitado o bastante. Dependendo do nível dessa excitação, dois eram pouco, e Belshah'zzar usava três, quatro, até mesmo cinco jovens rapazes de uma só vez, dispondo-se a feitos incríveis para um homem com seu físico pouco elástico. Dizia-se na Grande Baab'el que, existindo vontade, ela encontrava o seu caminho, e Belshah'zzar sempre conseguia realizar o que quer que sua imaginação propusesse.

Por mais que fôssemos da Babilônia e herdeiros dessa maneira de viver, havia coisas aprendidas no berço da casa paterna que não se venciam assim tão facilmente, ainda mais havendo uma inclinação natural pelo sexo oposto. Nosso grupo sempre temera que um ou outro de nós fosse conscrito para a guarda real, e já havíamos traçado uma linha firme, que separava o que faríamos e o que nem mortos aceitaríamos. Por isso, o abalo de estarmos subitamente manietados e sob o domínio de Na'zzur, o asqueroso serviçal de Bel'Cherub: a vingança da *siduri* certamente viria, mas não a esperávamos tão rapidamente. De todos os quatro, eu era o que mais tinha a perder, mesmo comparado a Yeoshua, como de costume se debulhando em lágrimas. Daruj, curvado pela dor que a posição forçada do braço ferido lhe causava, tentava animar-nos, por perceber que isso causava em Na'zzur um desagrado imenso:

— Vamos, amigos, o que os deuses reservam para o nosso futuro ninguém sabe! Podemos ter sorte, ser felizes, quem sabe podemos até mesmo descobrir algum prazer naquilo que nos espera....

Yeoshua, ouvindo isso, deu um grito lancinante, e os guardas que nos cercavam riram. Um deles dirigiu-se a Na'zzur, com a boca cheia de dentes podres:

— O rapazinho teme por suas vergonhas, capitão... já sabe que o corpo de um soldado do Império pertence ao rei da Grande Baab'el, não importa de que lado seja olhado... se é que o capitão entende o que eu quero dizer...

As risadas eram cada vez mais cruéis, e Yeoshua começou a ganir, humilhando-se além da conta, causando ainda mais hilaridade nos empedernidos soldados, que se sentiam muito bem ao perceber sermos seus companheiros em uma mesma situação terrível. Eu não sabia como agir, e Mitridates, com voz baixa, começou a falar com Yeoshua, afastando sua mente do destino que nos aguardava. Depois de algum tempo, como uma criança que se distrai de uma dor com um brinquedo novo, Yeoshua parou de chorar: mas então já estávamos atravessando a grande alameda que levava à Porta de Ishtar, e à nossa esquerda, enorme e imponente, girando em seus gonzos de bronze brilhante, começou a se abrir o Portão do Palácio, dentro do qual nos esperava um destino pior que a própria morte.

Alamedas, grandes escadarias, enormes colunas feitas da pedra que não tínhamos e que era trazida até nós a preço altíssimo, bordadas e trabalhadas pela arte dos cinzéis, configurando enormes querubins de cinco patas em alto-relevo, como era o estilo então em voga, para que tanto de frente quanto de lado sempre se vissem quatro patas gigantescas: capitéis em formato de flores e animais, apoiados em grossos cilindros de pedra colocados uns sobre os outros, unidos por largas faixas de metal brunido e incrustado, e sobre tudo isso imensos terraços recheados de árvores frutíferas e cobertas de flores, configurando espaços de natureza tão luxuriante, que custava acreditar terem sido feitos por mãos humanas. As cores da natureza se confundiam com as da arquitetura, sendo de tal maneira idênticas que não havia realmente como saber, em muitos trechos do caminho, onde terminava uma e começava a outra. O ruído de água era constante, pois esses jardins que cruzávamos eram atravessados por cursos d'água em largos canais de tijolos vidrados, cortando o solo dos terraços e descendo como cachoeiras de suas bordas para os terraços inferiores, onde alimentavam outros canais e outros regatos, responsáveis pela impressionante exuberância da natureza ali recriada, que atraía até a Grande Baab'el milhares de visitantes interessados em conhecer esses jardins suspensos pelos quais a grande cidade havia se tornado famosa.

No centro do jardim superior do palácio, como um abismo que se abrisse a nossos pés, havia um grande buraco de cinqüenta côvados de diâmetro, cercado por uma balaustrada de tijolos pintados, de onde descia em espiral uma grande escadaria, atravessando quatro terraços, cada um deles com sua cor predominante, seus perfumes e sua temperatura, escurecendo gradativamente enquanto descíamos aos subterrâneos do palácio, vendo o círculo de onde nascia a escadaria ficar cada vez menor. Em um dos lados desse abismo, passando por trás da escadaria, caía uma grossa torrente de água, que se perdia nas profundezas do subterrâneo. Os guardas fizeram várias ameaças de atirar-nos na escuridão abaixo de nós, mas Na'zzur, do alto de sua autoridade, bradou:

— Nem pensar em matar nenhum deles! O castigo que os espera só funciona se estiverem vivos, e quanto mais tempo assim permanecerem, melhor será....

Descemos para os subterrâneos, observando as colunas de tijolos que já conhecíamos de outros lugares, mas que nunca havíamos visto tão grossas assim. O que mais me chamou a atenção foi o cheiro do ar, um bafio azedo que reconheci ser o mesmo cheiro do território entre as duas muralhas, lá onde os marginais da grande cidade viviam seus malfeitos. O fedor de pântano deste porão era exatamente igual ao cheiro de pobreza e sujidade que eu conhecia da Taberna do Boi Gordo, e essa semelhança foi para mim como um presságio.

Chegando no nível do Eufrates, onde o solo era mais mole e úmido que qualquer outro, vimos o artifício que Nebbuchadrena'zzar usara para conseguir que a água se erguesse até a altura dos jardins de sua rainha: enormes máquinas de madeira e metal, movendo-se circularmente sobre si mesmas em torno de gigantescos eixos horizontais, com grandes calhas de lata presas à borda, pelas quais a água subia do rio até determinados tanques, onde se acumulava até que fosse apanhada por outro desses gigantescos mecanismos e novamente erguida até outro reservatório num terraço superior, no qual era apanhada por enormes rodas que giravam verticalmente, transportando a água em imensas cubas de metal batido, jogando o líquido em aquedutos onde corriam grandes paletas de metal, fazendo a água subir mais e mais até começar a correr, por força de seu peso, nos canais construídos exatamente para esse fim. Era nos tanques do porão que se acumulava em círculo vicioso a água que caía da cachoeira que vinha desde o alto, nunca se perdendo. Em água, a Grande Baab'el era pródiga, mas as maneiras de usá-la eram território exclusivo de quem tinha poder e meios para isso: os reis dos grandes impérios sempre faziam questão absoluta de ter os serviços dos maiores sábios do mundo, os inventores das coisas que fazem com que os poderosos se sintam acima dos homens comuns. Nenhuma delas, no entanto, teria qualquer valor se não existisse quem as soubesse transformar em realidade: artesãos, carpinteiros, tecelões, ferreiros, e principalmente pedreiros, homens que transformam a pedra bruta em beleza e perfeição inegáveis. Num império onde a pedra era rara, esses homens eram sempre protegidos pelo poder, pois somente com eles se podia contar ao desejar perpetuar feitos e nomes na pedra.

Havia, no entanto, outro ingrediente essencial para o poder dos reis e senhores desse mundo, sem o qual nada se moveria: era preciso haver escravos, e em tal quantidade que não tivessem mais nem nome nem rosto, sendo apenas uma multidão informe e sem vontade, cuja existência se justificava a partir do que faziam, e cujo valor se extinguia quando não o pudessem mais fazer. Os subterrâneos do palácio eram uma caldeira de corpos humanos explorados à exaustão, movendo pela força dos músculos cansados e mal alimentados as grandes máquinas que erguiam a água muito acima de suas cabeças, para que os poderosos de ocasião pudessem ter o prazer de estar entre montanhas e regatos de um país ideal, um Éden de beleza absoluta. Não havia nenhuma beleza, em verdade, pois homens e mulheres sofriam e morriam aos milhares nesses subterrâneos infectos: para os poderosos que os dominam, basta não olhar o que lhes desagrada, e imediatamente o que lhes desagrada deixa de existir. Seus olhos se fecham à fealdade, suas almas se fecham à verdade, a morte domina seus mundos de felicidade sem jaça, enquanto seus escravos morrem à míngua.

Um enorme passadiço de madeira atravessava esse plano por sobre o Eufrates: sua extremidade dava em um grande arco de tijolos, fechado por uma larga porta de madeira escura, ladeada por dois soldados armados todo tempo, numa lembrança permanente de que ali, atrás daquelas portas, estava a força do Império da Babilônia, pronta para explodir a qualquer momento contra quem se aventurasse a reagir, discutir ou mesmo pensar livremente sobre o poder do Império. Ali estaríamos de agora em diante, entregando nossa juventude à vontade de um rei cruel, que não hesitaria em nos atirar aos inimigos, se isso lhe desse algum prazer.

Fomos brutalmente empurrados pelo umbral, e o tropeção que nos fez cair ao solo arrancou de quem ali estava uma gargalhada. Do chão, onde fui mantido por um pé que pressionava minha nuca, pude ver um salão fumegante, misto de dormitório, sala de banho e refeitório, onde a guarda de Belshah'zzar esperava, pronta para agir ao menor sinal de seu senhor. Os fumegantes archotes de nafta enchiam o ar de um cheiro acre, e só depois que nossos olhos deixaram de arder, é que pudemos ver com mais detalhes o ambiente que seria nossa morada desse dia em diante, talvez para sempre. As paredes estavam coalhadas de armas e corpetes de couro e metal, e as botinas que ficavam aos pés de cada catre mostravam muito uso, cada par deformado pela pisada cambaia dos pés que as preenchiam, quando em serviço. Os batalhões se sucediam na guarda do grande palácio, revezando-se a cada período, sempre de maneira que os mais jovens estivessem no turno da noite, aquele no qual Belshah'zzar selecionava seus acompanhantes de prazer e desregramento.

Cada um de nós reagiu diversamente ao ambiente onde nos jogaram: Yeoshua, voltado para si mesmo, os lábios movendo-se freneticamente em oração, em busca de uma paz que não estava disponível naquele lugar: Mitridates, com a mesma frieza de sempre, reagia sem reagir, como se não tivesse nem coração nem fígado: Daruj, olhos brilhantes, parecia quase feliz dentro do exército, como sempre fora seu sonho, e eu tentava ocultar da melhor maneira possível minhas emoções. A garganta ardia, os olhos lacrimejavam, não totalmente por causa do ar viciado.

Um velho soldado completamente nu, no peito uma enorme cicatriz em diagonal, avançou para nós, nariz erguido, como se estivesse cheirando nosso medo, e com o pé direito nos virou de barriga para cima, examinando-nos com um olhar muito intenso: era o chefe dos alojamentos, responsável pela distribuição de tarefas entre os soldados. Sua boca se abriu, mostrando uma língua escura, que lambeu os beiços crestados, antegozando o sabor de um prato muito especial. Ao ver o braço mirrado de Mitridates, ele fez um muxoxo e sussurrou:

— Asa Quebrada... tens algum talento que me impeça de te jogar ao fogo, passarinho inútil?

Mitridates, sem pestanejar, respondeu:

— Conheço bem aquilo que nem imaginas o que seja: os números, as palavras, e sei fazer cálculos de maneira que ninguém saia perdendo.

Uma bofetada que se armava foi substituída pela risada arquejada que escapou do velho chefe: um murro de brincadeira acertou o ombro de Na'zzur, enquanto o soldado dizia:

— Um sábio! Tu me trouxeste um sábio, Na'zzur! Isso é sempre útil, principalmente na hora da divisão dos butins... conheces a arte da divisão, Asa Quebrada?

— Com perfeição, senhor. — Esta palavra trouxe um brilho de satisfação ao velho soldado, e Mitridates continuou. — Sei dividir em duas metades iguais, de forma que a menor seja levada para um lado, a maior para outro, e o resto deixado nas mãos de quem o merece...

O velho chefe explodiu em uma gargalhada, erguendo Mitridates do chão e passando um braço cabeludo por seus ombros:

— Tu és dos meus! Vais para o almoxarifado...

Mitridates, aproveitando seu momento de sorte, apontou para Yeoshua, que se retorcia com os olhos virados, e mentiu:

— Meu amigo aqui sabe tudo sobre a arte da cozinha.

Um murmúrio de aprovação escapou de várias bocas: nada existe que interesse mais a um soldado que a próxima refeição, e na Grande Baab'el não era diferente, principalmente no palácio, onde a satisfação dos prazeres carnais incluía um culto quase religioso à comida. Yeoshua estava assustado, pois nem ele mesmo sabia o que Mitridates pretendia. O velho ergueu Yeoshua com um só braço e ordenou:

— Um cozinheiro! Isso aqui embaixo é raro! Vais para a cozinha, e hoje mesmo quero provar da tua arte...

Pronto! Por meio de um raciocínio rápido, Mitridates havia salvado a si mesmo e a Yeoshua, este tão espantado que parecia que seus olhos iam cair das órbitas. Mitridates nos olhou, cercado pelos soldados, enquanto passava o braço pelo ombro de Yeoshua, em um mudo pedido de desculpas por não poder fazer o mesmo por nós.

Enquanto os dois eram erguidos e cercados por outros homens, os olhos enevoados do chefe pousaram em Daruj e em mim. Tremi quando vi seu membro começar a ingurgitar-se de sangue, enquanto ele nos observava com cada vez mais interesse, um sorriso de asquerosa lubricidade esticando-lhe a boca. O círculo de soldados se estreitou à nossa volta, e talvez tivéssemos sido violados ali mesmo, se Na'zzur não gritasse:

— Eh, soldados, o que é isso? Esses dois pitéus são um presente para o rei Belshah'zzar... não pretendem incorrer em sua ira maculando-os antes que nosso rei deles se aproveite, pois não?

— São carne jovem e de boa qualidade, e da maneira que sabemos fazer ninguém sequer notará que foram usados por nós, Na'zzur... — O velho chefe começou a dar voltas agachado em torno de nós, como um chacal escolhendo o ponto pelo qual nos iria atacar sem piedade. Depois, com um suspiro de enfado, continuou: — ... mas, se os queres dar intocados a Belshah'zzar, que seja: depois de usados por ele, estarão de qualquer forma à nossa disposição, como todos sempre estiveram. Não é verdade, soldados do rei?

Uma risada de escárnio e familiaridade tomou todo o salão, e eu pude ver em cada rosto o mesmo sorriso depravado que já conhecia de outras ocasiões, principalmente da Taberna do Boi Gordo. Nesse momento de descrença absoluta quanto a meu futuro, um outro ingrediente penetrou meu coração: uma amarga raiva, subjugada a meu senso de sobrevivência. Eu não podia deixar que ela se manifestasse, em posição tão absolutamente indefesa: por isso acumulei-a, sabendo que era a mim mesmo que envenenava com ela. Daruj, ao contrário de mim, nem pestanejava: sabia mais sobre a vida militar que eu, e tinha certeza de poder salvar-nos a ambos desse destino. Os prazeres de que a Grande Baab'el se jactava de estar prenhe já não se definiam mais em termos de bem ou mal nem de certo ou errado: toda sensualidade é uma só, apesar de suas inúmeras formas, do mesmo modo que toda pureza é sempre a mesma, como aprendi no decorrer de minha vida. Não faz diferença se um homem bebe, ou come, ou coabita com animais, ou satisfaz seus desejos sexuais de maneira desregrada: tudo é uma coisa só, o apetite sempre o mesmo. Basta observar cada homem satisfazendo seu desejo pessoal e perceber como a sensualidade do corpo lhe domina a alma: isso eu aprendi observando principalmente a mim mesmo.

Fomos levados de arrasto para um dos cantos escuros da grande caverna de tijolos, e lá, sob o olhar de um Na'zzur cruelmente sorridente, nos transformaram em soldados da guarda: nossas faces foram raspadas, nossos cabelos tosados à moda militar, amarrado no alto da cabeça e atado com tiras de couro e cobre, enquanto nossos músculos ainda adolescentes eram untados com óleo de gergelim, para ressaltar seu desenho sob o exíguo corpete de couro tacheado que, apertando com atilhos o nosso ventre, ampliava nossos ombros e peito, marcando também nossos glúteos, graças às botas de salto alto que nos fizeram usar. O braço de Daruj, costurado por mim, foi olhado com desagrado por um cirurgião de tez muito escura, que sacudiu a cabeça durante todo o tempo em que recobriu o corte repuxado com uma atadura limpa, oculta dentro de uma das longas munhequeiras que faziam parte do uniforme, e estávamos prontos. O resultado final, quando me vi refletido numa grande chapa de mica recoberta por vidro egípcio ao fundo dos vestiários, era apavorante: eu me transformara em um dos brutalmente delicados efebos de Belshah'zzar, pronto para o que quer que ele decidisse fazer de mim. Na'zzur nos acompanhou durante todos esses atos de preparação e mudança, cuidando de um detalhe aqui e outro ali, e quando estávamos prontos, circulou em volta de nós com olhar crítico, no fundo do qual brilhava uma maldade sem fim:

— Estão exatamente como Bel'Cherub desejou que estivessem. Ela ainda há de vos ver assim, e rirá tanto quanto eu estou rindo: espero poder trazê-la para observar-vos na noite em que Belshah'zzar decida fazer bom uso dos dois. Podeis ter certeza: Belshah'zzar vos usará como bem entender, e fará dos dois aquilo que quiser fazer.

Seu rosto mostrava um antegozo incompreensível, quando continuou:

— No dia seguinte, quando já estiverdes transformados naquilo que Bel'Cherub desejou, eu virei entregar-vos às mãos de nossos companheiros de armas, e quem sabe até usufruir um pouquinho dos vossos prazeres. Até outro dia, ladrõezinhos: assim se aprende que ninguém pode descumprir os tratos feitos com Bel'Cherub, pois sua vontade é poderosa, e até mesmo o rei Belshah'zzar é instrumento de sua realização...

Eu tremia de ódio represado, enquanto Na'zzur se afastava de nós, cochichando com um e com outro de maneira álacre, lançando olhares de soslaio sobre nossa desgraça. Já éramos parte, quiséssemos ou não, da guarda do Império, e ali seria onde nossa vida se daria, desse momento em diante. Meu ódio era infinito: Daruj, percebendo isso, acocorou-se junto de mim, sentado no chão com a cabeça entre as mãos, em franco desespero:

— Tranqüiliza-te, Zerub, pois a tempestade nem sempre cai no lugar onde estamos. Olha à nossa volta: não somos os únicos com o objetivo de dar prazer ao rei, e a grande maioria está naturalmente mais propensa a isso que nós dois. As tropas percorrem o território do Império apenas para escolher entre os súditos do rei os que melhor o possam satisfazer. Não somos exatamente aquilo de que ele gosta: estamos aqui para satisfazer a vingança de Bel'Cherub. Esse motivo pode ser nossa salvação.

— És muito otimista, Daruj: mas eu sei que é sobre nós que cairá o olhar cúpido do rei, assim que estivermos a seu alcance. E quando isso acontecer, o que farei?

Daruj ergueu-me do solo, sentou-me em um dos catres que estavam às nossas costas e explicou-me seu plano, quase tão interessante quanto o artifício que Mitridates usara para salvar Yeoshua:

— Pensa comigo: se Belshah'zzar gosta de efebos à moda grega, nossa salvação estará em sermos o mais diferente possível daquilo que o agrada. Ou desaparecemos de suas vistas, ou o desagradamos sendo exatamente aquilo que ele não quer. Acho essa opção mais segura: é preciso nos tornarmos desagradáveis a seus sentidos.

Olhando à nossa volta, Daruj viu a vinte passos de nós três jovens soldados como nós, conversando com pernas e braços enlaçados, olhos nos olhos, numa familiaridade que me fazia tremer. Ergueu-se e, antes de ir em sua direção, disse:

— Deita nesse catre, cobre a cabeça e desaparece da melhor maneira possível, até que eu volte. As ordens de Na'zzur nos protegerão, só não sei ainda por quanto tempo.

Cobri minha cabeça, deitando rapidamente no fundo escuro do catre, deixando uma fresta pela qual vi Daruj chegando até os três rapazes, que a princípio o olharam com desconfiança: mas uma frase sua que não pude ouvir os fez cair em franca gargalhada, e os três imediatamente o encararam como a um igual. Daruj sempre fora assim: tinha a capacidade natural de misturar-se a qualquer grupo, tornando-se parte dele em questão de instantes, absorvendo gestos, modos de falar, pequenos detalhes de identidade que o diluíam em meio a qualquer ajuntamento, como artifício de sobrevivência. Eu fizera o mesmo na subida da Grande Torre, mas o que me movera não fora a sobrevivência, e sim a paixão, essa espécie de multidão incontrolável que habita cada homem e de quando em vez causa uma revolução em nossa razão. Enquanto durou a conversa de Daruj com seus novos amigos, entre risadas, senti uma saudade muito dolorida de tudo o que descobrira como possibilidade para minha alma insatisfeita.

Daruj voltou para o meu lado, rindo desavergonhadamente, caminhando de forma arrastada, como víramos fazer vários soldados nesse subterrâneo: era impressionante como se parecia com um deles, até sentar-se a meu lado no catre. Seu rosto, que apenas eu podia ver, transformou-se novamente na face séria de meu companheiro das ruas, e ele me disse:

— Já sei como nos tornaremos desagradáveis a Belshah'zzar, Zerub! Ele detesta mais que tudo o cheiro do alho: os alimentos dos soldados não o incluem, mas eu posso conseguir algumas cabeças que nos garantam distância de sua majestade!

— Como, Daruj?

RECONSTRUINDO O TEMPLO

— Esqueceste que Mitridates e Yeoshua estão nesse momento na despensa e na cozinha do palácio? Quem melhor do que o despenseiro e o cozinheiro para nos conseguir o alho de que necessitamos para fazer de nós um talismã contra o prazer de Belshah'zzar? Quem sabe se um dia, enojado por nosso perfume, ele não nos atira fora do palácio, libertando-nos por sua própria falta de vontade de cheirar-nos um instante a mais que seja?

Não pude, nem mesmo com toda a preocupação e tristeza, deixar de rir. Daruj, nosso estrategista, continuava usando sua capacidade de planejar, e de todos nós certamente era o que menos problemas encontraria em nossa estada no inferno. Sempre fora prático, com objetivos bem definidos, e tão direcionado para o que desejava, que muitas vezes se mostrava capaz de passar até mesmo por cima da própria verdade.

Portanto, meu tempo entre os soldados cheirou apenas a alho, já que algumas horas depois um quase irreconhecível Mitridates em trajes de despenseiro disfarçadamente nos trouxe três cabeças desse vegetal, com as quais eu e Daruj, sob seu olhar de incrédula frieza, literalmente nos massageamos dos cabelos às unhas dos pés, principalmente debaixo dos braços: os dentes mais macios foram mastigados e deglutidos, a tal ponto e em tal quantidade, que mesmo hoje ainda tenho por esse tempero uma ojeriza quase incontrolável. O chefe da guarda, quando nos pusemos em forma, junto aos companheiros que tentavam ficar o menos encostados que podiam em nossos corpos, franziu o nariz e gritou:

— Por Marduq! Que soldados fedorentos vós sois! Ide aos banhos imediatamente ou empesteareis nosso quartel!

Por esta noite estávamos livres: mas ninguém nos garantia que na noite seguinte, ou na outra, ou a qualquer momento, alguém não descobriria nosso estratagema. Quando vimos a movimentação noturna entre os catres, eu e Daruj resolvemos fazer quartos de vigília, para que nenhum de nós fosse atacado por um soldado de Belshah'zzar em estado de excitação. Quando o dormitório se acalmou, muito tempo depois, recostei perto de meu amigo, e a manhã nos revelou dormindo abraçados, por causa do frio e da umidade, certamente dando a nossos companheiros de farda a impressão de que havia um acerto entre nós, exatamente da forma que eles acreditavam se fizessem os acertos entre homens.

Ao recordar dessa época, tenho a impressão de ter passado nesses quartéis de desrespeito uma grande parte de minha vida. Feitas as contas, no entanto, percebi que a eternidade é mais uma sensação que uma realidade, pois entre nossa conscrição e os fatos que ainda hoje me causam asco e terror passaram-se apenas onze dias, dos doze que durava o Festival de Ano Novo da Grande Baab'el, que neste caso se tornou o território da luta entre dois deuses pelo domínio da Criação.

Capítulo 6

Não fosse a arrogância de Belshah'zzar, quem sabe não estaríamos ainda hoje nas casernas do Grande Palácio de Baab'el? Cada um faz as escolhas que consegue fazer, quando tem oportunidade para isso, e essa imensa corrente de escolhas muda o mundo e é mudada por ele, desenvolvendo-se de tal maneira, que das coisas mais simples sempre nasce a oportunidade mais complexa. Penso isso hoje, afastado dos acontecimentos que narro: mas enquanto os vivi, me pareceram fonte de imensa provação, quase infinita, como se o Universo estivesse dando vazão a algum plano perverso contra mim. Não havia em minha alma nenhuma cogitação sobre meu destino ou sobre o papel que cada ação humana exerce sobre o Universo. No entanto, os homens têm suas maneiras de, vivendo, fazer parte da vida de outros homens, e tudo aquilo que hoje parece ser mau, amanhã pode ser bom, ou bem pior, ou muito melhor, mas nunca indiferente: estamos todos inextricavelmente unidos numa mesma teia, e Belshah'zzar tornou-se mais presente em minha vida do que eu gostaria de acreditar.

As festas de Nisan na Grande Baab'el sempre se davam da mesma maneira: começavam marcando a chegada da primavera. O segundo dia, aquele em que eu descobrira a música e o amor e fora conscrito para o serviço militar em palácio, era o primeiro de uma série de dias de procissão contínua, nos quais se confirmava o contato inicial entre Marduq e Ishtar, que eu vira debaixo da grande mesa de ouro. No terceiro dia, o rei devia ir até Borshi'pah, procurar pelo deus Nabuh, filho de Marduq. Esse deus menor era guardião das tabuinhas do destino e salvador do próprio pai, segundo a mitologia da Grande Baab'el: era essencial que

Belshah'zzar fizesse esse percurso místico, mantendo a tradição. Neste ano, na primeira manhã em que acordei como guarda real, o Grande Palácio estava em polvorosa: tomado por grandes náuseas, Belshah'zzar se recusara a partir na cansativa viagem, considerando-a uma tolice. Para que sair da Grande Baab'el, se seis dias depois deveria voltar para ela? Os sacerdotes de Marduq uivavam em alto volume, pedindo perdão para o sacrilégio deste *puhu* sem noção de dever. Belshah'zzar, no entanto, estava inflexível: ouvi de dois sacerdotes, conversando sob o arco onde eu estava colocado, que o mal-estar de Belshah'zzar tinha motivo bem diferente:

— Este *puhu* pretende romper com nossa tradição porque não quer passar pela cena da humilhação! Não compreende que, para que o céu gire à nossa volta mais um ano exatamente como deve girar, ele tem que cumprir os atos esperados?

— Asquerosa criatura! — disse o outro, que reconheci como o *urigallu* do Templo de Marduq. — Tem orgulho demais! No ano passado, não chorou quando o estapeei em plena face! Foi-lhe explicado que o sinal de que Marduq está satisfeito são as lágrimas que surgem no rosto do rei quando o estapeio, depois que ele me entrega todas as insígnias de poder. Mas se ele não chora, isso quer dizer que Marduq está insatisfeito, e os inimigos em breve estarão às nossas portas!

— O povo da Grande Baab'el passou todo este ano esperando pelo ataque de algum inimigo, e quanto mais esse demora a vir, mais duvidam de nosso poder.

— O imbecil que Nabuni'dush colocou em seu lugar se acha grande coisa,... mas há de chegar o dia em que os inimigos que nos invadirão finalmente deixarão claro quem realmente tem poder na Babilônia!

Essa frase dita pelo *urigallu* podia significar muitas coisas, se eu estivesse preocupado com elas: mas minha própria sorte me exigia tal atenção, que só muito tempo depois compreendi esta conversa. O quinto dia de Nisan passou sem que Belshah'zzar saísse do palácio, enquanto o povo nas ruas urrava seu desagrado, insuflado pelos sacerdotes. E enquanto eu me ocultava em mim mesmo, imerso num poço de alho e desespero, Belshah'zzar também não compareceu à imolação do carneiro sagrado no pátio do Templo, alegando náuseas causadas pelo cheiro de carne queimada, irritando ainda mais a multidão que por ele esperava.

RECONSTRUINDO O TEMPLO

No sexto dia, eu e Daruj fomos postos de sentinela na amurada do palácio, no ponto mais alto da mais alta plataforma, pois nosso chefe, depois do momento inicial de excitação, nos mantinha o mais longe possível de onde estivesse. Vimos de lá quando as grandes barcaças chegaram à Grande Baab'el trazendo as estátuas dos deuses que vinham ao centro do Império buscar um Marduq desaparecido. Na realidade, quem andava desaparecido era Belshah'zzar, decidido a não dar o ar da graça enquanto não estivesse livre do enjôo e da diarréia que o acometiam a intervalos cada vez menores. Nas casernas se ria muito disso, porque as náuseas e o mal-estar só aconteciam enquanto o sol brilhava: uma vez caída a noite, ele novamente se transfigurava no orgíaco, depravado e saudável rei da Grande Baab'el, e os festins se sucediam, sem medida nem limite. De manhã, quando os sacerdotes de Marduq mais uma vez vinham buscá-lo, encontravam-no derreado, incapacitado de se erguer do leito, alegando doença, enjôos, quase-morte.

Eu, se pudesse, também não me ergueria do meu: o sono vinha entrecortado de suores frios, e só pesadelos tive como companhia enquanto meus olhos mal se fechavam. O alho já não fazia tanto efeito quanto nos primeiros dias, porque os seres humanos são capazes de se acostumar com tudo: os outros soldados já chegavam mais e mais perto de nós, risadas cheias de intenções, olhares amortecidos, línguas se movendo agilmente entre os lábios, mais obscenas que qualquer outra atitude. Daruj, percebendo minha insegurança, mais infenso aos medos que me nublavam, comportava-se como dono de minha pessoa. Isso causava grande alacridade entre os soldados, enchendo o ar de comentários maldosos, ao mesmo tempo que os mantinha afastados de nós dois. Foi por causa desse clima de desregramento entre homens que tive durante tanto tempo um nojo incontrolável de qualquer coisa que me recordasse a vida militar: anos mais tarde, foi-me duplamente difícil lutar como soldado, quando o momento se apresentou.

No décimo dia das festas de Nisan, chegou o momento do enfrentamento entre Belshah'zzar e os sacerdotes de Marduq. Os carregadores do Templo já tinham subido ao alto da Grande Torre para pegar a estátua de Marduq, que seria levada nos ombros de seus inúmeros fiéis para comemorar a volta do grande deus à sua cidade. No entanto, quando alcançaram o topo da Grande Torre, lá estava a Guarda Real, cercando totalmente a gigantesca estátua. As ordens de Belshah'zzar eram expressas: nesse ano, a grande estátua não sairia de seu lugar. Os soldados tinham deixado as casernas em pequenos batalhões e ocupado sem alarde todo o último patamar do *ziggurat*, onde os sacerdotes e carregadores os encontraram, em posição de ataque, impedindo que tocassem a estátua do deus. A ira dos sacerdotes, com o apoplético *urigallu* de Marduq à frente, podia ser ouvida do outro lado da Esagila. No palácio, sabendo que um grande contingente de soldados estava protegendo a estátua de Marduq, Belshah'zzar exibiu alegria escandalosa, divertindo-se além da conta. Na manhã do décimo primeiro dia, quando nos erguemos de nossos catres nas úmidas casernas do palácio, entendemos finalmente o que o *puhu* pretendia com tais atitudes: e eu também, para minha desgraça e terror, conheci o que o destino me reservava.

Entrando no átrio dos alojamentos, a primeira coisa que vi foram as faces de Mitridates e Yeoshua, subjugados por ninguém menos que Na'zzur, o queixo arrogantemente levantado, enquanto gritava em nossa direção:

— Então as femeazinhas prometidas ao rei estavam usando um perfume que as afastaria dele? Imbecis! Achavam realmente que o cheiro do alho seria suficiente para se livrarem do destino?

Fôramos descobertos, e pagaríamos o preço. Meu primeiro impulso foi fugir, mas nossos companheiros de armas, às gargalhadas, nos cercaram, impedindo nossos movimentos. O chefe da guarda, com sua boca escura e asquerosa, pôs-se ao lado de Na'zzur:

— Demorei a desconfiar. Alguns fedem dessa maneira o tempo todo, depois dos exercícios violentos, mas encontrar no mesmo batalhão dois com o mesmo cheiro me fez pensar. Ontem, no almoxarifado, vi quando o Asa Quebrada passou para as mãos do Choramingas duas cabeças de alho, e ele as trouxe a esses dois falsos fedorentos. Resolvido o mistério, mandei chamar-te, camarada Na'zzur. Afinal, os dois são responsabilidade tua, e só tu sabes o que faremos com eles....

Na'zzur ria silenciosamente, a cabeça caída sobre o ombro, os olhos fechados. Quando os abriu, dentro de cada um tremulava uma pequena chama de crueldade, enquanto ele afetava um ar de nojenta comiseração:

— Que feio, meninos... enganando vossos camaradas de armas com esse artifício, traindo minha confiança? Que punição deveriam sofrer, alguém sabe me dizer?

— Irmão Na'zzur, sejamos justos, como o são todos os soldados — disse o chefe da guarda, pondo uma mão de unhas roídas no ombro de Na'zzur. — O Asa Quebrada e o Choramingas foram apenas acessórios no crime desses dois falsos fedorentos. Uma boa sessão de açoites me parece suficiente para colocá-los no rumo certo, porque ainda temos muita utilidade para eles no lugar onde estão. Como qualquer um pode ver, são pouco interessantes em termos de prazer.

O batalhão gargalhou, enquanto Yeoshua se debatia nas mãos fortes de Na'zzur, e o chefe continuou:

— Mas os dois outros, tu já deves ter percebido, consideram-se diferentes de nós. A esses, sim, devemos dar toda a nossa atenção, não achas?

Na'zzur olhou fixamente para o chefe da guarda, sua face iluminada por um largo sorriso. Tinha alguma espécie de misterioso poder sobre os soldados da guarda, de quem tinha sido parte, e todos respeitavam seus desejos e vontades. Ele empurrou Mitridates e Yeoshua, que se debatia em frenético desespero nas mãos dos soldados, e ordenou:

— Trinta e seis chibatadas nas costas de cada um! Para que aprendam!

Meus dois amigos foram arrastados para fora das casernas, entre gargalhadas de seus algozes, e ouvimos os ruídos das chicotadas e os gritos de dor de Yeoshua e Mitridates. Na'zzur, olhos semicerrados, bebia o som das chibatadas, tremendo levemente a cada uma delas. Quando cessaram, olhou para nós:

— E agora nós, meus meninos, que faremos com os dois? Nossa amiga comum não ficaria nada satisfeita com vossa recusa em dar-lhe o prazer de sua vingança, pois não? A vida deve seguir seu curso, e cada um dos meninos, antes de tudo, tem que cumprir o seu dever para com Bel'Cherub. Só que tambem é preciso vingar a ofensa feita aos camaradas soldados. Como faremos isso?

— Irmão Na'zzur, eles são dois — disse o chefe da guarda, meio escondido por trás de Na'zzur. — Não poderíamos reservar um para o rei, segundo os desejos de Bel'Cherub, e fazer uso do outro segundo os nossos próprios desejos? Não consigo pensar em divisão melhor das vinganças, nem mesmo com o auxílio das contas do Asa Quebrada.

Era isso! Eu e Daruj seriamos divididos entre o rei e a tropa, para que fizessem de nós aquilo que bem entendessem, transformando-nos em alguma coisa pior que um animal, desrespeitando nossa vontade. O olhar lúbrico de Na'zzur e do chefe da guarda saltavam entre a minha face e a de Daruj, tentando perceber quem de nós tinha mais medo do que estava por acontecer. Nesse instante, perdi todo o controle, chorando e pedindo perdão por um crime que nem por sombra houvera cometido, sem entender que antes de tudo eram a minha alma e vontade que eles pretendiam ver quebradas. O sorriso na face dos dois foi terrível: minha falta de coragem os havia feito decidir-se por mim.

Nesse exato instante, Daruj arrancou-se num repelão das mãos de Na'zzur e, girando o braço com toda a força de que dispunha, acertou-lhe o nariz com violência, fazendo com que um arco de sangue muito vermelho cruzasse o ar, respingando os pés dos que estavam próximos. Uma maça de madeira surgiu como por encanto nas mãos do chefe da guarda, descendo sobre a cabeça de meu amigo com um ruído oco, fazendo-o emborcar no chão, enquanto Na'zzur gritava de dor, saltando com as mãos na face. O chefe da guarda gritou:

— É este! Levem-no! Façam dele aquilo que desejarem! E quando estiver bem macio e laceado, aí eu experimentarei o conforto de seus intestinos!

A alaúza dos soldados, enquanto arrancavam as roupas de um Daruj meio inconsciente, dava provas de que em seus corações também morava a vingança, porque o que fariam meu amigo experimentar era exatamente o que havia sido feito com eles em seus primeiros dias como soldados. A vontade de cada um é a lei mais forte de sua natureza, e o que quer que se faça sem ser por vontade própria se torna a anarquia de nossos poderes, o inferno de nossos espíritos, a loucura consciente de que qualquer um de nós tem horror enquanto pode dela manter-se afastado. Na'zzur, agarrando-me por trás, puxou meus cabelos até que suas raízes doessem, mantendo meus olhos abertos, e segurou minha cabeça para que eu pudesse ver o que estavam fazendo com Daruj, sussurrando fanhosamente em meu ouvido:

— Olha bem, pequeno chacal, olha bem o que será feito de ti. Teu amigo acabou recebendo o castigo que era teu, mas tu terás o privilégio de ser usufruído pelo rei da Grande Baab'el, provavelmente na frente de todos, se Bel'Cherub conseguir convencê-lo disso. Tu conheces os poderes de persuasão que nossa amiga tem, não conheces? Tu sabes do que ela é capaz para alcançar o prazer que procura, não sabes? Não duvides, pequeno chacal, e olha bem como teu amigo se torna a cada momento mais e mais a fêmea dos soldados que dele abusam: vês como já não reage mais com tanta intensidade quanto antes? Deve estar começando a gostar do que está sendo feito com ele: mais um pouco e já estará participando, porque este prazer o corpo aprende antes que a vontade consiga reconhecê-lo como tal. É assim que será contigo, mais tarde, quando estiveres pronto para o rei: eu faço questão de preparar-te para ele pessoalmente, deixando-te perfumado e arrumado da maneira que mais o agrada. E, se Marduq o permitir, estarei a seu lado enquanto ele estiver te transformando em fêmea de rei, cheirando o medo em teu suor, lendo em teus olhos o nojo que se transforma em prazer, vendo bem de perto quando finalmente entregares teu corpo e alma a esse deleite que juraste nunca aprender!

    Eu chorava desesperadamente, e o acúmulo de lágrimas em meus olhos não me permitia enxergar com tantos detalhes o que estava sendo feito com meu amigo: mas ainda assim vi mais do que desejava. Daruj rolava os olhos, quase inconsciente pela dor e pelos abusos, enquanto soldado após soldado, às vezes em grupos de dois e três, violentavam seu corpo exânime, em meio a uma alacridade animalesca que aumentava com o tempo, pois, à medida que cada um se satisfazia, os seguintes se mostravam ainda mais excitados. Não me lembro de muitos detalhes, pois não havia tanta variação assim, mas sei que gritei de terror quando o chefe da guarda, com uma alça de ferro cheia de pontas atada ao redor de seu pênis ainda mais inchado, finalmente avançou por trás de Daruj, todo ensangüentado, seguro de pernas abertas por seus algozes escandalosamente alegres. Nessa altura, Na'zzur arrastou-me para fora das casernas e, levando-me para os banhos, entregou-me aos cuidados dos barbeiros da guarda. Eu, paralisado pela degradação a que havia assistido como prenúncio da minha própria, deixei que me barbeassem, untassem e perfumassem, ficando pronto para ser transformado em pasto de alguma nova luxúria que sequer imaginava. Vestiram-me uma farda nova, o corpete incrustado de fios de ouro, untaram-me as faces e os cabelos com óleo perfumado de nardo, deixando-me pronto para estar entre tantos outros guardas adolescentes como eu, decorando o grande salão com o viço de nossa juventude.

 Não tive coragem suficiente para me olhar no grande espelho: tive medo que o medo, com suas garras, me houvesse deformado a face. Senti muita vergonha daquilo em que me estavam transformando, tão degradado como se já o fosse. Entrando nas casernas, um coro de comentários obscenos me acompanhou por todo o tempo em que caminhei até meu catre. Encolhido nele estava Daruj, de costas para mim: quando lhe toquei o ombro, afastou-me, com um repelão. Insisti, olhando seu corpo machucado e os fios de sangue grudados em suas pernas. Virei-o, e sua face estava muito ferida, um de seus olhos sequer se abria: os soldados o haviam espancado até que parasse de reagir contra seus desejos. Com um pedaço de pano, comecei a limpar-lhe as feridas, sabendo que as mais profundas eu sequer poderia pensar em curar. Olhos fechados, dentes cerrados, punhos apertados, Daruj não disse nem uma palavra, enquanto eu cuidava de seus machucados. Minhas tentativas de falar com ele não tiveram resposta: ele pretendia apenas esquecer o que lhe acontecera, ainda que ambos soubéssemos que isso seria impossível. Nesse exato instante, um pacto de silêncio se firmou entre nós. Ninguém jamais saberia de nada que ali acontecera, e eu nunca pensei em romper esse pacto, nem mesmo nos momentos mais difíceis de minha vida, pois a amizade para mim sempre foi, como ainda é, a mais bela das virtudes.

 Até o momento em que Na'zzur veio buscar-me para participar do banquete em que minha vida se acabaria, fiquei silencioso ao lado de Daruj, que não se moveu, como se estivesse dormindo. Eu olhava cada machucado em seu corpo, pensando no que seria pior: ser espancado e violentado contra a minha vontade, ou deixar-me violentar sem reagir? Não sabia de mais nada: cada pequeno sonho que tivera agora era pó, e as duas paixões recém-descobertas, a música e a sacerdotisa, ficavam a cada momento mais e mais inalcançáveis. Quando as primeiras estrelas no céu da Grande Baab'el marcaram a hora do início do festim de Belshah'zzar, fui levado para a grande sala onde, sem que eu soubesse, minha vida seria sacudida desde suas raízes, e minha mente experimentaria um momento de incompreensível loucura que até hoje, tantos anos passados, me confrange o coração.

Quando entrei com outros companheiros da guarda no grande salão de colunas ordenadas por três e quatro, em cujo cimo havia capitéis de jaspe e marfim, aos quais estava atada uma miríade de archotes da mais pura nafta, refinada e perfumada com mirra e olíbano, o rei Belshah'zzar narrava, para gáudio de seus acólitos e convidados, a beleza e precisão da manobra de que se servira para reduzir o poder dos sacerdotes de Marduq e mais uma vez reafirmar-se como o único representante do deus da Grande Baab'el:

— Nunca o perceberam! Quando deram por si, eu já estava em meu devido lugar! Pois não sou eu o representante de Marduq na Grande Baab'el? Que motivos haveria para que uma estátua fizesse esse papel? Rei e deus ao mesmo tempo, não é o que dizem? Pois de hoje em diante é assim: de hoje em diante, em qualquer ocasião, os dois papéis são de minha responsabilidade!

O chão de tijolos de cerâmica e vidro polido, formando desenhos em todas as cores conhecidas, delineadas com o negro do ônix que as separava e ressaltava, de tal maneira que pareciam vivas e iluminadas por dentro, levava todos os olhos ao centro do salão, onde um estrado mais alto era ocupado por esse rei adiposo, brilhante de suor, com as belas vestes de púrpura de Tiro e brocado de Chipre já manchadas pelos vinhos que ele consumia sem parar.

Não havia sequer um sacerdote na sala, porque, enquanto Daruj e eu cumpríamos nosso amaldiçoado serviço, o enfrentamento entre Belshah'zzar e o *urigallu* de Marduq havia chegado a seu ápice. Nessa tarde, todas as manobras e recusas dos dias anteriores haviam finalmente ficado claras, e os desígnios do rei-substituto tinham enfim sido revelados. Na hora da grande procissão, que atravessaria o Portão de Ishtar em direção ao templo de Marduq, do outro lado da Esagila, as procissões sucessivas estavam na larga avenida à frente da fortaleza do norte, sustentando os grandes andores onde se elevavam todos os deuses possíveis, Nabbu, Zarppan'it, King-u, T'tamuz, a própria Ishtar, cada um deles uma imensa estátua articulada, ricamente vestida, e tão semelhante a um ser vivo que havia quem se rojasse ao solo quando passavam, trêmulo de pavor. O povo e todos os sacerdotes se agitavam, pois faltava o grande andor de Marduq, sobre o qual a maior e mais pesada de todas as estátuas, representando o grande deus da Babilônia, deveria liderar o panteão divino, neste penúltimo dia de devoções.

Subitamente, no topo da escadaria que unia a fortaleza ao palácio real, surgiu o grande andor, levado nos ombros não dos sacerdotes que para isso se haviam preparado durante longos meses, mas de uma infinidade de soldados da Guarda Real, armados até os dentes. Os gritos de alegria rapidamente se transformaram em arquejos de horror, porque sobre o andor, pintado de ouro, vestindo os trajes sagrados de Marduq, estava o próprio Belshah'zzar, movendo os braços ao modo das estátuas. Os sacerdotes ficaram horrorizados, lanhando as faces até que o sangue fosse mais forte que as cores com as quais as tinham pintado: quem era este que assumia com tal desfaçatez o papel do verdadeiro deus da Grande Baab'el, impondo-se a seus fiéis de forma tão arrogante? Belshah'zzar nunca estivera tão feliz: eu comparava meu desespero infinito à sua alegria insana, já que um parecia ser decorrência da outra, me desesperando ainda mais.

Os convidados de Belshah'zzar se deliciavam com a manobra de seu anfitrião, e as libações e saudações ao grande e esperto rei se sucediam a cada uma de suas frases. Subindo ao assento do trono de pedra negra, incrustado de jaspe e lápis-lazúli à moda dos egípcios, o rei da Grande Baab'el ergueu seus braços adiposos para o ar, sacudindo-os ritmadamente:

— Não existe sacerdote que possa enfrentar o poder de um rei, quando deus e o povo estão com ele! Ao ver-me pintado de dourado, acenando com os mesmos movimentos das estátuas, o povo teve um momento de incredulidade, reconheço. Mas logo alguém gritou "Marduq! Belshah'zzar!", e esse grito tornou-se o refrão dos hinos que me acompanharam por todo o caminho até o topo do templo de Marduq, onde os sacerdotes tiveram que reconhecer-me como a única e verdadeira encarnação do deus deste Império! Eu me ergui, com o cetro e o círculo nas mãos, girando para que toda a Grande Baab'el me aclamasse, e toda a Grande Baab'el me aclamou, aos gritos cada vez mais altos de "Marduq! Belshah'zzar!", reconhecendo-me como seu rei e seu deus!

— E podeis ter certeza de que sois deus e rei, Grande Belshah'zzar, única verdadeira encarnação do grande e poderoso Marduq, e tão poderoso e grande quanto ele! — disse uma voz conhecida, que me fez erguer os olhos de minha vergonha e encarar a enorme Bel'Cherub, vestida com braças e braças de pano escuro, sua coroa de *siduri* e sua barba postiça, o queixo erguido, um sorriso de cruel satisfação distorcendo-lhe a face ingurgitada.

— Bel'Cherub! *Siduri* das *Sidurin*, a maior de todas desde que Gilgam'esh se abrigou do dilúvio na taberna da primeira de vós! Minha casa se honra com tua presença, e agradeço pelo regalo que me enviaste e que ainda não pude ver. Onde está o presente que Bel'Cherub me enviou?

O olhar porcino da criatura percorreu o salão, detectando-me ao pé de uma das colunas que ficavam à porta das cozinhas. Seu sorriso obsceno se abriu, e, sem tirar os olhos de mim, ela disse a Belshah'zzar:

— No momento certo, meu rei, no momento certo. Como com os alimentos que vossos cozinheiros estão nesse momento produzindo no ventre de vossas cozinhas, o prazer de meu presente também deve ser uma surpresa que só se revela no momento certo!

Belshah'zzar ergueu sua taça em direção a Bel'Cherub, tendo sua atenção atraída por outros de seus acólitos, sempre bajuladores e elogiosos. A gorda *siduri* começou a andar pelo salão, traçando um grande círculo, que terminaria em mim, pois seus olhinhos malvados não me abandonavam nem um instante. Também pude perceber que Belshah'zzar já estava ocupado acariciando dois jovens vestidos à moda grega, que lhe haviam sido trazidos em uma grande bandeja de cobre marchetado, nos ombros de seis etíopes, dentre os muitos que o serviam no palácio. Pensei que a vontade de Belshah'zzar era incontrolável, e que nem mesmo a poderosa Bel'Cherub tinha como garantir que nessa noite eu seria o seu escolhido: isso me deu tanto alívio, que pude até mesmo enfrentar-lhe o olhar, quando ela sussurrou à minha frente:

— Pequeno ladrãozinho, viste o que aconteceu a teu amiguinho Daruj, e já sabes o que te espera, pois não?

— Quem de nós conhece o futuro, *siduri*? Tudo pode acontecer, e também nada. Que certeza absoluta se pode ter de todas as coisas?

Nesse embate de ironias, ela estava mais bem preparada que eu: minha mente estava por demais preocupada, e ela, percebendo isso, passou seu punho por meu pulso esquerdo, apertando tanto que o marcou de roxo:

— Acalma-te, chefete. Se não acontecer hoje, mais dia, menos dia, estarás na mesa dos prazeres de Belshah'zzar. Eu tudo farei para que seja hoje, e sei como chamar a atenção de nosso rei para teu corpinho tenro. Se alguma coisa atrapalhar meus planos, isso apenas adiará minha satisfação: hei de ver-te em pior estado que teu outro amiguinho, e saberei ler em teus olhos o prazer que sentirás.

Apavorado, fiquei firme: não podia dar a Bel'Cherub a satisfação de ver-me tremer. Ela se afastou de mim, indo até onde Na'zzur estava, junto a outros soldados do rei, e teve com ele uma conversa de pé de ouvido cheia de olhares de soslaio em minha direção. Minha esperança era não haver nada que garantisse a Bel'Cherub que eu seria o escolhido dessa noite: inúmeros soldados da guarda também ali estavam, tão arrumados e lustrosos quanto eu, todos à disposição da vontade incontrolável do *puhu* da Grande Baab'el, alguns deles certamente desejando a desgraça que consideravam uma honra. Essa incerteza quanto a meu destino acabou me servindo de calmante, pois os demônios que meus medos construíam se tornaram sem importância frente aos pequenos gestos de Bel'Cherub. Suas frases, a força com que me apertou o punho, a pequena conspiração que eu agora assistia entre ela e Na'zzur mostravam que as possibilidades eram quase todas a meu favor. Era preciso apenas não criar nenhum motivo para que se dessem conta de minha existência, rezando para se tornar invisível, deixando que o Destino, em vez de ser o cruel culpado de minha desgraça, se tornasse o portador de minha salvação. O que veio a acontecer, no entanto, não havia nem de longe passado por minha mente, nesse dia de infinita crueldade, com todos os sentidos que essa palavra possa tomar.

A música começou a soar, meus olhos se voltaram para o lugar de onde ela nascia, e reconheci meu quase-futuro mestre Feq'qesh, desta vez sobraçando uma enorme lira do tipo egípcio, com dez cordas de som metálico e plangente. Os músicos ao seu redor soavam tambores, flautas, crótalos, sistros, adufes, uma infinidade de instrumentos que serviam de cama para a beleza das notas em cascata que Feq'qesh extraía de sua lira, acompanhando cada uma delas com um outro som vindo de sua garganta, e essas duas linhas sonoras, mesmo diferentes, se harmonizavam perfeitamente. Abaixei a cabeça, para que ele não me reconhecesse, mas mantive minha atenção sobre sua figura, limpa e perfumada, muito diferente dos outros músicos de Belshah'zzar. A flauta começou a juntar suas notas a cada uma das duas notas de Feq'qesh, e a soma de tudo isso mais uma vez me fez sentir que ali estava o caminho para a minha vida, ainda que dele estivesse separado como um filho de sua mãe. Mesmo assim, experimentei um momento de tranqüilidade em meio ao rodamoinho de minhas emoções: foi nessa noite que aprendi a me refugiar na música de cada vez que a vida me impôs uma encruzilhada. A orquestra do palácio, a um sinal do *ve'zzur* de Belshah'zzar, fez soar um arpejo metálico e agudo, exatamente igual àquele com que a dança ritual de Sha'hawaniah começara, no dia em que eu a vira pela primeira vez, e meu coração saltou. Em vez dela, o que deu entrada no salão foi um desfile de jovens aprendizes de cozinha, de todas as cores e tamanhos, entre os quais avistei Yeoshua com seus olhos arregalados, carregando por sobre a cabeça bojudas cestas de vime egípcio, onde vicejavam enormes molhos de coentro, oloroso, pungente. Os convivas aplaudiram, estalando seus dedos e beijando o ar ruidosamente, pois a entrada do coentro sempre prenunciava o magnífico desfile de cores e sabores que tornava os festins de Belshah'zzar um evento obrigatório para os adeptos dos prazeres da boca. As cestas de vime foram espalhadas por entre os leitos dos convivas e as mesas baixas que os separavam. O cheiro do coentro se espalhou, dando início à excitação dos sentidos, e a música cresceu, tomando um ritmo marcial, enquanto os primeiros pratos entravam no salão, fumarentos e brilhantes.

    Desde Nabbu'zzardan, cozinheiro transformado em general pelo banquete que realizara no fogo onde ardia a madeira do Templo de Yahweh, o cargo de cozinheiro só era menos valorizado que o de *puhu*, sendo encarado com um pouco menos de respeito que o de sacerdote, mas tendo muito mais importância que o de médico: desde o tempo dos Dinastas assírios, em caso de doença costumava-se mudar de cozinheiro em vez de mudar de curandeiro, garantindo a saúde das casas reais. Nas profundezas do grande palácio, os quase duzentos cozinheiros de Belshah'zzar passavam todo o tempo preparando alimento para os que lá viviam, e como os festins eram diários, parecia que o grande palácio real de Baab'el tinha sido erguido exclusivamente para que nele os cozinheiros exercessem seu ofício.

Os aprendizes de cozinha, depois de espalhar as cestas de coentro, foram substituídos por outros ainda mais ricamente vestidos, trazendo bojudas bacias de ouro com água fresca, para que os convivas se abluíssem, entregando-lhes na passagem pequenos frascos de vidro egípcio cheios de óleo de oliva perfumado com cedro, zimbro ou mirta, que escolhiam segundo seu gosto pessoal, enchendo o ar de mais perfumes. Os primeiros a serem atendidos eram sempre os *wasib'kussim*, convidados de honra que ocupavam o círculo de chão mais próximo ao trono de Belshah'zzar e a quem os alimentos sagrados eram preferencialmente distribuídos: todas as comidas oferecidas aos deuses retornavam ao palácio, e, segundo a importância dos convivas, uma maior ou menor parte desses alimentos lhes era posta à disposição, tudo de maneira muito organizada, pois os contabilistas do palácio mantinham anotações estritíssimas de quanto era dado a quem e por que motivo, e uma cópia desta anotação era repassada ao usuário, que a exibia como prova de sua importância. Os *wasib'kussim*, homens de todos os quadrantes do mundo com os quais Belshah'zzar tinha negócios, ficavam sempre mais próximos a Belshah'zzar e eram seus mais intensos bajuladores, por isso mesmo os mais bem aquinhoados na divisão das vitualhas.

O grupo de aprendizes retornou ao salão trazendo enormes jarras feitas de cerâmica, bronze, vidro ou ouro, cada uma delas cheia até a borda com uma das quatro bebidas que seriam consumidas durante o festim: o *bou'zza*, cerveja feita de pedaços de pão fermentados e filtrados, à moda dos Faraós; o licor de tâmaras que cada casa da Grande Baab'el, mesmo a mais humilde, se orgulhava de produzir e estocar, sendo o do palácio real o mais famoso de todos; o *dzimtu'hum*, feito de estoraque, com elevadíssimo teor alcoólico e cheiro de benjoim; e finalmente o *kikireni'hum*, purgado dos ramos do meimendro, que causava alucinações e perda de controle. Essas bebidas, lavadas com o ácido vinho de uvas da Fenícia, feito especificamente para o rei, eram postas à disposição de todos, até dos menos favorecidos por sua posição no salão, e nem mesmo depois que o banquete se iniciou, a longa linha de aprendizes diminuiu o ritmo com que trazia as jarras cheias, levando embora as vazias.

A arte de Feq'qesh era fascinante: cada novo grupo que surgia pelo arco das cozinhas era saudado com uma sonoridade diferente, uma nova frase musical. As escalas usadas iam se sucedendo, à medida que os alimentos davam entrada no grande festim de Belshah'zzar, comentando-os, ritmando-os, indicando até mesmo de onde vinham. Em dado momento, o ritmo se tornou mais hierático, pois três filas de pessoas vestidas com longos mantos começaram a surgir do corredor que eu guardava, carregando enormes bandejas tampadas com grandes cúpulas em formato de *ziggurat*, feitas de ouro, prata e bronze. A um movimento de seus corpos, os mantos caíram de seus ombros, e vimos, por estarem todos nus, que eram impressionantemente belos, untados com o óleo *nekefeter*, o perfume nacional do Império da Babilônia. O grupo das mulheres, levemente tingidas de cor-de-rosa, carregava os recipientes onde as comidas cozidas estavam dispostas, fumegando e lançando ao ar todos os seus perfumes de gengibre e cominho, pois tudo sobrenadava no exótico óleo de Vênus, um hábito trazido da cozinha meio etrusca, meio romana, dos habitantes do Tibre. O grupo dos homens, coberto de um brilho dourado, levava assados de monumentalidade excessiva, carne de boi, carneiro, coelho, pombo, peixes cobertos de suas próprias ovas, cada um mais oloroso que o anterior, e entre cada uma dessas grandes bandejas despontava o brilho caramelizado e crocante dos porcos assados à moda dos tessalienses, cercados por trufas da Líbia, ainda que enfiados de pé em grandes espetos e encimados por asas de massa decorada, numa imitação dos monumentais querubins que ornavam as paredes do salão. O terceiro grupo, carregando diversos alimentos dos quais emanavam os indecifráveis odores de podridão que a Grande Baab'el adorava, era o mais impressionante de todos: com peles muito brancas e olhos quase fechados, exibiam tanto seios femininos quanto pequenos membros masculinos, fazendo com que diversos dos convivas mais afastados se erguessem de seus leitos para observá-los melhor, pois hermafroditas, que já eram naturalmente muito raros, chamavam muito mais atenção nessa quantidade inacreditável em que Belsha'zzar os exibia. Que desperdício de riquezas e esforços humanos não teriam sido necessários para reunir nessa noite tantos desses seres? A meu lado, ouvi vozes que diziam "devem ser apliques, à moda egípcia, pois nem em vinte séculos de vida a Natureza produz tantos híbridos", mas Belshah'zzar, erguendo-se de seu trono, bradou:

— Podeis experimentá-los a todos, meus amigos! São todos exatamente como vós os vedes! Estão neste palácio para servir-vos no que quer que vossas mentes e vossos corpos engendrarem! Depois de vos satisfazerdes com as comidas que eles vos apresentam, refestelai-vos em seus corpos! Foi para isso que eu os trouxe! São meu presente para vós, o presente do rei da Babilônia! Marduq e Belshah'zzar, Belshah'zzar e Marduq vos presenteiam com essas dádivas de nossa pródiga natureza!

Os gritos de satisfação dos convivas misturaram-se à música cada vez mais alta e aos ruídos de pratos e copos escapando de mãos engorduradas e caindo ao chão, risos de prazer e gula, urros de volúpia dos que confundiam gula e luxúria em uma só emoção. Um vórtice de corpos e sabores, cercados pelos odores violentos das comidas que ali estavam sendo consumidas, e risos e gritos de horror e medo, subjugados por gargalhadas de vitória e espasmos de gozo, tudo nesse antro de prazeres pulsava e vibrava cada vez mais, os alimentos e os corpos se misturando uns aos outros. Sobre tudo isso pontificava a figura enxundiosa de Belshah'zzar, movido mais e mais pelas bebidas e comidas de seu festim, que excitavam além da conta os sentidos de cada conviva: o rei, sob quem a depravação da Grande Baab'el alcançara novos e inacreditáveis patamares, olhava a todos de uma posição superior, ficando de pé sobre o assento de seu trono de cada vez que se erguia, pois não admitia que qualquer cabeça humana estivesse acima da sua. Eu o olhava de soslaio e só pensava no nojo que me causava, com sua figura asquerosa, coberta de um suor pegajoso, o lábio inferior muito caído pelo qual escorria a baba que sua boca produzia, mas de tudo o que nele mais me assustava era o poder de que dispunha, e que exerceria de maneira absoluta sobre tudo em que seus olhos e desejo pousassem. Nesse momento de minha vida, eu não acreditava mais em nada que pudesse me salvar do horrível destino que me estava reservado: esse rei cruel que eu olhava com temor era mais poderoso que qualquer deus, e minha vida pregressa ou sonhada tinha sido posta em suas mãos. Foi sem espanto nenhum que ouvi as frases de Belshah'zzar, gritadas tão alto que todas as atenções para ele se voltaram, enquanto o rei erguia os braços e deixava ver parte de seu corpo ainda pintado com a tinta dourada que usara na procissão dessa tarde:

— Alguém duvida que eu seja Marduq em pessoa? — Os acólitos de sempre, todos entre os *wasib'kussim*, tiveram um pequeno momento de hesitação, mas quase que imediatamente aplaudiram o rei sem demonstrar nenhum tipo de dúvida, enquanto ele sorria. — Pois não é essa a nossa tradição? Não é o rei da Babilônia que encarna a divindade e por isso reina sobre o grande Império? O que existe neste mundo que eu não possa fazer?

— Poderoso Belshah'zzar! — disse Bel'Cherub, uma das mais próximas ao trono, sendo secundada pelos murmúrios de aprovação dos outros. — Vós sois verdadeiramente mais que um rei, vós sois um deus! Como é grande a diferença entre vós e vosso antepassado Nebbuchadrena'zzar, aquele que enlouqueceu por medo do deus de um povo vencido!

— Que não se repita esse nome em minha presença! O rei que se entregou ao deus dos hebreus, e por causa disso foi transformado em animal, com cabelos e unhas enormes, comendo a erva daninha e vagando pelos campos da Grande Baab'el enquanto seu Império periclitava? Mereceu tudo o que sofreu, o maldito, porque se esqueceu que o deus da Babilônia é que é o verdadeiro deus, não esse deus menor, derrotado, esse deus de escravos sem valor!

Um tessaliense de toga curta, com um corte em V na orelha esquerda, ergueu a voz:

— Há deuses e deuses, poderoso Belshah'zzar: alguns deles fazem questão de possuir grandes pedaços de terra, onde seu poder não pode nem deve ser discutido.

— E muitos deles gostam de invadir o território alheio — disse com ar de mofa um negociante etrusco de barbas cerradas, com a cara avermelhada pelo vinho. — São famosos os combates entre deuses pela posse das terras onde outro deus habita.

— Por isso é que digo: há deuses vencedores e deuses derrotados. O deus que em mim habita, o deus Marduq que sou, venceu de forma definitiva a todos os deuses que nos cercavam. Tomamos seus territórios, amealhamos suas riquezas, escravizamos seus fiéis e os destruímos a todos, sem exceção. Não há nenhum deus mais poderoso que Marduq, o vencedor absoluto!

A música e os aplausos recrudesceram, enquanto Belshah'zzar girava por sobre o trono de pedra lavrada, exibindo-se a toda a volta do grande salão, com um estranho brilho no olhar. Olhava por sobre as cabeças, como se estivesse pairando sobre todos nós, falando para si mesmo, cada vez mais alheio à existência dos pobres mortais que o adoravam:

— Eu venci a todos os deuses que quis vencer, e meu tesouro prova isso! Desde antes do maldito Nebbuchadrena'zzar, venho amealhando fiéis, territórios e tesouros desses deuses derrotados! Eu sou o maior de todos os deuses!

Belshah'zzar parecia tomado por alguma coisa mais forte que ele, ainda que todos desconfiássemos que fosse o meimendro do *kikireni'hum* quem falava por sua boca: seu delírio ficava mais fora de controle a cada instante, e quando gritou por seu *ve'zzur*, que se aproximou celeremente, urrou com os olhos arregalados e a boca retorcida num nó de dentes e músculos arreganhados, como se tivesse se transformado em um animal sem nenhum controle de seus próprios atos:

— Trazei os vasos sagrados que eu tomei do deus de Jerusalém, antes de queimar-lhe o templo! Trazei-mos imediatamente! É neles que quero beber o vinho de minha vitória! Vamos! Abri a sala do tesouro e trazei-me os vasos que o deus de Jerusalém dizia sagrados! Nada é sagrado para Marduq, o maior de todos os deuses!

O *ve'zzur* de Belshah'zzar dirigiu-se para uma enorme porta de bronze fundido que ficava à direita do trono, batendo palmas para que os guardas que a protegiam se afastassem: eles o fizeram, e ele se aproximou delas, golpeando-as com o punho fechado. O som foi grave, metálico, profundo, e depois de algum tempo as portas começaram lentamente a se abrir. Dentro da sala do tesouro, o brilho era tão grande que por um momento ofuscou a vista de todos que estávamos no grande salão: mas, passado este momento, vimos que dentro dela estava uma quantidade imensa de riquezas vindas de todos os quadrantes do mundo; riqueza de Belsha'zzar e símbolo absoluto do poder da Grande Baab'el sobre todas as nações do Universo. Homens de pele descorada e olhos avermelhados pelo cansaço, que nunca saíam de dentro dessa sala a não ser depois de mortos, olhavam para fora com incredulidade. O *ve'zzur* de Belshah'zzar deu dois passos para dentro da sala, e por um instante esses homens cerraram fileiras à sua frente, defendendo o tesouro do Império: mas, logo que reconheceram o representante de seu senhor, abriram caminho para que ele apanhasse aquilo que seu rei desejava.

RECONSTRUINDO O TEMPLO

Quando o *ve'zzur* de Belshah'zzar saiu da sala, foi seguido por uma dúzia ou mais dos guardas do tesouro, empurrando bacias de bronze apoiadas em rodas do mesmo metal, dentro das quais brilhava uma quantidade inacreditável de ouro amarelo, sob a forma de bacias e vasos. Belshah'zzar, sem hesitar, avançou sobre a bacia que lhe ficava mais próxima, apanhando uma taça ovalada quase tão grande quanto sua cabeça, mandando que a enchessem de vinho. Nem esperou que o serviçal terminasse: levou-a à boca com um gesto brusco, sem se importar com a bebida que caía sobre seu peito e escorria para o chão, aumentando a poça escura que já estava a seus pés.

Meus olhos viram atrás de Belshah'zzar, no tablado dos músicos, meu quase futuro mestre Feq'qesh, cobrindo os olhos com as duas mãos, como se não desejasse ver o que se avizinhava. Uma estranha emoção percorria a todos que estávamos nesse salão, nessa noite: recordo com clareza ter pensado na razão pela qual Feq-qesh não queria ver a exibição de poder do rei da Grande Baab'el: se houvesse um deus, seria certamente esse homem gordo, asqueroso e cheio de poder, que bebia em grandes goles de uma taça de ouro.

Belshah'zzar enfiou a mão em uma bacia que estava a seu lado, coalhada de riquezas de todos os cantos da terra, e dela apanhou um punhado de moedas, com um ar de mofa em seu rosto inchado:

— Que ninguém diga que existe um deus maior do que Marduq! Também nunca se diga que Marduq não conhece o real valor dos deuses a quem venceu! Sou um deus benfazejo, e pago o preço justo pela posse que tomo de suas riquezas! Toma, Yahweh, deus de Jerusalém, a quem venci em combate mortal! Lambe as tuas feridas e aceita o pagamento justo pelos tesouros que foram teus e agora são meus!

Largando as moedas que estavam em sua mão, manteve entre os dedos apenas uma delas, pequena, ínfima, feita de cobre escuro, olhando a todos os seus *wasib'kussim* com ar de mofa: enquanto seus acólitos riam e aplaudiam, jogou a insignificante moeda para a frente, na direção dos tesouros que havia mandado buscar. A pequena moeda caiu ao chão, girando, como fazem as moedas, quando rodam até perder velocidade e parar, com uma de suas faces exposta. Só que esta, para espanto de todos, rodou à volta do tesouro, em um círculo cada vez maior, e, em vez de perder velocidade, começou a dar voltas cada vez mais depressa, zumbindo como um pião. À minha frente, um conviva começou a rir nervosamente, sem acreditar no que via, e o espanto foi crescendo cada vez mais, instalando no salão um silêncio de proporções tão gigantescas, que repentinamente só se ouvia o fino zumbido da moeda, girando cada vez mais rápido sobre os tijolos vidrados do piso.

Eu não sabia o que pensar: meu coração batia descompassadamente em meus ouvidos, como se o sangue estivesse brigando para sair de meu corpo, enquanto meus olhos acompanhavam sem piscar o movimento da moeda sobre o piso. Atrás de mim, uma mulher começou a gritar, cada vez mais alto e mais agudo, parecendo que nunca mais se calaria. Dois homens correram para longe da cena, atravessando o corredor que saía do salão, fugindo daquela visão do impossível. O que estávamos vendo era uma irrealidade, não acontecia, não podia acontecer: todos sabíamos que uma moeda que cai ao chão sempre acaba por parar, pois não existe nenhuma força humana que a faça girar cada vez mais rápido, como que dotada de vontade própria. O que era isso que eu via? Por que sentia esse misto de medo e náusea, como se meu corpo reconhecesse melhor que meu coração a impossibilidade do que estava acontecendo?

A moeda girava tão rápido que já parecia a nossos olhos um grande anel cor de cobre que circundasse o piso à frente do trono de Belshah'zzar, boquiaberto como todos, a taça de ouro esquecida nas mãos, o olhar baço fixo no círculo metálico que a moeda desenhava no espaço, zumbindo cada vez mais alto.

De repente, como que atraída por alguma força inesperada, e quase arrancando seu braço, a taça que estava em sua mão voou para o meio do círculo que a moeda desenhava, pairando em seu centro exato quatro braças acima do solo, onde começou a girar em direção contrária, com a boca para cima, expelindo chispas cada vez que um raio de luz tocava uma de suas arestas, e de dentro dela começou a gerar-se um rugido imenso, como um tropel de cavalos que se aproximasse, até que um relâmpago imenso brotou de seu íntimo, atingindo o teto em cúpula do grande salão, fazendo com que a pedra de que era formado apresentasse uma grande rachadura.

Ohei para Feq'qesh, que chorava copiosamente, enquanto erguia para o céu as mãos abertas, logo após cobrindo a cabeça com seu manto: eu não percebia nada do que estava acontecendo, mas sentia em meu coração que o que via não era obra de nenhum desses magos que encantam as platéias com seus truques fabulosos. Os raios que saíam de dentro da taça flutuante em quantidade cada vez maior empalideciam os archotes de nafta, que terminaram por se apagar quando um vento de enormes proporções, uma verdadeira tempestade seca, circulou por dentro do grande salão. Mesmo assim, não ficamos às escuras, pois a luz que se projetava dessa taça que pairava acima de nós era cada vez mais forte, cercada por um ruído de trovões que nos ensurdecia a todos.

Tremi frente a isto que não compreendia, e por um instante temi estar enlouquecendo, vendo coisas impossíveis, como os insanos que de vez em quando atravessavam nosso bairro, confundidos com profetas que estivessem de posse da palavra de deus. Mas eu não era o único que as via, e isso só aumentava meu temor: perto de mim estava um homem que se curvava, vomitando de puro terror. Eu o compreendia bem, pois meu organismo também era todo náusea, todo febre, todo certeza de que a vida me estava por abandonar, mas ainda assim meus olhos amedrontados não conseguiam afastar-se de nada do que estava à minha frente, e se hoje consigo narrar o que ocorreu, é simplesmente porque existem memórias que nunca se apagam.

A cada instante acontecia mais alguma coisa que nos abismava, e tudo se somava na exibição desse poder sem medidas que nos deixava à beira da sandice e nos confrangia o coração com o mais absoluto terror que se pode experimentar. Os tesouros do templo de Yahweh também eram atraídos por esse vórtice que a moeda girante criava, com a taça brilhante em seu centro, e tudo se movia e ajuntava debaixo dela, formando uma imensa coluna de ouro e poder divino. Sim, eu agora tinha certeza: só um deus podia realizar o impossível que agora experimentávamos, e em meu coração pedi a esse deus que afastasse de nós esse acontecimento sem sentido nem medida, deixando-me livre para viver a minha vida como ela sempre fora, sem milagres nem impossíveis.

Esse deus de vingança, claramente ofendido com Belshah'zzar, ainda fez mais: de dentro da taça girante começou a produzir uma nuvem densa, escura, que inchava e crescia cada vez mais, até tocar o ponto mais alto do teto sobre nossas cabeças. Um cheiro metálico invadiu minhas narinas enquanto eu recuava sobre meus próprios pés, e repentinamente de dentro dessa nuvem, com a força de uma cachoeira, uma mão imensa se projetou, apontando um dedo gigantesco na direção de Belshah'zzar.

O rei caiu para trás, sobre o trono, e seus esfíncteres se abriram, deixando o chão à sua frente coberto de urina e fezes malcheirosas, enquanto ele abria a boca e gritava com voz muito fina, segurando a cabeça e arrancando os poucos cabelos que lhe restavam. Eu mesmo não pude ficar de pé quando essa enorme mão surgiu entre nós: meus joelhos transformaram-se em água e eu caí ao solo. Diferentemente dos outros, no entanto, a visão desse inesperado não me fez esconder a cara: meus olhos incrédulos não se fartavam de assistir a esses prodígios, e me recordo de ter olhado minha própria mão, comparando-a com a imensa mão que apontava um dedo implacável para Belshah'zzar. Era uma mão perfeita nos seus mínimos detalhes, mas tão grande que certamente pertenceria a um gigante de inimaginável tamanho, impossível de caber em taça tão pequena. A nuvem foi-se concentrando ao redor dessa mão, e enquanto os raios iluminavam o salão, o dedo voltou-se para a parede à frente de Belshah'zzar, nela traçando com violência as letras do antigo alfabeto, o mesmo com que o Universo havia sido criado, letras de fogo negro e vivo, que marcaram para sempre a parede em que foram riscadas, calcinando os tijolos que a recobriam, enquanto todo o palácio, e com ele a Grande Baab'el, tremia sem que ninguém compreendesse como.

Belshah'zzar caiu para trás, apoplético, enquanto a mão começava a recuar para dentro da taça: os raios, ainda fortíssimos, começaram a espaçar-se gradativamente, e a sala começou a ficar imersa em escuridão cada vez maior, só quebrada pelo brilho da taça e do círculo vibrante da moeda que não cessava seu giro, zumbindo mais alto que os gritos que ainda se ouviam por todo o salão. Eu tinha minha cabeça tão à volta quanto essa moeda, e me sentia como se estivesse saindo de mim mesmo, frente a um poder que me assoberbava e esmagava.

Um raio mais forte e inacreditavelmente longo espelhou-se em todo o salão, permanecendo intenso como se já fosse dia ali dentro, cada vez mais claro, e a taça e a moeda, subitamente, caíram, transformadas de novo em apenas uma taça e uma moeda, não mais as ferramentas que um deus usara para exibir seu gigantesco poder, mas simplesmente as coisas comuns que eram até que ele delas se apropriasse em sua força divina. Eu vi que a moeda fumegava como se tivesse sido colocada sobre brasas: a taça, no alto da pilha de riquezas que pertenciam a Yahweh, agora simplesmente uma pilha de coisas feitas do metal chamado ouro, brilhava cada vez menos, e por fim a bendita escuridão deu descanso a meus olhos, esgotados pela visão intensa do que não podia ser, e que no entanto fora, porque uma vontade suprema, maior que qualquer outra, fizera acontecer.

A escuridão nos abraçou a todos, confortavelmente, livrando-me do que eu precisava esquecer, ainda que soubesse que isso nunca aconteceria: estava para sempre marcado por tudo o que vira e experimentara, e de alguma maneira esse deus havia mudado o rumo de meus passos em direção ao destino que fatalmente viveria. As imagens desse dia nunca mais se apagaram de minhas retinas: o giro da moeda, a taça brilhante, os raios que dela se projetavam, a nuvem e a gigantesca mão que dela nasceu, as letras queimadas na parede, a benfazeja escuridão que depois de tudo se apossou do mundo em que eu vivia. Mas, de tudo isso, a imagem mais marcante foi a face de Sha'hawaniah, que eu vislumbrara na entrada do salão, chegando quando os acontecimentos já se davam. Um último lampejo dos raios da ira divina me permitiu ver seus belos e inesquecíveis olhos, onde um inexplicável sorriso flutuava, como se apenas ela entendesse o que nesse dia ali acontecera.

A escuridão me cobriu como o manto que Feq'qesh colocara sobre sua cabeça, depois de erguer as mãos para o céu, antes que o poder de Yahweh se fizesse presente em toda a sua glória. O milagre estava completo, e de agora em diante só me restava admirar a maneira pela qual o Criador do Universo faz com que as coisas criadas se aperfeiçoem.

Capítulo 7

Acho que foi a partir dessa noite de prodígios e portentos que nuvens se tornaram importantes para mim: nunca mais pude olhá-las sem que a lembrança da nuvem de onde saíra a mão de Yahweh retornasse à minha mente, de alguma forma, permeando-me de um medo que nunca mais se apagou. Desse dia em diante, passei a encará-las com mais atenção, sentindo que por trás delas se ocultava o indizível, o inesperado com tanto poder sobre minha vida, ainda que eu não ousasse reconhecê-lo.

O caos que se instalou no palácio só não foi maior porque os que o ocupavam fugiram, indo ocultar suas cabeças assustadas no buraco mais profundo que puderam encontrar. Muitos deles perderam o rumo e, em vez de subir para o mais alto dos jardins suspensos, acabaram por descer aos subterrâneos, e um ou dois, sem saber onde pisavam, caíram em suas profundezas, perdendo-se na lama do porão. Outros, mais afortunados, conseguiram escapar daquele cenário incompreensível, indo buscar segurança na cidade, que, também totalmente às escuras, tremia tanto quanto eles. Eu permaneci no palácio, pois Daruj estava acometido de dores no dormitório onde eu o deixara, e eu não podia abandoná-lo, nem mesmo se o deus que exibira todo o seu poder assim me ordenasse. Meu caminho até as casernas, em total escuridão, demorou quase três vezes mais que o normal, e os gritos desesperados que encontrei em minha descida serviram para que eu mais e mais me perdesse e embrenhasse por desvãos que de outra maneira nunca pisaria. Alguns de mais expediente haviam reacendido os archotes que se haviam apagado, e a partir de certo momento a descida para as casernas ficou mais fácil: eu já podia ver por onde ia, em vez de tentar apenas adivinhar. Cruzava com pessoas em maior ou menor grau de delírio, e nenhuma delas prestou a menor atenção em mim.

    Minha mente não parou de funcionar um instante sequer: eu acabara de ver a exacerbada exibição do poder incomensurável de um deus vingativo e irado, que graças a isso me salvara do destino que eu mais temia. Minha vida havia caminhado do corriqueiro para o inesperado, do inesperado para o degradante, do degradante para o milagroso, arrebatando-me, desperdiçando-me, ameaçando-me e finalmente salvando-me, graças a esse embate entre deuses. Eu não conseguia acreditar que havia passado por fatos sem ligação uns com os outros, e sabia haver sido marcado pelo que vira e vivera: a idéia de que os olhos desse deus estivessem permanentemente sobre mim, observando meu caminhar, confrangia-me o coração. Não desejava isso, de forma alguma. Sabia, com toda a certeza que um homem pode ter, que queria apenas ser o mais comum dos homens, sem nada que me destacasse dentre outros como eu. Apesar de meus sonhos de poder, os mesmos que todas as pessoas têm, a idéia de ganhar alguma importância me enchia de medo, porque eu preferia que minha vida fosse cinzenta o bastante para que eu desaparecesse no meio da multidão amorfa, vivendo e morrendo como havia nascido, apenas um animal sem nenhum valor.

    Era já a manhã do dia seguinte quando finalmente cheguei às casernas e entrei no dormitório onde havia deixado um Daruj ferido e ensangüentado, vendo à luz bruxuleante dos archotes que o catre estava ocupado por mais gente. Eram Yeoshua e Mitridates, e Daruj estava sentado tomando algum alimento que um deles lhe havia trazido. O olhar que me deu mostrou-me que ele temia que eu falasse das sevícias a que fora submetido: para nossos outros dois amigos, ele havia sido espancado quase até a morte por ter quebrado o nariz do asqueroso Na'zzur, e era até com certo orgulho que exibia a eles os lábios partidos e os olhos quase fechados por hematomas. Eu o compreendia bem, e se fosse comigo que essa estupidez tivesse acontecido, duvido que tivesse uma ínfima parte da coragem que ele agora exibia.

    Yeoshua, ao ver-me, avançou em minha direção com os olhos arregalados, pegando-me fortemente pelos pulsos:

— Tu também viste, não viste? Não estamos loucos, eu e Mitridates, estamos?

— Acalma-te, Yeoshua... — disse Mitridates, com a frieza que lhe era habitual. — Afinal, o que foi que aconteceu que não possa ser explicado de uma maneira ou de outra?

— Mas o que te corre nas veias? Água gelada das encostas do Dornaq? Ou és algum tipo de verme com forma de homem e sem nada aí por dentro?

— O que passou, passou, Yeoshua. E nada do que houve tem qualquer efeito em nossas vidas. Belshah'zzar está caído em seu leito, mas há de se recuperar, e seus *ve'zzirim* e conselheiros estão lhe apresentando uma série de explicações para o que houve, cada uma mais elaborada que a anterior. Por que o que eles dizem seria menos verdadeiro que aquilo que tu pensas ser a verdade?

— Mas nós vimos! Nossos olhos não nos enganam, quando o que existe para ser visto é aquilo que aconteceu! A reação das pessoas mostra isso!

Daruj queria saber a que nos referíamos: Yeoshua e Mitridates, cada um à sua maneira, tinham-lhe contado os fatos inexplicáveis da noite anterior. Cada um deles contava a história de maneira completamente diferente, pois nada existe de mais diverso que o testemunho de duas pessoas sobre um determinado fato, e essa diferença aumenta à medida que o tempo passa e as crenças e descrenças de cada um vão modificando o que se experimentou. Eu mesmo, em meu silêncio, estava alternadamente ao lado de cada um deles, crendo e descrendo do que meus olhos haviam visto, enquanto o coração batia doidamente dentro do peito. Uma coisa era certa: por quaisquer meios, fosse a intervenção do deus de um povo contra o deus de outro povo, como acreditava Yeoshua, ou fosse tudo um somatório de truques humanos tão bem executados que tivessem parecido divinos, como Mitridates nos queria fazer crer, algo completamente fora do comum havia ocorrido:

— Por que acreditar que deuses escolheriam o território da Grande Baab'el para seu confronto, se têm todo o Universo ao seu dispor?

Yeoshua suava mais que de costume:

— Mitridates, os embates entre os deuses sempre acontecem para que reafirmem seu poder sobre nós, homens, e se o fizessem em segredo, que efeito isso teria? Achas que foi por acaso que o deus de meus pais escolheu o Festival de Marduq para demonstrar sua força? Achas que foi por acaso que se manifestou exatamente quando Belshah'zzar se apresentou como encarnação terrestre desta abominação e conspurcou os vasos sagrados de nosso templo?

Mitridates mantinha um sorriso frio no rosto, simbolizando sua incredulidade:

— Yeoshua, é preciso que aprendas a pensar sem que os teus pensamentos te emocionem. Todo raciocínio é uma operação de cálculo, na qual as emoções não têm lugar. Experimentemos: és capaz de inverter os termos de tua equação para que comprovemos sua veracidade? Raciocinemos como se estivéssemos na terra de teus pais, fazendo de conta que Belshah'zzar era rei de teu povo e representante de teu deus. Imaginemos que na noite de ontem esse rei dos hebreus tivesse se declarado possuído pelo deus de teus pais e houvesse decidido beber vinho na taça sagrada de Marduq. Achas que Marduq reagiria de alguma forma possível? Por que meios?

— Não confundamos as coisas: Marduq nada faria, mas seus sacerdotes sim. Sabes muito bem do que os sacerdotes de Marduq são capazes!

Mitridates bateu a mão na coxa, com os olhos brilhando:

— Exatamente! Sabemos do que são capazes os sacerdotes de Marduq, os *ashipus* e *mashmashus*, devotos de Pazzu'zzu, mestres em truques que enevoam os olhos e as mentes dos pobres crentes em poderes divinos! Não sabes que tudo o que ontem ocorreu pode ser repetido à perfeição por qualquer um deles?

Eu percebia aonde Mitridates queria chegar: mas o que eu sentia dentro de mim era mais forte que isso. Quanto mais o assunto se tornava comezinho e afastado de qualquer manifestação divina, mais, e sem nenhuma explicação lógica, eu ficava certo de que o que ocorrera era milagroso. Repentinamente, o chefe da guarda, com olhos esgazeados e extremamente abalado, chegou correndo até nós:

— Vamos, soldados, vossas fardas! A sala do trono não tem nenhum soldado que a guarde! Precisamos de homens à volta do rei! Vossas fardas!

— Senhor, eu sou aprendiz nas cozinhas! — disse Yeoshua. — E nem eu nem meu companheiro Mitridates temos fardas!

— Não importa o que sois, importa o que sereis! Não vedes que estamos à matroca, desde ontem? A maior parte do batalhão está desaparecida, e tenho que dispor de todo e qualquer homem que me caia nas mãos! Até tu, Asa Quebrada, até tu irás cumprir teu dever de guardar a sala do trono. Vamos, homens! Rápido!

O abalo na segurança do chefe da guarda era flagrante: seus olhos em nada se fixavam, buscando algo que não sabia o que fosse, tentando manter sua autoridade a qualquer custo. Sem homens que o seguissem e obedecessem cegamente, essa autoridade não existia. Ainda assim nós o temíamos, e até mesmo Daruj, claudicando e com dores por todo o corpo, acompanhou-nos aos vestiários, onde alguns outros estavam vestindo os uniformes da guarda. Pelo que pude ver, éramos todos muito jovens, e em cada par de olhos amedrontados ficava patente nosso pouco traquejo militar. O chefe da guarda, entre gritos cada vez mais sem sentido, acabou por arrebanhar um pequeno grupo de doze, não mais, empurrando-nos pelas rampas até a sala do trono, onde nossos serviços seriam necessários. Estávamos ridiculamente mal preparados para a função que devíamos exercer, e nem mesmo com as vergastadas que o chefe da guarda dava em nossas pernas conseguimos manter o passo igual, como um soldado deve fazer: após algumas tentativas nesse sentido, ele acabou por desistir, empurrando-nos mais e mais depressa para a sala do trono.

Se parecíamos ridículos em nossa pretensa disciplina, a sala do trono de Belshah'zzar estava ainda pior que nós. Os restos do festim da noite anterior ainda jaziam sobre o solo, aos cacos, transformando a sala em um monturo nojento: um bafio de podridão se esgueirava por entre tecidos rasgados e móveis quebrados, de mistura com o cheiro de vinho azedo. Tudo no entanto estava acumulado contra as paredes do salão, amontoado de qualquer maneira, inclusive o pesado trono do rei, arrastado de seu lugar por uma força tão grande que deixara dois trilhos profundos no chão de pedra lavrada, polida e incrustada. Tudo o que antes enfeitara o salão era agora o limite de um grande e perfeito círculo, e nesse limite havia arestas tão perfeitamente cortadas que parecia que uma gigantesca faca havia passado por ali. No centro desse círculo, em imobilidade absoluta, estavam todos os vasos dos hebreus, trazidos na noite anterior, encimados pela taça em que Belshah'zzar havia bebido seu vinho amaldiçoado, pousada em perfeito e assustador equilíbrio no alto de tudo. Pude ver no chão, brilhando como se fosse feita de fogo, a moeda que girara tão vertiginosamente no festim, interrompendo-o ao dar início aos fenômenos absurdos que ninguém explicava, e cuja lembrança me fez correr pela espinha um arrepio incontrolável. Na parede ao fundo, perto de uma grande rachadura que se iniciava no domo de tijolos vidrados, escurecidos como se ali houvesse acontecido um incêndio, estavam as letras queimadas na parede, ainda fumegantes, traçadas com o fogo dos dedos da gigantesca mão que entre nós surgira. As imagens permaneciam claras em mim, e os resultados do que ocorrera as faziam surgir vivamente em minha lembrança.

Os que estavam na sala do trono, por algum motivo inexplicável, não pisavam no círculo cujo centro era a pilha dos tesouros de Jerusalém, para isso dando voltas em torno do salão, galgando os obstáculos com o máximo de dignidade que lhes era possível. Para o chefe da guarda, isso de nada valia: tínhamos um dever a cumprir, e com alguma violência ele nos empurrou para a borda do círculo, onde ficamos faceando o centro, hirtos em nossa tentativa de posição de sentido.

Eu não via diretamente, mas pressentia pelo canto do olho a moeda que estava a meus pés, muito perto do bico de meu pé esquerdo. E enquanto os acontecimentos dessa tarde se desenrolavam, eu me preocupava apenas com esse pequeno pedaço de metal a que um deus dera vida durante um tempo quase infinito, e que agora jazia imóvel no chão: vagarosamente, sem que ninguém percebesse, meu pé foi-se deslocando em direção à moeda, acabando por cobri-la. Enquanto os acontecimentos se precipitavam, ela ficou debaixo da sola de meu coturno, queimando meu pé com sua presença.

Os *mashmashus* de Marduq, entre os sacerdotes que ali se reuniam, não estavam de acordo, nem os dois velhos astrólogos caldeus, vestidos à moda de seus antepassados, com barbas e cabelos entrançados, segurando uma miríade de instrumentos de observação celeste, que brandiam como se fossem argumentos para defesa de suas opiniões. Havia até um sacerdote egípcio, com a cabeça raspada e os olhos muito negros cercados por grossos traços de tinta preta, imitando os olhos dos deuses que cultuava.

— A conjunção das estrelas indica claramente que a noite passada era noite de prodígios, em toda parte do mundo! — disse um dos astrólogos, com sua voz cansada e rouca. — Não aconteceu nada que não tenha sido previsto nos cálculos desde incontáveis eras! A verdade está sempre nas estrelas, ainda que nem todos as saibam ler!

Um dos *ashipus* que ali estavam, movido pela frase precisa do caldeu, deu um passo à frente, revirando os olhos até que deles quase não aparecesse mais que o branco, e, abrindo os braços, gritou:

— O *ashipu* que em Eridu foi criado sou eu! Aquele que em Subaru foi criado sou eu! Eu e mais nenhum outro dirijo o pecador na busca de seu pecado! Só eu sei que o que ontem vimos foi uma prova do poder de Marduq, agastado com as últimas atitudes de nosso *puhu*! Só eu sei como purificá-lo de seu pecado, até que sejam quebradas as tabuinhas do altar de N'abu! Purificaremos o palácio real com incensos e música e unções, o *puhu* pessoalmente fará oferendas em sete altares diferentes, oferecendo sete turíbulos, sete jarros de vinho e o sacrifício de um carneiro! Em seguida...

— Tolice! — gritou o outro caldeu, sacudindo no ar um grande rolo de pergaminho. — O que tem que ser, é, e as estrelas nunca se movem para mudar o destino que nelas está traçado!

O sacerdote egípcio, com voz muito fina e gestos um tanto femininos, deu um passo à frente:

— O mundo é perfeição, criado por homens tão perfeitos que se transformam em deuses! Amon-Rá-Ptah, três em um, um em três, *neter* absoluto, criador dos Dois Reinos dos quais o mundo inteiro procede, diz, por minha boca: há que arrepender-se de toda mentira sustentada em nome de um deus menor! Lavar-se quatro vezes ao dia com água fria, e limpar a boca, fonte de toda impureza, com natrão! Deixar de usar roupas feitas com animais vivos e nunca mais, sob pena de perder a vida, ousar fazer amor com uma mulher em qualquer um dos lugares santos!

— Absurdo! — gritou o irado caldeu, sua face arroxeada pela raiva. — Tudo está escrito, e nem isso que vós chamais de deuses pode modificar o que tem de ser!

A isso seguiu-se um debate aos gritos, em que todos falavam ao mesmo tempo, apostrofando-se mutuamente. Sobre o trono brutalmente arrastado de seu lugar, com um olhar que em nada se fixava, Belshah'zzar vivia o terror das lembranças da noite anterior: usava ainda as roupas do banquete, cobertas de asquerosa sujeira, nem de longe lembrando a aparência de poder e riqueza que vinha exibindo nos últimos tempos. O *ve'zzur* de Belshah'zzar, sempre atento aos desejos de seu soberano, bateu palmas violentamente e berrou:

— Calai-vos, todos! Imediatamente! Só sabeis disputar por vossos deuses e crenças, em nenhum instante vos preocupando com a saúde de nosso senhor Belshah'zzar! Vossas crenças de nada valem se não souberdes dizer-lhe o que significa essa escrita na parede atrás de nós!

— Traços sem sentido, riscados pelos raios! Só imbecis podem querer ler o que não está escrito! — gritou o caldeu.

— Não quer dizer nada, pois não está escrito na língua dos *neter* dos Dois Reinos, a única língua que fala dos desígnios dos deuses. Só os hieróglifos sagrados têm significado! — exclamou o sacerdote egípcio, cruzando os braços sobre o peito com uma docilidade extremamente entojada. O mais velho dos sacerdotes, um *mashmashu* de túnica escarlate como a dos reis, sorriu com desprezo:

— Tudo está escrito nessas letras, meu rei, mas a linguagem de Marduq só aos de Marduq compete decifrar... e isso requer muito tempo de sacrifícios, até que a encarnação de Ea e Marduq se una à encarnação de um de nós, sua santa saliva se misture à nossa, e...

O caldeu mais velho, irritadíssimo, atirou uma peça de cobre na direção do *mashmashu*, que dela se desviou a tempo. Na confusão que se seguiu, eu disfarçadamente me abaixei e tomei de debaixo de meu pé a moeda da noite anterior, em nada diferente de qualquer outra moeda, mas que agora queimava em minha mão. Os gritos de acusações mútuas dos sacerdotes enchiam a sala, enquanto o sacerdote egípcio, com olhos apertados, a tudo olhava com desprezo. Foi preciso que o chefe da guarda desse uma ordem ríspida, que nos fez avançar um passo em direção ao grupo, para que se calassem, resmungando. O *ve'zzur* se aproximou do rei, que nada percebia, o olhar esgazeado, voltado para dentro de si mesmo, tolhido por inamovível medo:

— Meu rei, esses homens de nada sabem, e não vos poderão auxiliar. Se o que aconteceu ontem, como presumimos, foi obra do deus de nossos escravos israelitas, apenas um desses israelitas poderá decifrar a mensagem que temos escrita à nossa frente!

Os gritos dos *ashipus* foram imensos, pelo que consideravam uma conspurcação de seu poder: mas dois *wasib'kussim* urraram sua concordância com o *ve'zzur*, e o tessaliense da noite anterior, dando um passo à frente, disse:

— Somos devotos das artes da feitiçaria, meu rei, e sabemos que entre vossos escravos israelitas muitos há que as conhecem tão bem quanto nossas feiticeiras. Se houve uma disputa entre deuses, que eles se pronunciem. É preciso dar-lhes espaço: se existe entre os escravos israelenses algum que possa decifrar os desígnios de seu deus, por que não chamá-lo? Quem sabe se o que ontem se passou não foi o último hausto de um deus derrotado? Quem sabe se o que está escrito nessa parede não é a mensagem final de aceitação dessa derrota?

Ajoelhando-se aos pés de Belshah'zzar, o *ve'zzur* estendeu as mãos para cima, numa prece:

— Rogo apenas que meu rei alcance o conhecimento, sob as graças de Marduq e sua sagrada mulher Ishtar!

No momento em que ele proferiu o nome de Ishtar, um movimento à porta do salão fez meu coração dar um salto: um vulto feminino vestido de azul-índigo se aproximava, acompanhado por escravos com archotes. Não era a mulher de minha paixão quem se aproximava, mas sim a rainha Nitocr'ish, vestida com trajes cerimoniais de Ishtar, como o cargo lhe exigia, e que vinha ver o estado de seu real consorte. Tirando o véu da frente do rosto, mostrou uma face vincada por inúmeras horas de dissipação e vinho em excesso: as tintas que lhe cobriam o rosto rachavam a cada movimento de sua pele um tanto lassa. Subindo os degraus do trono, com a familiaridade das mães, ela colocou a mão de unhas vermelhas e muito longas no peito engordurado do rei, medindo com a outra a febre de sua fonte. Olhou em volta e, com voz muito aguda, gritou:

— Não há por que rejeitar a cura, venha ela de onde vier. Se estiver entre nossos inimigos, tomá-la-emos deles! Mandei buscar no *tel'aviv* um escravo que tem o respeito até mesmo dos mais violentos inimigos dos israelenses: Daniel, o profeta, mais conhecido como Baal'tassar! É mestre na leitura de sonhos e acontecimentos estranhos, e já no tempo de meu irmão Nebbuchadrena'zzar decifrava os mistérios dos deuses!

— Deixar que entre no palácio de Marduq um de seus mais ferozes inimigos é dar provas de fraqueza! — gritou um dos *ashipus*, desesperado com a interferência de Nitocr'ish. — Não o permitais, meu rei! Não o permitais!

Os outros sábios em disputa, cada um por seus motivos particulares, exprimiram seu descontentamento com a idéia da rainha, enquanto esta os olhava com o queixo levantado, ciente de seu poder. Aproximando a boca do ouvido direito de Belshah'zzar, ela se pôs a cochichar-lhe alguma coisa, que nunca soubemos o que foi. De súbito, aparentemente movido por um medo mais insano que a própria insanidade, saindo com esforço do fundo de sua obnubilação, Belshah'zzar arrancou forças para erguer o braço e ordenar, com voz insegura:

— Tragam até mim esse Daniel!

Impressionante o instantâneo poder dessa rainha, que me fez pensar se não seria esse o verdadeiro poder por trás dos reis. Os sacerdotes de Marduq, sufocando um grito, afastaram-se de Belshah'zzar, reunindo-se a um canto, em confabulações. Era patente a disputa interna na corte do rei, e a cada momento que se passava podia-se perceber a má vontade dos sacerdotes de Marduq para com ele. A rainha Nitocr'ish, sentada sobre um dos braços do trono de pedra, com uma das mãos firmemente escondida dentro das dobras de pano sobre o baixo-ventre do rei, a todos olhava com o nariz erguido e um sorriso de mofa na boca que parecia um corte de punhal em sua face muito pintada: tudo mostrava ser ela uma firme crente no poder feminino dentro da Babilônia. E enquanto aguardávamos, eu me questionei sobre quem seria o verdadeiro poder por trás desses acontecimentos, se as estrelas, se Marduq, se Ishtar ou o deus de meus antepassados, de quem nesse tempo ainda sabia muito pouco.

O ruído de um grupo que entrava no salão tirou-me de meus pensamentos, tão concentrado que sequer percebera o sol lançando longas sombras sobre o assoalho. Os quatro homens que entravam estavam vestidos como meu pai: um longo camisolão de pano franjado cobrindo o ombro e o braço direitos, o ombro e o braço esquerdos vestidos pelo alvo tecido do *sadin* de linho. Mas as cabeças, que os babilônios usavam sempre descobertas ou cingidas por faixas de materiais variados, estavam cobertas pelos mantos franjados que completavam a vestimenta da época, ocultando de todos a totalidade de seus cabelos e barbas nunca aparados, símbolos de sua honra. Entraram todos juntos, com ar altivo, e eu nesse momento percebi a distância a que estava de meu pai, como se milênios houvessem passado desde nosso último encontro.

Eram Ananias, Misael e Azarias, que os senhores de Baab'y'lon haviam rebatizado Shedrac, Mesach e Abdnego, formando uma parede impenetrável às costas do mais velho dos quatro, Daniel, mais conhecido como Baal'tassar, com cabelos e barbas completamente brancos, e os olhos de estranha aparência, pois alguma doença os fizera perder a cor da íris, restando apenas o branco sobre o branco. Os quatro carregavam cajados, sem se importar com a reação agressiva dos homens que ali já estavam. Sabiam que era um momento importante demais para que se permitissem as pequenas picuinhas e entreveros verbais que sempre marcam o encontro dos fiéis de deuses diferentes: mantinham-se calados, olhando fixamente para o monte de relíquias sagradas de seu deus, no topo da qual se equilibrava o vaso de ouro da noite anterior, e baixaram os olhos para o chão, em sinal de respeito, aguardando que alguém lhes dirigisse a palavra.

Foi o *ve'zzur* de Belshah'zzar que falou com eles:

— És tu Baalta'ssar, também conhecido como Daniel, que nosso grande pai Nebbuchadrena'zzar trouxe da Jerusalém conquistada, homem de sabedoria, capaz de desfazer os nós e resolver os enigmas?

— Sou esse Daniel que veio da Cidade de Yahweh entre os escravos de Nebbuchadrena'zzar, há quase setenta anos — respondeu o velho, com voz grave e saburrosa, mas ainda assim forte e penetrante. — Se tenho essa capacidade, é porque a luz de Yahweh habita em mim, por Sua vontade. Vossos pais e avós reconheceram em mim o poder de meu Deus, e souberam respeitá-lo. Recordai-vos de que o próprio Nebbuchadrena'zzar, quando enlouqueceu, só se curou depois de apresentar sacrifícios a Yahweh...

— Loucura! — gritou o mais velho dos *mashmashus* ali presentes. — Como se pode ouvir tamanha sandice sem explodir? É mentira que nosso grande pai Nebbuchadrena'zzar tenha alguma vez enlouquecido! É mentira maior ainda que, sendo ele a encarnação do grande Marduq, tenha alguma vez prestado homenagens a esse deus de escravos!

Daniel, sem sequer virar-se nem erguer a voz, disse:

— Fez de tudo o que digo e ainda mais: quando sonhou com a estátua gigantesca, avisei-lhe que, sendo seus pés de barro, não iria sustentar-se, e nem seu império. Ele teimou em construí-la, como resposta ao Templo que Yahweh fez erguer para si em sua cidade de Jerusalém, e se hoje fordes à planície de Durah vereis os restos dessa abominação. Vosso rei enlouqueceu e caiu ao chão nas quatro patas, comendo ervas como um animal qualquer, e só quando a razão lhe voltou, e ele reconheceu o poder do Único Altíssimo, foi que pôde retomar o poder e o comando da Grande Baab'el!

A grita entre os *ashipus* superou todos os limites: alguns se rojaram ao solo, esmurrando-o, enquanto outros tentaram avançar sobre os quatro escravos, que se mantiveram firmes como rochas. A situação se apresentava insustentável, e foi preciso que o *ve'zzur* de Belshah'zzar batesse com força no gongo que estava a seu lado, inundando o salão com seu som profundo, para que os sacerdotes se calassem, ainda resmungando seu ódio, enquanto o *ve'zzur* dizia:

— Calai-vos, todos! Até agora nada dissestes sobre o que a mão misteriosa traçou nesta parede que aqui está, em traços tão profundos e quentes que continuam rubros como as brasas de uma fogueira! Não pudestes oferecer-nos nenhum significado! Que o escravo Baal'tassar fale!

Nesse momento, o rei Belshah'zzar, erguendo os olhos de seu delírio silencioso, balbuciou:

— Por tudo que te é mais sagrado, dize-me o que isso significa! Salva-me da loucura! Se fores capaz de ler esta inscrição e propor uma interpretação para os traços que vejo, revestir-te-ei de púrpura e colocar-te-ei ao pescoço um colar de puro ouro, e serás o terceiro homem de meu governo, logo abaixo de mim e de meu *ve'zzur*!

O *ve'zzur* de Belshah'zzar curvou a cabeça, num agradecimento mudo pela honra que lhe havia sido concedida, e entre os *wasib'kussim* que enchiam o salão um murmúrio de espanto e inveja cresceu e morreu, deixando no ar apenas os muxoxos dos sacerdotes. Mas Daniel, erguendo no ar o seu cajado, disse:

— Fiquem para ti os teus presentes, Belshah'zzar, e oferece a outrem os teus discutíveis dons. O poder imperial não me interessa: mas ainda assim, reconhecendo a linguagem sagrada de meu Deus, lê-la-ei para ti e para ti a interpretarei, se para tanto Yahweh me iluminar.

Dito isto, Daniel puxou seu manto e cobriu toda a cabeça, ficando imerso dentro de si mesmo em profunda meditação, na solidão de seu próprio coração. Quando finalmente arrancou de sobre si o manto, estava transfigurado: seus cabelos desgrenhados agitando-se a um vento que ninguém sabia de onde vinha, cobertos na parte de cima da cabeça por um pequeno *migba* de pano escuro. Seus olhos esbranquiçados fixavam tudo e nada, e sua voz cresceu em força quando disse:

— Ó Belshah'zzar, Yahweh concedeu o reino, a grandeza, a majestade e a glória a Nebbuchadrena'zzar, vosso tio, e por essa grandeza concedida por Yahweh é que diante dele tremeram todos os povos de todas as nações e todas as línguas! E enquanto ele cumpriu os desígnios que Yahweh lhe havia traçado, seu querer era o mais forte entre todos os quereres do mundo. Mas quando seu coração se exaltou e seu espírito se endureceu com a arrogância que assoma a todos os poderosos, enlouqueceu e foi expulso do convívio humano, tornando-se igual aos animais que vivem nos pastos, convivendo com os asnos e alimentando-se de ervas como os bois, e seu corpo permaneceu sendo banhado pelo orvalho até que ele finalmente reconhecesse o poder do Único Deus que tem domínio sobre o reino dos homens, o qual só estabelece como rei a quem Lhe apraz.

A voz cresceu mais ainda, enquanto Daniel apontava seu cajado para a face retorcida de Belshah'zzar:

— Mas tu, Belshah'zzar, teu filho e sobrinho, não humilhaste teu coração: e ainda te levantaste contra o Senhor dos Céus, e mandaste buscar as taças sagradas do Templo de Yahweh e nelas bebeste o vinho de teu orgulho na companhia de teus prebostes e de tuas abominações, em vez de glorificar ao Deus que detém entre Suas mãos o ar que tu respiras e de quem dependem todos os teus caminhos!

Uma pausa imensa aconteceu, e até mesmo os *ashipus* permaneceram em silêncio. E então Daniel, erguendo os olhos para o alto, proferiu as aterrorizantes palavras que Belshah'zzar temia mais que tudo, mas que não poderia em nenhum momento deixar de ouvir:

— A Mão de Yahweh veio e traçou em tua parede essa inscrição, e ela é *mene, mene, sheqel, pharsim*!

Belshah'zzar ergueu-se do trono, com um grito agudo:

— Sim, mas o que quer dizer? O que quer dizer?

— *Mene* quer dizer medido, e significa que Yahweh mediu teu reino, não uma, mas duas vezes, para com justiça determinar-lhe o fim. *Sheqel* quer dizer pesado, e significa que após isso Yahweh te colocou em Sua balança, pesou-te e te encontrou deficiente. E *pharsim* quer dizer dividir, e significa que o que hoje chamas de teu Império em breve estará dividido e entregue a quem o deseje e dele queira tomar posse!

Belshah'zzar, ouvindo isto, deu um grito agudíssimo e caiu ao chão, batendo os pés e cotovelos à sua frente, como uma criança a quem tivessem negado algo que ela desejasse mais que tudo. Isso liberou as reações dos outros participantes, e enquanto a rainha tentava acalmar o rei quase histérico, os sacerdotes e os astrólogos e mesmo o egípcio, junto a alguns *wasib'kussim* afeitos às benesses do poder, erguiam as mãos contra os quatro escravos hebreus, apostrofando-os e a seu deus com toda a fúria de que eram capazes.

Um trovão soou do lado de fora do palácio, e Belshah'zzar, aterrorizado, arrastou-se para detrás do trono, tampando os dois ouvidos com as mãos, temendo uma repetição dos inexplicáveis acontecimentos da noite anterior. Mas não era nada disso: apenas um trovão, seguido de outros, e finalmente o barulho da chuva que raramente caía sobre a Grande Baab'el, fazendo subir até nossas narinas o forte cheiro da lama em meio à qual vivíamos. Junto com o ruído da chuva, começou a crescer o barulho de passos ritmados, que se aproximavam mais e mais da sala do trono. Gritos incompreensíveis enchiam os corredores à nossa volta, e o clarão de archotes bruxuleantes podia ser visto acercando-se de nós em todas as direções. Um grupo de soldados fortemente armados invadiu a sala do trono: suas fardas eram bem diferentes das nossas, completamente negras, e no meio deles vinha um homem de cabelos grisalhos, sujo de poeira e portador de grande autoridade. O chefe da guarda, próximo de mim, arregalou os olhos e caiu com um joelho em terra, abaixando a cabeça, erguendo as palmas das mãos para o alto e gritando:

— Nabuni'dush!

Esse nome correu como fogo por todo o salão: era o verdadeiro rei da Grande Baab'el, que havia abandonado o posto e colocado em seu lugar este *puhu* chamado Belshah'zzar, seu sobrinho, rastejante e amedrontado por trás do trono de pedra. Nabuni'dush apertava os olhos estreitamente, girando-os por toda a volta do salão, até fixar-se na rainha Nitocr'ish, e um sorriso amargo se espalhou por sua face. Vi que a rainha empalideceu, mesmo por trás da grossa camada de pintura que lhe cobria a face, mas ela sustentou o olhar do recém-chegado, pondo-se à frente de Belshah'zzar, que ainda mantinha os olhos cerrados e as mãos firmemente postas sobre os ouvidos. Nabuni'dush ergueu os braços para o céu e exclamou, com a voz trêmula de emoção:

— Sou Nabuni'dush, rei da Grande Baab'el, por glória de Sin, a deusa da lua! Limpem o caminho até o trono! Estou tomando posse de meu lugar de direito!

Dizendo isso, Nabuni'dush avançou para o trono, dando de encontro com a rainha Nitocri'sh, que de braços abertos protegeu o filho que estava jogado ao chão:

— Meu irmão, por quê? Pois se tinhas aberto mão de teu reinado, fazendo de meu filho e teu sobrinho o *puhu* da Grande Baab'el, o que te traz de volta?

— O poder de Sin! Encontrei finalmente nas ruínas da planície, onde estive todo esse tempo, o maior de todos os templos, erguido em homenagem a Sin, a deusa da Lua! Eu sabia que este templo existia, e que encontrá-lo era só questão de tempo... mas nunca imaginei que Sin me colocaria frente a frente com o que me trouxe de volta. Deixai-me passar, devo sentar-me ao trono que é meu!

Nabuni'dush subiu os degraus, afastando a rainha com alguma brutalidade: ela cambaleou, mas se manteve de pé, atirando seu manto sobre um Belshah'zzar derrotado e irreconhecível. O rei Nabuni'dush, com os cabelos e a barba encoscorados de terra escura, sentou-se ao trono, percebendo pela primeira vez os que ali restavam, já que alguns *wasib'kussim* de Belshah'zzar haviam fugido ao ouvir o nome do rei. Um ar de incredulidade assomou-lhe as faces, ao ver quem ali estava:

— Sacerdotes de Marduq? Minha irmã, como pudeste desobedecer as minhas ordens? Não havíamos acertado que a Grande Baab'el seria de novo dedicada à deusa Sin? O que fazem aqui esses sacerdotes de Marduq? E esse egípcio, e esses escravos hebreus? O que fizeste de nosso Império, minha irmã?

O *mashmashu* de vestes purpúreas, tentando manter sua autoridade, avançou para Nabuni'dush, mas, antes que pudesse dizer alguma coisa, o rei, percebendo as marcas fumegantes na parede à sua direita, gritou, pondo a mão na garganta:

— Por Sin! A escrita na parede! Eu esperava que a profecia fosse mentira, que meus cálculos estivessem errados, que tudo não passasse da fantasia de um velho que teima em acreditar em tudo o que lê nas velhas placas de argila... General! As placas que encontramos! Trazei-as!

O general de longas barbas frisadas que comandava os soldados de Nabuni'dush bateu palmas duas vezes, e em passo acelerado quatro soldados abriram no chão em frente ao trono uma trouxa imensa, feita com o couro ainda mal curtido de vários búfalos: dentro do volume, algumas tábuas envelhecidas protegiam o que me pareceram tijolos enlameados, e firmando a vista pude perceber que eram placas de argila marcadas com cinzel. Nabuni'dush estendeu as mãos, e seu general, ungidamente, colocou sobre elas uma das placas, que o rei segurou como se fosse o mais precioso dos tesouros. Pigarreando, pôs-se a ler:

— Sou a Meretriz e a Santa, a Esposa e a Virgem, comprometida e solitária. Sou o poder espiritual que traz a vida à terra, sou Luxúria, Mãe de minhas crianças e Amante de meus amados. Sou Sin, e digo que nesta data que as estrelas marcam no céu em que caminho, um deus há de enfrentar outro deus no palácio de um falso rei, escrevendo com fogo em seus muros sua sentença de destruição. Tremem impérios, tremem os solos sagrados, tremem os deuses em sua eterna luta pelo poder supremo: só eu, Sin, mãe eterna, permaneço intocada em meu caminho.

Os astrólogos riam em regozijo, por achar comprovada a sua verdade, enquanto Daniel e seus companheiros erguiam as mãos para o céu e cobriam a cabeça com seus mantos. Os sacerdotes de Marduq, fulos de raiva, mantinham-se calados, aguardando os acontecimentos. E nós, soldadinhos de fancaria, começamos a temer por nossas vidas, pois os soldados de Nabuni'dush, enormes latagões de cara fechada, começavam a se aproximar. Não havia dúvida de que a qualquer momento haveria um embate entre as duas guardas, como sempre acontece quando o poder muda de mãos: olhei para meus companheiros e percebi que Daruj era o mais preocupado de todos. Seu olhar percorria toda a sala, com a rapidez dos que estão acostumados a defender-se, e ele realmente temia por nossas vidas.

Nabuni'dush vociferou uma ordem:

— Que saiam todos os que não são parte desta corte! Assuntos da deusa Sin não devem cair em ouvidos infiéis! O rei da Grande Baab'el falou!

ZOROBABEL

Os soldados de Nabuni'dush bateram fortemente suas lanças no chão, repetidamente, cada vez com mais força, fazendo tal barulho que os sacerdotes, astrólogos, *wasib'kussim* e até mesmo Daniel e seus seguidores foram saindo da sala, não tão rápido que sua dignidade ficasse ferida nem tão devagar que dessem tempo a Nabuni'dush para mudar de idéia sobre eles. No salão em ruínas, cercados cada vez mais ameaçadoramente pelos fortes soldados de Nabuni'dush, ficamos apenas nós, crianças transformadas em soldados, enquanto a rainha tentava proteger com o próprio corpo a seu filho Belshah'zzar, enrolado sobre si mesmo, com o olhar esgazeado.

— Voltei para proteger o império de Sin do ataque de deuses doentios, minha irmã! — O rei empoeirado erguia o queixo, desafiador. — Em minha ausência, nada do que deveria ter sido feito foi feito, e as disputas entre deuses menores vulneraram nossas posses... Como pudeste permitir que o que é de Sin fosse disputado na mesa de jogo dos deuses sem valor? Tu mesma viste a prova do poder de Sin: milhares de luas se passaram desde que essa profecia foi traçada, e faz três dias que estou a caminho, para confirmar seu poder! Eis as marcas na parede! Eis os sinais de que deuses tentam invadir a Baab'el de Sin! Não percebes o poder de nossa Grande Mãe, essa a quem ofendeste ao permitir que crentes em Marduq vilipendiassem nosso império? Sin sempre soube dessa traição, e há milhares de luas atrás mandou que o aviso fosse escrito, para que eu pudesse agir! E eu agirei! General?

O general de Nabuni'dush deu um passo à frente, hirto como uma estátua. E Nabuni'dush, em voz baixa, com um sorriso de beatitude na face, disse:

— Matemos a todos!

O grito gutural da rainha Nitocri'sh foi altíssimo, e ela avançou sobre seu irmão, com as unhas em garra: mas o general, preparado para isso, imediatamente a atravessou com sua larga espada de bronze. Na confusão que se seguiu, tentando salvar minha própria vida, pude ver essa mesma espada cortar a cabeça do apático Belshah'zzar, unindo em uma mesma poça o sangue de mãe e filho. Abaixei-me sem sentir, escapando do arco que a espada de um soldado traçara, com minha cabeça como alvo. O massacre da guarda de Belshah'zzar pelos soldados de Nabuni'dush era violento e organizado, e o asquerosamente doce cheiro do sangue tomava tudo, cada vez mais forte. Daruj havia conseguido abrir um claro à sua volta, brandindo a espada e uma lança, mas estava sendo empurrado contra uma parede, levando consigo um aterrorizado Yeoshua e um frio Mitridates. Tropeçando em meus próprios pés, atirei na direção do soldado que me ameaçava o escudo que trazia nas mãos e me juntei ao grupo de meus companheiros, fustigando o ar à minha frente com a lança que não soltara. Mais alguns soldados se juntaram a nossos atacantes, e os esforços conjuntos que eu e Daruj fazíamos já não estavam surtindo tanto efeito. As caras retorcidas pelo ódio e os esforços cada vez mais brutais de nossos inimigos não deixavam dúvida nenhuma de que a qualquer momento seria o nosso sangue que correria pelo chão.

Apertei a moeda que um deus havia tocado, e que continuava queimando a palma de minha mão. E nesse momento, como que em resposta a meu pedido silencioso de ajuda, um pedaço de parede à nossa direita se abriu e uma mão de longas unhas negras, coberta por tecido azul-índigo, acenou em nossa direção, chamando-nos. Era Sha'hawaniah, inesperada e inexplicavelmente oferecendo-nos a salvação.

Capítulo 8

A parede girou com velocidade, abrindo um buraco negro, e Daruj, mais ágil que eu, jogou a lança sobre o grupo de soldados, ganhando tempo para que pudéssemos empurrar Yeoshua e Mitridates para o outro lado do muro, pulando em seguida atrás deles. Entendi isso com um átimo de atraso, mas a mão de Sha'hawaniah foi mais rápida que meu entendimento, puxando-me para dentro da parede com uma força que não parecia possuir. Quando a porta se fechou, ficamos imediatamente em completa escuridão, e o alarido dos soldados do lado de fora era uma sombra que se apagava rapidamente, à medida que nos afastamos da parede, recuando. Meu coração continuava na garganta, pulsando violentamente, enquanto o toque seguro de Sha'hawaniah me guiava em direção a não sei onde. Eu sentia as respirações de meus companheiros ao meu lado, ofegando, e o ruído de nossos coturnos raspando o chão de pedra. O que mais alto soava, no entanto, era minha emoção enlouquecida pela presença perfumada que me guiava. Esse perfume se enraizara para sempre em minhas narinas e memória, e nunca mais se perderia: tudo para mim seria sempre comparado com o perfume, a presença, a existência de Sha'hawaniah. Ela me puxava pelo braço, e, à medida que minha visão se acostumava à escuridão do corredor cheirando a mofo, pude perceber à frente meus três camaradas, tateando e tropeçando enquanto seguiam Daruj. Pequenos pontos de luz se coavam por frestas entre os tijolos das paredes, e essa era a única luz de que dispúnhamos em nosso caminho desconhecido. Mais à frente estava uma tocha, e para ela nos dirigimos, chegando a uma parede sólida, intransponível. Sha'hawaniah passou à frente de nós, tateando alguma coisa na parede, e esta girou sobre si mesma, revelando uma câmara de inesperada beleza, forrada de panos amarelos e vermelhos, com uma grande varanda em um de seus lados, fora da qual eu pude ver a incomum tempestade que fustigava a Grande Baab'el.

Tombamos ao chão, extenuados, e Yeoshua finalmente caiu em um de seus choros convulsivos, em completo esgotamento. Eu não conseguia manter as pernas retas, e pus um joelho no solo, sem largar a mão de Sha'hawaniah, que me olhava por trás de seu véu azul-índigo. Ela bateu palmas, e dois homens com o rosto pintado de azul surgiram não sei de onde: Sha'hawaniah, com um simples gesto, deu-lhes uma ordem, que eles saíram para cumprir, voltando logo após com uma jarra de *bou'zza* e quatro copos, que entregaram a meus três companheiros. O meu copo, Sha'hawaniah pegou com suas próprias mãos e, apoiando minha cabeça, levou-o à minha boca. O gosto pronunciado de pão fermentado, forte com o se estivesse saindo do forno, preencheu minha cabeça, e eu vi que minha amada se tranqüilizava, assim como eu também.

Ela nos salvara, e isso não tinha sido fácil: sendo a Grande Baab'el o caldeirão de vontades e poderes que era, Sha'hawaniah havia realmente corrido grande risco. Ela sentou-se em uma almofada a meu lado, sem soltar-me a mão, falando com a voz calma e musical que eu já conhecia:

— Ishtar, a Grande Mãe, me enviou para salvar-te. Mas mesmo se ela não o tivesse ordenado, eu o faria: nada mais indigno que um rei que se arroga o poder da Grande Mãe para executar sua obra de iniqüidade. Nabuni'dush pretende retomar sua grandeza apoiando-se em Sin, a face lunar de Ishtar, e por isso quer expurgar todos aqueles que são um entrave a seus desejos. Ao decifrar a profecia, tomou-a em seu próprio benefício, como sempre acontece, voltando a ser o senhor do Império. Por isso, Belshah'zzar foi morto, e também sua mãe. Por isso, os soldados de Nabuni'dush querem matar todos os membros da guarda pessoal do *puhu*: pudeste perceber que ele não tocou em nenhum dos sacerdotes que lá estavam. Tirou-os do caminho antes do massacre, para que não vissem o que estava por realizar. Ele quer fazer da Grande Baab'el território exclusivo de Sin, mas ainda teme profundamente os outros deuses, e não se sente pronto para enfrentar seus sacerdotes.

Sha'hawaniah ergueu os olhos para o alto, suspirando. Eu estava embevecido pelo que via de sua face; por trás da névoa azul de seu véu, o volume de seus lábios bem desenhados, a protuberância de seu queixo, a curva de seu pescoço: talvez por isso meu corpo começasse a dar novamente sinais de interesse, enquanto o perfume dela me tomava as narinas, a cada um de seus movimentos delicados. Ela me olhou, e chamou a atenção de meus companheiros, especialmente Daruj e Mitridates:

— O que Nabuni'dush não vê, ou não quer ver, é que a profecia não se refere a Belshah'zzar, mas a todo o grande Império da Babilônia.

— Então Daniel estava certo! O que Yahweh disse sobre o fim do Império é o destino da Grande Baab'el! — exclamou Yeoshua, tomado de emoção.

— Tolice! — disse Mitridates, aquele que duvidava de tudo e em nada acreditava. — Profecias desse tipo podem ser encontradas aos montes, cada uma dizendo aquilo que interessa a seu divulgador. Costumam esconder as que lhes são adversas e só exibir as que lhes interessam...

— Neste caso, não. — A frase calma e determinada de Sha'hawaniah calou-nos a todos, e ela continuou. — Os deuses e as deusas, uma vez separados em Grande Pai e Grande Mãe, nunca mais se encontraram. Os homens que tomaram o poder das mulheres fazem questão absoluta de ter deuses masculinos para guiá-los, nunca mais havendo a verdadeira união da divindade. Ishtar, a Grande Mãe, sabe que esta é a última oportunidade que as deusas têm de voltar a ser senhoras do mundo, como antes foram, quando o Universo era bom e belo. Enquanto deuses masculinos como Yahweh e Marduq se digladiarem, a Grande Mãe pode tomar posse do mundo...

Ela me olhou de volta:

— Sei que é por isso que Ishtar me ordenou que vos salvasse, mesmo não entendendo exatamente como isso se dará. A face lunar de Ishtar, a poderosa Sin, roda no céu, aproximando-se e afastando-se dos outros planetas, e devemos imitá-la, sem discutir. Eu vos devo salvar, mas para isso tereis que me obedecer sem hesitar, por mais incompreensíveis que pareçam minhas ordens.

Daruj, pigarreando e sorrindo, retrucou:

— Senhora, perdão, mas ainda que eu tenha muito a te agradecer por ter-nos salvado, não vejo como obedecer-te. No momento, estamos muito confortáveis aqui dentro, é verdade, mas em algum momento teremos que deixar essa câmara, e não creio que as tropas de Nabuni'dush se disponham a nos perdoar quando sairmos...

— Eu não participarei de nenhuma luta para que uma deusa pagã se torne senhora do mundo! — Yeoshua estava quase histérico. — Yahweh é meu senhor, Rei do Universo!

Mitriolates, prático como sempre, disse:

— Pessoalmente, não tenho outro interesse a não ser salvar a minha pele, e, se possível, a de meus amigos. Se a senhora souber como fazer isso, estou pronto a ouvir....

E Sha'hawaniah, com sua voz suave, explicou como pretendia tirar-nos de lá, transformando-nos em sacerdotes de Ishtar, como os que nos cercavam. Enquanto ela o fazia, eu me perdia em seu corpo, olhando as mãos que se moviam no ar como pássaros, percebendo ser ela a música em forma de mulher, e que cada um de seus gestos, detalhes, cores e modos só podia ser descrito através de trechos musicais que a representassem em meu espírito. Durante alguns anos, cheguei a pensar que com o correr do tempo eu finalmente a perceberia como uma mulher idêntica a todas as outras. Isso nunca aconteceu, é tudo o que posso dizer, porque não há dia em que a música não me lembre a Sha'hawaniah que conheci nesse dia, para maior alegria e tristeza de meu espírito.

Quando ela terminou de explicar seu plano, Yeoshua estava vermelho de ódio: ergueu o dedo à frente do meu rosto, apostrofando-me:

— Tu estás tomado por essa gentia que te domina! Como podem pensar que eu aceite usar as roupas de um sacerdote dessa abominação?

— Não creio que isso seja necessário, senhora — disse Daruj a Sha'hawaniah, com seu ar de incredulidade. — Pensando bem, talvez possamos sair do palácio da maneira que somos, se nos esgueirarmos...

Mitridates deu uma gargalhada:

— Camaradas, perdão, mas minha vida vale mais do que aquilo em que creio. Pretendo salvar-me, e recomendo que também o façam. Yeoshua, o teu deus te está dando a chance de sobreviver. Vais desperdiçá-la? Eu, não. Daruj, meu bravo irmãozinho, crês realmente que teríamos qualquer chance de sair daqui com estas fardas de soldados de Belshah'zzar? Isso não existe: a realidade não muda só porque eu assim o desejo.

Virando-se para Sha'hawaniah, Mitridates fez uma vênia e falou:

— Estou às tuas ordens, senhora: mesmo se tiver que me transformar em quadrúpede, como Yeoshua diz que seu deus faz com reis, aceito, desde que isso me salve e me permita ver o dia de amanhã.

Sha'hawaniah, com um gesto dos dedos, fez com que se aproximassem dois de seus seguidores, os rostos totalmente pintados do mesmo azul que tingia seu manto. Um deles, com uma afiada tesoura de tosquia na mão direita, segurou Mitridates e começou grosseiramente a limpar-lhe o crânio de todas as mechas de cabelo, tirando-lhe o grosso da cabeleira, enquanto o outro preparava uma grande bacia de água com sabão, começando a esfregar a cabeça de meu amigo. Assim que isso foi feito, o primeiro armou-se de uma afiada faca curva, feita de pedra negra, passando-a metodicamente no couro cabeludo de Mitridates, que após algum tempo surgiu como outra pessoa: sua cabeça oblonga era sensivelmente mais clara que o resto de sua face imutável. Eu logo percebi que, com o rosto coberto pela tinta azul dos acólitos de Ishtar, ficaríamos irreconhecíveis, e disse a meus companheiros:

— Meus irmãos, cabelos crescem... e mesmo que nunca mais crescessem, eu ainda assim os rasparia, para podermos sair desse lugar onde estamos confinados! Somos das ruas, e é nas ruas da Grande Baab'el que saberemos desaparecer, sem que ninguém nos possa reencontrar...

— Eu não aceito isso! Não me interessa deixar de ser quem sou! — gritou Yeoshua. — Se meu Deus me fez assim, assim ficarei! Enfrentarei qualquer coisa para...

Mitridates e Daruj, que já se entreolhavam havia algum tempo, pularam em cima de Yeoshua, imobilizando-o para que fosse raspado, num arremedo das tantas batalhas que já tínhamos inventado para nossa diversão nas tardes modorrentas sem nada importante para fazer. Desta vez, no entanto, o riso em nossas faces era amargo, porque lutávamos para superar uma ameaça. A chuva tinha parado de cair, e o cheiro forte da lama da Grande Baab'el subia até nós, vindo do chão, lá embaixo, a muitas braças de distância. O dia estava escuro, nuvens pesadas se acumulavam sobre a cidade: e enquanto nos livrávamos de nossos cabelos, eu só tinha olhos para a estrela que circulava à nossa volta, vestida de azul-índigo, envolta numa nuvem de seu perfume inesquecível. Quando chegou a minha vez de ser raspado, ela não tirou os olhos de mim, observando cada movimento de seus ajudantes, passando ela mesma a navalha em minha cabeça, escanhoando-me o crânio e a face, com gestos seguros e medidos que a mim pareceram de carinho.

Quando nos olhamos, ao fim de tudo, não pudemos deixar de rir, e nem mesmo o ofendido Yeoshua, com os olhos vermelhos e as bochechas inchadas, conseguiu ficar sério com nossa aparência glabra. As risadas aliviaram um pouco a sensação pesada que nos acompanhava desde que saíramos da sala do trono, e o cheiro do sangue que nos respingara pela violência dos soldados de Nabuni'dush felizmente se tornara apenas uma lembrança desagradável. Um dos acólitos com quem estávamos tão parecidos saiu, levando a bacia e os cabelos cortados enrolados em um pano, e logo voltou, respondendo com gestos muito ágeis a uma pergunta muda de Sha'hawaniah, que sacudiu a cabeça com ar de preocupação:

— Não é seguro sair daqui agora. O massacre continua nos corredores do palácio. Nabuni'dush não quer correr nenhum risco: já não se vê nenhum soldado da guarda de Belshah'zzar, e os cadáveres dos que são estripados vão sendo jogados em uma fogueira à beira do Eufrates. É melhor ficar aqui até as primeiras horas da manhã e, assim que o sol nascer, junto com os outros acólitos de Ishtar, sair para as primeiras libações do dia. Com certeza, depois de todo esse tempo, os ânimos certamente estarão menos exaltados.

Compreendemos o que Sha'hawaniah dizia: não existe ódio pior que o que se sente por aquele a quem se magoa, e vê-lo subjugado, em vez de diminuir o ódio, só o amplia. Para que esse ódio esmoreça, é preciso que o conflito se desfaça, nem que seja pela ausência do objeto odiado: de manhã, depois de espalhar sangue pelos quatro cantos do palácio, os soldados de Nabuni'dush já estariam mais calmos, pois a guarda pessoal de Belshah'zzar certamente estaria bem menor.

Os acólitos de Ishtar, obedecendo a ordens que ninguém dava, cuidaram de nós com extremo devotamento, trazendo-nos comida e bebida: enquanto o dia passava e a temperatura exageradamente alta começava a diminuir, com o sol tingindo de outras cores o subitamente esmaltado azul do céu, respondemos a todas as perguntas que ela nos fazia, abrindo nosso coração sobre assuntos que nunca tivéramos ânimo de perscrutar, no mais íntimo de nossas mentes e espíritos. Até mesmo Yeoshua, ainda reagindo contra a presença dessa que considerava uma abominação, depois de algum tempo já estava recordando coisas de sua infância, sem que seus olhos cruzassem com os dela, claro. O interesse de Sha'hawaniah parecia ser autêntico, e meu coração se alegrava quando eu percebia que ela estava a meu lado, e que, por mais que se interessasse no que os outros diziam, era em mim que fixava a sua atenção, fazendo com que em minha frente sempre houvesse bebida e comida, deixando o bem-estar de meus companheiros por conta de seus acólitos. Quando Daruj se recusou a contar a causa dos hematomas que cobriam seu rosto, não insistiu: riu com o raciocínio calculista e exato de Mitridates, bebendo com enorme prazer as histórias do *tel'aviv* que Yeoshua balbuciou, fazendo com que eu gaguejasse quando chegou minha vez, porque pousou em meu braço a mão esguia. Os pães de casca grossa e miolo escuro, pesados e de odor intenso, as carnes frias e temperadas com coentro e cardamono, que Yeoshua não comeu, por temer que entre elas houvesse a de algum animal proibido, as tâmaras frescas e secas que limpavam nosso pálato acompanhadas de cerveja e água, tudo isso foi gradativamente acalmando nossos espíritos angustiados, e chegamos até a rir. Quando os acólitos começaram a acender as pequenas lâmpadas encharcadas de nafta olorosa, vi que muito tempo se havia passado, e nossas pernas cruzadas por longo tempo começavam a pedir que as esticássemos.

Daruj foi o primeiro a levantar-se, mostrando em seu braço a bandagem grosseira que ocultava a cicatriz da precária costura que eu fizera, e se espreguiçou. Sha'hawaniah percebeu isso, e nos disse:

— É o momento para que todos nos recolhamos: se pretendeis fugir deste palácio, nada melhor que fazê-lo nos momentos finais da noite, o momento de maior escuridão antes do romper do dia. Sacerdotes de Ishtar se guiam pela lua, e o nascer do sol indica o momento em que já devem estar com suas libações finais completas, pois o Grande Deus substitui a Grande Deusa na fonte de luz do mundo. Ninguém estranhará que estejam saindo do palácio, desde que se mantenham em silêncio e sem fazer nada que desperte atenção. É melhor que durmam, descansem, recuperem as forças, e pela madrugada sairão daqui, livres para ir aonde quiserem... Para onde pretendem ir?

RECONSTRUINDO O TEMPLO

Cada um de nós, a essa altura dos acontecimentos, já tinha dentro de si uma idéia do que faria assim que estivesse fora do palácio: o mais terrível, no entanto, foi perceber que cada um desejava coisa diferente, e que a união que havíamos experimentado nesses poucos dias de enfrentamento de nossas desgraças estava por findar. Mitridates pretendia apenas retomar sua vida normal, de preferência longe das ruas, onde Bel'Cherub e seu maldito Na'zzur tinham poder. Eu me havia esquecido completamente deles, e uma sombra passou pelo meu espírito, quando percebi o ódio que fervilhava dentro de Daruj à simples menção de nossos inimigos. Isso estava em mim também, e a visão da face de meu amigo, coberta de hematomas, me dava voltas às entranhas, como se o ódio fosse um corpo estranho que precisasse ser vomitado. Para nosso espanto, Yeoshua rompeu seu silêncio:

— Eu vou me reunir aos meus, no *tel'aviv*.

Eu recordava a vontade de abandonar a Grande Baab'el que Yeoshua tinha externado, mas Daruj foi quem falou o que eu estava pensando:

— Yeoshua, pequeno chacal, o que é isso? Pois não juramos estar sempre juntos em nossa vida? O que queres dizer com isso?

— Quer dizer que não vou! Quer dizer que mudei de idéia! Por que abandonaria minha família e meu povo?

— Mas nossos planos de aventuras e riquezas, queres abandoná-los assim, sem motivo nenhum? O mundo nos espera, Yeoshua! Por que queres desistir dele?

— Porque esse mundo não me interessa, não é meu e nada tem a ver comigo, assim como eu nada tenho a ver com ele! É apenas entre os meus que eu posso ser quem sou: para que me misturar com um mundo que não faz parte de mim?

Eu entendia Yeoshua: o medo sempre o levava a encapsular-se dentro de si mesmo como um caracol, e dessa vez ele preferia cercar-se dos que lhe eram semelhantes. Sorri, e meu sorriso deve ter-lhe parecido de escárnio, porque voltou-se para mim, com os olhos fuzilando:

— Tu vais tornar-te um traidor do teu deus e da tua raça, Zerub! Que Daruj e Mitridates queiram sair daqui, não me espanta, mas tu? Tens raça, tens família, tens um deus! Do que mais precisas?

A tristeza explodiu dentro do meu peito, porque eu já não tinha mais nada disso: meu pai já me considerava morto, e se eu algum dia tentasse cruzar de volta a soleira da porta de casa, não seria reconhecido como filho. Minha família já não era mais minha, e sendo meu pai o *rosh'ha'golah* da Grande Baab'el, nenhum de seus seguidores, os *baalei assuf'ot* da cidade, faria mais que tratar-me como morto. Só me restava a amizade de meus amigos, e esta se esvaía a cada instante: Mitridates e Yeoshua, cada um por suas próprias razões, estavam rompendo o grupo, deixando apenas a mim e a Daruj ligados para sempre pelo sangue da ferida que eu pensara, como um pacto costurado em nossa própria carne.

— Eu vou contigo, Zerub! — gritou Daruj, percebendo minha tristeza. — Esse grande império nada mais nos oferece, e há impérios bem maiores que esse... é das terras do Egito que há de se erguer o maior de todos os exércitos, e estaremos entre o número de soldados, eu e tu! Quem sabe não seremos nós os artífices da queda do grande Império da Babilônia, como prometeu a escrita na parede?

Olhei meus três amigos, cada um deles a uma distância diferente de mim: Daruj bem a meu lado, Yeoshua flagrantemente afastado, e Mitridates, como sempre, eqüidistante de todas as questões: seríamos assim desse dia em diante, talvez para todo o sempre? Abaixei minha cabeça, aceitando meu destino, temendo que a solidão gradativa fosse a verdade final de minha existência: mas a mão benfazeja de Sha'hawaniah tocou-me o ombro, interrompendo meu fluxo de pensamentos:

— É melhor dormir, para ter forças amanhã.

Bateu duas palmas leves, e as cortinas se afastaram, mostrando um pequeno espaço coberto de almofadas, escuro e aconchegante. Seus ajudantes, que eu nunca soube se eram apenas dois, dada a rapidez com que se multiplicavam às ordens dela, erguiam pequenas lâmpadas no alto de suas cabeças, indicando o caminho que deveríamos seguir. Uma bacia com água fresca nos aguardava, e todos nos lavamos e secamos, Daruj com mais dificuldade que o resto de nós, por causa de seus machucados. As almofadas estavam dispostas em círculo, e nos dirigimos a elas, percebendo que o ar à nossa volta recendia a um perfume inacreditavelmente doce, que nos dava voltas à cabeça. Os ajudantes apagaram as pequenas lâmpadas e cerraram as cortinas, deixando-nos imersos numa penumbra tão deliciosamente convidativa que eu devo ter dormido quase que imediatamente.

RECONSTRUINDO O TEMPLO

Não sei quanto tempo depois, fui acordado por um suave toque em minha testa. A mão cobriu minha boca, e adejando sobre mim vi os dois olhos de Sha'hawaniah: ela me pedia silêncio, e eu a segui até fora da alcova onde estávamos, em completa mudez. Uma sensação surda e quente se espalhava por meu baixo-ventre, e eu tremia de antecipação. Saímos para a varanda, ficando debaixo do céu de luminoso azul-escuro, pontuado por estrelas de todos os tamanhos, marcos do caminho indizível pelo qual rolava a alva e imensa lua cheia, brilhando sobre o Eufrates e os palácios da margem oposta.

Minha cabeça rodava, desta vez de emoção. Parada à minha frente, ela ergueu os braços, colocando-os atrás da nuca, e subitamente o véu azul-índigo que escondia sua face caiu, permitindo que o luar brilhasse sobre sua pele azeitonada. O rosto que eu apenas adivinhara surgiu à minha frente, mais belo ainda do que o que eu imaginara, o que era raro, pois normalmente os véus que escondiam as faces na Grande Baab'el serviam mais para disfarçar defeitos que para ocultar a beleza. No caso de Sha'hawaniah, a beleza do rosto me arrancou um arquejo do fundo do peito, e ela sorriu, ficando ainda mais bela, a ossatura marcada, o nariz forte, as sobrancelhas grossas, e principalmente a profundidade dos olhos muito, muito negros, que faziam de sua face quase adolescente uma escultura sem idade. Ela se aproximou de mim e, pondo-se nas pontas dos pés, enlaçou-me o pescoço e me permitiu sentir a fornalha de sua boca macia, a língua inacreditavelmente ágil, enquanto seus seios rígidos me espetavam o peito. Eu tremia dos pés à cabeça, e quando ela se desvencilhou de mim, depois de algum tempo desse beijo faminto, foi com verdadeira ânsia que avancei em sua direção. Mas ela pôs a mão de longas unhas negras em meu peito, mantendo-me afastado o suficiente para que eu não conseguisse espremê-la contra a amurada da varanda, dizendo:

— Acalma-te, amor...

Ah, como essa palavra que eu nunca ouvira antes ferveu em meu sangue! Sha'hawaniah endureceu o braço, afastando-me ainda mais, e continuou:

— O que queres não posso te dar, tu bem o sabes... minha Deusa exige que eu só seja tocada por um rei, e se eu desobedecer a essa única ordem de minha Deusa, perco o laço que a Ela me une... não me tentes, amor... sabes o que sinto por ti, não há como te ocultar isso, mas não me tentes. Respeita o desejo de minha Deusa e Ela nunca te trairá... ah, se fosses rei, tudo terias de mim...

Ah, que inveja tive eu nesse momento dos poderosos do mundo, reis e senhores de impérios, a quem os deuses ungiam com suas benesses sem conta, pondo-lhes ao alcance da mão todos os prazeres, todas as delícias, todos os amores! Eu não era rei, o deus de meus pais não me abençoara com a realeza. Em silêncio, amaldiçoei esse deus que não me fizera rei, e quase chorei de ódio ao rei que nunca seria, odiando o pai e a raça que me haviam feito comum, plebeu, impossibilitando de ter a mulher de meus desejos.

Sha'hawaniah, percebendo o que se passava em meu íntimo, empurrou-me gentilmente para um escabelo que ali havia, e eu nele caí, derreado, apoiando minhas costas na parede, enquanto o quente vento noturno da Grande Baab'el soprava sobre nós. Beijando-me suavemente os lábios, afastou-se dois passos para trás e disse:

— Terás de mim a dança que nunca dei a ninguém, porque tu és o meu escolhido. Olha e lembra que o que te estou dando ninguém jamais recebeu, nem receberá. Só tu.

Erguendo os braços, Sha'hawaniah fechou os olhos e começou a tirar de dentro da garganta um som surdo como o de um animal feroz. Era como se esse som saísse de seu ventre, daquele lugar que eu ansiava conhecer mas que estaria para sempre longe de meu alcance. Por mais jovem e incontrolável que fosse, eu nada queria tomar dela à força, pois qualquer esforço para tomar o que não me podia ser dado baratearia o que eu sentia, fazendo com que imediatamente perdesse seu valor.

O ventre de Sha'hawaniah começou a girar, ondeando, e desse centro partiam ondas de calor que percorriam todo o seu corpo, fazendo com que a sua pele logo se perlasse de pequenas gotículas de suor, brilhando azuladas à luz da lua. Cada movimento que ela fazia se refletia imediatamente em meu ventre, e depois de um certo tempo foi como se esses dois ventres fossem um só, ligados indelevelmente por algo mais forte que a própria carne de que eram feitos. Seu rosto estava transfigurado, e seus olhos se entreabriam e semicerravam em um ritmo idêntico ao de seu corpo, que os braços enlaçavam e desvelavam como serpentes. O que ela me dedicou nesse momento era a imagem de sua Deusa, não uma imagem sem vida como aquelas que os insanos adoravam, mas sim a essência viva da natureza divina de que os seres humanos estamos todos repletos. Eu estava inebriado, e nos anos que se seguiram, lembrando-me dessa noite, desconfiei que o amor verdadeiro não é aquele que nos excita violentamente os sentidos, mas sempre aquele em cuja presença ficamos mais ou menos embriagados, tomados de torpor incontrolável, do qual não há maneira nem vontade de escapar.

Não havia música, mas era como se houvesse: em minha mente, Sha'hawaniah era toda a música do mundo, aquela que soava dentro de mim como extensão dela, a cada toque do instrumento perfeito que era seu corpo moreno, refletindo-se no meu como se estivéssemos unidos e eu a estivesse penetrando. O ritmo de seus movimentos se acelerava, e eu sentia isso em meu membro. Ela começou a girar os quadris cada vez mais rápido, e eu comecei a alcançar, sem tocá-la, o êxtase mais absoluto: meus quadris se erguiam do escabelo, apontando para ela, e subitamente ela deixou escapar por entre seus lábios aquele mesmo som sibilante, o primeiro que eu de seus lábios ouvira, fazendo-me esvair em gozo infinito, urrando de felicidade como um animal apaixonadamente ferido.

Caí de joelhos ao solo, esgotado: Sha'hawaniah tomou-me pelo braço, colocando-me de novo sobre meus dois pés, e eu percebi que a tontura que sentira antes de adormecer, dentro da alcova onde ainda ressonavam meus companheiros, novamente me nublava a mente. Ela foi-me guiando em direção a esta alcova: recordo-me que as cortinas fechadas se ergueram sem que ninguém as movesse. Deitei-me mais ou menos de arrasto nas almofadas de onde ela me erguera, e antes de adormecer recebi nos lábios o carinho abrasador de sua língua suave, ouvindo-a dizer:

— Adeus, meu querido... és o rei de meu coração.

Uma tristeza imensa confrangeu-me a alma, mas eu não tinha mais qualquer resistência, e adormeci, o corpo saciado e a mente entorpecida.

Fui acordado pelo sacudir de meu braço, e pus minha mão sobre a mão que me tocava, retirando-a rapidamente, pois era um dos acólitos quem me acordava. Lá fora era a mais escura das horas da noite, a que antecede o amanhecer, e percebi que meus três companheiros já estavam vestidos como seguidores de Ishtar. Yeoshua, o mais irritado dos três, tinha sua face irreconhecível, coberta de tinta azul-escura. Meus olhos vaguearam pela câmara enquanto o acólito me vestia a túnica e depois me embrulhava com o xale franjado que nos desenhava o corpo em espiral. Não havia nenhum sinal de Sha'hawaniah, somente uma fugidia intenção de seu perfume. Perguntei por ela ao ajudante, mas ele colocou a mão fechada por sobre a boca, sem tirar os olhos de mim, e eu percebi que seus lábios estavam selados além do humanamente possível. Entreguei-me então às mãos experientes dos dois ajudantes, e enquanto minha cara era pintada com a grossa tinta azul com forte cheiro de plantas podres, pensei se fora verdade o que vivera na noite anterior, em companhia de uma Sha'hawaniah sem véu, já que em minha lembrança tudo tinha a qualidade ilusória das imagens de sonho: os beijos, a sensação de seu corpo e sua língua, o ritmo cada vez mais rápido de seus quadris, a sensação do gozo que espirrara para fora de meu membro. Pulei do banco onde estava, procurando a roupa que usara: estava jogada ao solo e eu a apanhei, descobrindo que na parte que me cobria o ventre havia uma mancha endurecida de meu sêmen, ficando sem saber se tinha sido verdade ou apenas sonho aquilo que causara em meu corpo essa reação.

Quando ficamos prontos, descobrimo-nos irreconhecíveis em nossos novos trajes, com as diferenças básicas igualadas pela estranha pintura de nossos rostos. Eu olhava à minha volta sem parar, tentando encontrar sinais de Sha'hawaniah: na alcova só estavam seus ajudantes, que nos ensinaram a maneira correta de manter o manto babilônio por sobre a cabeça, a maneira de andar em fila com passos curtos e ritmados, e principalmente o silêncio absoluto, que um deles, com ceteza o mesmo de sempre, indicava com a mão colocada inteira por sobre a boca, e os olhos intencionalmente muito arregalados. Quando já estávamos andando mais naturalmente, a pesada porta da alcova foi aberta e nos vimos nos corredores escuros do palácio. Nosso primeiro impulso foi o de voltar, mas a porta já se fechara firmemente às nossas costas, e não nos restava outra saída que não fosse seguir em frente. Tomamos o caminho da esquerda, porque o chão era levemente inclinado para esse lado, indicando que era por ali que se descia até o rés-do-chão. Seguimos esse corredor, muito juntos um do outro, caminhando no passo curto e ritmado que os acólitos de Sha'hawaniah nos haviam ensinado, tentando perceber, no que nos cercava, cada movimento das entranhas do palácio aparentemente abandonado e quase às escuras. Raros archotes de nafta estavam acesos, e o próprio ar dentro dos corredores tinha um peso de podridão e abandono, enquanto descíamos corredor após corredor, meio às cegas, encontrando um ou outro soldado de Nabuni'dush, que se punha de prontidão à nossa aproximação, mas que, reconhecendo-nos como devotos de Ishtar, abria caminho à nossa passagem. Quanto mais descíamos, mais gente encontrávamos, e quando chegamos ao grande corredor central, percebemos, olhando para o nível inferior, que as saídas do palácio estavam todas fortemente guardadas. Esgueiramo-nos para uma reentrância na parede, debaixo das patas de um grande querubim em alto-relevo, e sussurramos nossas preocupações:

— Não vai ser fácil, camaradas — disse Mitridates, firme. — A porta central do palácio não parece uma boa idéia, principalmente nesta hora em que o lusco-fusco da madrugada amplia as indecisões dos homens. Se formos parados, imediatamente descobrirão que não somos verdadeiros devotos de Ishtar, e o castigo nos será aplicado com violência.

Yeoshua voltava a tremer, e eu passei meu braço por seus ombros, tentando acalmá-lo. Daruj bufava:

— Tanto esforço para nada! Viemos até aqui e vamos ficar paralisados? Eu não acredito!

O cheiro de pântano que subia dos porões do palácio estava mais forte que habitualmente, e graças a isso eu tive uma idéia:

— E se sairmos pelas portas que dão para o Eufrates? Ninguém estranhará sacerdotes de Ishtar naquele lugar, e até pelo tamanho e importância, essas portas que ficam sempre cerradas não devem estar assim tão guardadas!

Um sorriso iluminou a face de Daruj, com seus machucados ocultos pela tinta azul-escura:

— É isso! A saída por essas portas nos garante inclusive um caminho para fora da Grande Baab'el... podemos montar um dos botes de couro que são guardados perto delas e remar nossa saída pelas águas do rio!

— Eu não vou sair de Baab'el! — guinchou baixinho Yeoshua. — Eu vou para a casa de meu pai!

— Pela margem do rio, isso será muito mais fácil. Basta seguir o caminho para a direita e logo estará à beira do canal que te separa do *tel'aviv*, enquanto nós desceremos rumo sul até o mar... é a única saída!

Daruj estava eufórico, a tal ponto que tivemos que pedir-lhe silêncio, não fosse ele estragar-nos o plano com sua alacridade. Respiramos fundo, e, de novo caminhando no passo ritmado que havíamos aprendido, continuamos descendo a grande espiral até o rio, que ficava apenas um nível abaixo dos dormitórios da guarda, aqueles que tão desgraçadamente conhecíamos.

O cheiro de pântano ficava a cada momento mais forte, e já tateávamos nosso caminho na progressiva penumbra, quando vislumbramos ao longe as grandes portas de bronze que separavam o porão do palácio da margem do Eufrates. Por sorte, tínhamos saído exatamente no lugar onde se guardavam os barcos desmontados, as armações e as grandes peças de couro costurado penduradas ao longo das paredes úmidas. Poderíamos sair dali usando um desses barcos: e avançamos com decisão, até que Mitridates, o primeiro de nós, estancou, sussurrando:

— Guardas!

De cada lado da porta de bronze postavam-se, em sentinela armada, dois guardas com os uniformes de Nabuni'dush. Não havíamos visto nem mesmo um dos guardas que serviam a Belshah'zzar: parecia que a terra os havia engolido a todos, e pensei no destino cruel que, da mesma maneira que nos havia inserido em seu meio, havia posto tantos outros sob as ordens da brutal vontade do *puhu* da Grande Baab'el, para que, numa virada da sorte, fossem estraçalhados por estar usando o uniforme errado. Ainda estávamos ocultos na penumbra, e os dois guardas não nos haviam percebido. Em voz muito baixa, cogitamos sobre nossas ações. Yeoshua era defensor da idéia de voltar e procurar nova saída, mas Mitridates ponderou que, quanto mais tempo ficássemos dentro do palácio, maior seria o risco de sermos descobertos como falsos seguidores da Deusa. Não havia jeito: tínhamos de seguir com o plano feito na câmara de Sha'hawaniah, enfrentando os dois guardas da melhor maneira possível, enquanto a luz do dia que se apressava em nascer ainda estivesse fraca. Era preciso ousadia, e eu de repente me recordei da música que cantáramos em toda a descida da torre, depois que a deusa e o deus tinham se unido. Respirei fundo e comecei a cantá-la, com sua batida ímpar e desequilibrada marcada por minhas palmas. Meus companheiros se colocaram atrás de mim, e assim seguimos em direção aos dois guardas, repentinamente atentos à nossa presença inesperada. Um deles, reconhecendo-nos como devotos de Ishtar, imediatamente ficou à vontade: mas o outro, um tipo meio gordalhudo, mantinha a cabeça abaixada, com o queixo enterrado no peito, olhando-nos pelas frestas dos olhos semi-abertos, sem perder a postura atenta. Havia nele alguma coisa familiar, e quando ergueu o queixo eu o reconheci, quase engasgando em meio a uma frase. Era Na'zzur, o esbirro de Bel'Cherub, vestindo uma farda que não era a sua, certamente para fugir do destino que seus companheiros de farda haviam tido. Ele me olhou fundo nos olhos, e sua boca cruel se abriu, quase proferindo meu nome, estragando definitivamente o nosso disfarce.

Mas Na'zzur não era um idiota: nesse momento, estava tão imerso em falsidade quanto nós, e se nos denunciasse seria também por nós denunciado. Eu sussurrei seu nome para meus companheiros, e Daruj, reconhecendo o impasse em que estávamos, começou a rir mansamente, atraindo a atenção de Na'zzur. O serviçal da *siduri* da Taberna do Boi Gordo estava de mãos atadas, em seus olhinhos de porco flamejando uma centelha de ódio. Daruj, sempre rindo, avançou para um barco na parede, começando a descê-lo de onde estava, enquanto eu retomava a cantiga.

— Ei! O que vais fazer com isso, acólito? — O guarda tinha ficado novamente em posição de sentido. — Para onde queres levar o barco?

Mitridates tomou o controle da conversa, agindo de forma tão natural que era como se sempre tivesse sido devoto de Ishtar:

— Assim que o sol de Marduq estiver tingindo de dourado os céus da Grande Baab'el, devemos estar em meio ao rio Eufrates para lá nos desfazermos das oferendas que Sin nos ordena entregar. De que outra maneira faríamos isso?

O soldado franziu a testa, mas entendeu o que Mitridates dizia, ainda que não estivéssemos carregando nada que pudesse ser chamado de oferenda. Qualquer um com um pouco mais de raciocínio teria notado isso, mas ele nem o percebeu. Como acontece com todos os soldados, a partir de certo momento já não têm mais opinião própria, e tudo que lhes soar militarmente lógico deve forçosamente ser a verdade. Por isso, enquanto Daruj descia da parede a armação redonda de madeira e começava a vesti-la com o couro costurado que a transformaria em barco, o soldado moveu as grandes trancas horizontais das portas gêmeas de bronze, que se abriram com um ruído surdo e rascante, mostrando a margem lamacenta do Eufrates e suas águas caudalosas. Yeoshua correu a ajudá-lo, mas o peso das portas fez com que elas se travassem a meio caminho, deixando espaço para a passagem de pessoas, mas não de barcos. O soldado gritou para Na'zzur, ainda paralisado, sem saber como agir:

— Vamos, companheiro! Ajuda-me a abrir essas portas para os sacerdotes de nossa deusa!

E Na'zzur, por ironia do destino, colocou-se a meu lado numa das portas, empurrando-a para fora a meu lado, tão perto de mim que eu podia sentir o cheiro do medo em seu suor, enquanto ele me dizia, entre dentes:

— Ladrãozinho maldito, hei de me vingar de ti... não hoje, nem breve, mas dia chegará em que te terei debaixo de minhas unhas, e farei de ti aquilo que bem entender...

— Não há pressa, Na'zzur: mas se realmente isso te interessa, podemos ver o que conseguimos de imediato. Queres levar-nos agora à presença de Nabuni'dush e denunciar-nos como soldados de Bel-shah'zzar?

O ódio na face de Na'zzur era tanto, que ela inchou quase até o dobro do tamanho que tinha. Num repelão, ele colocou toda a força que possuía na porta que empurrava, e ela subitamente cedeu, abrindo-se com violência para fora do porão. A outra porta não se abriu tanto, mas o espaço já era suficiente para que o barco que Daruj terminava de montar pudesse ser carregado até a margem e colocado sobre as águas. O outro soldado, ainda um pouco desconfiado, ficou olhando enquanto Daruj e Mitridates colocavam o barco na margem, rolando-o até que estivesse embicado no sulco de pedra do molhe. Saímos, eu e Yeoshua, para o lado de fora, e quando o barco redondo foi colocado sobre a água caudalosa do rio, sendo seguro pelos dois, pulamos para dentro dele, eu mais afoitamente, não fosse Na'zzur ter um momento de loucura e a tudo arriscar apenas pelo sabor de uma vingança. Yeoshua tremia de medo, mas quando Daruj e Mitridates se uniram a nós dentro da embarcação, cada um com um remo achatado nas mãos, começou a respirar mais aliviado. Na'zzur, erguendo um punho fechado às ocultas de seu companheiro de sentinela, ameaçava-nos com a maior discrição possível: e eu, feliz por tê-lo vencido, pus-me de novo a cantar o hino de Ishtar, batendo palmas, enquanto, com um suave movimento giratório, o barco se afastou da margem. Daruj não pôde conter uma gargalhada, e todos acabamos rindo, olhando os molhes de pedra do palácio que se afastava cada vez mais depressa; do outro lado do rio, as casas dos *wasib'kussim* da Grande Baab'el, cada uma mais bela que a outra, formando o gigantesco e rico Khum'mar da Grande Baab'el, que nunca mais veríamos.

Tive que tomar o remo das mãos de Mitridates, pois seu braço mirrado não permitia que ele o usasse da maneira correta, e o giro do barco aumentava vertiginosamente, causando-nos um certo incômodo: mas quando me coloquei do lado oposto ao que estava Daruj, conseguimos descer o rio de maneira mais ou menos direta, singrando o meio das águas. Havia algumas diferenças das outras vezes em que, por folguedo ou tarefa, havíamos enfrentado essa torrente: os pobres da grande cidade, que dependiam desse rio para tudo em suas vidas, lá continuavam, como sempre, fazendo o que tinham de fazer em silêncio quase que absoluto, temendo chamar sobre si a atenção dos novos velhos senhores da Grande Baab'el. Alguns barcos como o nosso desciam o Eufrates, carregados dos mais diversos materiais, e passamos por debaixo de duas pontes, deixando atrás de nós a Esagila e a visão da Grande Torre, a cada instante mais e mais um sonho sem sentido nem fundamento. Passamos pela Lugalir'ra, pelo final do Khum'mar com seus palácios dourados, e, quase no fim das grandes muralhas, pelos Templos de N'hum'urtha e de Sham'ash, um de cada lado do rio, ambos estranhamente silenciosos. A Grande Baab'el estava em compasso de espera, aguardando apenas que os fatos lhe trouxessem a relativa tranqüilidade do dia-a-dia, para poder voltar a ser como sempre tinha sido.

Yeoshua rezava silenciosamente, a cabeça abaixada entre os joelhos e as mãos cruzadas na nuca, olhando para dentro de si mesmo. O rio estava muito diferente daquele a que eu estava acostumado: o leito rochoso aparecia de maneira evidente em muitos pontos, bem diferente do que parecia ser quando olhado de fora. Era difícil manter o barco perfeitamente redondo sempre com o mesmo lado voltado para a frente, porque qualquer balanço imprimia-lhe um movimento giratório que, compensado, fazia-o girar na direção oposta. Meus braços já doíam: quando passamos pela confluência do canal que ladeava a muralha interna, quase nos perdemos, e nesse momento Yeoshua ergueu a cabeça gritando:

— Parem, parem! Preciso descer! Não quero seguir viagem, não quero sair da Grande Baab'el!

Agitado dessa maneira, Yeoshua perdeu o seu senso de sobrevivência e pôs-se de pé, desequilibrando a todos e quase fazendo com que o barco virasse: se não fosse o esforço de Daruj, que segurou em seu remo o rumo da embarcação, teríamos soçobrado. Mas acabamos por encostar à margem, logo abaixo do canal, à vista da muralha externa que ali se iniciava, marcada por enormes querubins que, dizia-se, tinham seu rosto copiado da face do próprio Nebbuchadrena'zzar. Foi à sombra de um desses que paramos, e Yeoshua saltou celeremente do barco, arrastando-se pela margem acima até sentar-se, extenuado, nas pedras.

— És terrível, Yeoshua! — disse Daruj, apoiando o remo na margem para manter o barco encostado a ela. — Tua covardia é bem mais adequada para navegar, porque esse rompante de coragem quase nos afogou a todos!

Rimos todos, menos Yeoshua, que havia perdido completamente seu senso de humor e se pusera de pé, esfregando a cara azul com os panos de Ishtar que rispidamente tirava de sobre si mesmo:

— Não quero mais isto! Vou voltar à minha vida de sempre, e desejo que sejam felizes, se puderem. Adeus, camaradas...

Gritamos seu nome, mas ele nem olhou para trás: foi seguindo de volta para o lugar de onde viéramos, ladeando o rio e vigorosamente esfregando a face, para livrar-se da idéia de estar sendo um adorador da iníqua Ishtar, pisando firme no caminho que o levaria de volta ao *tel'aviv*, onde estaria entre os seus. Havíamos perdido nosso irmãozinho, e Mitridates, com um suspiro, nos disse:

— Eu vou com ele, amigos: quanto mais leve o barco, melhor o poderão controlar. Meu braço mirrado não ajuda em nada, e eu também não pretendo sair de Baab'el... claro que por razões bem diferentes das de Yeoshua, mas ainda assim com o mesmo resultado.

Daruj não acreditou:

— Mitridates, velho onzeneiro, que é isso? Tu bem sabes que longe daqui serás muito mais feliz! Oportunidades novas, Mitridates... não queres ir conosco ao Egito, de onde ainda virá o maior poder que o mundo já pôde imaginar?

— Não, Daruj; só acredito em poderes que eu mesmo possa medir, contar, dividir. E esses ainda estão por aqui... prefiro ficar.

Daruj ainda tentou convencer Mitridates, que foi-se afastando de nós, subindo a margem na mesma direção em que Yeoshua o fizera: meu melhor amigo, o primeiro a desistir da grande viagem, estava parado na beira do Eufrates, a cara meio manchada de azul, olhando fixamente em nossa direção. Eu não sabia verdadeiramente o que queria: pressentia a desgraça de ser um indeciso, e nada me desagradava mais que me sentir como uma pena que o vento arrasta. Daruj me olhou fixamente, ainda com um sorriso de mofa na boca:

— E tu, Zerub? Ainda estás disposto a enfrentar comigo o futuro?

Num relance, passaram por minha memória, em célere rodamoinho, todos os fatos que antecederam esse momento, e percebi que nada em minha vida, até esse dia, tinha sido de meu próprio interesse. Eu sempre fora apenas um detalhe nos planos de outros, em especial meu pai, que pretendera fazer de mim um fiel seguidor de sua vontade. Nesse momento, com um baque, percebi que sua face se esmaecera de minha mente, apagando-se como uma escultura de barro que tivesse sido deixada à chuva: eu não me recordava de nada que lhe fosse particular, os cabelos, a barba, o manto sobre a cabeça, nem do olhar esgazeado que exibia enquanto sonhava com uma volta à mítica Sião. Eu não tinha nenhuma identidade com ele, e nada mais me ligava àquele lugar onde nascera, ou à família na qual fora criado. Com um suave amargor no peito, tive que aceitar a verdade: estava definitivamente por minha própria conta. Sem dizer palavra, subi ao barco, que Daruj, com uma risada triunfante, empurrou com o remo para o meio do Eufrates e a força das águas nos afastou da margem, levando-nos em direção ao sul, onde o rio se alargava e tomava mais volume pela chegada a ele do canal do Dil'pal, o maior entre todos que atravessavam os campos férteis vindo do Tigre.

Yeoshua, vendo que estávamos realmente indo, voltou correndo pela margem do rio, acenando os braços e gritando meu nome:

ZOROBABEL

— Zerub! *Baruch ata Adonai Elohêi'nu melech haolam, hael, aví'nu, malkê'nu, adirê'nu, bor'ê'nu...goalê'nu...iots'erê'nu...*

Era uma bênção, que eu já ouvira no passado, mas, por mais alto que ele a gritasse em minha direção, suas palavras foram se apagando, enquanto o barco seguia Eufrates abaixo, deixando na margem as duas figuras como eu delas nunca mais esqueceria. Eu não me permitiria chorar: voltei as costas aos dois companheiros, porque o barco balouçava mais do que eu podia suportar, e meu remo fazia falta na condução do caminho. Uma mancha escura de sangue podia ser vista na bandagem que envolvia o braço ferido de Daruj, e me pus ao lado dele enquanto nos desviávamos das pedras que apontavam de quando em quando para fora da superfície das águas caudalosas. Tínhamos que nos desviar constantemente delas, orando silenciosamente para que as que não apareciam na superfície estivessem fora de nosso caminho. Dentro de pouquíssimo tempo, meus antebraços já não conseguiam mais manter o remo na água sem tremer, e minhas mãos estavam cheias de bolhas. O esforço de meu espírito para manter o rumo era imenso, e dei graças a deus por estarmos em um barco na água movimentada, porque poderia alegar serem respingos do rio as lágrimas incontroláveis que me desciam pelas faces.

Capítulo 9

Tudo que fôramos ficava para trás: amigos, inimigos, famílias, histórias e fatos, crenças e certezas, e eu estava, além de tudo, abandonando minhas duas mais caras aspirações, Sha'hawaniah e a música que Feq'esh me prometera ensinar. De tudo o que eu sempre fora ou desejara, nada mais restava: só havia o rio, rápido em seu movimento. Pouco tempo depois, já passávamos pela cidade arruinada de Borsi'pah, coberta por nuvens de morcegos: e daí em diante, com o sol inclemente cada vez mais alto sobre nossas cabeças, descemos o Eufrates, sofrendo e bufando, de tal maneira concentrados em nossa sobrevivência sobre as águas, que nem mesmo conseguíamos conversar.

No início da tarde, depois de nos desviarmos de inúmeros afluentes que cortavam os campos férteis do Império de Baab'y'lon, eu estranhava como o rio liso que tinha me acostumado a ver pudesse estar cada vez mais cheio de acidentes à flor d'água. Sabíamos que pouco antes de seu delta, cada vez mais afastado de Suq'ash-Shuyuk pela força do aluvião que ali se depositava, o Eufrates se tornava cheio de corredeiras, algumas delas perigosas, com quedas de até dez braças de altura: mas esse rio cada vez mais cheio de acidentes em seu leito, com perigosos trechos de pedra que dele se projetavam para o alto, alguns deles mostrando peixes que se debatiam em busca do que quer que lhes desse a vida, não era visto senão quando das raríssimas secas que de quando em quando nos assolavam. Estava muito estranho o Eufrates, e quando remamos para a margem deserta e nos abrigamos à sombra de algumas tamareiras perto da aldeia de Sin'afyah, Daruj mostrou a mesma preocupação que eu:

— Muito estranho, Zerub, muito estranho: não estamos em época de seca, e com a chuva torrencial de ontem, a primeira deste ano, era para o Eufrates estar mais cheio do que de costume. Não entendo...

— Eu também estranho, e começo a achar que não poderemos seguir o rio por muito tempo. Breve teremos que andar, e eu não sei se tenho resistência para grandes distâncias...

Daruj riu um de seus risos confiantes:

— Tolice, pequeno chacal! Seguiremos o Eufrates até que se torne impossível navegar, e depois andaremos em direção ao nascente, em busca de quem nos transporte para nosso destino glorioso, no Egito!

— Daruj, hiena sem miolos, o Egito fica para o sudoeste: o que vamos fazer na direção contrária?

Colocando o barco redondo novamente na água, e segurando-o enquanto eu pulava para dentro, Daruj disse:

— Um passo de cada vez: o caminho para o sudoeste, daqui até o Egito, é deserto e abandonado. É preciso ter companhia para atravessar as mais de duas mil milhas que nos separam de nosso futuro, e eu pretendo fazer uso destes trajes de devotos da Deusa para que façamos isso com o maior conforto possível. As margens do Tigre são coalhadas de devotos de Ishtar, e, se são raros no caminho do Eufrates, lá serão em número suficiente para nos dar alimento, abrigo e transporte até nosso destino!

O plano me parecia arriscado, mas éramos jovens o suficiente para não perceber os perigos que sempre acompanham aventuras desse tipo. Como raramente os sofríamos, era natural que seguíssemos sempre a opção mais arriscada, quando havia opção. Navegamos mais algumas horas, até que o sol tivesse girado no céu e começasse a avermelhar o horizonte: meu estômago dava sinais de uma fome insuportável, e tanto eu quanto Daruj já não suportávamos mais beber a água do Eufrates, numa tentativa cada vez menos feliz de preencher o vazio que nos corroía por dentro. Quando o sol de raios quase horizontais avermelhou as ruínas milenares de Erech, uma das inúmeras cidades chamadas Ur que os antepassados dos caldeus haviam erguido na margem esquerda do Eufrates, nosso progresso tornou-se impossível: a dor de cabeça que a fome me causava era tão forte que eu sequer conseguia abrir os olhos, e o leito do rio, praticamente ressecado, com grandes bancos de areia e pedra formando caminhos entre pequenos cursos d'água, não permitia mais a passagem de nosso barco de fundo chato. Isso nós só percebemos quando, sem aviso, encalhamos em um desses bancos e eu fui projetado para fora, por sorte aterrissando em uma poça barrenta. O choque com a água fria me tirou toda a vontade de navegar: eu queria comida, descanso, e só não pensei seriamente em voltar para a Grande Baab'el porque ela agora era uma impossibilidade física, já que havíamos percorrido mais de cinqüenta milhas pelo território do Império, e não havia nada que pudesse nos fazer retornar a nosso ponto de partida com a mesma velocidade. Os navios que ousavam subir o Eufrates só o faziam graças a cordas que os puxavam das margens, além dos verdadeiros exércitos de remadores que os impulsionavam: mas nós, largados como gravetos na correnteza, dela nos privilegiáramos, afastando-nos de nosso ponto de partida muito mais rapidamente do que poderíamos acreditar.

Saímos chapinhando pelo rio cada vez mais seco, enquanto o sol se punha, e começamos a tremer de frio, porque o ar nesses desertos só se mantinha fervente enquanto houvesse sol para esquentar o solo, mas, assim que ele se punha, o chão começa rapidamente a perder calor, e o ar acima dele esfriava muito rapidamente. A fome que nos atacava não melhorava em nada a sensação de febre que o frio nos dava, e foi com grande alegria que percebemos, ao lado das ruínas dessa Ur completamente esquecida, algumas tamareiras e figueiras selvagens, que atacamos com tanta sofreguidão quanto as cabras que as disputaram conosco. Nunca frutas tão mirradas souberam tão bem a nosso paladar, e ainda hoje, ao sentir o sabor de figos ou tâmaras, é exatamente desse dia que me recordo, um momento suspenso no tempo, quando fomos apenas animais, famintos como as cabras que nos cercavam.

Num lugar à nossa frente, vimos movimento: o som de vozes que falavam e riam chegava a nossos ouvidos cada vez que a brisa da noite soprava, e quando o clarão de uma fogueira brilhou ao longe, foi para lá que nos dirigimos. Levamos uns bons quinze minutos para vencer essa distância, e já podíamos sentir o cheiro delicioso da gordura pingando no fogo, antes de sermos vistos pelos que ali acampavam. Havia vozes de animais, e o alarido confiante de quem se reconhece companheiro em uma mesma viagem. Grandes panos coloridos e grossos se erguiam em volta dessa fogueira, e os carros de boi e os cavalos esguios que formavam essa caravana fechavam o outro lado de um círculo, enquanto dois homens retiravam água de um poço de boca esboroada como uma colméia velha.

Aproximamo-nos com vagar suficiente para que ninguém se assustasse conosco, e, ao nos divisarem vários homens se ergueram, em posição de defesa, mas o mais velho deles, com uma longa barba grisalha sob o capuz de seu manto, ergueu a mão e os acalmou, reconhecendo em nós não uma ameaça, mas uma necessidade. Este homem nos perguntou, enquanto nos aproximávamos da fogueira, transidos de frio:

— Aproximai-vos, viajantes, e dizei-nos: o que é que acólitos de Ishtar fazem tão longe da Grande Baab'el?

Havíamos nos esquecido completamente de que nossas faces e vestes eram as de devotos da Deusa, graças aos quais tínhamos fugido do palácio real. Nesse instante, parados ali no meio desses homens desconhecidos, ficamos mudos. Nosso ar de penúria e confusão devia ser tão grande, que, quando um deles riu de nosso embaraço, o riso foi verdadeiramente contagiante e todos se puseram a rir, e de repente até nós, sem outra coisa a fazer, sentamo-nos no chão às gargalhadas. Eu ri de cansaço, fraqueza, mas principalmente alívio: estava acostumado a ser tratado sempre com tanta desconfiança por quem era diferente de mim, que a bonomia desses homens da caravana me venceu. Reconheci o ridículo de tentar ser quem não era, e nesse dia comecei a perceber que qualquer fingimento é sempre ridículo, porque a Natureza nunca finge. Quando o riso, que sempre reduz às suas verdadeiras dimensões qualquer pretensão humana, se acalmou, Daruj ainda tentou uma explicação fantasiosa: mas eu o interrompi, contando os verdadeiros fatos e motivos pelos quais ali estávamos. Não entendia por que, mas aqueles homens me inspiravam tal confiança que, não seria lícito mentir-lhes, e narrei com a maior precisão possível o que nos ocorrera, deixando de fora apenas a nossa vida anterior de pequenos ladrões nas ruas e subterrâneos da Grande Baab'el. Nos olhos de Daruj eu via o pedido mudo para que não revelasse sua profunda vergonha.

Tive que me interromper diversas vezes, porque os viajantes faziam perguntas, todas muito pertinentes, mostrando um grande conhecimento não só do Império da Babilônia, mas principalmente das maneiras como as pessoas se relacionam entre si. Esclareci o que pude, da maneira como pude, e devo ter feito um bom trabalho, pois, quando a grande panela de trigo cozido com legumes e coalhada foi posta à frente do que parecia ser o chefe, ele encheu uma escudela e passou-a para minhas mãos, sussurrando de olhos fechados. Olhei em volta, vendo que todos os homens do grupo me exortavam com gestos a partilhar de seu alimento: mergulhei meus dedos na papa quente, e seu sabor em minha língua foi reconfortante. Daruj foi o segundo a ser servido, e quando todos já estávamos enchendo nossas barrigas com aquele alimento abençoado, um ramo comprido enfiado em um carneiro esventrado e brilhante de gordura passou por nós. O homem mais velho pegou de sua faca curva e, tirando um naco de carne, colocou-o dentro de minha escudela. A mistura do cheiroso suco da carne com o trigo empapado transformou o alimento em uma coisa deliciosamente nova, e quando olhei para Daruj vi que ele estava mordendo o pedaço de carne com sofreguidão, a boca e o queixo brilhantes de gordura. A alegria de dividir o alimento com amigos aguçou o paladar com que dele usufruí, sentindo-me mais repleto de prazer do que se estivesse em um festim dos poderosos.

Uma bacia com água morna foi passada de mão em mão, para que nela lavássemos os dedos e a escudela, e eu segui os gestos de meus novos anfitriões da melhor maneira possível, mas não tão bem quanto Daruj, um verdadeiro mestre na arte da imitação como forma de sobrevivência. Até a maneira de tomar a água na boca para com um jato e uma torção rápida do pulso, limpar a escudela, enxugando-a na borda do manto, ele imitou de nossos amigos com tal perfeição que murmúrios de aprovação percorreram a roda. De alguma maneira, estávamos sendo aceitos entre esses homens, ainda que eu não compreendesse por quê.

O mais velho entre eles, que se apresentou como Jerubaal, perguntou-me, com o sobrecenho franzido:

— Mas, dize-me, Zerub: o que foi que aconteceu no salão depois que os tesouros dos hebreus foram trazidos?

A lembrança dos fatos fez com que a moeda, que estava amarrada em um nó numa das bordas de meu manto, esquentasse como se posta ao fogo, transmitindo seu calor para minha perna, onde estava encostada. Meu semblante deve ter-se modificado, porque Jerubaal se inclinou para a frente, mais atento ainda. Tomei a borda do manto nas mãos e dela extraí a moeda que segurei à minha frente, enquanto narrei, cheio de descrença, os fatos que havia visto e dos quais a cada instante duvidava mais e mais. No entanto, ao terminar de narrá-los, não vi sequer um olhar de dúvida ou mofa: apenas semblantes encantados com o que lhes contara. Jerubaal, com lentidão, estendeu as mãos até a moeda, que lhe entreguei, observando-a com extrema atenção, passando-a para o homem à sua esquerda, que a estudou da mesma maneira, passando-a ao seu próximo companheiro, e assim sucessivamente, até que toda a volta da roda tivesse sido cumprida e a moeda estivesse em mãos de Daruj, que me disse:

— Tu não me disseste que apanhaste a moeda...

Eu sorri, sem jeito, pegando-a da mão de meu amigo, e Jerubaal, erguendo a voz, disse:

— Não te agastes com teu amigo por ele não ter-te revelado o que fez: posso perceber que não é da natureza dele revelar quaisquer segredos, seus ou de outrem.

Daruj empalideceu, e abaixou os olhos, enquanto Jerubaal continuou:

— Não seria melhor que tirásseis essa tinta do rosto? Afinal, estais entre amigos, e entre amigos ninguém precisa ocultar-se.

Daruj hesitou, mas eu confiei, e com a ponta de meus mantos enlameados comecei a limpar de meu rosto a tinta índigo, recordando de Yeoshua e Mitridates sozinhos na margem do Eufrates, uma centena de milhas acima de onde estávamos. Jerubaal mandou trazer um pouco da água que esquentava em uma chaleira de cobre batido, e com ela eu e Daruj nos pusemos mais ou menos íntegros, com exceção de nossos trajes, emporcalhados e rasgados. O contraste entre nós dois e o resto dos homens da caravana era imenso: enquanto parecíamos mendigos dos mais baixos desvãos da Grande Baab'el, com nossas roupas sujas e cabeças raspadas, eles estavam todos iimpamente vestidos, sem luxo nenhum e com uma simplicidade no mínimo invejável. Os mais novos vestiam roupas mais curtas, abaixo das quais apareciam suas sandálias, e mantos simples, apenas grandes pedaços quadrados de pano com que cada um se envolvia da melhor maneira possível. Já os trajes de Jerubaal e dos outros mais velhos, que reconhecíamos pelas longas barbas que portavam, eram mais longos. Não usavam o xale triangular a que eu estava acostumado na Grande Baab'el: em seu lugar, portavam um grande casaco de longas mangas largas e um capuz pontudo, com o qual se enrolavam da melhor maneira possível. O detalhe mais interessante de todas as vestimentas era o avental de couro que traziam à cintura: sendo uma espécie de bolsa quadrada feita de couro de carneiro curtido ainda com o pêlo, tinha uma abeta triangular que só os mais velhos usavam abaixada. Os dos mais jovens, inexplicavelmente, estavam sempre vazios, e por isso eles o usavam com a abeta levantada: essa diferença não se notava imediatamente, porque o trato entre eles era extremamente igual. Ninguém erguia a voz sem necessidade, e na maior parte do tempo os mais jovens ouviam sem retrucar as coisas que os mais velhos diziam, em voz pausada e calma. Eu nunca tinha visto gente como esses homens: os habitantes da Grande Baab'el eram sempre extraordinariamente álacres e descontrolados, em seus afazeres diários. O povo de maneira geral sempre exagera ao imitar o comportamento de seus senhores: como na Grande Baab'el os senhores já eram exorbitantemente escandalosos em sua maneira de ser, o povo vivia permanentemente aos gritos, com atitudes tão desmedidas, gestos tão amplos e vozes tão acima do normal, que estar no silêncio desse acampamento me fazia pensar ser surdo. Os próprios animais dessa caravana, pastando a erva magra dos desvãos das ruínas, eram de placidez infinita, se comparados com os cavalos, porcos, cães, pássaros e macacos que infestavam as casas e as ruas da capital do Império da Babilônia.

Se não estivéssemos tão cansados de nossa aventura no Eufrates, aquela calma certamente nos teria dado nos nervos, acostumados que estávamos à agitação e bulício: mas enquanto a lua rolava pelo céu e as estrelas se destacavam no azul cada vez mais escuro, mergulhamos na sensação nova, alheia, diferente e certamente contagiosa, que fluía dos mais velhos para os mais novos e até para os animais, não havendo como não nos afetar: Daruj cabeceava, e logo que alguns da caravana começaram a buscar posição mais confortável, enrolou-se em seu manto puído e, colocando o braço ferido por sobre o rosto, pôs-se imediatamente a ressonar. Eu tinha sono, mas a sensação de paz que experimentava era tão boa, que mantive meus olhos abertos o mais que pude, sentindo o cheiro do chá de hortelã que todos tomavam.

ZOROBABEL

Acordei bruscamente na luz difusa da manhã seguinte, assustado por ter sonhado com a face de meu pai misturada à face de Jerubaal. A caravana estava em plena agitação, e eu não me recordava de ter adormecido. Alguém me havia coberto com um manto igual ao que os homens usavam: era feito de lã crua, cardada e tecida de maneira muito fina, sendo macia ao toque e nem quente nem fria, mas estranhamente capaz de manter o corpo com a temperatura ideal, no frio ou no calor. Percebendo que eu já acordara, puseram-me nas mãos uma escudela como a da noite anterior, cheia até a borda de coalhada fresca, armazenada em grandes odres de couro de cabra que estavam mergulhados no poço, e esse leite azedo de frescor inesquecível foi de tal maneira benfazejo que eu me senti pronto a enfrentar qualquer batalha ou inimigo.

Ergui-me, em busca de Daruj, indo encontrá-lo em uma meia-tenda sob os cuidados de um velho de sobrecenho franzido e olhos apertados, que pensava sua ferida. Era impressionante a aparência desse corte, que mesmo limpo e cuidado me confrangia o coração, pois a lembrança de costurar a pele e a carne de meu amigo de maneira tão inepta nunca mais me abandonaria. Daruj, ao ver-me, abriu um largo sorriso e disse:

— Zerub, pequeno chacal, estamos com sorte! — Apontou para o velho que lhe cuidava do braço. — Ragel aqui acaba de me contar que estão de partida para Jerusalém, e que de lá uma parte dessa caravana seguirá para as pedreiras do Faraó do Egito.

— Então vamos fazer uma volta completa pelo Império da Babilônia antes de chegar a nosso destino. Jerusalém não fica muito fora de mão? Também não sei o que faríamos num lugar que é só ruína e destruição...

Ragel, envolvendo a ferida de Daruj com um pano limpo, disse:

— Ainda mora gente nessa ruína. São nossos irmãos, e precisam tanto de nós quanto nós deles. Além disso, temos tarefas a cumprir em Jerusalém.

Eu não conseguia conter minha curiosidade, e a externei:

— Dize-me, Ragel, que caravana é esta? Sois mercadores? De quê?

Ragel sorriu por entre a barba quase totalmente branca:

— Somos trabalhadores da pedra: pedreiros, canteiros, escultores, gente que tem a pedra como meio de vida, pois não existe no mundo quem possa viver sem ela. Viemos de Qornah, onde temos nossas oficinas, nas quais muitos antes de nós produziram os trabalhos em pedra com que o Império da Babilônia exibe ao mundo a sua glória. Nós, pedreiros, viajamos por todos os lugares, porque, onde quer que sejamos necessários, lá devemos estar, como sempre estivemos.

Atado o pano com duas voltas de suas próprias tiras, Ragel deu por terminado o trabalho na ferida de Daruj, dizendo:

— Está cicatrizando bem: não tiraremos mais a casca que se forma, mas é preciso que tu mantenhas esse braço numa tipóia pelo menos por três dias. És capaz disso?

Daruj acenou que sim, ainda que soubesse que era impossível tal imobilidade: sempre concordava com tudo, mesmo que depois só fizesse o que lhe agradava. Eu, não sei por que, tinha o hábito de só concordar com o que realmente aceitasse, e quase sempre cumpria o prometido, mesmo sendo alguma coisa que me desagradasse profundamente.

Ragel ergueu-se com alguma dificuldade da posição acocorada em que estava, mas logo após estava celeremente agitado. Era bem menor do que parecia, o rosto vincado e magro, o crânio quase careca: erguendo os olhos para o céu, uma das mãos cobrindo os olhos ainda mais apertados, disse:

— Devemos partir: assim que o sol subir no horizonte, já devemos estar longe daqui. Pretendeis ir conosco?

Daruj concordou, alegremente:

— Por certo que sim, Ragel: era nosso objetivo seguir para o Egito do Faraó, e lá ingressar em seu exército. Se vossa caravana, mesmo perdendo tempo com esse desvio por Jerusalém, tem por meta o Egito, seguiremos convosco.

Ragel riu silenciosamente:

— Posso cheirar em ti a alma de um soldado, rapaz. Essa cicatriz que levarás para sempre no braço é uma excelente prova do teu desejo de combate. Há de bastar-te erguê-la para o alto e teus inimigos tremerão!

— Isso eu agradeço a Zerub, que me costurou com tanta arte...

Virando-se para mim, Ragel franziu a testa:

— Já em ti não sinto nem o cheiro de cirurgião nem o de alfaiate, muito menos o de soldado. O que pretendes fazer no Egito do Faraó?

Embatuquei: na verdade, estava apenas seguindo os desejos de meu amigo, embarcando em seu sonho sem me preocupar se era também o meu. Ragel aproximou-se de mim, fungando, e disse:

— Tens um fedorzinho de artista nessa pele, mas junto a ele há um outro cheiro que não consigo definir, quase um perfume... um cheiro de rei e ladrão ao mesmo tempo... que mulher é essa que te tocou de maneira tão profunda?

Ele certamente estava brincando comigo: mas a sensibilidade do velho Ragel era assustadora, pois eu não conseguia sentir o perfume de Sha'hawaniah na pele, mesmo me dando conta dela pelo menos um milhar de vezes por dia. Abaixei a cabeça, e Ragel me disse:

— Calma, filho, há um tempo para cada coisa debaixo do sol de Yahweh. Teu tempo de mulheres ainda está por vir, e um dia te encontrarás com as mãos tão cheias delas que te recordarás com saudade do tempo em que apenas uma era tua preocupação. Vamos: é preciso que falemos com Jerubaal, e que ele decida se podeis ou não seguir viagem conosco.

Seguimos atrás de Ragel, que claudicou pelo centro do acampamento até a penumbra acolhedora da meia-tenda de Jerubaal. O chefe da caravana estava cercado pelos outros mais velhos, riscando no chão alguma coisa que, à nossa aproximação, cobriu com a borda de seu longo manto, erguendo os olhos muito claros para nós.

— Os jovens pretendem acompanhar-nos até o Egito — falou Ragel — e perguntam se os aceitamos na caravana.

— Estamos dispostos a qualquer serviço, se nos levardes ao Egito do Faraó, senhor! — disse Daruj, repentinamente, sendo recebido com o silêncio geral dos membros da reunião. Jerubaal, que o olhava sem nenhum sentimento até que terminasse de falar, da mesma maneira desviou dele o olhar, como se ele não estivesse ali, perscrutando a todos os seus companheiros sem uma palavra sequer. Alguns deles se ergueram, de onde estavam, e vieram examinar-nos: um deles olhou longamente as unhas de nossas mãos e de nossos pés, outro mediu nosso nariz e nossas orelhas com seu áspero dedo indicador, e outro ainda estudou nosso crânio raspado, como se dele dependesse a sua sobrevivência. Mas a maioria só nos olhou, profundamente, de maneira muito estranha, como se estivessem entrando em nossa alma para descobrir o que nela vicejava, fazendo-me tremer num arrepio incontrolável. Isto feito, Jerubaal olhou a todos mais uma vez: devem ter-lhe feito algum sinal que não conseguimos perceber, porque, depois que seu olhar cumpriu toda a volta do círculo, ele nos disse:

— Alguns de nós não concordam que os dois sigam viagem conosco. Se houver alguém que pelos dois se responsabilize, talvez mudem de idéia. Quem se apresenta como responsável pelos dois?

O momento de silêncio foi imenso, até que Ragel pigarreou:

— Eu posso fazê-lo, mestre.

Jerubaal fixou seu olhar em Ragel, que o sustentou, e subitamente disse, sem nos olhar:

— Pois que seja: seguirão viagem conosco até onde resistirem, sob tua responsabilidade, irmão Ragel.

Essa frase foi como que um sinal, pois todos se ergueram, e Jerubaal, postando-se sobre o desenho que havia riscado na areia do solo, ocultando-o de nós enquanto os outros saíam dali, esperou que apenas nós e Ragel ali permanecêssemos. Quando todos saíram, disse:

— Dai-lhes novas roupas e explicai-lhes suas funções durante a longa jornada. Deixai claro também que participarão de todos os nossos hábitos, dos quais o silêncio é o mais importante: estar conosco significa ser como somos, pelo menos enquanto nossas vidas estiverem seguindo a mesma trilha.

Ragel e Jerubaal se abraçaram, beijando cada um a face esquerda do outro, desejando-se paz de maneira tão franca e sincera, que essa paz parecia ser o saboroso fruto da verdadeira amizade. Ragel tomou a mim e Daruj pelo braço, tirando-nos dali. Voltei meus olhos para trás, ainda a tempo de ver Jerubaal apagando, com a ponta da sandália, o desenho feito na areia, que ele de nós ocultara com tanta determinação. Enquanto Ragel extraía de um fardo algumas peças de roupa, escolhendo quais delas melhor nos serviriam, eu me pus a pensar sobre a maneira de ser dos homens dessa caravana. O pedido de silêncio absoluto me parecia inusitado mas coerente, pois eu não ouvira qualquer som proferido pelos mais jovens, e presumi que não tivessem permissão para falar antes de alcançar uma certa idade. Meus pensamentos foram interrompidos por Daruj, que, já vestido como qualquer outro, indagou:

— E o avental, Ragel? Não nos darás um?

Ragel sorriu de olhos fechados, e depois de um tempo explicou:

— O avental que usamos, mais do que uma ferramenta de trabalho, é a marca do ofício que todos partilhamos, em maior ou menor grau. Se vós nada conheceis desse ofício, como podeis usar a marca de quem o pratica? Já imaginastes os embaraços que causaríeis aos outros e a vós, se o usasses sem razão?

Ragel estava certo: e eu, enquanto estive nessa caravana, usei o manto bem cingido ao corpo, trespassado em volta do ventre, para que ninguém, ao ver-me sem o avental que todos usavam, me tratasse de maneira diferente. Não me interessava destacar-me, mas sim desaparecer em meio a esta pequena multidão, porque me agradava mais a idéia de ser igual do que a de ser diferente.

Ao primeiro raio do sol que explodiu em nossos olhos por sobre as ruínas, do lado leste do céu, a caravana se ergueu e pôs-se a caminho, com o sol às nossas costas: os mais jovens sobre os bois, a seu lado os mais maduros montados nos esguios tordilhos, os mais velhos dentro dos carros, que balouçavam por entre as pedras, com suas rodas maciças. Tínhamos apenas duas refeições diárias, uma ao acordar e outra antes de dormir, e cada um carregava um odre de água com líquido suficiente para aplacar sua sede naquele dia. Ragel nos avisara que beber muito era pior do que beber pouco, porque no calor abrasador desses desertos patinados pela poeira amarela, um corpo cheio de água sua mais do que deve, ressecando com mais rapidez. Eu só entendi o que ele dissera quando, duas horas depois da partida, meu odre estava vazio: sofri as agruras da sede sem tugir nem mugir, pois em uma viagem como esta cada um deve cuidar de si mesmo. Ao olhar para o lado, percebi que meu irmãozinho Daruj também havia cometido o mesmo engano que eu, suando em bicas, os lábios crestados pela secura de seu organismo. Ao entardecer do primeiro dia de viagem, depois de atravessar um Eufrates estranhamente seco, de cujas raras poças eu não bebera por achar que tinha água suficiente em meu odre, chegamos ao poço de K'hidr, e eu quase me joguei no buraco que se abria no chão, querendo matar a sede que me torturava. Lá já estavam alguns outros viajantes do deserto, que disseram vir de Mishq'ab e nos contaram o motivo da inesperada seca do Eufrates.

No dia anterior, depois de termos fugido da Grande Baab'el, ela fora subitamente invadida pelas tropas de Cyro, rei dos medos e persas, que acampara ao norte da cidade. Na localidade denominada Ar'derish, onde a rainha Nitocr'ish havia iniciado a construção de um lago para impedir a aproximação dos persas pelo norte, ao mesmo tempo ganhando terras para erguer seu monumental túmulo, o invasor usara os mesmos diques que ela havia erguido nas margens do Eufrates, e, com pouquíssimo esforço de seus aguerridos soldados, interrompeu o fluxo do rio, desviando suas águas para um pântano das vizinhanças. O exército de Cyro vadeou o rio com água pela cintura, no ponto mais fundo, e entrou pelos portões das muralhas, invadindo a cidade silenciosamente. Ninguém percebeu o que ocorria, pois Nabuni'dush havia organizado manifestações em honra a Sin, sua deusa protetora, e o povo da Grande Baab'el, tomado pela satisfação dos sentidos excitados ao máximo, ficou dançando até que fosse tarde demais. Os medos haviam tomado definitivamente o grande Império da Babilônia, que nunca mais se ergueria.

Jerubaal ouviu com gravidade a narrativa dos viajantes, principalmente quando soube que Cyro fora auxiliado em sua invasão pelos sacerdotes de Marduq, ofendidos com a perda de poder que a retomada do trono por Nabuni'dush lhes havia causado. Como poderia uma decisão dessas ser tomada com tanta rapidez, se Cyro sempre estivera a mais de duzentas milhas da Grande Baab'el? Dez dias inteiros não seriam suficientes para colocar um exército como o medo-persa às portas da Grande Baab'el, quanto mais uma só noite.

Eu também achara estranho os acontecimentos de que tinha sido testemunha, principalmente a profecia que Nabuni'dush havia desencavado em suas pesquisas, narrando com precisão de séculos os fatos ocorridos no festim de Belshah'zzar, e lembrei da conversa que ouvira entre o *urigallu*, Grão-Sacerdote de Marduq, e um de seus acólitos. Chamei Jerubaal e contei-lhe a conversa a que havia assistido. Ele cofiou a barba durante minha narrativa, e uma luz de entendimento iluminou-lhe o olhar. Agradeceu-me silenciosamente pela informação, dizendo logo após a seus companheiros de caravana:

— Cyro já devia estar se aproximando da Grande Baab'el havia algum tempo, e os sacerdotes de Marduq devem tê-lo ajudado em sua empreitada. Nabuni'dush foi apenas mais um detalhe em sua decisão de derrubar o rei do Império da Babilônia: se ele não tivesse surgido repentinamente, seria a Belshah'zzar que os sacerdotes teriam traído.

— E agora os ossos de Nabuni'dush branqueiam ao sol no mesmo monturo onde foi jogada a carcaça de Belshah'zzar — disse Ragel, um esgar de desagrado em sua face vincada. — Que faremos agora, mestre Jerubaal?

— O mesmo que sempre fazemos: continuar em nosso caminho, sem mudar de rumo porque um rei substituiu a outro. Somos mais velhos que todos eles, e se os reis morrem, os pedreiros permanecem. Vamos, irmãos, sem esmorecer! Sempre estamos um passo à frente dos poderosos, pois o embate com o Poder é o que melhor revela o verdadeiro caráter dos homens que habitam a terra do Criador.

A segurança e superioridade com que esses pedreiros falavam dos homens mais poderosos que existiam, reis, conquistadores, senhores da vida e da morte sobre todos nós, era impensável. Outros, por muito menos, tremeriam e se rojariam ao solo, pedindo perdão por ter apenas pensado em coisas assim. Os pedreiros, não: pareciam animados por uma energia diferente, que lhes queimasse nas veias como fogo em vez de correr como sangue. Que força seria essa que lhes dava a certeza de estar fazendo o que deveriam? Minha mente de escravo, coisa que eu era sem ter disso nenhuma consciência, não percebia o verdadeiro valor dos homens e de suas crenças. Para mim, um pedreiro e um rei eram coisas muito diferentes, e minha criação me havia feito acreditar que uma pessoa fosse melhor que outra por determinação divina, sem perceber que é o valor de cada um e não as circunstâncias de seu nascimento que o dotam do verdadeiro poder. Este poder só é conquistado a duras penas, pela experiência da vida e seu cortejo de misérias e felicidades, quando o homem está disposto a enfrentá-las e crescer com elas: aquilo em que se crê é verdadeiramente aquilo que se é, mas isso eu só vim a aprender depois de ter experimentado a maior parte da minha cota de prazeres e sofrimentos.

A caravana ergueu-se de onde estávamos e tomou rumo sudoeste, atravessando a vau o leito ainda meio seco do Eufrates, seguindo pela margem esquerda do fresco Shalar'jawi, em direção a Qis'ar, onde pretendíamos dormir nessa noite. O sol às nossas costas esquentava cada vez mais, enquanto trilhávamos a margem direita do grande rio, cada vez mais alta em relação às grandes montanhas que se desenhavam no horizonte. Eu nunca experimentara uma viagem que durasse tanto tempo, e quando o sol se pôs a pino sobre nossas cabeças, pensei que ia desmaiar, pois ele se enfiava por minhas pálpebras finas, vazando luz para dentro de meu cérebro mesmo quando eu estava de olhos fechados. Era preciso que eu cobrisse a cabeça com meu manto, mas, sendo ele de cor clara, isso pouco efeito fazia: a verruma do sol perfurava minha cabeça, e eu recorria cada vez mais amiúde ao cantil de que dispunha, até que, sem que soubesse como isso acontecera, ele estava vazio. Olhei em volta, desesperado: os companheiros que comigo ocupavam a grande carroça puxada por bois estavam silenciosos, suas cabeças cobertas não exibindo nenhuma mancha de suor, como se não estivessem sentindo nenhum calor. Eu e Daruj, pelo contrário, estávamos empapados pelos líquidos de nosso corpo, com a boca seca e as narinas quase queimadas pelo ar quente do deserto.

Virei-me para um de meus companheiros de viagem, de quem só via os olhos acinzentados, e disse, com uma voz que não sabia tão rouca:

— Água!

Os olhos me fixaram, espantados:

— Onde está a tua água?

— Bebi...

— TODA? — Era legítimo o espanto nos olhos que me fitavam, e várias cabeças se viraram em minha direção. — Mas era água para pelo menos três dias de viagem... queres morrer sem uma gota de líquido dentro de teu corpo, com tudo que tens aí dentro transformado em pó?

O rubor que me subiu às faces era mais forte que o calor em que estávamos imersos: a inexperiência me havia feito colocar em risco minha própria vida. No fundo da carroça, vi o rosto de Ragel, que sacudia a cabeça com os olhos apertados:

— Devíamos ter-te explicado isso melhor... teu companheiro também bebeu toda a água?

Um Daruj empapado de suor acenou que sim, tão envergonhado quanto eu. Ragel se ergueu, firmando-se com dificuldade no balanço da carroças e estendendo a mão para nossos odres vazios:

— Quanto mais líquido beberdes, mais líquido vosso corpo exigirá. De agora em diante, na longa viagem que nos espera, a água se torna a cada dia um líquido mais e mais precioso, que deve ser tratado como tal, fora e dentro dos corpos. É preciso usá-la com parcimônia, porque a realidade do deserto é a falta d'água, não sua presença. O engano foi nosso: não percebemos que éreis diferentes de nós, nesse sentido, por virdes de uma sociedade onde o desperdício é essencial. Durante o tempo em que estiverdes conosco, tereis que aprender a viver de maneira frugal e econômica. Foi vossa lição de hoje: não desperdiceis vossa água, e tratai-a como o tesouro que tendes em mãos para sobreviver mais um dia.

Nossos odres, a um sinal de Ragel, estavam sendo enchidos, pois cada um dos que estavam na carroça, sem nenhum tipo de manifestação, colocava dentro de nossos odres um gole de sua preciosa água, terminando por deixar-nos novamente de posse de líquido suficiente para matar nossa sede. Daruj, ao receber o seu, tentou levá-lo à boca com sofreguidão, mas Ragel o impediu:

— Calma: a água é tua, e vale mais dentro do odre que em teu corpo acostumado a desperdiçá-la. Aprende a esperar sempre mais um pouco pela hora de bebê-la, e tenta dar a teu corpo apenas a quantidade de que ele precisa, não a que ele te pede...

Daruj olhava fixamente nos olhos de Ragel, fazendo muita força para erguer o odre até os lábios, mas Ragel mantinha seu braço a meio caminho da boca sem demonstrar nenhuma força física. Finalmente Daruj desistiu e abaixou o braço, com um suspiro, sentando-se nos bancos laterais da carroça balouçante.

— Observai uns aos outros, e tentai nunca beber antes que um vosso companheiro de viagem o tenha feito: isso vos acostumará a regular vosso consumo de água pelo necessidade do grupo, e não pela vossa vontade individual. E quando beberdes, lembrai-vos: apenas um gole, que antes de ser deglutido deve umedecer toda a boca, narinas e garganta por dentro. Mastigai a vossa água como o alimento que ela é.

Era difícil, mas eu percebi que a ausência de movimento ajudava muito a combater a sede. O companheiro de olhos acinzentados, que se chamava Jael, pouco se movia, estando quase adormecido a meu lado, por isso me surpreendi quando se dirigiu a mim, sem me olhar nem uma vez:

— Perdoa-me não ter percebido que eras desacostumado às viagens no deserto. Cada um de nós é responsável por todos os outros, e eu me distraí de ti. De agora em diante prestarei mais atenção a ti e teu amigo. Observai-me e agi como eu ajo: não sou um viajante perfeito, mas a experiência que tenho a mais que vós me ajudará a vos ajudar.

Conversamos em voz baixa durante todo o resto dessa tarde, até o momento em que a caravana parou à sombra de algumas rochas avermelhadas solitariamente erguidas num mar de grossa areia amarela. Enquanto desfazíamos os fardos das tendas sob as quais nos abrigaríamos do vento da noite, Jael nos deu uma explicação básica sobre viver e sobreviver no território em que estávamos. As roupas de lã fina, capazes de manter entre elas e o corpo de quem as usa uma temperatura estável, dependem sempre de não deixarmos esse ambiente interno escapar. Bebendo pouca água e movendo-nos pouco, seríamos capazes de aproveitar muito melhor o que tínhamos. No jantar dessa noite, apenas um pano úmido foi dado a cada um para sua higiene pessoal, devendo ser usado tanto para o corpo quanto para a limpeza dos apetrechos. Jael também me informou que, quando começássemos a atravessar o planalto onde havia pouquíssimos rios muito incertos, faríamos a travessia durante a noite para poupar nossas forças, e que eu me preparasse, pois a noite no deserto era sempre de frio intenso, inversamente proporcional ao calor do período de sol.

Eu aprendia muitas lições. Já percebia por que essas pessoas estavam sempre calmas e tranqüilas: era esta a sua maneira de sobreviver, economizando gestos, palavras, movimentos. Nada se fazia que fosse desnecessário, e todos eram de compleição esguia e seca, bem diferentes de mim e de Daruj, acostumados às dietas enxundiosas e ricas da Grande Baab'el, e forrados com uma camada de gordura que nos tornava quase luzidios, como era considerado de bom tom na Babilônia. A magreza desses pedreiros que sobreviviam no deserto dava uma sensação de força e poder. De todas as lições que recebera nesse dia, no entanto, a mais importante era também a mais incompreensível: como haviam podido abrir mão da pouca água que tinham, para que eu e Daruj não ficássemos sem nenhuma? Que gente era essa que dividia o que tinha, ainda que com isso acabasse por ter menos do que tinha antes? Nunca havia pensado que isso fosse possível, pois o mundo em que vivera até então era o de feras que comiam outras feras, cada uma defendendo o que era seu, tomando sem hesitar o alheio, se isso fosse possível.

Essa dúvida me fez observá-los cada vez com mais atenção, tentando compreender essa diferença que eu percebia.

Nossa jornada prosseguiu, dia após dia, noite após noite, com um rio estreito sendo encontrado a cada três ou quatro dias, à margem do qual nos dessedentávamos e banhávamos, renovando nosso estoque de água tanto nos odres individuais quanto nos grandes odres coletivos que havia em cada carroça. Os montes no horizonte pareciam afastar-se a cada passo, e só depois de nove dias de marcha incessante é que chegamos a um acampamento maior, onde havia muitas caravanas. Chamava-se Qalib Baq'hur, e seria nossa última parada antes de enfrentar o plano inclinado do Hi'jarah, barreira que nos separava do grande planalto deserto, o mais longo e difícil trecho de nossa viagem. Eram cheios de segredos, os pedreiros, como logo vim a notar: tomavam grande cuidado em minha presença e de Daruj, e alguém sempre fazia um gesto ou dizia alguma coisa em voz baixa quando nos aproximávamos, porque imediatamente trocavam o rumo de suas conversas, falando de coisas inócuas e aparentemente sem sentido. Daruj logo se cansou desse jogo, e pôs-se a experimentar a arte de cavalgar os cavalos negros, tão esguios quanto seus donos, e sensivelmente mais nervosos que estes. Era preciso saber ler em cada pequeno movimento desses cavalos: a sua disposição, o seu impulso, a sua reação. Daruj caiu muito, sendo acompanhado pelas risadas de nossos novos companheiros: mas quando percebeu que ao irritar-se as risadas eram ainda maiores, passou a ser o primeiro a rir quando alguma coisa lhe acontecia, tornando-se com isso mais agradável do que era. Eu, sem nenhuma vontade de enfrentar animais que não conhecia, preferia ficar ouvindo os contos do deserto, na voz de meus companheiros mais jovens, entre eles Jael, que falava das viagens feitas pelos desertos acima e ao norte da Grande Baab'el. Em troca, eu narrava histórias de minha cidade natal, sentindo estar sempre ganhando nessa troca. Tudo o que me contaram nessas noites e dias de viagem sempre igual tornou-se essencial à minha vida. Aprender coisas novas passou a ser uma parte dela, e eu tinha a cada dia mais consciência disso. Tudo o que estava sendo mostrado me seria útil, se não imediatamente, algum dia, com certeza. Certa noite, comentei com Ragel como me sentia feliz por estar aprendendo coisas novas, e ele sorriu de maneira muito estranha, olhando-me por entre as pálpebras semicerradas, dizendo:

— Existem três tipos de pessoas no mundo, Zerub: os que aprendem por sua própria experiência, e por isso são sábios, os que aprendem com a experiência alheia, e por isso são felizes, e os que não aprendem nem com sua própria experiência nem com a alheia, e por isso são irremediavelmente tolos. Qual deles pretendes ser?

A resposta era óbvia, mas nem tanto: se eu sabia que não desejava ser um tolo, estava em dúvida quanto a ser sábio ou feliz. A cada momento, essa dúvida me parecia ter uma resposta diferente, e finalmente entendi que era assim que me devia sentir, perfeitamente equilibrado entre a sabedoria e a felicidade, pois uma podia alimentar a outra sem que nenhuma delas perdesse qualquer valor nessa troca.

Capítulo 10

Três dias depois, alcançamos a primeira aldeia digna desse nome à borda do planalto desértico: Hai'tam, um grupamento de casas e tendas à volta de uma grande cisterna cheia d'água, murada pelas pedras mais antigas que eu já vira, onde tive a minha primeira grande surpresa: ali trocaríamos nossos bois por animais muito estranhos, que se dizia serem perfeitos para a travessia do grande deserto. Eram como cavalos, só que com todas as suas formas grandemente exageradas, e uma enorme corcova a meio das costas, acima da qual se colocava uma sela especialmente construída. Comparando-os com os belos cavalos negros de que dispúnhamos, eram ainda mais feios, parecendo uma piada de mau gosto que tivesse se concretizado em patas e pêlos: pés almofadados, pernas longuíssimas, cada uma com quase três côvados de altura. Tudo neles era excesso e exagero extremo: dos enormes cílios à volta dos olhos aquosos às rodelas córneas em seus joelhos, não falando do cheiro forte e desagradável e da baba espumante que lhes pingava dos beiços inchados. Um rebanho imenso desses animais ocupava um cercado de pedras que lhes ia pela altura das canelas, debatendo-se e espremendo-se, com ruídos altíssimos que saíam das gargantas lamentosas. O proprietário dizia que eram *j'mal*, mas os jovens da caravana onde eu estava os chamavam de *q'mel*: seriam o nosso transporte dali em diante. Jael me contou, enquanto Jerubaal negociava com o proprietário dos *j'mal*, que não fazia muito tempo que esses animais haviam sido domesticados, e que viviam em grandes bandos selvagens no vale central do país de Cabul, havendo mais a oeste outros iguais a eles, só que menores e com uma corcova dupla às costas. A aparência desses animais era impressionantemente feia, mas, como depois vim a perceber, sua natureza de animais do deserto os tornava perfeitamente adequados à vida entre areia, vento e pedras. Precisavam de pouquíssima água e comida, acumulando gordura e água em sua corcova, e eram capazes de carregar pesos inacreditáveis, sem nenhuma reclamação maior que um grunhido ocasional. Toda a carga que vinha sendo transportada nas carroças desde Qornah agora seria dividida em fardos e colocada sobre o lombo desses animais tão esquisitos quanto úteis, sobre os quais nos encarapitaríamos para atravessar o pior de todos os desertos em nossa viagem até Jerusalém. Eu não compreendia por que perder tanto tempo nesse desvio em sentido, se podíamos atravessar muito menos desertos inóspitos, desviando-nos para o mar e costeando até a cidade de Aqaba. Não havia jeito de mudar o itinerário, contudo: os pedreiros a cuja caravana estávamos agregados eram gente de decisões firmes, uma vez tomadas. Eu não via o que poderiam querer na ruína em que Jerusalém se tornara, segundo o que contavam na Grande Baab'el: uma cidade arrasada, sem rei, sem deus, sem povo. Minha curiosidade crescia a cada momento, sendo inclusive mais forte que meu temor natural, quando fui obrigado a galgar as costas de um *jâmal*, como o seu proprietário o chamava, enquanto me entregava em mãos suas rédeas enfeitadas com borlas de pano colorido. O animal fedia mais que os esgotos do Império, mas depois de certo tempo notei que era dócil e se tomara de amores por mim: aonde quer que eu fosse, podia ver seu rosto exageradamente distorcido voltado em minha direção, e se por acaso eu desaparecesse de seu campo de visão, ele começava a zurzir até que novamente me enxergasse.

Era interessante haver nessa caravana gente de todos os pontos do Império: elamitas, cananeus, samaritanos, fenícios, assírios, medos, persas, sumérios, homens de todos os pontos onde houvesse caído a forte, cruel e pesada mão do Império da Babilônia, e que eu reconhecia do tempo em que freqüentara as tabernas entre muralhas: eram gente brutal, impulsiva, incapaz de pensar antes de agir. Os pedreiros, com seus aventais de couro de carneiro, no entanto, tinham uma característica de tranqüilidade insondável que me deixava ansioso por compreender: Seria apenas imitação dos mais velhos entre eles, como Jerubaal e Ragel, com seu passo tranqüilo e face branda? O que havia de comum entre eles, dando-lhes esse jeito característico que Daruj, exímio imitador de modos e maneiras alheios, já começava a exibir, de maneira um tanto canhestra? Eu não o sabia, e isto se tornou de grande importância, quase tanto quanto a falta que sentia da música de Feq'qesh e do perfume inebriante de Sha'hawaniah. No dia inteiro que passamos descansando em Hai'tam, esperando que as primeiras estrelas trouxessem o vento refrescante que nos impulsionaria qual navios pelo mar de areia grossa do Wad'jan, conversei com Daruj, triste ao saber que deveria montar um dos estranhos *j'mal*, equilibrado sobre a carga. Sua paixão pelos cavalos negros que também ficariam em Hai'tam, à beira da grande cisterna alimentada por uma nascente subterrânea, era violenta: ele não sabia controlar a vontade de continuar junto ao animal que tanto lhe agradara, e pouca atenção me deu quando eu lhe disse:

— Daruj, o que essses pedreiros têm de tão especial, para ser tão diferentes de todos os homens que alguma vez tenhamos conhecido?

— Não vejo nada disso, Zerub: mas seus cavalos, ah, esses sim, são diferentes, as jóias mais perfeitas da Natureza... por que abandoná-los aqui, entre esses cameleiros de má catadura, que sequer sabem o quanto eles valem?

Era impossível insistir no assunto: Daruj só tinha uma idéia fixa na mente. Procurei por Jael, e ao encontrá-lo entre alguns outros, numa conversa intensa e em voz baixa, percebi que minha aproximação interrompera algum assunto, pois Jael estendeu os braços para os lados, tocando as mãos dos que lhe estavam mais próximos, e todos se calaram, volvendo seus olhos em minha direção. Mais uma vez, eu sentia haver ali algum segredo que não me deixavam conhecer, e que me era tirado do alcance. Jael ergueu-se dentre seus amigos e veio em minha direção, perguntando-me, sinceramente interessado:

— Algum problema, Zerub?

— Fora o fato de que, sempre que me aproximo, tu e teus amigos interrompem a conversa?

Jael riu, com um ar de desalento:

— Há certas coisas que só podemos conversar entre nós, e mesmo que tu as ouvisses, pouco compreenderias delas: são segredos do ofício de pedreiros, que nos ajudam a ser cada dia melhores no trabalho a que escolhemos nos dedicar.

— Mas por que não posso conhecê-los? Por que também não posso ser pedreiro?

— Podes, com certeza, Zerub, se tua alma verdadeiramente assim o quiser: é isso que pretendes? Ser pedreiro como nós?

Emudeci. Na verdade, nunca tinha pensado no que queria, exceto nos últimos dias de liberdade na Grande Baab'el, quando descobrira a música e Sha'hawaniah, e as duas me tinham parecido tesouro suficiente para tornar-me infinitamente rico: tendo perdido as duas para sempre, não via como retomar o rumo de minha vida depois da vertiginosa descida pelo Eufrates. Olhando para dentro de mim mesmo, vi que nada sabia de meus próprios desejos e anseios, já que sempre vivera ao sabor dos acontecimentos. Minha vontade pessoal nunca estivera mais clara do que nesse momento em que percebi que ela não existia. Talvez só me restasse aceitar a vida entre pedreiros, mas isso me parecia tão pouco perto dos dois únicos sonhos de prazer que tivera em minha vida, que logo descartei a possibilidade:

— O que eu quero saber, Jael, é o que vos faz ser diferentes de todos os outros homens que conheci em minha vida. Nada vos parece abalar. Não sei se gostaria de viver assim, sem as emoções que a vida nos traz.

Jael riu, abertamente, passando o braço por sobre meus ombros:

— Não exageremos, Zerub: temos alegrias e tristezas como qualquer outro que exista sobre a face da terra. Mas a lida com a pedra bruta que conseguimos modificar pela força de nossos golpes nos ensina algumas de suas características, sendo a mais importante delas a serenidade. A diferença é uma só: a pedra é serena porque não pode ser de outra maneira. Nós, pedreiros, o somos porque decidimos e aprendemos a ser.

Aquilo não me agradava: ser como uma pedra, que nada faz, apenas fica onde a colocam, sem decisão quanto a seu futuro? Não, não me interessava: se ser pedreiro era transformar-me gradativamente na pedra que trabalharia, aquilo não era para mim. Disse-o a Jael, que sacudiu a cabeça, com um ar de riso em seu rosto sério:

— Então, o que queres, Zerub?

Com crescente confiança em sua maneira de ser, contei a esse novo amigo coisas que não sabia estarem dentro de mim: falei longamente de meu pai e de como ele quisera fazer de mim uma cópia de si próprio, sem pensar no que eu desejava. Contei-lhe de meu encontro com Feq'qesh, de como ele percebera em mim um talento que eu nunca soubera ter, e o quanto me magoava ter perdido a oportunidade de trabalhar esse talento para um ofício de inegável beleza. Abrindo o coração, falei-lhe também de Sha'hawaniah, a sacerdotisa que me encantara e que me dera, sem sequer tocar-me, o maior prazer que meu corpo já experimentara. Jael olhava para o poente, ouvindo-me atentamente, e quando finalmente interrompi minhas palavras, disse-me:

— Somos muito jovens ainda, Zerub, para nos sentirmos assim tão perdedores. Quem sabe o que o Criador nos reserva? Pensas que eu também não deixei a casa paterna contra minha vontade, por desejo daquele que me garantiu o sustento enquanto eu era fraco demais para buscá-lo por mim mesmo? Fui vendido como escravo, Zerub: o pai que me gerou fez de mim moeda de troca por algo de que necessitava, nem recordo mais o que era. E se o homem que me comprou não estivesse querendo um túmulo para guardar seus ossos, talvez nunca tivesse ido até Qornah, onde os pedreiros me trocaram pela efígie de um desses querubins que todos desejam.

— Mas os pedreiros te aceitaram, sendo escravo? Escravos podem ser pedreiros?

— Vou contar-te uma coisa, e entenderás como somos: para um pedreiro, nada existe de mais vil e degradante do que escravizar um ser humano. Somos todos filhos do mesmo Criador, não importa a cor de nossa pele, o lugar onde nascemos, a língua que falamos ou o cheiro de nossa boca. Se vivemos de acordo com a lei natural que existe dentro de todos nós, não há como alguém valer mais ou menos que qualquer outro. Cada um luta para encontrar o caminho que deve trilhar, descobrindo em sua natureza aquilo que ela tem de mais próximo do Criador. A verdadeira escravidão não é viver como propriedade de alguém, mas sim não poder ser aquilo que se é.

O que Jael me dizia soava estranhamente verdadeiro, e por isso perguntei:

— Mas todos somos escravos dos deuses, não é verdade?

— Não, Zerub: um deus que pretenda escravizar suas criaturas é com certeza menos divino que elas. Quando esse deus imita suas criaturas naquilo que elas têm de pior, acaba sendo mais desgraçadamente humano do que possamos imaginar. Um deus verdadeiro se faz com Amor e Justiça, e não teme a nenhuma de Suas obras, porque sabe que são uma extensão de Sua própria existência.

Eu nunca tinha ouvido nem pensado nessas coisas, a cabeça confusa com o que Jael me dizia. Ele o percebeu, e ergueu-se do chão, estendendo a mão para que eu também me levantasse:

— Vamos, meu novo amigo: creio ter-te confundido além do que pretendia. Essa conversa de deuses e escravos sempre acaba superando quaisquer limites. Vamos: a caravana precisa de nós, pois quando a primeira estrela surgir devemos estar a caminho.

Eu o segui de perto, a cabeça ainda girando. A idéia de um deus amoroso e justo me era totalmente nova: eu sempre considerara as divindades da Grande Baab'el como partes essenciais de nossa vida cotidiana, e nada além disso. Só pensava nelas nas raras ocasiões em que se fazia necessário aplacá-las ou homenageá-las, e, tão logo lhes tivesse prestado as cortesias necessárias, esquecê-las. Mesmo o deus de meu pai, que eu tanto temera quando criança, e de quem me pusera a escarnecer assim que me sentira suficientemente forte, era apenas uma amolação que cruzava meu caminho uma vez por semana, fazendo com que eu me mantivesse o mais longe possível de casa quando acontecia o *Shabbath*. Deuses de crueldade infinita, cujas vontades ninguém conhecia mas aos quais tinha que obedecer, todos tão sem rosto quanto meu pai se tornara. Seria esse o fim de todos os deuses, a perda da identidade e a queda no esquecimento absoluto, assim que não restasse quem acreditasse neles? Era a primeira vez que essas perguntas me passavam pela mente, e por trás delas se movia uma sombra que eu não conseguia definir.

A caravana, depois de algum tempo, estava em marcha. Raras nuvens escorriam pelo céu, enquanto os cameleiros que nos acompanhariam açulavam os animais com gritos muito agudos, fazendo que se erguessem sobre os joelhos, com dificuldade, colocando-se depois de pé. As imensas cargas sobre suas costas corcundas davam-lhes a aparência de caracóis gigantescos, carregando uma enorme e multicolorida concha, pois os panos usados no ajaezamento de cada *jâmal* eram sempre de cores muito vivas e contrastantes, fazendo da caravana uma enorme serpente de todos os tons, coleando pelo deserto amarelo. Cada um de nós se encarapitava nas costas de um desses animais, equilibrando-se precariamente a princípio, mas, depois de algum tempo de marcha, já acostumados com o balanço natural de seu passo bamboleante, ali ficávamos como se sempre tivéssemos vivido dessa maneira. Os tons de violeta e púrpura do crepúsculo iam se aprofundando no céu, e quando a primeira estrela brilhou, bem próximo à lua crescente, um cameleiro gritou seu nome, que foi repetido por todos os outros, cada um o eco do seu antecessor: esse som se espalhou pelo deserto, fazendo uma revoada de morcegos se espantar e sobrevoar nossas cabeças, guinchando. Fomos entrando pela noite adentro, em direção ao lado mais claro do céu, deixando às nossas costas um azul cada vez mais profundo, até que a escuridão das noites do deserto nos envolveu e os odores do vento quente nos cercaram.

Eu estava lado a lado com Jael e Daruj, cada um o exato oposto do outro: Daruj, emburrado, revoltado pela perda de seu cavalo, resmungando com muxoxos de desprazer a cada movimento mais ou menos brusco de seu *jâmal*; Jael, de olhos fechados, parecendo dormir, as rédeas cheias de borlas pendendo frouxamente de seus dedos entrelaçados. A tranqüilidade dos pedreiros, tanto os jovens quanto os velhos, era admirável: nenhum temor, nenhum sinal de desagrado, sempre uma postura serena em relação ao que quer que lhes acontecesse. Eu, na inconsciência da juventude, tinha apenas a volúpia da aventura e o anseio pelo desconhecido. Na terceira noite de caminhada, meus quadris estavam em brasa, e uma dor surda me acompanhou durante todo o dia, quando descansávamos à sombra de nossas montarias, enquanto o sol cruel martelava seus raios sobre o terreno que cruzávamos. Minhas costas pareciam estar quebradas, e a dor de cabeça era uma fisgada mais forte a cada movimento inesperado que meu *jâmal* fizesse. Percebi que devanear era perigoso: pela manhã, o calor do deserto nos amolecia os músculos, e quando partíamos, aproveitando o frio da noite para isso, esses mesmos músculos se recusavam a funcionar de maneira adequada, envoltos em lassidão. Eu sentia sono de dia, mas o calor e a luz não me deixavam dormir, por mais que envolvesse minha cabeça em panos escuros, e de noite, quando caminhávamos na trilha sem bordas nem fim que traçávamos no deserto, eu sentia um sono incontrolável, que me fazia cochilar. A cada pisada menos segura de minha montaria, eu acordava com a brusca martelada da dor que subia dos quadris ao topo de minha cabeça. Minhas nádegas estavam em pandarecos, e agradeci silenciosamente ao deus dos caravaneiros quando encontramos um pequeno poço alimentado por um regatinho mirrado chamado Ulwai'ji, no qual me sentei, com água até o pescoço, depois que todos haviam bebido, ficando encharcado mas feliz pela primeira vez nos últimos quatro dias. Não havia outro jeito: eu tinha que dormir de dia, para que minha atenção fosse total à noite, e por mais que meu *jâmal* estivesse afetivamente ligado a mim, chegando mesmo a virar a cabeça para me olhar com seus doces e úmidos olhos escuros, eu tinha que estar permanentemente atento a quaisquer movimentos bruscos que fizesse, para livrar-me dos ataques agudos da dor, minha companheira surda durante toda a viagem. Alguns dos pedreiros por vezes saltavam de seus *j'mal*, caminhando a seu lado: experimentei isso nessa quarta noite, e efetivamente meu estado físico melhorava muito, liberando do esforço tanto minhas nádegas quanto minhas costas. Mas meus pés sofriam muito, e as panturrilhas de minhas pernas se tornaram duas bolas de dor. Não havia remédio: meu corpo não era o corpo de um caravaneiro, e aquilo que na Grande Baab'el passava por beleza era na verdade a concretização de nossa maneira frouxa de viver, deixando-nos absolutamente despreparados para qualquer esforço físico.

Daruj estava mais irritado que eu:

— Cavalos sim, são animais dignos de ser montados. Mas isto, estes *j'mal*, que parecem coisas feitas com a mistura de pedaços de outras coisas, que utilidade têm?

Ragel estava perto de nós quando Daruj disse isso, e retrucou:

— Quando foi a última vez que viram os *j'mal* comer ou beber? — Não nos recordávamos, e Ragel sorriu. — Enquanto a corcova de um *jâmal* não se esvazia, ele não precisa de nada. Eis por que os usamos: no deserto, nunca se sabe quando haverá água ou alimento novamente, e se alguma coisa nos acontecer que nos prive de comida ou bebida, nossas montarias ainda estarão em condicões de levar-nos até o próximo poço e acampamento. Sem água e comida, um cavalo dura menos que um homem, e um boi dura menos que um cavalo. O *jâmal*, ou *q'mel*, existe exatamente para que os desertos da criação possam ser percorridos, habitados e usufruídos.

Afastando-se de nós, Ragel disse uma frase que ficou marcada em minha mente:

— Nada existe na criação do Universo que não tenha motivo de ser.

Era assim o tempo todo: parecia que as palavras ditas em meio a uma conversa tinham razão de ser. Eu percebia a diferença entre o que eu e Daruj dizíamos e o que diziam os nossos companheiros de caravana: era como se as palavras de Daruj e as minhas não tivessem substância, enquanto as de nossos companheiros de viagem traziam em si um tal poder, que ficavam rodando durante longo tempo dentro de minha cabeça e meus ouvidos antes de se depositar definitivamente em meu coração, sem que eu nada pudesse fazer quanto a isso. O poder das palavras me era desconhecido, mas durante essa viagem pelo nada quase absoluto da paisagem de constante repetição, ao mesmo tempo em que determinadas palavras, frases e idéias iam se enraizando dentro de mim, também crescia em minha alma uma curiosidade enorme sobre as diferenças entre mim e esses pedreiros.

Havia uma hierarquia natural entre eles, e todos agiam de acordo com ela, nunca sendo necessário dar uma ordem em voz alta: um olhar por parte de um mais velho, e os mais jovens imediatamente começavam a fazer o que devia ser feito. Na verdade, quando falo de mais velhos quero dizer mais antigos: Jael, por exemplo, não era muito mais velho que eu, mas tinha sobre um grupo de jovens aprendizes uma certa ascendência, e os outros recorriam a ele quando havia qualquer dúvida sobre quaisquer assuntos. Notei que nem Daruj nem qualquer dos cameleiros mereciam a mudez intencional praticada para manter-me afastado do que a cada dia me interessava mais. Comecei, entre momentos de sono incontrolável e suores desmedidos, a buscar maneiras de estar junto dos aprendizes que cercavam Jael, querendo ouvir o que diziam. Nada adiantava: minha simples aproximação fazia com que o assunto se interrompesse ou se transformasse em alguma coisa que eu pudesse conhecer. Eu queria saber mais, e durante os dias em que nossa vida se resumiu a atravessar o deserto, mantive-me entre o sono incontrolável e o desejo de entender a esses com quem viajava. De poço em poço, de acampamento em acampamento, com o sol inclemente martelando a cabeça e o frio noturno mordendo os ossos, passamos por trinta riachos inconstantes, a maioria dos quais não era mais que um fiapo de umidade na terra sedenta. Encontrávamos água a cada cinco ou seis dias de viagem, dormindo de dia, andando de noite, comendo frugalmente, numa imitação quase perfeita de nossos *j'mal*, avançando em direção ao Wadi Shir'han, um vale no meio ao árido planalto que estávamos cruzando. Já fazia trinta dias que nossa vida se repetia, e quando os primeiros raios do sol às nossas costas começaram a nos aquecer, senti o cheiro de terra molhada que havia mais de um mês não sentia. À minha frente, brilhando como jóia presa ao manto sujo de um mendigo, estava o Wadi Shir'han, florescendo subitamente entre as montanhas, estendendo-se na direção noroeste em verde brilhante, como se estivéssemos de volta à fértil planície que cercava a Grande Baab'el.

Os rios que descem das montanhas, de ambos os lados dessa enorme depressão, traziam, para depositar-se nela, a terra e a lama de seus pontos de origem, que ali acumuladas formavam uma enorme e profunda extensão fértil, na qual rebanhos sem fim pastavam entre altas plantações de trigo e cevada, movendo-se ao vento. Graças a tanta fartura, ali conviviam tribos incontáveis, sem precisar guerrear por seu sustento, como acontecia em trechos mais pobres do território que havíamos atravessado. Um verdadeiro Éden: a fartura fazia desses afortunados habitantes do Wadi Shir'han, tão longo que levamos oito dias para atravessá-lo, os depositários de uma bênção divina. Os habitantes do extenso vale cruzavam seu eixo sem cessar, de sudeste para noroeste e vice-versa, sempre em busca de uma pastagem diferente para seus rebanhos. Quando saímos desse vale pelo Qa'el Humari, ainda sentindo no rosto e na boca o frescor da água que era a verdadeira riqueza daquele lugar, o fizemos com o coração apertado, porque o céu à nossa frente era plúmbeo e pesado, como o de um lugar de destruição. Nuvens sempre me faziam experimentar o medo sem motivo nem razão. A escuridão que crescia às nossas costas era um monstro que se alimentava de luz, comia o brilho do sol até que dele nada restasse, e tal escuridão tomava o mundo. Quem me garantia que na manhã seguinte o sol voltaria a nascer? Posso confessar que até hoje não tenho certeza disso, e a chegada da noite, ou um súbito escurecer do céu devido ao acúmulo de nuvens de tempestade, ainda me parece um prenúncio da noite eterna, que fatalmente ocorrerá no dia em que o sol não nascer novamente.

Eu não era o único que sentia isso: a caravana ficava a cada instante mais silenciosa, menos alegre, tanto que, no terceiro dia de viagem em direção às montanhas que estavam à frente, Jerubaal decidiu-se por voltarmos a viajar de dia, pois sem um mínimo de sol as noites estavam cada vez mais frias. Ao voltarmos a acampar de noite, as fogueiras tiveram seu tamanho dobrado, sendo usado qualquer combustível que caísse em nossas mãos, porque um vento incansável nos atravessava as roupas, cortava a carne e perfurava os ossos enquanto tentávamos descansar. Minha cabeça pesava como se eu tivesse bebido: vários de meus companheiros, entre eles Daruj e Jael, reclamavam desse peso insuportável, e até os *j'mal*, desacostumados com essa temperatura, resmungavam sem cessar. Aldeia após aldeia se sucedia em nosso caminho, e cada uma delas aumentava a sensação de que nos encaminhávamos para um nada absoluto. A extrema pobreza da região, os rostos assustados e famintos das raras crianças que nos seguiam, de mão estendida, os cães descarnados que latiam sem força à nossa passagem, tudo nos ensimesmava mais e mais, como se estivéssemos indo para um lugar que não nos desejava. A própria aldeia de Rabah'amon, de tamanho considerável perto das que havíamos encontrado em nossa jornada, era foco de enorme tristeza, e ao atravessá-la nosso silêncio aumentou ainda mais. Cruzamos um pântano cheio de miasmas à beira do mar de Arabá, e nossos *j'mal*, esgotados além de seu natural, insistiam em beber a água do rio que descia das montanhas do norte: mas o cheiro de matéria em decomposição era forte demais, e seguimos caminho. No alto dessas montanhas que atravessamos, ravina após ravina, sempre na direção oeste, acampamos e aguardamos o nascer do sol para, sessenta e dois dias após nossa partida das margens do Eufrates, entrar em Jerusalém, que eu não imaginava o que fosse, mas pela qual já sentia uma ojeriza inexplicável.

Mirradas árvores de acácia, erguendo seus galhos esquálidos para o céu, suas folhas miúdas cobertas por um pó que em tudo se depositava, ladeavam o trecho final da jornada: Jerusalém, oculta de nossos olhos pelos montes que sempre a haviam protegido de seus inimigos, estava em algum lugar mais à frente. O calor do meio-dia pesava como feito de pedra, e quando paramos à beira de um bosque de oliveiras secas, surgiu à nossa frente, amarela e baça como um deserto de pedras com formas estranhas, a ruína que antes fora Jerusalém. O céu e a terra estavam unidos em um mesmo horizonte, porque a luz do sol, filtrada pela massa de nuvens pesadas, tingia o solo e as construções amarelas, e refletida neles tingia com a mesma cor baça as nuvens, tornando a cidade um lugar antes de tudo muito feio. Os restos de uma grande muralha, esboroada aqui e ali pela força dos homens e da natureza, marcava tristemente os limites da grande cidade de Salomão e seus descendentes.

Era como se a luz do Universo não brilhasse ali, e tudo estivesse permanentemente em sombra. Poucas pessoas, envoltas em trapos e coladas às paredes, arrastando-se pelas ruas, marcadas por ruínas mal sustentadas. A caravana atravessou estes espaços, sabendo que por trás das paredes semiderrubadas se escondiam fome, miséria e medo. Eu, vindo do luxo e da fartura da Grande Baab'el, não compreendia como podia haver vida em um lugar desses. Daruj se aproximou de mim, em seu animal balouçante, dizendo, em voz baixa:

— Por Marduq e Baal! Onde viemos parar, meu irmãozinho? Esses pedreiros são loucos: aqui não há o que comer nem o que beber, e decerto acabaremos por pegar alguma doença, respirando esse ar viciado.

— Aquieta-te, Daruj: eles devem saber o que fazem. Somos convidados em sua caravana e temos que aceitar seu modo de viajar. Lembra-te que dependemos deles para ir ao Egito.

— Só mesmo a idéia do Egito ainda me anima, Zerub: mas se soubesse que teria que entrar em lugar tão asqueroso, juro que teria vindo a pé, atravessando o mundo em diagonal. A estas horas já estaríamos no exército do Faraó, dando mostras de nossa capacidade de combate. Em vez disso, estamos atravessando essa sujeira milenar que não merece o nome de cidade!

Calei Daruj com um gesto, porque Ragel se aproximava de nós, olhos apertados, puxando seu *jâmal* pela rédea:

— Precisamos de todos lá na frente, rapazes. Temos que erguer um acampamento sólido, pois ficaremos por aqui alguns dias, fazendo o que viemos fazer.

O suspiro de Daruj foi imenso, encobrindo o meu próprio: nossa vontade era sair dali imediatamente, mas isso não seria possível. Só tínhamos chegado até ali graças à caravana de pedreiros, como se fôssemos parte dela. Eu tinha outros motivos para ficar: sentia que alguma coisa especial estava por acontecer. Os cochichos e olhares de soslaio aumentaram muito quando nos aproximamos dessa gigantesca ruína, e, depois que entramos em Jerusalém o nível de excitação da caravana se tornou imenso. Uma estranha energia agitava até mesmo os pedreiros mais velhos, de fleuma quase infinita, e os jovens pedreiros, com seus aventais brancos, andavam celeremente de um lado para outro, cochichando nos ouvidos uns dos outros, arrastando fardos e erguendo tendas como se isso fosse a grande obra de sua vida. Daruj, com nada mais que o Egito em sua mente, nada percebia: mas eu, atento a tudo que significasse a revelação do segredo que pressentia desde o início da viagem, disfarcei meu interesse, adotando o ar de enfado que se usava na Grande Baab'el, onde nada era novidade ou maravilha. As horas passaram: a temperatura era estranha, o calor abafado nos fazia suar, e alguma coisa fria como gelo das montanhas percorria nossa pele, em ondas, a intervalos irregulares, como febre que estivesse se esforçando para entrar em nossos corpos e ali fazer sua morada. Eu conseguia perceber cochichos sobre mim e Daruj, os únicos estranhos ao grupo de pedreiros, porque os caravaneiros que até ali nos tinham guiado nos deixaram antes mesmo de entrarmos em Jerusalém, como se estivessem impedidos de pisar aquele solo. Talvez por isso eu não tenha estranhado quando Jael, aproximando-se de mim e de Daruj, nos disse, sem nenhuma naturalidade:

— É hora da refeição, amigos. Hoje, por termos finalizado um importante trecho de nossa viagem, serviremos vinho da Fenícia.

— Até que enfim! pensei que estaríamos para sempre impedidos de beber! — disse Daruj, que não perdia uma oportunidade sequer de criticar o modo de vida dos pedreiros. — De tudo o que Baal pôs no mundo, o vinho ainda é a maior das bênçãos. Eu sempre estranhei que os pedreiros não o bebessem.

— E não beberemos, Daruj. — Jael mantinha os olhos baixos, incapaz de fitar-nos diretamente. — Todos fizemos, antes de deixar Qornah, a promessa solene de só pôr vinho em nossa boca quando chegássemos ao fim de nossa jornada, não é?

Os jovens pedreiros que o acompanhavam assentiram, com rapidez demais, como se aquilo fosse ensaiado, e Jael continuou:

— Mas vós não fizestes nenhuma promessa; portanto, estais liberados para provar o delicioso vinho fenício que acompanhará nossa refeição de hoje, na verdade um grande banquete, para comemorar nossa chegada a Jerusalém. Aproveitai bem, pois, assim que deixarmos esta cidade, nossa viagem será ainda mais dura do que foi até aqui. Temos muito a fazer, selecionando pedras para nossos trabalhos, e a partir de amanhã estaremos ocupados: mas hoje estamos livres de obrigações e tarefas. Vamos ao banquete, companheiros?

Daruj correu em direção às fogueiras que começavam a brilhar enquanto a claridade do sol diminuía, deixando uma faixa de cinza mais claro a oeste de onde estávamos. Alguma coisa soava mal, e decidi nada dizer, nem mesmo a Daruj, porque me interessava descobrir que segredo era aquele que só os pedreiros podiam conhecer. Pressentia que tentavam nos alijar de seu convívio, e o fato de sermos os únicos com permissão expressa para beber vinho era muito estranho. Assim, fiz uso da dissimulação aprendida em anos de convivência com cada ladrão e assassino do cais e das tabernas da Grande Baab'el: era sempre preciso não oferecer nenhum perigo, tornando-nos quase invisíveis para realizar nossas aventuras, de forma que ninguém percebesse que os adolescentes alegres e inocentes eram exatamente os meliantes que iriam aliviá-los de suas riquezas mais amadas. Minha face tomou a aparência vazia dessas horas, e eu me mostrei aparentemente absorto a tudo que estivesse acontecendo.

Enquanto sentávamos à roda da grande fogueira, e pratos de cobre marchetado eram distribuídos pelos que cuidavam do banquete, senti o olhar de Jerubaal sobre mim, com Ragel a seu lado, também mirando em minha direção seus olhinhos apertados. Por um instante, pensei se não estariam percebendo minha dissimulação, por isso ergui a taça em sua direção e virei-a de uma vez, voltando a olhá-los com um sorriso idiota no rosto, limpando a boca. O que não sabiam é que eu já havia esvaziado a taça na areia, fazendo isso de cada vez que apanhava comida no prato, que os cozinheiros mantinham sempre cheio, assim como à taça que parecia nunca se esvaziar. Antes de sentar-me à roda, apanhei um pequeno odre de azeite e, sem que ninguém percebesse, tomei três ou quatro grandes talagadas dele: sabia por experiência das tabernas que um estômago forrado de azeite cru se torna incapaz de absorver o vinho, e contava com isso, caso algum dos pedreiros decidisse se certificar de que eu o estava bebendo. Não foi necessário: eu exagerava a minha alegria, imitando Daruj, e quando percebi que meu amigo estava cabeceando, virei mais uma vez a taça vazia, estalando os lábios, deixando que o vinho fortemente perfumado com alguma coisa que me tonteava escorresse pelos cantos da boca e empapasse a frente de minha túnica, dando a quem me visse a certeza de que eu já estava bêbado além de qualquer possibilidade de compreensão da realidade.

    Recostei-me como se estivesse dormindo e, ocultando minha face com o braço, deixei um espaço para observar o que aconteceria. Vi quando Ragel chamou a atenção de Jerubaal para minha quietude, e logo depois ouvi Daruj ressonando ao meu lado. O silêncio na roda de pedreiros era sepulcral: pareciam esperar que caíssemos em sono profundo para finalmente realizar o que quer que os fizera entorpecer-nos dessa maneira. Pus-me a ressonar compassadamente, e algum tempo depois os roncos guturais de Daruj se somaram aos meus: quando isso aconteceu, a roda de pedreiros ganhou vida inesperada. Todos se ergueram, em atenção profunda, pondo-se em fila dupla, os mais jovens à frente e os mais velhos atrás, em ordem, aguardando alguma coisa que eu não sabia o que era. O tempo escorria lentamente, como se não estivesse passando, e eu estava quase mudando de posição, quando um assovio intenso e longo percorreu os ares, gerando um murmúrio de antecipação em todos, inclusive eu, que movi a cabeça lentamente, para olhar a entrada do acampamento.

Um grupo de homens portando archotes se aproximava a pé, em fila dupla, parando à entrada do acampamento, dando um passo para o lado e abrindo caminho para três homens que se aproximaram, dois deles à frente e um dois passos atrás. Os mantos não deixavam ver seus rostos: Jerubaal, acompanhado de Ragel e de outro pedreiro mais velho, dirigiu-se em passo cadenciado pelo meio dos pedreiros de nossa caravana, que, obedecendo a alguma ordem silenciosa, haviam repentinamente se afastado para o lado, abrindo uma larga avenida pela qual os dois grupos de três se aproximavam um do outro. Era quase uma dança ritual, e muitos anos se passaram até que eu pudesse perceber a antigüidade dos gestos que ali se fazia, e sua profundidade simbólica. Quando os dois grupos chegaram um à frente do outro, Jerubaal se adiantou e, tirando da bolsa de seu avental um malhete de madeira, estendeu-o com as duas mãos ao homem que vinha ao centro. Este, afastando o capuz, mostrou a cabeça coberta por uma basta cabeleira totalmente branca, que se unia à barba longa, num contraste flagrante com sua tez azeitonada, crestada de rugas. Era uma figura impressionante, de dignidade tão grande, que só muito mais tarde percebi que as roupas que vestia eram trapos, ainda que limpos, cuidadosamente cerzidos para dar-lhe a aparência que tinha, imponente e cheia de autoridade. Jerubaal era um homem de grande poder pessoal, mas perto desse homem parecia um menino. Os dois se aproximaram e trocaram um longo abraço, coroado por um beijo emocionado que cada um deu na face esquerda do outro. Jerubaal entregou-lhe o malhete que havia tirado da bolsa, e o homem o aceitou, dando um passo à frente. Atrás de si, as duas filas dos homens que tinham vindo com ele foram se fechando, e os dois caminharam lado a lado até o fim da fila de pedreiros do acampamento, que viraram quando os dois já haviam passado, fixando-os em silêncio, com as faces alegres e cheias de uma emoção que eu nunca vira e que não conseguia reconhecer. Haviam-me esquecido, por isso arrisquei erguer-me sobre um cotovelo, mantendo a posição de adormecido, não fosse algum dos pedreiros olhar em minha direção e ver-me acordado. O interesse em manter-me adormecido fora tão grande, que eu não duvidava que fossem capazes de matar-me, caso percebessem que eu via tudo que faziam e diziam.

Ao chegarem juntos à porta da tenda de Jerubaal, o chefe dos visitantes virou-se para ele e estendeu-lhe o malhete, dizendo, em voz grave:

— Está em boas mãos.

Jerubaal baixou a cabeça, profundamente comovido com o gesto. Colocando-se ao lado do visitante, disse, com voz trêmula:

— Irmãos pedreiros, estamos seguros?

Um dos homens que o ladeavam olhou cuidadosamente a fileira de homens que estavam atrás de si, que imediatamente fizeram um estranho gesto com suas mãos e pés. O pedreiro que tinha sido questionado virou-se para Ragel e disse:

— De meu lado não há ninguém que não seja pedreiro.

Ragel, com seus olhinhos quase fechados, olhou para os homens de seu lado, e todos fizeram também o gesto que eu não consegui entender, e disse, em voz bem alta:

— De ambos os lados não há ninguém que não seja pedreiro, irmão mestre.

Jerubaal ergueu os braços em ambas as direções e todos se puseram com as mãos atrás das costas, olhando-o em silêncio:

— Irmãos, estes são vossos irmãos pedreiros de Jerusalém: estendei-lhes vossa amizade e fraternidade como eu o fiz com meu irmão Ananias.

Os pedreiros do acampamento viraram para os que haviam vindo com Ananias e da mesma forma os abraçaram e beijaram na face esquerda. Seu chefe, com voz muito grave, perguntou a Jerubaal:

— Posso dirigir-me aos homens sob vosso comando, irmão?

— É vosso privilégio, irmão. Fazei uso dele.

Ananias usava a língua do Império, mas eu sentia em sua maneira de expressá-la um estranho eco das coisas que ouvira em casa de meu pai, velhas histórias contadas semana após semana em uma língua que eu me tornara incapaz de entender e de falar. Fora desse lugar que minha família havia vindo, meus avós aqui haviam nascido, e uma estranha familiaridade me cobriu quando ouvi a voz desse homem:

— Vós não imaginais, irmãos pedreiros, o quanto vossa presença aqui nos alegra. Há momentos da vida em que quase chegamos a duvidar que existam outros como nós. Mais do que as coisas de que necessitamos e que nos trouxestes, é a vossa fraternidade que nos faz grande falta, e que hoje nos enche o coração de justa alegria. Só podemos devolver-vos o que nos trazeis com aquilo de que somos guardiões, por nossa própria escolha. Segui-nos: o lugar para onde vamos não fica muito longe daqui, e lá podereis conhecer e entender de onde vem a tradição da qual todos fazemos parte, e que nos une, não importa onde estivermos.

Dito isso, Ananias tomou o braço de Jerubaal e atravessou de novo as fileiras duplas, que foram se desmontando e remontando atrás deles, seguindo para a saída do acampamento, ali deixando alguns poucos irmãos que se dispuseram a fazer a sentinela de nossos haveres. Os archotes foram se afastando na escuridão, e seu clarão continuou sendo visto, mesmo muito tempo depois que já se haviam ido do acampamento.

Os guardas eram membros da caravana, e com eles haviam ficado alguns outros, habitantes dessa cidade destruída: com alegria, começaram a conversar à beira do fogo, avivando as brasas e partilhando a comida que ainda restava nos grandes pratos à beira do lume. Eu, deitado perto de Daruj, à beira de uma das grandes tendas, comecei lentamente a puxar-lhe a borda, formando com seus panos um monte que ocupasse o lugar onde eu estava, pois pretendia seguir os pedreiros que haviam saído dali para conhecer aquilo que Ananias mencionara. A escuridão se adensava quanto mais longe da fogueira estávamos, sendo suficiente para que eu, movendo-me com enervante lentidão, conseguisse finalmente entrar na tenda, deixando de fora meu amigo e um monte de areia coberto por meu manto. Várias vezes os guardas olharam em nossa direção, mas os roncos de Daruj os convenceram de que estávamos ambos imersos em sono profundo: Quando algum tempo passou sem que olhassem em nossa direção, senti-me seguro o suficiente para esgueirar-me pelo fundo da tenda, afastando-me pela terra empedrada do solo até uma boa distância, fazendo uma grande curva pelo lado do acampamento até estar longe o suficiente para me pôr de pé.

Estava encostado a algumas paredes de pedra, na borda das quais havia restos de madeira queimada e pedaços de metal incrustados na pedra, como se aquilo tivesse sido um imenso portão, destruído pelo fogo. Olhando para o alto, tentando encontrar um ponto de referência para poder voltar quando precisasse, divisei os restos de uma torre circular. Avancei um pouco mais, tateando a parede com a mão direita, e de repente o muro terminou no ângulo de uma parede que margeava um caminho ascendente, no fim do qual eu podia ver o brilho dos archotes do grupo de pedreiros que devia seguir.

Estava indo em busca do que queria saber, movido exclusivamente pela curiosidade que me despertara, como não fizera meu camarada Daruj, bêbado e adormecido. Tinha certeza de que finalmente saberia o que os pedreiros me haviam ocultado todo o tempo: mas nunca, nem em meus sonhos mais alucinados, poderia imaginar o que estava por experimentar, quanto mais as revelações que me seriam feitas sobre o mundo em que vivíamos, sobre mim mesmo e sobre meu inacreditável futuro.

Capítulo 11

Se é verdade que ninguém pode fugir de seu futuro e que tudo está escrito, também é verdade que cada um de nós é muitos, cada um com uma história a ser vivida, e em certos momentos deixamos de ser quem éramos para nos transformarmos em outro, daí em diante vivendo a vida deste outro como se jamais tivéssemos feito coisa diferente. A existência do homem no Universo é assim, um livro feito de todas as histórias, em número tão infinito quanto as estrelas do céu. Quando uma delas chega a um ponto crucial, sempre existe a possibilidade de mudar-se de história, folheando esse livro e seguindo daí em diante do ponto onde a vida nos tiver feito abrir suas páginas. Nada é inesperado ou acontece sem motivo, contudo: não nasce uma tamareira em frente à porta de uma casa sem que, um dia, tenha ali sido plantado o caroço de uma tâmara.

Caminhei com cuidado atrás da procissão de pedreiros, e depois que atravessaram o muro de pedras gigantescas, cruzando um portal encimado por uma enorme trave de pedra onde o tempo quase apagara a imagem de dois peixes, ainda mantive distância segura. A reação deles à minha presença decerto não seria gentil: eu pretendia descobrir o mais que pudesse, retornando ao acampamento antes que eles o fizessem.

Estávamos no alto de uma elevação coberta por pedras finamente trabalhadas, sem qualquer obstáculo ao caminhar a não ser os restos de muros de outras construções, de que esse grande terreno um dia fora coberto. Era a minha sorte: com a pouca luz de que dispunha, qualquer tropeço teria sido fatal. O pior era a sensação de estar sendo espreitado por centenas de olhos ocultos na escuridão, e tomei ainda mais cuidado, tateando com a ponta da sandália à minha frente, enquanto mantinha os olhos fixos nos archotes à distância. A procissão de pedreiros fazia um caminho estranho, sempre desviando em ângulo reto à direita, em espiral. Subitamente pararam, depois de galgar duas grandes plataformas. Ocultei-me no espaço entre a primeira e a segunda, observando o caminho desses homens misteriosos. À luz trêmula das chamas, vi que atravessavam restos de paredes grossas, feitas de blocos de pedra aparelhados, que haviam sido derrubados de cima de outros, como restos de um brinquedo gigantesco destruído por um deus louco. Havia marcas de fogo em todas as pedras, e uma grande mancha negra no chão, como se ali houvesse sido acesa uma grande fogueira. No centro desse piso, algumas braças antes de um largo degrau solitário, havia um enorme buraco quadrado, ao lado do qual jazia uma grande pedra de espessura exagerada, que certamente precisara dos esforços combinados de mais de vinte homens para ser retirada da boca da abertura, pela qual brilhava a luz de outros archotes. Os pedreiros, em ordem, começaram a descer para o subterrâneo por meio de duas escadas de mão, apoiando mãos e pés nas traves horizontais que formavam seus degraus. De onde eu estava, não fazia idéia da profundidade desse subterrâneo, e quando todos os homens finalmente o adentraram, aproximei-me vagarosamente, cuidando que não houvesse algum guarda que me pudesse descobrir. Arrastei-me pelo solo, chegando finalmente à boca dessa cova, e me debrucei sobre ela.

Era uma sala de altura bem grande, o piso formado por quadrados de pedra brancos e negros, à volta de um bloco de pedra que era apenas a ponta visível de um enorme rochedo enterrado no solo. Em volta dele se aglutinavam os pedreiros, em imobilidade total, as mãos caídas ao longo do corpo, olhando com toda a atenção para Ananias e Jerubaal, colocados lado a lado na face leste da sala: desta vez, era Ananias quem segurava com a mão direita o malhete de madeira sobre o peito. Os dois grupos no espaço entre as paredes e a grande pedra eram formados por uma fila de pedreiros mais velhos, atrás dos quais se acumulavam, em ordem, os pedreiros mais jovens. No centro da fila dos mais velhos, estavam, dividindo-a, Ragel à minha esquerda, e à minha direita o homem que chegara com Ananias. Cada um dos dois levava também um malhete, cruzado sobre o peito, e isso me fez entender que essa ferramenta dos pedreiros era um símbolo de autoridade. Firmei minha atenção quando Ananias pigarreou, limpando a garganta, e disse aos que ali estavam:

— Esta é a vida dos pedreiros: ver, ouvir, calar; observar, aprender, fazer; ensinar o que é certo, corrigir o que é errado, alegrar-se por saber a diferença entre um e outro.

Essas estranhas palavras me encheram de sentimentos tão controversos, que eu nem tinha palavras para descrevê-los. Ainda era criança, mesmo me acreditando adulto, e nesse momento me senti fraco e atemorizado, lidando com coisas que não conhecia e de cujo poder não fazia a menor idéia. Já não me podia mexer: tinha que ficar imóvel, tentando ser o mais invisível que pudesse. Se me fosse dado voltar atrás, juro que beberia o vinho preparado e acordaria no dia seguinte sem nada saber nem desejar. Impossível: o livro da vida, ainda que com infinitas histórias, só pode ser folheado para a frente. Nunca se volta atrás, embora sempre seja possível corrigir os erros da história anterior, de uma forma ou de outra. Eu jamais havia pensado nisso e sentia uma força desconhecida dentro de mim: dividido entre o temor do novo e a curiosidade sobre o que o futuro me reservava, abandonei quaisquer dúvidas. Se ali chegara, ali devia permanecer até que descobrisse o que ainda não conhecia.

Os pedreiros se postaram de frente para Ananias e Jerubaal, com a mesma estranha posição de mãos e pés que eu havia visto no acampamento. Jerubaal também estava na mesma posição, de olhos fechados, perfeitamente concentrado, enquanto Ananias, com sua voz grave de impressionante volume, dizia:

— Estão por terminar as dez semanas de anos da profecia, irmãos pedreiros: o cativeiro dos filhos de Israel está por findar, e a marca desse momento será a reconstrução do Templo que um dia se ergueu em toda a sua glória no terreno sagrado acima de nós. A ignorância de alguns e a brutalidade de outros foram as causas de sua destruição, e ainda há filhos de Israel no cativeiro. Temos trabalhado por sua libertação, mas nem sempre nossos esforços são reconhecidos. Nossa luta contra o erro não tem fim: por isso, devemos desconfiar de tudo e de todos, tanto dos inimigos quanto dos próprios irmãos, até que a profecia seja cumprida. Enquanto os devotos de Yahweh sofrem no cativeiro, mesmo entre eles existem os que não compreendem nossos propósitos, e tentam impedir que cumpramos nossa tarefa.

Eu tremia de medo: se me encontrassem, certamente estaria perdido. No entanto, ainda maior que o medo era a fascinação por esses homens que nunca antes vira, e cujos hábitos me encantavam.

— O Templo há de ser reerguido em toda a sua glória, pois só assim Yahweh retornará à sua morada, bendizendo a terra de Israel, que com Sua ausência transformou-se em terreno morto. Nós, pedreiros, que um dia erguemos o antigo Templo, hoje somos artífices de sua reconstrução. De nós depende o cumprimento da profecia. Preparemo-nos!

A voz de Ananias ecoava nas paredes do subterrâneo, e eu admirei a tenacidade desses que viviam em miséria absoluta, aguardando o instante em que uma profecia se cumprisse. Eram como meu pai: viviam em um mundo de fantasia, sugando os ossos do passado sem perceber que já eram ossos secos, mortos, sem tutano. A capacidade de iludir-se é infinita, porque nenhum homem é capaz de viver sem algum tipo de ilusão, mas naquele momento, olhando por sobre a borda de um buraco para o grupo de indigentes com delírios de grandeza, fiquei desapontado: então era esse o segredo dos pedreiros? Estavam todos crendo ser mais do que realmente eram, sem conseguir enxergar a dura realidade em que realizavam seus rituais sem sentido?

Ananias ergueu seus braços para o alto, os dedos unidos de forma desusada, e, fechando os olhos, proferiu a oração que eu ouvira diversas vezes, mas nunca na língua franca do Império. Meu pai sempre a dizia na língua antiga que meu coração renegara:

— Deus, a alma que me deste pura, Tu mesmo a criaste, Tu mesmo a formaste, Tu a sopraste em mim, Tu a conservas em mim e Tu um dia a tomarás e a mim a restituirás na vida futura. Em todo o tempo que essa alma estiver em mim, confessarei que és meu Deus e Deus de meus pais, que és o Supervisor de todas as obras e o Senhor de todas as almas. Bendito sejas Tu, Eterno, que restituis as almas dos mortos.

No exato momento em que a palavra "mortos" foi proferida, uma mão caiu sobre meu ombro, erguendo-me com violência de onde estava, enquanto meus olhos eram tampados. Ouvi as vozes nervosas dos que estavam dentro do subterrâneo: um pano negro me cobriu a cara e fui virado de cabeça para baixo, pendurado pelos pés e enfiado pelo buraco, enquanto o alarido das vozes crescia assustadoramente. Dezenas de mãos me apanharam, e fui jogado de um lado para o outro, até ser finalmente atirado ao chão. O pó de pedra me entrava pela boca, fazendo-me arquejar e tossir. O barulho crescia até o limite do insuportável, mas, antes que eu me pusesse a gritar, fez-se um silêncio súbito, durante o qual eu só ouvia as batidas do coração em meus ouvidos. Haviam dito que deviam desconfiar de todos, e eu invadira seu segredo: não sabiam que eu seria capaz de qualquer coisa para que não me matassem, aceitando qualquer condição que me impusessem. Eu sentia a ira dos que me cercavam: lentamente me soergui e ajoelhei, mas, antes que conseguisse tirar o pano de cima do rosto, uma mão forte me rojou ao solo, e lá fiquei eu, ajoelhado, com a cabeça entre as pernas, novamente respirando o pó de pedra.

A voz portentosa de Ananias soou acima de minha cabeça:

— Quem é esse temerário que se arrogou o direito de forçar sua presença neste Templo? Como chegou até aqui? Quem o guiou até nós?

Ninguém respondeu. O medo me transiu o coração, e as lágrimas começaram a correr de meus olhos, enquanto soluços incontroláveis saíam de minha boca. Uma voz às minhas costas gritou:

— Cala-te, invasor!

— Suspende tua espada! — Era o que eu temia: alguém às minhas costas estava pronto para desfechar-me o golpe fatal, separando-me a cabeça do corpo. Ananias, após essa última ordem, caminhou até mim. Ouvi o ruído de seus passos e percebi quando parou à minha frente, pondo a mão em meu ombro e dizendo-me, em voz firme:

— Ergue-te.

Confesso que hesitei: mas a ordem que ele me dava era irrecusável. Levantei-me sobre um joelho e depois, sem nada enxergar, pus-me de pé. Minha vontade era rojar-me ao solo, pedindo perdão, assegurando a todos que nenhum mal pretendia. O medo era maior que essa vontade, e permaneci de pé, sentindo o peso de inumeráveis olhos sobre mim. À minha frente estava Ananias, que falou:

— Que desejas aqui, profano? Desde quando estás observando nossos mistérios?

Minha voz saiu trêmula, fina, aterrorizada. Eu era um fantasma de mim mesmo:

— Perdão, mas não pretendia nenhum mal! Só fiquei curioso com vossos segredos, e vos segui até este lugar.

— Mas o que viste???

— Eu vos vi reunidos em três lados desta sala, nada mais.

— Não mintas para nós! O que mais viste? O que ouviste?

Não havia maneira de escapar, por isso contei-lhes à minha maneira o que tinha visto, sua postura, gestos, as frases que tinha ouvido. Ao terminar, o silêncio era gelado. Estava perdido: só me restava ouvir a sentença de minha execução nesse lugar inóspito. Imagens de minha existência passavam por minha cabeça, a Grande Baab'el, meu pai, Bel'Cherub e Na'zzur rindo de minha desgraça, meus amigos, os braceletes azuis que nunca fôramos capazes de roubar, Sha'hawaniah e sua inesquecível dança, que tanto prazer me dera. A mesma mão forte me empurrou para o chão, curvando-me outra vez, e aguardei o assovio da lâmina atravessando o ar antes de cortar meu pescoço. Soltei um grito e tremi, pela última vez em minha vida ouvindo a voz de Ananias:

— Ele já conhece mais sobre nós do que poderíamos aceitar. Nossa tradição é clara: quando um profano invade nossos templos e toma conhecimento de nossos segredos, só existe uma alternativa.

Um silêncio, terrível, insuportável, e Ananias proferiu uma inesperada sentença de vida:

— Preparemos o invasor para ser iniciado. Ele será um de nós.

Não compreendi nada. Com que então eu invadia uma reunião secreta, vulnerando seus mistérios, e o único castigo que me dariam era fazer-me um deles? Inaceitável! Não era assim que o mundo funcionava! Traições são sempre punidas com a morte ou a escravidão. Meu lugar entre eles seria certamente o mais ínfimo de todos, com tarefas vergonhosas e sem importância a executar, para que pagasse eternamente por meu crime, ansiando pela morte que me libertaria. Eu temia a morte acima de tudo, e, mesmo com a possibilidade de um futuro de sofrimentos e de dor, me regozijei por estar salvo. Avancei minhas mãos e toquei os pés de Ananias, em um agradecimento mudo, mas ele rapidamente tirou os pés de meu alcance e gritou:

— É preciso, no entanto, segundo nossas tradições, que ele seja recomendado por três dentre nós. Alguém o conhece, alguém sabe quem seja, alguém tem algo a dizer que o torne merecedor de ser um irmão pedreiro?

Minha esperança se desvaneceu: quem dentre essas pessoas que não me conheciam teria algo a dizer sobre mim? Não haveria ninguém: ofendidos por minha invasão de seu reduto, nada de bom diriam sobre minha pessoa. Nunca conhecerá ninguém capaz de dizer uma palavra boa a favor de quem quer que fosse: cada um tratava de seus próprios negócios, sendo esta a lei da Grande Baab'el, mesmo entre amigos. Ninguém se arriscaria por mim, desconhecido, invasor, mendigo, a quem fora dado teto, trabalho, alimento e água, que pagara com a moeda torpe da traição. Meu coração novamente se encheu de trevas, esperando pelo pior.

O pior não veio: em vez disso, ouvi uma voz conhecida, dizendo:

— Eu tenho.

Uma outra voz disse:

— Mestre, um dos pedreiros de minha região se dispõe a falar pelo candidato.

Ananias, suavemente, respondeu:

— Podeis conceder-lhe esse direito, irmão.

E com um ruído de pancada na pedra, a segunda voz disse:

— Podeis falar, irmão Jael.

Jael, o jovem pedreiro com quem eu tinha feito uma amizade inesperada, dispunha-se a falar em meu favor. Como de costume, eu me enganara, e atordoado ouvi suas palavras de empenho por mim:

— Posso falar por ele, mestre. Temos convivido diariamente pelo tempo de nossa viagem até aqui, e ele sempre demonstrou interesse em nossa maneira de viver. Apesar de poder fazer como tantos outros, que insistem em saber nossos segredos e não param de nos incomodar com perguntas sem sentido, ele nunca o fez.

— Fez pior, hoje. — Uma voz de escárnio lançou esta frase no ar, e a assembléia assentiu, com murmúrios de concordância. Jael, no entanto, aumentou o volume de sua voz:

— Certamente o fez, mas movido por uma curiosidade saudável e nem um pouco mesquinha, meus irmãos. Ele sempre nos respeitou, e tudo que lhe podia ser ensinado sem ferir nossos segredos, ele aprendeu rápida e interessadamente: nunca recusou qualquer tarefa, nem reclamou das difíceis condições da viagem, que enfrentou com resignação e coragem.

— Qualidades de que raros homens podem se orgulhar. Mas ainda não basta. Alguém mais tem algo a dizer sobre o candidato?

Outro longo silêncio. Seria possível que ninguém tivesse mais nada a dizer em meu benefício? Eu não seria merecedor da misericórdia de mais ninguém?

Uma forte batida do outro lado do subterrâneo me fez saltar. Ananias, com a mesma suavidade, disse:

— Podeis falar, irmão Ragel.

O pequeno médico de face enrugada, que estava sempre com os olhos apertados postos sobre mim, falou, com voz descansada:

— Venho observando esse jovem nos últimos dois meses, desde que se uniu a nós em Erech, quando ele e seu camarada surgiram das ruínas para aquecer-se em nossa fogueira. Com eles dividimos nosso alimento e roupas, e eles nos concederam o benefício de sua força. Cheirei nesse que aqui está alguma coisa especial, que não consigo definir, e por isso me responsabilizei por ele. Se cometeu algum erro, que a responsabilidade desse erro seja minha. Assumo esse dever sem medo, pois o que o moveu é mais que a simples curiosidade, e o que ele tem dentro de si o torna capaz de ser um de nós, se assim o desejarmos.

Suspirei aliviado, ainda não totalmente sem medo. O que era tudo isso? Se eu estava sendo observado com tal atenção, talvez esse homem soubesse mais sobre mim que eu mesmo.

Ananias falou, com tristeza na voz:

— Nem sempre nossos desejos são garantia, irmão Ragel: por mais que tenhamos cuidado com aqueles a quem fazemos unir-se a nós, não têm sido poucas as vezes em que nos enganamos redondamente. Quantos temos visto que pareciam excelentes candidatos e que afinal não eram mais que dissimulados, desejando apenas o poder que os que nos caluniam dizem possuirmos? Seria este jovem um desses dissimulados?

— Creio que não, mestre. Como bem disse o irmão Jael, a curiosidade que o trouxe até nos é fruto do acaso que o pôs em nosso caminho, e me parece muito saudável. Se assim não fosse, com ele aqui estaria certamente o seu companheiro de viagem. Que motivo se não a lisura de seus propósitos o faria excluir seu amigo mais íntimo da busca por nosso segredo? Por que não conspiraram ambos na execução dessa tarefa? Creio que o que move o jovem é um sentimento positivo, e falo pela segunda vez a favor dele.

Nunca pensei que se podia resolver as questões da vida dessa maneira: acostumado a agir por impulso, não percebia como uma questão de vida e morte pudesse ser tratada sem nenhuma emoção violenta, apenas colocando fatos ao lado de fatos e tirando conclusões lógicas sobre os mesmos. Já me sentia quase aliviado, quando Ananias disse:

— Pois muito bem: temos duas opiniões favoráveis. Precisamos de uma terceira. Alguém mais fala a favor do candidato?

Não havia ninguém: eu não tinha tido contato íntimo com mais ninguém da caravana, apenas Ragel e Jael. Se houvesse mais alguém, sem dúvida ja teria se manifestado. Mas o silêncio era total. Ananias ergueu novamente a voz e falou:

— Pela segunda vez, pergunto: existe mais alguém que queira falar a favor do candidato?

Mais silêncio, seguido de um murmúrio surdo, como o zumbido de abelhas que se armam antes de sair e ferroar os inimigos em defesa própria. Comecei a desejar ansiosamente que alguém, mesmo que falsamente, falasse em meu favor: mas a certeza de que isso nunca aconteceria me esmagava o peito. A pausa foi imensamente longa, e Ananias, com voz estentórea, gritou:

— Pela terceira e última vez, pergunto: existe mais alguém que queira falar a favor do candidato?

Às minhas costas, uma voz conhecida se fez ouvir:

— Eu quero!

Um grito de alívio escapou de todas as bocas, inclusive a minha. E foi com surpresa incalculável que finalmente percebi o que se passava, pois Ananias, ele próprio tão aliviado quanto todos nós, gritou:

— Podeis falar, irmão Feq'qesh!

Feq'qesh! Impossível! Meu mestre prometido, o homem que me havia mostrado um sentido para a vida, acenando com a música como ferramenta para minha felicidade, transformada em uma impossibilidade no turbilhão de acontecimentos que se seguiram! Como ele teria chegado até esse lugar?

ZOROBABEL

Uma saraivada de batidas de malhete, provavelmente nas paredes de pedra que nos cercavam, acompanhou a entrada de Feq'qesh, e quando cessou ouvi a sua voz à minha frente, ao lado esquerdo de Ananias, soando bela e educada como quando eu o ouvira cantar pela primeira vez, na suja Taberna do Boi Gordo:

— Eu conheço o candidato há mais tempo que todos vós, meus irmãos: somos da mesma Grande Baab'el, capital do Império da Babilônia, onde a iniqüidade floresce graças à destruição de outros homens, cidades e povos. É um jovem de valor: da última vez que nos vimos, preferiu enfrentar um destino adverso a abandonar os amigos que lhe eram caros. Que maior prova de capacidade fraterna pode haver do que essa que o colocou em perigo extremo, apenas para que seus amigos não tivessem que sofrer sozinhos? Eu o testei, nesse momento: mostrei-lhe a possibilidade de fuga e lhe disse "Vai! Foge! Ocultarei teus passos!" Ele não o fez, porque seu instinto é o da cooperação, mais que o da competição, maior até mesmo que o da sobrevivência. Homens como ele nunca recuam, e sempre fazem aquilo que deve ser feito, mesmo à custa de sua própria vida. Em meu espírito não resta nenhuma dúvida: falo pela terceira vez a favor do candidato.

A audiência reagiu com alegria à fala de Feq'qesh, e eu, ainda em trevas, sentia uma imensa sensação de liberdade, e da garganta me escaparam soluços de alívio. Nunca percebera que no mundo tudo é causa e conseqüência, e nada que façamos ou recusemos fazer deixa de ser causa de outro acontecimento mais à frente. Meu espanto era grande: como este homem surgira assim tão inesperadamente, pronto a ceder de si a boa palavra de que eu necessitava? A coincidência que o colocava ali, naquele exato instante, era uma dessas que nunca mais aconteceria. Eu ainda não sabia que, no Universo Vivo, as coincidências são simplesmente a maneira como o Criador age quando não quer se identificar. Feq'qesh não surgira apenas para dar testemunho de um valor que eu não sabia ter. Ele também tinha uma missão a cumprir: a diferença entre nós dois é que ele sabia disso.

Os ruídos haviam se transformado: não havia mais a tensão que eu percebera desde que fora brutalmente imobilizado. À minha volta vibrava uma onda benfazeja que eu nunca antes experimentara, como se cada um que ali estava pudesse projetar em minha direção o que sentia e pensava sobre mim. A percepção disso me deixava quase sufocado: Ananias aproximou-se de mim e retirou-me o pano de sobre a cabeça:

— Costumamos iniciar nossos novos irmãos com os olhos cobertos, para que só nos vejam depois que já forem parte de nós. Tu conseguiste ver mais do que um profano, portanto seria um contra-senso tratar-te como se ainda fosses um deles. Estás a meio caminho: viste, e não sabes o que viste. No entanto, ainda que possas enxergar o lugar onde estás, é preciso que recebas a marca da Verdadeira Luz, sem a qual ninguém pode considerar-se pedreiro.

O subterrâneo era impressionantemente grande, quanto visto de dentro: inúmeras mãos haviam mordido o rochedo, com seus cinzéis, e as pequenas marcas de sua tarefa formavam um padrão miúdo sobre as paredes e o teto, no qual a fuligem de incontáveis archotes se acumulava. O chão, à volta da pedra que se erguia até a altura de nossa cintura, era bastante gasto pelos incontáveis pés que o haviam pisado, e tão perfeitamente unido à pedra que circundava, que parecia ter nascido assim.

— Este subterrâneo — entoou Ananias —, chamamo-lo Poço das Almas, e tem sido o lugar de reunião dos pedreiros desde que o rei David, nosso primeiro protetor, recebeu a tarefa de erguer o Templo de Yahweh na terra acima de nós. Não o fez, por ter falhado com o Deus que lhe concedeu esta bênção, deixando a tarefa para seu filho, Salomão, que foi o principal membro do triunvirato que nos governou até que o Templo estivesse erguido, com Yahweh habitando dentro dele. Salomão, o ungido de Yahweh, também errou, ao prestar homenagens a outro deus que não o seu próprio. O povo de Jerusalém seguiu seu exemplo, e o Deus que morava no Templo o abandonou, tirando a proteção de seu povo escolhido, sentenciando-o a setenta anos de escravidão. Vazio de Yahweh, o Templo foi queimado e derrubado, e suas pedras espalhadas em toda a volta do terreno pelos conquistadores que aqui vieram escravizar o povo judeu, sob as ordens de deuses cruéis e invejosos.

Os pedreiros balançavam seus corpos da frente para trás, lentamente, enquanto um ruído grave crescia em suas gargantas: Ananias narrava esses acontecimentos com a familiaridade de quem já os repetira várias vezes, mas a emoção em suas palavras era genuína:

— A terra sem Deus está morta, até que se cumpra a profecia. Dez semanas de anos haveriam de se passar, até que chegasse o tempo de reerguer o Templo de suas ruínas. E nós, irmãos na pedra, aqui esperamos o momento em que de novo seremos úteis. Temos iniciado nossos novos irmãos, passando-lhes de boca a ouvido os segredos do ofício, preparando-nos para fazer o que deve ser feito assim que chegar a hora. O povo que ainda habita as ruínas de Jerusalém não nos apóia, temendo que nossa tarefa volte a trazer violência, soldados, guerra, prisão, morte: mas é nosso dever, e hoje mais um profano se tornará um de nossos irmãos nesse dever.

Como mais tarde pude me assegurar, a proximidade física entre pedreiros tem o dom de acalmar os espíritos mais agitados: o meu agora experimentava uma estranha tranqüilidade, dissipando a ansiedade de que eu sempre fora vítima. À minha frente, os chefes da estranha assembléia, Ananias e Jerubaal, haviam aberto espaço para Feq'qesh, vestido de maneira tão idêntica à dos viajantes, que por um momento me indaguei se ele não estivera o tempo todo conosco, atravessando o grande e inóspito deserto. Meu mestre prometido me olhava seriamente, mas em seus olhos bailava a chama de uma estranha alegria, como se tudo aquilo tivesse sido planejado, e esse fosse o fim para o qual eu tivesse sido encaminhado.

— Irmãos pedreiros, vossa atenção. — Era Ananias quem assim falava, a voz grave tomando o espaço à minha volta. — Está entre nós um profano que pretende ser iniciado nos Sagrados Mistérios de nosso ofício. Três dentre nós já garantiram sua integridade e capacidade, e peço a todos os Irmãos presentes que, concordando com essa iniciação, expressem tal concordância da maneira usual.

Eu estava de costas, com os olhos presos à profundidade sem fim dos olhos de Feq'qesh, e nem percebi ter havido qualquer sinal de sua aprovação, porque Ananias continuou:

— Então, meus irmãos, sendo pela unanimidade dos presentes, demos início ao ritual.

Fui levado de novo para a parte de trás do subterrâneo, como se tivesse acabado de descer as escadas, e dois homens me ladearam, segurando-me cada um por um cotovelo. Passamos novamente ao lado da pedra que tomava todo o centro dessa sala, e mais uma vez fui colocado frente a frente com Ananias, que me olhava como se estivesse perscrutando o meu íntimo e, sem tirar os olhos de mim, perguntou a quem estava do meu lado:

— Existe uma condição essencial para ser recebido entre nós?

O homem à minha esquerda respondeu:

— Ser livre.

Ananias continuou:

— Mas é tão vergonhoso assim ser escravo, que um homem não o possa nem deva ser?

O homem à minha direita foi quem falou desta vez:

— Nosso juramento nos obriga a lutar sempre pela libertação de todos os escravos. O pior de todos eles, o mais difícil de ser libertado, não é o que foi vencido em batalha e transformado, contra a sua vontade, em servo de algum poderoso, mas sim aquele que vende a própria consciência, defendendo aquilo em que não crê, servindo à tirania de quem o domina, e usando sua inteligência para que este tirano domine outros homens como ele.

Ananias sorriu:

— E o que faz um homem livre?

A assembléia inteira respondeu, a uma só voz:

— Um homem livre procura a Verdade, e a pratica, cumprindo o seu dever.

Aquela frase ecoou fortemente na sala de pedra, causando-me tão profunda impressão no espírito, que pela primeira vez percebi ter sido até esse dia escravo do Império da Babilônia, dos reis e senhores da Grande Baab'el, e até de meus pequenos vícios e desejos sem medida. Por isso, tremi de medo quando Ananias proferiu a mais terrível das perguntas:

— E o candidato é livre, irmãos pedreiros?

Para alívio de minha alma, a assembléia, a uma só voz, gritou:

— Nós assim o afirmamos!

Gritei de alívio: como uma vez na Grande Baab'el já me dispusera a entregar minha vida em troca de tão pouco, agora me sentia disposto a cedê-la sem hesitar para ser parte dessa assembléia que me acolhia. Sentia o verdadeiro desejo de ser parte de alguma coisa, como se para ela tivesse sido criado.

Por que nossa alma raramente percebe não haver medida para as emoções? Nesse momento de alegria, acreditei estar vivendo a maior delas. Reencontrara meu mestre prometido, era aceito em um grupo que me parecia de grande valor: o que mais me poderia acontecer nesse dia de ocorrências inacreditáveis?

O inacreditável, efetivamente, era a minha mais valiosa bagagem, sem que eu soubessse disso, e também o motivo pelo qual uma mão invisível me guiara até esse lugar. Ananias perguntou, com a mesma tranqüilidade de sempre:

— Qual é o nome do candidato? Quem é seu pai? A que povo pertence?

Um instante de silêncio, e Feq'qesh, sem tirar seus olhos profundos dos meus, escandiu as sílabas do nome que eu abandonara quando decidira não mais ser filho de meu pai

— Zerub-ben-Salatiel ha-David!

Outra pausa, e Ananias, que até esse momento não perdera a sua postura hierática, estranhamente virou-se para a esquerda, olhando a face firme de Feq'qesh:

— Ouvimos bem, irmão Feq'qesh? Filho de Salatiel, da tribo de David?

— Exatamente, meus irmãos: o candidato à vossa frente é filho do *rosh'ha'golah* da Grande Baab'el, o último primogênito da tribo de Judah a trazer em suas veias o sangue do Rei David!

Um grito imenso percorreu a assembléia, que perdeu a compostura para erguer as mãos aos céus, proferindo agradecimentos e louvações ao Senhor Yahweh. Eu, perdido em meio a essas manifestações de regozijo, nada percebia, nada compreendia, não tinha sequer uma fagulha de entendimento do que estava acontecendo, enquanto os gritos aumentavam:

— O Rei de Israel! O Sangue de David! A Semente de David que nasceu na Grande Baab'el! *Zerubb'baab'el!* Está entre nós a Semente de Baab'el! Zorobabel! Zorobabel! Zorobabel!

Capítulo 12

Só quando a euforia amainou, houve tentativas de me fazer compreender o que me estava reservado, por motivos rigorosamente alheios à minha vontade e dos quais eu sequer fazia idéia. Meu pai era filho de Jeconias, descendente da casa de David, que viera entre os cativos para a Grande Baab'el: nascêramos nesta cidade, tanto meu pai e seu irmão Sheshba'zzar, que não tinha descendentes, quanto eu e meus irmãos mais novos, dos quais o único outro homem era o caçula Shimei. De todos os descendentes dos cativos trazidos para a Grande Baab'el, apenas nossa família podia dizer-se descendente direta de David: ao que tudo indica, a profecia dizia claramente que o sangue de David reconstruiria o Templo de Yahweh, salvando Jerusalém do esquecimento entre as nações do mundo. Quando Feq'qesh revelou meu nome aos irmãos, eles se comportaram como se tivesse acontecido um milagre. Eu não me senti assim: não reconhecia nessa revelação nenhum tipo de intervenção divina. Com sinceridade, achei tudo extremamente exagerado. Entre esses homens dos quais ainda não era irmão, já que a revelação havia interrompido a cerimônia de iniciação, apenas eu e Feq'qesh havíamos nos comportado normalmente: eu, por não entender patavina do que acontecera, e Feq'qesh, por saborear a seu próprio modo o momento que criara com sua revelação. Não entendo por que o sangue que corre nas veias de alguém possa trazer mudanças tão radicais: acostumado a conseguir por meu próprio esforço qualquer coisa que desejasse, nunca havia me preocupado com os motivos pelos quais alguém nasce rei e outro alguém não. As marcas que Deus coloca sobre os homens costumam ser de outro tipo: amigos sempre me importaram mais que parentes, e talvez por isso eu tenha preferido ser parte dessa irmandade de pedreiros. Se algum dia me tivessem perguntado o que me interessava mais, um irmão ou um amigo, eu diria "um amigo", porque amigos nós mesmos escolhemos, e irmãos, temos que aceitar os que a vida nos dá. Laços de sangue nunca tinham sido minha prioridade, e sempre que pude escolher entre meus amigos aqueles que me interessava ter como irmãos, fui muito mais feliz.

A cerimônia de iniciação entre os pedreiros do Templo de Jerusalém se interrompeu depois da revelação inesperada, e a partir desse instante todos passaram a me tratar como se eu fosse o supra-sumo da criação humana: pela minha própria natureza profundamente incrédula, eu me sentia envergonhado com qualquer tratamento que me destacasse dos que estavam a meu lado. Não acreditava no que diziam sobre mim, porque não me via como esse fenômeno caído dos céus no momento exato da consumação de uma profecia: mas, se os pedreiros de Jerusalém assim o desejavam, que assim fosse. Seria irmão desses homens, como muitos antes de mim o tinham sido, através de rituais cujo significado não me era claro, e ainda teria grande trabalho até sua compreensão, porque meu espírito nesse sentido era muito pobre, incapaz de qualquer vôo mais alto.

Feq'qesh desapareceu de minhas vistas depois da cerimônia interrompida: eu soube que ficaria conosco no acampamento, mas quando o sol começou a raiar por detrás das montanhas enevoadas a leste da cidade, nem ele nem Jerubaal retornaram conosco às tendas. Antes de qualquer coisa, ele teria que explicar de que maneira aparecera do nada para salvar-me do destino, e mais uma vez mudar-me a vida de maneira tão absoluta. Voltando ao acampamento, despedi-me de meus novos irmãos como se já fosse um deles, mesmo não estando totalmente iniciado em seus mistérios. O pequeno conhecimento que tinha fora ganho apenas por minha ousadia e curiosidade, não pelo direito do sangue que me corria nas veias. Entrei na tenda onde Daruj ressonava, envolto no sono do vinho batizado com ervas, e me arrumei silenciosamente a seu lado, para que ele não percebesse minha ausência durante a noite. Foi impossível conciliar o sono, não só porque a luz começava a ser a cada instante mais forte, mas também porque minha cabeça andava à roda. Eu tinha certeza de que, se dormisse, acordaria para ver que tudo não fora mais que um sonho, desses tão reais que ainda permanecem em nós por muito tempo depois que acordamos. Não conseguia compreender que motivos teria para aceitar ser rei: essa realidade, sim, me parecia mais ilusória que qualquer outra, porque tinha muito pouco valor. O país era pobre, decadente, sem nenhuma riqueza aparente ou oculta, ocupado por um povo invisível, e os planos de ser rico e poderoso em terras do Faraó ainda me pareciam muito mais interessantes.

Determinadas coisas custam a entrar no coração, e quanto mais insólitas são, maior é o tempo que levam para ser assimiladas. Devo ter cochilado, porque repentinamente dei acordo de mim meio sufocado, piscando na luz difusa do dia enevoado, recordando a figura de Sha'hawaniah dizendo: — "O que queres, não posso te dar, tu bem o sabes... minha Deusa exige que eu só seja tocada por um rei... ah, se fosses rei... tudo terias de mim..."

Um baque em meu peito quase me fez perder a respiração. Se eu fosse rei? Mas eu o era! Haviam dito que eu o era, e por direito de sangue, indiscutível! Não importa de que reino, com que valor, para que fim, mas eu era! Num repente, em meu coração começou a brotar a certeza de que o destino me havia feito rei para que eu pudesse usufruir de Sha'hawaniah. Minha realeza só agora começava a fazer sentido, e minha felicidade precisava ser partilhada com alguém. A meu lado ressonava, com a cara franzida, meu companheiro de aventuras e viagem, suando no calor de mais uma das opressivas manhãs de Jerusalém. Sacudi-o com a familiaridade dos amigos íntimos, e ele afastou minhas mãos com um muxoxo gutural, abrindo um olho em minha direção:

— Ah, és tu, pequeno chacal?

Daruj se ergueu, bocejando e esfregando a cabeça onde os cabelos já haviam crescido e coçando a barba de alguns dias, que lhe deixava uma sombra escura no rosto. Ao perceber isso, passei a mão em minhas próprias faces, sentindo a aspereza dos duros fios curtos que me tomavam a face, dos zigomas para baixo. Como os pedreiros não partilhavam do hábito babilônico de raspar a barba, nos havíamos esquecido dela, e eu devia estar uma figura desagradável. Fiz uma anotação mental para me escanhoar assim que pudesse, pois um verdadeiro rei não pode se mostrar dessa maneira pouco exemplar a ninguém. Daruj se dirigiu ao odre mais próximo, seguido de perto por mim: abriu o gargalo e, erguendo-o acima da cabeça, derramou sobre si mesmo uns bons dois ou três batos de água, sacudindo-se ao sol como um cão que tivesse caído ao rio, deixando a gola e o peito de suas vestes empapados. Pensei em impedi-lo, mas achei que ambos merecíamos o prazer da coisa mais parecida com um banho que pudéssemos ter. Tomei-lhe o odre das mãos e derramei-o sobre minha cabeça também enevoada, despertando de vez com o choque do líquido. Segurando o odre pelo fundo, atirei um tanto de água sobre Daruj, que se jogou em minha direção, tentando me impedir de continuar a brincadeira. O odre caiu ao chão, e a areia começou a absorver a água preciosa: eu e Daruj nem vimos, envolvidos na briga falsa em que estávamos envolvidos, com a alegria que sempre fora nossa companheira, mas que em mim hoje tinha novas e mais profundas razões. Subitamente, uma voz nos assustou:

— Mas como podem desperdiçar água dessa maneira?

Era um pedreiro mais velho, com as mãos na cintura, andando em nossa direção, passos firmes e apressados. Demos um salto, um para longe do outro, e a coisa mais estranha aconteceu: ao me reconhecer, a face do pedreiro se cobriu de uma mistura de receio e preocupação, e ele se curvou, dizendo:

— Perdão, senhor....

Suas mãos se dirigiram hesitantemente ao odre que se derramava, tateando-o sem tirar os olhos de mim, fazendo-me perceber que o "senhor" a quem ele se havia tão respeitosamente dirigido era eu, e que, se a minha vontade fosse derramar toda a água do mundo, ela seria respeitada. Curvei-me antes dele e peguei o odre, tampando-o, e o pedreiro, curvando várias vezes a cabeça, deu alguns passos para trás, levando o odre e desaparecendo por detrás da tenda. Fiquei rindo na luz da manhã cada vez mais clara, e ao virar-me vi um Daruj cheio de incompreensão absoluta: ele repetiu de sobrecenho comicamente franzido a palavra que saíra da boca do pedreiro:

— Senhor? Como assim, "senhor"?

Chegara o momento de contar o que tinha me acontecido. Coloquei a mão no ombro de Daruj e não desviei os olhos dele enquanto lhe narrei tudo o que se passara desde a hora em que nos haviam servido o vinho, minha perseguição disfarçada aos pedreiros, minha entrada no subterrâneo, o momento em que fora descoberto e o ritual, que citei sem entrar em detalhes. Daruj refletiu no rosto todas as emoções que eu lhe causava, experimentando cada uma das minhas ações e cada um dos problemas que a mim se tinham apresentado. Sempre fora assim: narrativas entre nós tinham sabor de coisa vivida, e Daruj, por sua ousadia, sempre tinha mais coisas para nos fazer reviver, cada um à sua maneira. Pela primeira vez em muitos anos, eu estava no lugar do narrador, partilhando com meu amigo o que me acontecera, e que a cada instante me soava mais e mais incrível. Quando revelei minha identidade de último primogênito da casa de David, rei de Israel e Judah, o rosto de Daruj foi-se esvaziando de qualquer emoção, ficando vazio como uma parede branca antes que os artistas nela inscrevam os delírios de sua imaginação. O que surgiu nesse rosto, vindo à tona lentamente, como a lama que por vezes explode na superfície de uma nascente limpa, conspurcando-a com sua turva matéria, foi uma emoção da qual nem ele mesmo tinha consciência, e que lá estava tingindo sua face e seus olhos, quase que o transformando em outra pessoa, desconhecida, desagradavelmente nova: a inveja. O sorriso sem cor que ele me deu, quando terminei minha narrativa, foi terrível: o esforço com que seus lábios se distenderam era cheio dessa emoção que eu já tinha visto em tantos outros. Se ao menos ele tivesse mantido os olhos nos meus, eu teria suportado o que vira: seu olhar, no entanto, desviou-se para o chão, para o lado, para o nada, enquanto ele me disse:

— Meus respeitos, senhor Rei de Jerusalém: nem precisou chegar ao Egito para alcançar a fama e o poder....

Meu companheiro de toda uma vida era outro nesse instante: e eu, que nada pretendia fazer sem sua companhia, comecei a temer que também ele me abandonasse. No rosto de Daruj, vi a mesma emoção dos rostos de Re'hum e Sam'sai, e ela envenenava o sangue de Daruj, meu único companheiro remanescente. Era triste, mas era verdade: eu podia sentir os laços que nos uniam se desfazendo um após o outro, enquanto ele dizia:

— Acho pouco para nossos sonhos, pequeno chacal: isto aqui é a lixeira do mundo, uma terra sem valor nenhum. Duvido muito que tu queiras abandonar tudo em nome de uma tradição que nunca te valeu de nada. Eu, se fosse tu, trocaria essa subida honra por qualquer outra coisa de mais importância. É melhor ser súdito de um grande rei que ser rei de súditos tão pequenos: pelo menos, essa é a escolha que eu faria.

— Mas, Daruj, meu irmão, não é uma escolha da qual eu possa escapar assim tão facilmente, não vês? Esses homens dependem de mim...

A gargalhada de Daruj doeu nele e em mim, amarga, áspera. O que ele disse daí em diante foi fonte de infinita tristeza, mostrando que esse trecho da estrada da vida eu trilharia sozinho:

— Cada um de nós nasce para uma determinada coisa, Zerub, e nada pior do que tentar-se ser aquilo que não se é. O que se espera de um rei, mesmo o rei de um reino tão sem valor quanto este, é a capacidade de lutar nas guerras, vencer inimigos, aumentar territórios, acumular riquezas tomadas dos perdedores e defender-se de todos que porventura desejem o seu lugar. Crês que serás capaz disso?

Por mais que fosse a inveja o que impulsionava Daruj, o que ele dizia tinha um fundo de verdade: eu verdadeiramente não tinha as capacidades que se consideravam essenciais a um rei. Mesmo em nossos momentos de aventuras e pelejas, eu sempre fora seguidor, não líder, fora soldado, não general. Nosso comandante, mesmo quando Re'hum e Sam'sai ainda estavam entre nós, era esse Daruj que agora, sobre o chão empedrado da Jerusalém morta, me revelava as verdades da vida:

— Quando te exigirem essas aptidões, o que farás? Dirás que não as tens? Crês que ficará por isso mesmo? O sangue de David, por mais sagrado que fosse, não protegeu nem a ele nem a nenhum de seus descendentes. Por que contigo seria diferente? Reis também são passados no fio da espada. Não viste Belshah'zzar? Não viste seu tio Nabuni'dush? Tens certeza de que sabes ser rei?

— Daruj, meu irmão, para isso eu conto contigo! Não combinamos que, onde um fosse, o outro também iria?

O gesto de rejeição de Daruj foi tão brusco que eu o senti como um abalo em meu espírito:

— Nem pensar! Se tivermos que seguir juntos, sigamos juntos para o Egito, o reino mais rico, mais cheio de oportunidades, aquele onde o sangue só vale se for o dos inimigos, derramado sobre a areia.

— O que desejávamos já nos foi oferecido, e o que esperam de mim eu conto contigo para realizar. Não prometemos um ao outro união eterna até alcançar fama e riqueza?

— Riqueza? — Daruj gargalhou. — Não te reconheço, Zerub. Olha à tua volta, olha o que te oferecem e pensa: achas que dessa terra estéril há de nascer algo que valha a pena? Terra escrava de povo escravo, sem serventia!

— A terra está assim porque Deus a abandonou! Se reconstruirmos o templo que era a Sua casa, certamente Ele voltará!

— Tolice! Que deus voltaria a esta terra? Deuses também exigem o melhor, Zerub, e esse exemplo devemos seguir. Perdoa, mas não fico aqui nem que me ofereçam o lugar que estão te oferecendo!

Eu não tinha argumentos, e nem pretendia ter, principalmente porque ele rejeitava sumariamente qualquer possibilidade de estar comigo nesta empreitada. A Daruj só interessava a primeira posição: e eu, que nunca antes conseguira ser o primeiro, tinha agora a oportunidade real de realizar todos os sonhos que acalentara em silêncio. Chegáramos a um impasse: cada uma de nossas vontades se afirmava na tenacidade do amor-próprio ferido. Não sabíamos ser de outra maneira, nunca havíamos aprendido a sê-lo: a capacidade de raciocinar em meio às mais difíceis condições, como faziam os pedreiros, não era nosso natural. Se preciso fosse, envelheceríamos neste pedaço de chão empoeirado, ambos cada vez mais firmes em suas próprias opiniões, e quanto mais enganados estivéssemos, mais firmes sairíamos em sua defesa:

— Se achas que mereces tão pouco quanto te estão dando, é problema teu, Zerub: eu almejo mais, muito mais!

Parei de discutir: com amigos, vale mais a pena calar-se. Sorri meu melhor sorriso, colocando minha mão no ombro de Daruj, e lhe disse:

— Pois seja: que cada um de nós faça o que quer fazer. Não foi sempre assim? Sempre fizemos aquilo que queríamos: mas desta vez eu tenho que ficar, amigo. Não posso rejeitar o que sou.

— Nem eu dispensar o que serei. Se tu chegaste a Rei de Jerusalém, imagina o que eu não conseguirei? Faraó do Egito? Quem sabe?

Daruj riu, eu também, sabendo que tudo o que ali dizíamos era da máxima seriedade. A mim não importaria a realização de meus desejos, se nossa amizade se preservasse, mas, para que eu conquistasse o meu lugar, era preciso abrir mão de meu amigo mais próximo, e eu o fiz:

— Se assim o queres, amigo, assim seja: deves ir buscar teu reino, como eu encontrei o meu. Quem sabe um dia não nos encontremos, ambos reis, eu de um reino que se ergue de seus destroços, e tu, senhor de um reino conquistado pelo teu próprio valor?

— Não tenho nenhuma dúvida: se chegaste a ser rei, eu também o farei, com ou sem o auxílio dos deuses. Se for sem este auxílio, maior ainda será o meu valor. Quando isso acontecer, nos saudaremos como iguais, e sempre poderemos contar um com o outro, mesmo de lados opostos no campo de batalha.

Estávamos emocionados, porque havia entre nós amizade verdadeira. Não poderíamos permanecer juntos, no entanto: nossos objetivos se haviam tornado o oposto um do outro. De certo modo, os deuses haviam sido razoáveis: a mim, que não possuía espírito empreendedor, haviam concedido tudo o que Daruj teria que lutar para alcançar, se esse fosse o seu destino. Ele, ao contrário de mim, sempre sonhara com esse poder incomensurável: talvez nunca o alcançasse, porque o que mais se deseja é sempre o mais impossível de se conseguir, e o que mais se teme é sempre nosso destino irrecusável. Abraçamo-nos e, como amigos verdadeiros que éramos, caminhamos pelo acampamento; que logo seguiria numa viagem de apenas dez dias rumo às cidades sagradas do Faraó do Egito, coisa ínfima perto do tempo que passáramos no meio do deserto. Eu sentia pena pela perda de meu melhor amigo, com quem ainda pequeno já brincava de batalhas nas ruas da Grande Baab'el. Com ele fiz meu primeiro roubo, no grande Mercado da Esagila, repetindo a dose tantas vezes quantas ele quisera, tornando-me afinal absolutamente frio, como deve ser um ladrão que se preza. Sob seu comando, enfrentei Bel'Cherub e seu preboste Na'zzur, assim como a traição de Re'hum e Sam'sai. Eu, dentre todos, havia sido quem costurara a ferida que o caco de vidro lhe havia deixado no antebraço, dando-lhe uma cicatriz feia e repuxada, que ele exibia sem temor, como se fosse uma condecoração de batalha.

Os *j'mal* que nos haviam servido desde a aldeia de Hai'tam não continuariam com a caravana em direção ao Egito: os mercadores de cavalos traziam de volta escuros animais de pêlo negro e pernas esguias, ágeis e nervosos, e as negociações envolviam enormes discussões, porque nesse momento o pior cavalo ainda valia mais que o melhor *jâmal*, e não havia como conseguir uma troca justa. Os mercadores acabaram sendo convencidos a trocar três *j'mal* por cada cavalo, nenhum deles de grande qualidade. A manada incluía também algumas fêmeas prenhes, por isso a viagem teria que ser rápida, já que a qualquer momento elas teriam que parir as crias que atrasariam a todos, se tivessem que ser levadas junto com as mães. Minha aproximação criou um movimento respeitoso entre os pedreiros, e os mercadores, percebendo isso, puseram a dirigir-se a mim, como se fosse eu o senhor e chefe da caravana. Por algum tempo, o tratamento me deixou orgulhoso, mas logo cansei de tentar ser quem não era: nada entendia de cavalos, e mesmo com a ajuda de Daruj, um apaixonado por esses animais, minha presença de nada valia. Decidi deixar o caso com o melhor homem da caravana, que era o quase cego Ragel: ele apalpava e cheirava os animais com tal segurança, que em nenhum momento se enganou. Os mercadores tentaram empurrar para Ragel um cavalo velho e doente, ou pelo menos possuidor de um desses dois defeitos, e eu me diverti muito com suas tentativas infrutíferas: Ragel tinha um nariz fenomenal, e rejeitava, por vezes à distância de dez braças, um cavalo que não interessasse.

No fim desse dia, comprados todos os cavalos necessários, a caravana já arrumada para a viagem, unimo-nos para uma última ceia entre pedreiros, com a presença de alguns profanos, entre eles os chefes dos mercadores e meu amigo Daruj, que fiz questão de sentar a meu lado esquerdo. À minha direita, reservei um lugar para Feq'qesh, que não chegou ao acampamento senão muito depois de ter-se iniciado a refeição, acompanhado por Jerubaal e Ananias, saudando-me com grande cerimônia. Eu esperava que meu mestre trouxesse sua harpa babilônia, a mesma que eu conhecia, mas ele carregava uma harpa bem diferente, menor e de frente abaulada, com dezesseis cordas, e assim que a ceia terminou começou a dedilhá-la com um plectro de osso. As notas que Feq'qesh tocava em sucessão rápida se somavam no ar, num efeito que eu nunca imaginara ser possível. Eu queria, assim que houvesse oportunidade, iniciar meus estudos com ele, imaginando ser a vida de rei feita de alegrias e descuidos, com centenas de servos a meus serviços, prontos a realizar qualquer de meus desejos. Não sabia o quanto de cuidados e trabalhos já me haviam sido impostos: os dois reinos que haviam sido separados tão logo Salomão morrera deveriam ser novamente reunidos em torno do Templo reconstruído; a casa real, restaurada para o retorno do povo ao lugar onde seu deus viveria eternamente. Na inconsciência de minha juventude, eu não fazia a menor idéia do que se esperava de mim: mas o tempo, senhor absoluto da razão, se encarregaria de me ensinar a verdade.

    Feq'qesh tocou sua harpa chamada *kin'nor*, dividido entre um copo de bebida e um bocado de comida, e ainda assim enchendo o ar de belas sonoridades, que entravam em meu coração como setas bem apontadas, acentuando cada uma das emoções de que eu estava carregado, ao mesmo tempo unidas e isoladas em meu espírito trêmulo. Desejei que essa noite nunca terminasse, pois no dia seguinte todas as promessas teriam que ser cumpridas: mas por enquanto ainda estava suspenso entre o nada e o coisa nenhuma, não sendo mais quem tinha sido e nem ainda sendo quem seria. Quando, após os pratos, Feq'qesh limpou a garganta e se pôs a cantar, a melodia do salmo que escolheu para emoldurar essa noite suspensa no tempo e no espaço foi forte demais para mim:

    — "Vede como é bom, como é agradável habitarmos todos juntos, como irmãos. É como o óleo fino descendo sobre a cabeça, descendo pela barba, a barba de Aarão, descendo sobre a gola de suas vestes. É como o orvalho do Hermon, descendo sobre os montes de Sião, porque aí concede Yahweh a bênção e a vida para sempre."

    Minhas faces também se molharam com o pranto. Eu tentava me controlar, como um rei devia fazer, mas era impossível: ganhar tantos irmãos pedreiros custava caro, pois o preço era a perda do mais querido de todos os amigos. Daruj, sério a meu lado, não olhava em minha direção, piscando os olhos cada vez mais amiúde, escondendo a face na borda da taça de metal em que bebia. Feq'qesh fazia sua voz de beleza incomparável ecoar pelas ruínas de pedra que nos cercavam, reverberando na noite sem estrelas, os olhos de cada um dos presentes brilhando bem mais do que seria normal, à luz da fogueira. Não foi cantada mais nenhuma canção nessa noite: Feq'qesh, quando terminou, pôs a harpa de lado e não mais a tocou, nem mesmo a pedidos. Logo depois, Jerubaal se ergueu e, batendo palmas, exortou-nos:

    — Vamos, irmãos pedreiros! Antes que o sol se erga, a caravana deve estar a caminho! Retiremo-nos!

Ergui-me, junto com todos, dirigindo-me para a tenda de sempre, quando fui impedido por Ananias:

— A semente de David merece a melhor de todas as tendas. Tu não necessitas mais dormir com os outros.

Com todos os olhos postos sobre mim, senti-me mais envergonhado que se tivesse sido apanhado em pleno flagrante de roubo. Meu sangue garantia muitas coisas, principalmente a solidão, que comecei a aprender nessa noite. Na tenda principal, uma montanha de almofadas cobertas por rolos de tecidos brocados me aguardava: notei que minha comitiva a cada instante ficava menor, de maneira que, quando cruzei a abertura da tenda, só me acompanhavam Ananias e Feq'qesh, que pararam antes de pisar nos tapetes sobre a terra dentro da tenda. Pequenas lâmpadas de azeite brilhavam em cada uma das arestas da tenda hexagonal, um perfume macio e suave se espalhando pelo espaço confinado. Ela era bem maior e confortável que aquela onde eu dormira durante a viagem. Ananias indicou-me as almofadas, perguntou-me se eu desejava alguma coisa e avisou-me:

— Assim que o sol nascer, a caravana em que tu vieste até aqui seguirá seu caminho, e tu ficarás em Jerusalém, para iniciar teu aprendizado fundamental e ser Rei de Israel. Prepara-te: um árduo trabalho te aguarda.

Erguendo as duas mãos sobre mim, Ananias cerrou os olhos e proferiu, com voz profunda:

— Conforme a promessa salvadora e piedosa, ó Deus, concede-nos a Tua graça e a Tua piedade, e salva-nos, porque nossos olhos estão fixados em ti, Rei do Universo.

Quando eu ia mover-me, sua voz soou mais forte e emocionada ainda:

— E reconstrói Jerusalém, a Cidade Santa, prontamente em nossos dias. Bendito sejas Tu, Eterno, que por Tua misericórdia reconstróis Jerusalém.

Com uma leve curvatura de cabeça, Ananias saiu da tenda, e Feq'qesh, um leve sorriso nos lábios, disse-me:

— Reza para que teus mestres sejam os melhores que puderes encontrar. Boa noite, Zerub.

A abertura se fechou, deixando-me rigorosa e totalmente só, enquanto do lado de fora das paredes de pano sombras cada vez mais raras se moviam, até que todo o acampamento ficou em total silêncio. Deitei-me nas almofadas, minha mente tão atarefada com a sucessão de acontecimentos inesperados, que não pude conciliar o sono. Meu corpo chegava a doer de tanto cansaço, mas a mente percorria caminhos mais e mais sinuosos, fixando-se em todos e em nenhum deles, numa corrida sem descanso em direção a um objetivo que nem ela mesma conhecia. Reconstruir Jerusalém? O que é que eu sabia disso? O que é que se esperava de mim, em que me haviam transformado, sem que nada em mim reconhecesse qualquer transformação? O deserto adormeceu e acordou, e eu me revirei sobre as almofadas, na primeira de muitas noites em que, ao me descobrir só, perdia o controle sobre mim mesmo e me tornava escravo de minha mente. Quando ouvi as primeiras vozes, enrolei-me em um manto e saí para o descampado, que não exibia mais nenhuma tenda a não ser a minha própria, repleto de cavalos ajaezados para montaria e outros com seus fardos de carga.

    O exército de pedreiros que atravessara o deserto já estava menor, porque a maior parte dos jovens havia vindo para ficar na cidade. Avancei, com a mão sobre os olhos, em direção ao grupo de cavaleiros, vendo Jerubaal organizando a partida e cuidando da distribuição das montarias. Lá estava Daruj, os olhos brilhando de excitação pela proximidade dos cavalos que adorava. Parei a certa distância, tentando manter-me firme e controlado, para não empanar sua partida com qualquer exibição emocional: meu medo não era por ele, mas por mim. A insônia da noite anterior me tinha deixado em estado lastimável,e era com dificuldade que mantinha a aparência de tranqüilidade.

    Daruj, na fila de distribuição de cavalos, olhava os animais que vinham em sua direção, percebendo que seria do pedreiro que estava atrás dele o grande cavalo negro, de crinas mais claras e ventas nervosas, em tudo parecido com a montaria que ele usara na primeira parte da viagem. Ele foi lentamente se colocando ao lado desse homem, dando um ou dois passos para trás, e quando a fila se moveu, ficou atrás dele, para que o cavalo que escolhera fosse seu. O animal estava indócil, erguendo a cabeça e retesando o pescoço, revirando os olhos nas órbitas. Quando Daruj pôs a mão em suas rédeas, preparando-se para subir em suas costas, com ar de vitória, o cavalo repentinamente ergueu a cabeça para trás e se pôs a relinchar, alargando as ventas. Daruj ficou saltitando em um pé só, ao lado do animal, que girava em torno de si mesmo, relinchando fortemente, até que estacou, firme nas quatro patas, olhando uma égua que escapara dos laços de seus treinadores e vinha galopando em sua direção. Antes que Daruj conseguisse soltar as rédeas e tirar o pé do laço que lhe serviria de estribo, o cavalo deu um salto para a frente, iniciando uma corrida quase saltitante, arrastando meu amigo, que se pendurou em seus flancos. Em poucos instantes o animal estava ao lado da égua, que se virou de costas para ele, erguendo a cauda em um formato arredondado, e o cavalo aproximou o focinho de sua traseira, fartando-se com o cheiro que dali emanava e que para ele devia ser delicioso perfume. Daruj acabou por montar em suas costas, mas antes que pudesse tomar qualquer atitude a montaria empinou, avançando sobre as patas de trás em direção à fêmea, que o esperava fremindo, e derrubando Daruj no chão com a violência de seus movimentos.

A caravana inteira riu, e Daruj num salto ficou de pé, tão cheio de raiva, que, ao olhá-lo, todos imediatamente se calaram. O silêncio ficou quase insuportável, enquanto Daruj corria os olhos pela assembléia, que agora já não ria: subitamente soltou uma forte gargalhada, dizendo:

— Nem sempre o cheiro de uma fêmea há de derrubar um cavaleiro...

Ri alto, e nesse momento percebi a mudança no comportamento de todos: minha chegada lhes tirara toda a naturalidade. Só eu e Daruj continuamos como estávamos, rindo à vontade: éramos companheiros de juventude, e isso sempre vale mais que qualquer posição. Amizades e inimizades feitas no início de nossas vidas têm valor bastante diverso das que se fazem na vida adulta, impregnando-se em nossas almas por serem as primeiras que experimentamos. No meu caso, eram os baluartes de meu espírito, cada uma de seu lado e com papel definido. Amigos e inimigos, tanto os reais quanto os que minha imaginação criara, opunham-se dentro de mim, cada um deles me puxando em sua direção ou forçando-me a rejeitá-los, e eu saltava entre eles, tentando cumprir o que se esperava de mim. Eu e Daruj nos abraçamos, porque nada era mais forte que o laço que nos ligava, feito de aventuras mútuas e segredos nunca revelados. Percebi nele o alívio por estar se afastando de mim, e pressenti que sem ele tudo me seria muito mais difícil. Meu amigo montou em seu cavalo, dizendo com o mesmo ar de desprezo fingido que usava quando tinha que se defender de alguma emoção mais forte:

— Pois então, senhor Rei de Israel, sigo viagem: o reino que tu arranjaste é pequeno demais para nós dois.

— Concordo contigo, Daruj: teria que ser imenso, para que pudesses ser arrastado pelos cavalos excitados que correm atrás das éguas no cio...

Daruj riu mais ainda, segurando as rédeas de outro cavalo, mais dócil e sossegado, que lhe haviam trazido enquanto conversávamos:

— Ainda prefiro o outro, mas ele me parece ocupado demais. — Daruj apontou para o cavalo negro que escolhera, correndo em volta da égua que acabara de cobrir, ainda insatisfeito. — Ele se parece demais comigo: nunca acha que o que já tem seja o bastante.

— Assim o digam as mulheres da Grande Baab'el, poderoso Daruj.

— Não falemos de coisas menores, senhor Rei de Israel: o harém que vos espera deve ser gigantesco. Mas, onde estarão essas beldades? Escondidas debaixo das pedras? Cuidado para que, ao virá-las, não encontres nenhum escorpião...

Essa era a nossa maneira de conversar, e eu já começava a sentir saudades dela, vendo que este amigo deixaria o maior de todos os espaços vazios dentro de minha alma. Daruj percebeu que eu me calara, e também se calou: voltou a abraçar-me e subitamente montou em seu cavalo, olhando-me fixamente. Em sua face, li toda a nossa história até esse momento, visualizei toda a nossa vida em comum, inclusive o pedido mudo para que nunca revelasse segredos que só nos dois conhecíamos. Sorri para ele, que se afastou em trote cadenciado, unindo-se à caravana, avançando mais e mais para dentro dela, de tal forma que em pouco tempo eu já não o distinguia dos outros. Ele se apagava de meus olhos como Yeoshua e Mitridates se haviam apagado: e quando a caravana iniciou seu caminho, aos gritos dos condutores, a poeira quente que subiu de suas patas foi uma boa desculpa para as lágrimas que insistiam em me subir aos olhos. Eu estava só, como nunca antes estivera, à beira de algo que sequer desconfiava o que seria. Olhei a caravana, que serpenteou pelas ruínas de Jerusalém, e quando dei acordo de mim estava ladeado por dois jovens e fortes irmãos pedreiros, que me olhavam com profundo respeito. Atrás de mim, ouvi a voz de Ananias, dizendo-me:

— Zorobabel, futuro Rei de Israel, deves acompanhar-nos até o lugar onde viverás de agora em diante.

Era meu destino, e só me restava aceitá-lo, enquanto significasse prazer e poder. Até esse dia, eu nada tivera, e perdera o pouco em que pusera as mãos. Curvando-me ao destino que me impusera uma cena inesperada de seu grande livro, acompanhei Ananias: daí em diante, viveria o inesperado dos inesperados, como se já me fosse profundamente familiar.

Capítulo 13

Há quem creia que ser rei signifique uma cornucópia de infinitas benesses, que nunca cessam de existir. Meus primeiros dias de vida como próximo Rei de Israel fizeram com que eu tremesse cada vez que encarava o que não compreendia, coisas de que comecei a ter uma noção mais que terrível. Feq'qesh me aguardava acima da antiga Fonte de Gion, para onde Ananias e meus acompanhantes me levaram: lá havia sido erguida uma construção de madeira que se pretendia bela e grandiosa, mas que para mim, acostumado ao fausto da Grande Baab'el, não passava de um barracão. Dentro dele havia uma sucessão de salas mais ou menos amplas, iluminadas por janelas de um lado e outro, pelas quais também entrava o vento abafado. Era impressionante a quantidade de trovões e relâmpagos no céu de Jerusalém quando esse vento soprava: mas quando os trovões silenciavam, nenhuma chuva caía, e o ar se abafava mais ainda. Quando me sentei na penúltima das salas, atrás da qual ficavam meus aposentos, o trono que me foi dado era de pedra, trabalhado com cinzel. Impressionante a maneira como havia sido feito: eu nunca havia visto trabalho tão perfeito, pois não havia espaço entre os blocos de pedra que o formavam. Cheguei a correr minha unha pela união de dois deles, e ela não penetrou. Quando me ergui, vi Feq'qesh, com o riso nos olhos:

— Essa é a arte dos pedreiros, Zerub: fazer de pedaços de pedra uma pedra só, porque todas as pedras são pedaços da Grande Pedra original de que o Universo nasceu. Nosso trabalho é reconstruir dia a dia esse Universo, reajuntando pedaços de pedra que andavam separados de sua raiz.

RECONSTRUINDO O TEMPLO

Feq'qesh dizia coisas que ocultavam outras, e eu tinha que descobri-las por mim mesmo. Nada tinha apenas um significado, e a riqueza de sentidos no que ele me dizia era demais para mim, acostumado a um mundo de opções simples. Minha mente até esse dia só pensava o mundo em termos de Isso Ou Aquilo, raras vezes conseguindo enfrentar a opção Isso E Aquilo: mas nunca me acostumara a pensar o mundo em termos de Nem Isso Nem Aquilo, tendo ainda mais dificuldade quando ele se mostrava como Isso E Aquilo E Aquilo Também. Feq'qesh mostrava o mundo como sendo uma cebola descascada camada por camada, sendo cada camada o oposto da anterior. Mesmo assim, com todas as novidades à minha volta, além dos dois guardiães que de mim não arredavam pé, eu começava a me sentir importante. Aparentemente, tudo existia para me servir, e isso era bom. Minha alma se comprazia com isso, até o momento em que Feq'qesh e Ananias se acomodaram em pequenos escabelos aos meus pés, olhando-me com gravidade:

— Zorobabel, é preciso organizar tua vida de amanhã em diante. — A voz grave de Ananias me causou um frio na espinha. — Para que sejas o Rei de Israel, é necessário que estejas preparado para isso, não restando nenhuma dúvida quanto à tua linhagem e teu poder.

Feq'qesh completou:

— Tudo que for necessário, terás que saber. O que não souberes, terás que aprender.

— E o que eu não aprender?

— Isso não se discute: o que tiveres que aprender, aprenderás. Não importa o quanto custe ou o esforço que tenhas que fazer.

Meu sorriso se apagou: seria essa a vida de um rei? Eu não podia acreditar: tinha visto a vida de fausto que o Rei da Babilônia levava, entre riquezas sem conta. Seria isto real apenas em grandes impérios? Quis dizer a Ananias e Feq'qesh que assim o trato estaria desfeito, mas cada um dos dois puxou de dentro de seus mantos uma tabuinha encerada, onde alguns sinais estavam riscados, vermes congelados sobre carne putrefata. Eles olhavam para essas tabuinhas de quando em quando, como se nelas estivesse traçada a minha vida, e Feq'qesh me perguntou:

— Sabes ler e escrever, Zerub? — Um rubor intenso me tomou as faces, e Feq'qesh, percebendo-o, sorriu. — Não te agastes. Raríssimos reis o sabem, e todos dispõem de escribas e auxiliares para o que é considerado coisa menor. Em teu caso, é importante que aprendas, e também alguns rudimentos de certas ciências, o suficiente para que te destaques entre tantos outros, ao seres apresentado como descendente do mais sábio de todos os reis, teu avô Salomão.

A vergonha me cobria: como podia pretender igualar o maior de todos os sábios, se não era capaz de aprender nem o mínimo com que me ameaçavam?

Ananias debruçou-se para a frente, com um ar de grande interesse:

— Teu pai, como *rosh'ha'golah* da Grande Baab'el, não te instruiu na arte da leitura e da escrita?

Era um momento difícil, que eu devia encarar da melhor maneira possível:

— Não. Na verdade, tentou muitas vezes, mas eu não me interessei.

— Mesmo quando ainda muito jovem?

— Todas as vezes em que tentou, eu reagi: nada do que ele tinha a dizer me despertava qualquer interesse, e assim que pude me livrar de seu jugo, escapuli. Eram sempre histórias de um povo morto, cantadas com tristeza em uma língua também morta. Por que eu deveria me preocupar com isso?

— Para saberes de onde vens, quem és, para onde vais. Nunca pensaste nisso?

— Claro que sim! Mas de que me adianta saber coisas que aconteceram antes que eu nascesse? Sei de onde vim: vim da Grande Baab'el. Sei quem sou: meu nome é Zerub e tenho nas veias o sangue de um certo David. Para onde vou? Que me importa? Se os deuses decidem meu destino, e eu nada posso fazer quanto a isso, aceito o que me derem, e para mim isso é o bastante.

— Crês então que estamos no mundo como simples joguete dos deuses?

Foi a minha vez de sorrir:

— Senhores, minha própria história é garantia disso: não faz muito tempo, saltava feliz pelos muros da Grande Baab'el. E ainda ontem não era mais que um simples agregado da caravana dos pedreiros que segui quando se embrenharam na escuridão da cidade, e que, depois de quase me matar, me glorificaram como rei destas ruínas. Se isso não é ser joguete dos deuses, não sei o que o seria...

Feq'qesh deu uma gostosa gargalhada:

— Já fala como um rei. A linguagem desabrida parece ser intrínseca à realeza... ontem não falarias assim, Zerub...

— Ontem ainda não o era. Mas, se estiverdes arrependidos, a mim pouco se me dá: não pedi a posição, e tenho tão pouco interesse por ela quanto tinha pelas histórias de meu pai. Posso vagar-vos o lugar imediatamente...

Dizendo isso, ergui-me do trono, pronto a deixá-lo: na verdade, esperava ansiosamente que não vissem por trás de minha arrogância o terror que estava sentindo, nem o alívio que sentiria caso aceitassem minha desistência. Mas Ananias se ergueu rapidamente, com preocupação na voz:

— Por Yahweh e pelo sangue de David que corre em tuas veias! Como podemos abrir mão do Ungido, do *mélech* prometido, se foi por ti que esperamos durante dez semanas de anos? Tua vinda foi anunciada por inúmeros profetas que viveram antes de nós, e agora que te encontramos, não podemos desperdiçar-te!

Estanquei sobre meus pés, principalmente porque os dois latagões que não se haviam afastado de mim desde o subterrâneo cheio de pedreiros deram um passo conjunto em minha direção, apoiando as lanças com o braço esticado, a outra mão rigidamente posta sobre as espadas à sua cinta. Não seria fácil escapar dessa tarefa que a cada instante me atraía menos: a visão desses esbirros — não sabia se ali estavam para defender-me ou constranger-me — era atenuada pela face sorridente de Feq'qesh, olhando-me como quem diz: "Caíste em mais uma armadilha, ladrãozinho da Grande Baab'el."

Respirei fundo, pus no rosto um sorriso parecido com o de Feq'qesh, e, com o ar de enfado comum a todos os reis, disse:

— Dizei-me então quais são minhas obrigações, já que estou sendo elevado à posição de menino de escola.

— Existisse uma escola para reis, e o mundo seria um Éden — disse Feq'qesh. — Mas nós, pedreiros de Yahweh, que sabemos o valor do conhecimento, podemos dar-te coisa melhor: nossa experiência, ensinando-te tudo o que sabemos e fazendo com que te transformes naquilo que nunca pensaste ser. Se o que te ensinarmos não for verdadeiramente aprendido, tua realeza será apenas uma casca que usarás de quando em vez, e sempre da maneira mais errada. Cada um tem seu papel a cumprir no Universo de Yahweh, e no momento o teu é esse. Queres que te mostre a vida que levarás até que possas dizer "sou o rei de meu povo"?

Não havia saída. Os latagões continuavam olhando em minha direção. Minha fuga daquela realidade não seria coisa fácil: enquanto conseguisse fazê-los crer em mim e em meus bons préstimos e intenções, comeria, beberia, seria tratado com algum respeito, tendo um teto firme sobre a cabeça e a garantia de almofadas limpas onde descansaria o corpo. Não era o melhor dos mundos, mas também não era o pior, mesmo com a presença dos dois guardas me recordando a temporada que passara nas casernas da Grande Baab'el. Dei meu melhor sorriso, aquele que sempre convencia os outros de que eu era um sujeito decente, e continuei ouvindo Feq'qesh:

— Tens que aprender a história de teu povo: conheces a língua de teus antepassados?

Meu silêncio foi suficiente para que Ananias suspirasse, e Feq'qesh seguiu com seu interrogatório:

— Bem, não sabes o hebraico, a história de teu povo nunca te interessou. És versado em alguma arte, ciência, tens algum conhecimento das verdades do Universo?

Meu rosto se avermelhava mais e mais a cada pergunta: Feq'qesh, plenamente consciente de minhas limitações, estava disposto a ressaltá-las sem cessar, até que eu explodisse. O sorriso se congelava em meu rosto, enquanto eu aguardava uma mudança de rumo: Feq'qesh olhou para Ananias e ergueu as mãos acima dos ombros, torcendo a boca em desalento:

— Teremos que definir o indispensável para o Rei de Israel e insistir apenas nisso, para que dentro de um ano ele possa cumprir a primeira parte de sua missão.

Um ano? Uma missão? Eu não a desejava, nem pretendia perder tempo com essa falsa liberdade. Assim que pudesse, escapuliria e iria juntar-me a meu amigo Daruj, no Egito do Faraó. Só precisava esperar o momento certo, e até lá aproveitaria o melhor que me dessem, preparando meu inevitável desaparecimento.

— Se pudesses viver entre nós, pedreiros, trabalhando a pedra e o espírito ao mesmo tempo... mas o próprio tempo nos impede disso: há que ensinar-te antes de tudo as coisas essenciais a um Rei de Israel, que precisa ser três — disse Feq'qesh, com o olhar rútilo. — Um verdadeiro *mélech* deve trazer em si o empenho, a força e a sabedoria de nossos três maiores homens: Moisés, David, Salomão.

Esperava-se de mim três vezes mais do que me era impossível dar: qualquer comparação com heróis sempre seria degradante. A essência do heroísmo é verdadeiramente a autoconfiança, e o que em mim passava por essa virtude era apenas a ostentação de qualidades que eu não possuía, mas das quais me vangloriava sempre que podia.

Feq'qesh continuou, enquanto Ananias sacudia a cabeça:

— Tem que ser *man'hig*, líder de seu povo, pronto para guiá-lo pelo deserto até a Terra Prometida: tem que ser *me'faked*, apto a comandar o povo nas batalhas contra os inimigos: e tem que ser *ma'shiach*, ungido por Yahweh para erguer-lhe Templo e Morada!

— Impossível! — O grito saiu de minha boca sem que eu pudesse retê-lo. — Sou um homem comum, e nada disso alguma vez me foi exigido nem ensinado. Por que me impor o peso de uma tarefa que não cumprirei?

Ananias pigarreou:

— Pelo contrário, Zorobabel: não te estamos impondo nada. Estamos apenas reconhecendo em ti aquele a quem essa tarefa foi dada, para ajudar-te a realizá-la da melhor forma possível. Teu sangue e tua descendência te impedem de recusá-la: deves aceitar nossa ajuda e fazer de teu destino o melhor destino possível.

Era uma armadilha, um enovelado de idéias que só serviam para paralisar as ações de quem nelas estivesse preso. Eu estava manietado em meu falso palácio, e, sem saber como, vi dentro de minha mente, escrita em línguas de fogo negro, a palavra *assir*, significando exatamente o que eu era: prisioneiro. O mundo à minha volta se apagou: devo ter mudado de cor, porque, quando dei acordo de mim, Ananias estava semi-erguido, sua mão posta em meu braço, olhando-me com genuína preocupação:

— Meu rei sente algo?

Olhei para fora das janelas: no céu plúmbeo de Jerusalém pairava uma gigantesca nuvem negra, vertical, indo do solo aos píncaros do céu, em volta dela revoando aves negras. Desviei meu olhar, tomado por um frêmito de medo: mas a imagem das letras de fogo negro ficou gravada em minha mente, levando tanto tempo para desvanescer-se quanto a imagem do sol em minhas retinas, sempre que eu o olhara de frente. Feq'qesh me observava, e quando se recostou para trás, um sorriso suave bailava em seus lábios. Fiz-me de forte: franzi o sobrecenho, dando-me ar de seriedade, e, colocando um cotovelo nos braços de pedra do frio trono, apoiei o queixo na mão, passando os dedos pela frente do rosto, deixando-o semi-oculto entre as falanges, para com isso disfarçar o rugir do coração em meus ouvidos.

Ananias parecia ter gostado de minha atitude, pondo-se a ler na tabuinha rabiscada uma série de tarefas com horários determinados, que eu deveria cumprir à risca. Acordar ao nascer exato do sol; um período de exercícios físicos, seguidos de banhos frios e quentes, uma refeição frugal, verdadeiramente indigna de um rei; horários de estudo com pessoas as mais diversas, que ensinariam de boca a ouvido a língua que eu deveria falar, a história do povo sobre o qual eu deveria reinar, e até mesmo a maneira como ela devia ser registrada, usando a variação das letras fenícias que era o método de escrita em toda a região; aulas de combate, armado e desarmado, a cavalo, de carro e a pé, com lança, espada e escudo, arco e flecha, funda, e até com as mãos e os pés, além de uma série de atividades que Feq'qesh chamava de "vida palaciana", modos e maneiras de um rei se comportar em meio a sua corte, seus súditos, seu povo, em eventos públicos e no trato privado, e mais todos os detalhes de seu relacionamento com outros reis e com suas mulheres, sem as quais não havia soberano que pudesse dizer-se verdadeiramente poderoso. Esse programa verdadeiramente exaustivo se estendia até o pôr-do-sol, astrologicamente determinado pelo momento em que a nesga de luz amarelada se escondia por detrás da mais baixa das montanhas a oeste da cidade. Daí em diante eu estaria livre para tomar a última refeição do dia e deitar-me para dormir, se já não tivesse desmaiado antes, pelo esforço excessivo. Regozijei-me por ter a mão ocultando o rosto: aquilo ficava a cada instante pior do que antes. Se minha vontade tinha sido a de abandonar a sala, agora era de que se me abrisse aos pés um buraco mais fundo que os abismos do fim do mundo. O que restaria para mim mesmo? Pelo andar do carro, ser Rei de Israel era bem pior que ser soldado de Belshah'zzar, pois nos subterrâneos do

Império ainda se tinha algum tempo livre. Não reagi, contudo: dissimulei meu desagrado, e Ananias abriu um largo sorriso, acenando grave e satisfeito. A seu lado, Feq'qesh, cujo sorriso era bem diferente, pois com toda certeza percebia o que me ia no espírito, questionou-me:

— Não queres saber o que fazer com o que resta de vosso dia, Rei Zerub?

Feq'qesh certamente brincava comigo, e continuou:

— Os pedreiros dividimos o dia em três partes: uma para o trabalho, uma para a meditação e uma para o descanso. No caso dos reis, e principalmente no teu, essa divisão se faz de forma diversa, porque até mesmo os reis precisam descansar corpo e espírito em contato com a beleza. Nenhum homem pode considerar-se digno desse nome se não conhece a beleza, pois é a partir dela que toma decisões sobre a vida. Quantos no mundo nunca vislumbraram uma migalha sequer do que é belo? Um rei só pode dar aquilo que conhece, e por isso tem que estar em contato com as duas formas perfeitas pelas quais a beleza se apresenta.

Batendo palmas duas vezes, Feq'qesh criou nas salas da frente do palácio um movimento inesperado: uma figura coberta por um manto cor de açafrão afastou os reposteiros e entrou na sala, sobraçando a harpa *kinn'or* que Feq'qesh tocara na noite anterior. Meu coração bateu descompassado, e uma esperança sem sentido tomou conta de mim: seria Sha'hawaniah quem ali estava, vindo conceder ao rei os favores de seu corpo inebriante? Enquanto a mulher se aproximava de mim, minhas narinas tremiam, tentando sugar do ar à sua volta todo o perfume que ela evolava. A mulher se ajoelhou à minha frente, apresentando a harpa a Feq'qesh, que fez soar suas cordas. O som da harpa me deu a certeza de que era Sha'hawaniah quem ali estava, e foi com grande frustração que percebi ser apenas uma mulher morena, um tanto envelhecida, ainda que mantendo em seu corpo e pele crestadas as formas da feminilidade. Mesmo assim, enquanto ela revoluteou e ondeou seus quadris ao som da música de Feq'qesh, a lembrança de Sha'hawaniah fazia crescer a sensação de desejo em meu ventre: dei graças por estar sentado, com o manto formando uma barreira entre mim e o mundo. Minha excitação aumentava cada vez mais, e eu só temia que o resultado dessa dança fosse o mesmo da outra. Por sorte, Feq'qesh interrompeu seu toque no *kinn'or* antes que eu me esvaísse de prazer em público: ergueu-se com Ananias, enquanto a mulher, curvando-se sem cessar, andou de costas até sair da sala.

— Boa noite, Zorobabel: que teu sono seja reparador e que Yahweh te indique o caminho que deves trilhar — disse Ananias, também curvando a cabeça.

Feq'qesh, sempre com seu olhar penetrante fixado em meu rosto, disse:

— Amanhã começaremos a fazer de ti um rei. Descansa o melhor que puderes.

Os dois saíram, e os dois esbirros indicaram, delicada mas firmemente, a porta oculta por reposteiros, atrás de meu trono. Eu a atravessei, chegando a meus aposentos: os dois guardas não entraram, mas suas silhuetas permaneceram toda a noite marcando o tecido da cortina atrás da qual ficavam, sem mover um músculo sequer. Eu estava só, olhando uma mesa baixa com frutas, vinho e água que me aguardava ao pé das grandes almofadas onde eu deveria dormir. Não houve sono que me pudesse tomar: as frutas e o vinho não me apeteceram, e tomei apenas dois grandes goles de água numa taça de madeira muito fina e lisa, deitando-me sobre o leito e debatendo-me de um lado a outro, percebendo o vento quente nas cortinas das janelas e sentindo em meu ventre a rigidez do membro excitado. Imagens de imensa volúpia me atravessavam a mente, e só consegui conciliar o sono depois de me masturbar por alguns poucos e sôfregos instantes, derramando minha semente nas dobras do tecido, desejando que o sonho me trouxesse um pouco mais do prazer de que só conhecia a superfície.

Acordei sobressaltado com a sonoridade de sinetas que se aproximavam. Tirei de cima do rosto a almofada com a qual o cobrira: a luz baça já entrava horizontal pelas janelas de meu quarto. Os reposteiros da entrada se afastaram, e Feq'qesh pisou a soleira, acompanhado pelos dois latagões que seriam minha sombra. Atrás dele entraram duas servas trazendo figos e uvas muito mirrados, bolas de queijo de cabra temperadas com manjerona e sálvia, e duas jarras metálicas, uma com água e outra com um vinho de cheiro muito resinoso, que me desinteressou vivamente. Comi um pouco de tudo: os figos e uvas, apesar de pequenos, tinham sabor muito intenso, e a água fresca possuía um gosto e um perfume que eu nunca havia experimentado. Feq'qesh apontou para a jarra e me disse:

— Vem da fonte subterrânea de Gion: o Rei Ezeqias, atacado pelos assírios, cavou um imenso canal por dentro da pedra, enchendo permanentemente a piscina de Siloé. Foi um dos trabalhos que nós pedreiros executamos nessa cidade. É a água que os reis de Jerusalém devem usar para beber e banhar-se, e tu fizeste a escolha acertada, não tomando o vinho. Os que começam o dia enevoando o espírito raramente encontram forças para dominar o corpo. Agora, ergue-te, Zerub! Hoje se inicia a tua educação essencial.

As duas mulheres se aproximaram e me despiram, deixando apenas a cinta de pano com a qual eu cingia os rins para sustentar meu membro. Por um instante, fiquei envergonhado: o pano tinha sinais de minha ejaculação na noite anterior, e temi algum sinal de reprovação. Em momento algum, no entanto, passaram perto de qualquer parte sensível de meu corpo: com esponjas de pano macio, esfregaram minha pele, e depois de secar-me derramaram sobre minha cabeça um óleo muito fino com perfume de olíbano, que escorreu por minha face e minha incipiente barba, descendo em filetes por meu peito. Minhas unhas dos pés e mãos foram cortadas e limpas, e dois cachos dos cabelos ainda curtos, na região das fontes, foram puxados para baixo, separados do resto da cabeleira, que foi aparada para ter melhor forma. As mulheres saíram, e Feq'qesh ordenou que eu tirasse a cinta de pano branco: obedeci, ficando envergonhado e nu, no centro de meu quarto. Feq'qesh deu uma volta em torno de mim, observando minha anatomia, falando logo após:

— Não estás em mau estado, Zerub: a vida de excessos na Grande Baab'el não conseguiu estragar-te o corpo nem desgastar-te a juventude. Tens aí em cima desses músculos mal trabalhados uma camada de gordura que em nada te ajuda, pois o excesso de gordura só serve para aumentar o calor de quem o sente.

Olhando em direção a meu membro, deixando-me completamente sem jeito, Feq'qesh continuou:

— Temi por um instante que, sendo assim tão rebelde quanto aos hábitos dos antepassados, tivesses conseguido escapar da circuncisão. Ainda bem que um menino de oito dias de idade não pode fugir sozinho. Teu pai garantiu tua inclusão no pacto entre Yahweh e Seu povo.

Um relâmpago de fogo negro surgiu em minha mente quando Feq'qesh disse a palavra circuncisão, e, da mesma maneira que na noite anterior, estranhas letras de fogo negro cobriram o espaço subitamente vazio dentro de minha mente: oito delas, agrupadas quatro a quatro, dizendo, sem que nenhum som fosse proferido, a expressão *brit'milá*. Quando dei acordo de mim Feq'qesh estava no mesmo lugar à minha frente, e eu não sabia quanto tempo havia passado nesse delírio, que pela segunda vez caía como um raio sobre mim. Temi ter perdido a consciência, mas aparentemente isso não tinha acontecido, porque Feq'qesh continuou como sempre, perguntando-me:

— Tens algum ardor, algum fluxo malcheiroso que te escape do pênis?

Acenei negativamente, e Feq'qesh suspirou, satisfeito:

— Ainda bem: para o povo de quem serás rei, a pureza é essencial. Não tenhamos pressa: hás de aprender tudo, e no devido tempo estarás pronto para fazer o que deves fazer. Vamos?

Vesti-me rapidamente, buscando fugir do momento embaraçoso: as roupas eram macias e perfumadas, ainda que usadas. O cinto de couro muito lixado estava apertado em minha barriga, e um dos dois guardas fez-lhe um furo extra com seu punhal, para que a fivela em formato de estrela de seis pontas, estranhamente entrelaçada, não machucasse meu ventre. Depois que meu manto curto já estava cintado e arrumado, trouxeram um estranho peitoral de couro e prata, muito antigo, cujas peças de metal haviam sido brunidas e escovadas até a exaustão. As estrelas de seis pontas, também entrelaçadas como se feitas de uma só fita de prata trabalhada, serviam para manter sobre meus ombros uma capa mais ou menos longa de cor vermelha. Depois, puseram-me aos punhos duas largas pulseiras de metal batido, que me iam até o meio dos braços. Um deles se ajoelhou e tentou colocar em meus pés um par de sandálias de couro muito macio, trabalhado com pequenos nós de prata, mas não deu certo: meus pés eram muito pequenos e literalmente dançavam dentro do calçado. Feq'qesh olhou aquilo e disse:

— Não é necessário. As sandálias que ele usa estão em pior estado que essas, mas pelo menos não lhe magoarão os pés. Deixemo-lo com elas.

Então Feq'qesh se aproximou de mim, pegando, no monte de roupas que havia sido trazido, um saco de pano negro e tirando de dentro dele uma tiara de formato triangular, feita de prata e esmalte muito azul, incrustada de pequenas estrelas de seis pontas, salpicadas aleatoriamente no esmalte como se fossem estrelas no céu. Colocaram-na sobre minha cabeça, e se afastaram de mim, deixando-me no centro do aposento, observado de todos os lados por quem pretendia fazer de mim aquilo que eu não era.

O mais constrangedor ainda estava por vir: quando entramos na sala onde ficava o trono de pedra, lá estavam muitos velhos a quem eu nunca tinha visto. Os poucos jovens que ali estavam, homens na sua grande maioria, pareciam raquíticos e depauperados, como se tomados por alguma perigosa doença. Alguns traziam pequenos ramos de palmeira nas mãos, e todos foram unânimes em gritar meu nome quando entrei na sala, acenando com os ramos e desfilando à minha frente depois que me sentei ao trono, tocando a fímbria de meu manto e as estrelas de seis pontas em meu peitoral, dizendo *mélech Zerub, zera'David, Zerub'baab'el*. Eu era rei de um povo arruinado e doente, e o destino, além de me fazer perder o que mais desejava, ainda me impunha um papel que eu não queria, tornando-me prisioneiro de meus antepassados, como um dia já o fora de meu pai. Amaldiçoei em silêncio esse pai que me dera o sangue dos reis do povo moribundo. Sua maldição fora mais terrível que a minha, pois me infectara com a sina que não me agradava. Eram vingativos, meu pai e seu deus: mas eu escaparia do destino por minhas próprias forças e meu próprio desejo. Mantendo um exterior calmo e sereno, meu peito era turbilhão, ódio, desprezo, e muito tempo se passaria até que eu compreendesse as palavras de meu avô Salomão, ao dizer que a maior glória do homem é a capacidade de superar todas as transgressões, principalmente as próprias.

Capítulo 14

O poder é, antes de tudo, uma sucessão de deveres a cumprir, rituais a realizar, e a manutenção de uma aparência calma e tranqüila, eivada de autoridade sem jaça. Espera-se do soberano que ele seja naturalmente superior à capacidade de ser humano, e qualquer atitude humana nos reis é sempre encarada como um absurdo. A outra coisa que percebi é que reis, de maneira geral, não têm nenhum direito à privacidade, sendo bem menos aquinhoados que os anônimos que os saúdam. Meus dois protetores, Heman e Iditum, eram um par de gêmeos idênticos, imensos de físico e adeptos do silêncio mais absoluto. Se alguma vez ouvi de qualquer dos dois alguma palavra, não me recordo. Estavam sempre a meu lado, seus olhos não se desviavam de mim nem por um instante: quando um deles tinha que dar atenção a qualquer coisa que não fosse a minha pessoa, o outro arregalava os seus, tentando vigiar-me por dois. Era essa a sensação que eu tinha, e, depois de tentar entabular com eles alguma conversa em que não apenas eu falasse, desisti, passando a encará-los como apêndices que tivesse que carregar por toda parte. Na hora em que me recolhia para dormir, eles se postavam do lado de fora dos reposteiros, e muitas vezes acordei para me dar conta de suas sombras do lado de fora, como se fossem estátuas de pedra.

Minha programação de vida nos primeiros dias foi tão idêntica, que depois de pouco tempo eu já acordava com vontade de gritar, ansioso por alguma diferença na rotina entediante. O que me esperava era exatamente igual, todos os dias: primeiro o banho ritual, executado pelas mulheres cobertas até a alma com seus mantos; depois os exercícios físicos, feitos de forma repetitiva segundo as ordens de um grande soldado chamado Théron, de mãos calejadas e um sotaque carregado por causa de sua origem grega. Passei pelos exames que ele me fez e depois pelos exercícios diários com e sem armamento, que me tiravam o fôlego, deixando-me preocupado apenas em sobreviver, odiando cada esforço, cada queda, cada incapacidade de realizar com precisão ou agilidade o que ele me obrigava a fazer. O mais terrível de tudo era a platéia, observando e comentando cada movimento e cada passo que eu desse, como se eu fosse um animal de raça em exibição.

A tarde trazia um outro tipo de ensinamento: um velho de longas barbas brancas, coberto por um puído manto branco bordejado de azul, sentava-se à minha frente e proferia, de cor e com voz pausada, uma longa série de sons na língua dos hebreus, a mesma que meu pai me tentara fazer saber à força, e que eu tinha expulsado de minha mente por considerar inútil. Minha opinião continuava a mesma: a longa série de palavras sem sentido se repetia circularmente durante horas, fazendo-me cabecear. Eu me sobressaltava e percebia que o velho nem se dava conta disso, pois, ao chegar ao fim de seu discurso monótono, respirava fundo e começava de novo a partir da primeira palavra que me dissera, e que no primeiro dia foi *bereshit*. Cheguei a cochilar nesse primeiro dia, calculando quantas vezes ele já repetira aquele som na tarde morna e sufocante, chegando a sonhar com um desfile interminável de letras sobre o cinzento do céu, na frente das quais sempre estava um daqueles rabiscos de fogo negro, feito de três chamas articuladas e aberto de seu lado esquerdo, como uma boca de serpente que se projetasse para o futuro, arrastando atrás de si as vértebras de suas semelhantes, buscando morder o próprio rabo. Ao lado do velho, de vez em quando se sentava um outro tipo, de nariz adunco e olhos vesgos, que lia de um papiro, na mesma língua arrevesada, uma série de palavras que parecia indicar maneiras de agir, já que ele se erguia e fazia os gestos, olhando-me com curiosidade, aguardando que eu o imitasse, coisa que me recusei a fazer.

Quando as trombetas tocavam, anunciando o final do dia de trabalho, o velho e o vesgo se erguiam e deslizavam para fora do salão real, deixando-me virtualmente só, ainda que cercado pela presença de meus vigilantes. Logo após, as trombetas soavam, e o salão era invadido pelos súditos envelhecidos que ali haviam estado na manhã do primeiro dia, e a mesma série de orações incompreensíveis se dava, antes que o céu se enchesse de trevas, os candeeiros fossem acesos em todas as salas de meu palácio tão ridiculamente pobre, e todos se retirassem, deixando-me em companhia dos que cuidavam de minha higiene e alimentação, até que eu, cabeceando de sono, fosse deitado sobre as suaves e macias almofadas. Era muito difícil dormir, nessas condições, sentindo-me um joguete sem vontade nem decisão sobre a própria vida. Meu pai não me conseguira enquadrar, e nem esses estranhos fariam melhor, a não ser que eu o permitisse. O fato de ser rei um dia me traria alguma vantagem, riqueza, algum poder com o qual eu realizasse desejos que só revelava a mim mesmo, sonhando com um mundo onde Sha'hawaniah dançava sem descanso à minha frente. O prazer que esse sonho me dava quando passei a me recordar dele antes de dormir era incomparável, e meu corpo se encarregava de minha satisfação, realizando em forma de polução noturna os prazeres de que meus sonhos viviam cheios. Ao acordar, estava a cada dia mais entediado e irritado, pois não via vantagem em ser rei, se os prazeres que podia ter eram apenas os de minha imaginação. Aquilo tinha que acabar imediatamente. Na manhã do oitavo dia, quando as trombetas soaram para me encontrar insone e agastado, não me ergui do leito. Meus protetores e os outros súditos entraram em meus aposentos, e eu me agarrei com toda a força à borda da plataforma onde estava deitado, travando os maxilares, disposto a não mover nem um dedo enquanto a situação não se modificasse, e assim permaneci sem dar atenção à agitação dos que me cercavam. Quando um dos guardas tocou meu corpo, repeli-o bruscamente, voltando a me agarrar ao leito. Só então perceberam que eu o fazia por minha própria vontade: sem entender meus motivos, perderam o controle e se puseram a esbravejar, chorar, erguer as mãos para o céu e amaldiçoar o dia em que Yahweh pusera sobre mim a marca da realeza. Continuei hirto, sem um movimento sequer. Passado algum tempo, percebi pelo canto dos olhos que Feq'qesh e Ananias estavam a meu lado. Saltei subitamente sobre as almofadas, com o olhar fuzilando, e gritei:

— Saiam todos! Que só fiquem aqui Ananias e Feq'qesh! Quero todos os outros fora daqui!

RECONSTRUINDO O TEMPLO

Minha figura devia mesmo ser muito estranha: um jovem desgrenhado, aos berros, agarrado às almofadas de seu leito como se fossem sua última salvação, parecendo mais um dos reis loucos de que a história está cheia. De minha parte, era tudo voluntário: mas, não tendo como chamar-lhes a atenção, fiz uso desse expediente, conseguindo que até mesmo meus dois guardiões saíssem da câmara, deixando-me a sós com Feq'qesh e Ananias. O pedreiro nada compreendia, ao passo que Feq'qesh, com o rosto sério, tinha no fundo dos olhos um ar de riso que me fez realmente perder as estribeiras:

— Recuso-me a ser um brinquedo em vossas mãos! Não quero mais nada disso! Não quero, não gosto, não faço mais! Basta!

Ananias, sinceramente preocupado, perguntou-me:

— Zorobabel, o que está acontecendo? Alguma coisa te desagradou?

Vociferei:

— Tudo, Ananias, tudo! A comida, a bebida, os horários, as tarefas, as pessoas, a língua, este palácio onde sou prisioneiro, esta cidade pobre e sempre escura! Não suporto mais! E pelo que pude perceber, não sou o único que não suporta mais! Livremo-nos imediatamente uns dos outros, Ananias! Encerremos imediatamente nossa ligação!

Os olhos de Ananias encheram-se de lágrimas, e subitamente ele virou-me as costas e saiu da sala, em passo acelerado. Berrei em sua direção:

— Aonde pensas que vais, animal? Não terminei contigo, ainda!

Os dedos de Feq'qesh morderam-me a carne dos ombros, e ele me sacudiu diversas vezes, enquanto dizia, em voz surpreendentemente calma:

— És um mal-agradecido, Zerub. Não percebeste ainda o que te cerca? Presta atenção ao que fica além de teus desejos e vontades! Se o que recebes de nós não te agrada, é o melhor que temos a dar: a cidade é pobre, fraca, as terras à nossa volta dificilmente suportam alguma colheita maior que azeitonas e uvas. As frutas que comes diariamente são escolhidas entre as melhores que temos, para que o rei prometido dos hebreus possa ter sempre o melhor. Os panos com que te vestimos são relíquias sagradas, restos do tesouro espoliado pela Babilônia, guardados com carinho para que o rei possa estar coberto de acordo com sua posição. A cidade é sempre escura durante à noite por tua causa,

Zerub. Não notaste que teu palácio, ao contrário da cidade, está sempre iluminado, com candeeiros queimando azeite a cada braça de parede? O povo de Jerusalém abre mão do azeite que devia estar iluminando suas noites, passando-as às escuras para que seu rei nunca precise reclamar da escuridão. És o rei dessas pessoas, Zerub, por direito de sangue, e elas tudo te dão porque te esperavam ansiosamente: o que tens a dar-lhes em troca?

Minhas faces ficaram rubras, de vergonha: Feq'qesh afouxou seu aperto, sem desviar seu olhar do meu. Eu não conseguia encará-lo, consciente de meu próprio erro. Balbuciei:

— Eu não sabia...

Feq'qesh deu um de seus sorrisos insondáveis:

— Mas agora já o sabes. O que faremos, então?

Como superar esse momento de vergonha? Se estivesse em outro lugar, como estaria? Decerto em péssimas condições, vagando pelo mundo sem destino certo. A comida que me davam era segura, o tratamento que me dispensavam, eu nunca o teria em nenhuma outra parte: o rei só tem importância verdadeira para seus súditos. Feq'qesh falara em um ano: eu tinha que garantir-lhe um ano e depois aceitar ou rejeitar a missão, e daí ou seguiria sendo rei dos hebreus, ou partiria para perseguir minha própria felicidade. Que mais havia a fazer? Correr atrás de um império nas terras do Faraó, como fizera Daruj? Não via sentido nisso: não era guerreiro, e se tivesse que defender meu reino com a força das armas, não me sairia muito bem, porque a melhor defesa que conhecia ainda era a rapidez de minhas pernas. Só me restava ficar entre meu povo, aproveitar ao máximo essa oportunidade inesperada, e depois seguir em frente, para fazer o que me apetecesse. O problema agora era voltar atrás no que dissera sem envergonhar-me mais ainda. Ergui-me do leito sem olhar para Feq'qesh, sabendo que o seu sorriso me desarmaria. Vesti-me o mais rapidamente possível e atravessei os reposteiros, repentinamente, assustando a todos que estavam em minha exígua sala do trono, recebendo deles um pesado silêncio. Agi como se nada estivesse fora de ordem: caminhei os poucos passos que me separavam do trono como se fossem a maior das distâncias, sentando-me em meu lugar. Por dentro, meus nervos tremiam e o coração batia descompassadamente, mas meu exterior nunca foi tão hierático. Ao ver-me em meu lugar de sempre, ainda que fora do horário, os súditos que estavam na sala se regozijaram por minha saúde. Ao fundo, junto aos pedreiros, com a face transtornada, estava Ananias, e meu coração deu um salto ao percebê-lo tão magoado por minhas palavras. Mantive a frieza: se não desejava ser um títere em mãos alheias, era preciso que tomasse minha própria vida em minhas próprias mãos. Ergui a voz:

— Tive uma indisposição passageira, e por causa dela fui obrigado a modificar o programa de hoje, cancelando os exercícios físicos que deveria fazer. Gostaria, nesta oportunidade, de agradecer os esforços que todos fazem para que eu me transforme em um rei digno, principalmente a Ananias, a quem devo, mais do que respeito, o alimento, as vestes, a luz, a vida. Sou teu eterno servidor, meu mestre.

A face de Ananias esvaziou-se dos sentimentos que a distorciam, e eu mantive meu olhar sobre ele, num pedido mudo de desculpas, que ele percebeu e aceitou, curvando a cabeça com extrema delicadeza, sabendo perfeitamente a que eu me referia. Nunca tinha aprendido a desculpar-me, e ele, compreendendo essa incapacidade, sorriu. Só me restava agradecer-lhe por livrar-me da vergonha: mas antes que o assunto se desdobrasse, pigarreei e continuei:

— Vós desejais que eu seja vosso rei e cumpra a missão para a qual vosso deus me destinou. Todas as vontades, tanto a de vosso deus quanto a vossa, estão sendo respeitadas: mas, e a minha? Em nenhum momento me perguntaram se desejava ou não essa honra, e desde que pusestes vossas mãos sobre mim tenho sido apenas um cumpridor de deveres, nada mais. Eis-me aqui, joguete em vossas mãos. Por isso vos pergunto: pode haver um rei sem vontade própria?

Um frêmito de emoção tomou a audiência, e eu saboreei a pequena vitória, que se tornou menor quando Ananias, dando um passo à frente, curvou a cabeça, dizendo:

— Meu senhor Zorobabel, acabas de colocar-nos em posição muito difícil. Temos sido açodados em nossa alegria de cumprir a profecia, felizes por Yahweh nos ter dado aquele que nos reergueria às alturas. Nem por um momento pensamos naquilo que tu desejas, e desrespeitamos a tua vontade.

Um dos sacerdotes presentes irritou-se:

— Tolice! A vontade de um rei é perfeitamente atrelada à vontade do deus que o escolheu! Ai do rei que ousar desrespeitar a vontade de seu deus!

Um murmúrio de aprovação correu a sala, e os únicos que não reagiram favoravelmente foram os pedreiros, que, na audiência, eram minoria. Dentre eles, soou a voz de Feq'qesh, dando rumo à questão:

— Yahweh, ao criar o Universo, o fez para que tudo servisse à Sua obra máxima, o Homem, feito à Sua imagem e semelhança. Para que fôssemos em tudo e por tudo semelhantes a Ele é que nos dotou de uma qualidade divina, que o homem e apenas os homens temos como parte essencial de nossa existência: o direito de escolher livremente o que desejamos fazer de nossas vidas.

Um muxoxo se ouviu, saído da boca do sacerdote: mas Feq'qesh, erguendo a mão direita, fez silêncio na sala, para dizer:

— Um homem só pode estar perto de seu Deus se assim o quiser, por uma escolha consciente, e não uma obrigação forçada. Yahweh nos fez a todos livres, não escravos, dando-nos a liberdade de escolhê-Lo por nossa própria vontade. Como podemos pretender homenageá-Lo desrespeitando Seu mais poderoso desígnio?

Os muxoxos se ergueram novamente: Feq'qesh tinha sobre as pessoas uma ascendência verdadeiramente admirável: suas opiniões eram respeitadas acima e além da conta, e isso se devia à profunda certeza que mostrava. Ele estava decidindo a questão a meu favor: o que eu deveria fazer? Arrancar as vestes reais e refazer meu caminho até a Grande Baab'el? Ou enfrentar o futuro inesperado que o destino me concedera e fazer o que me fosse possível? O sacerdote, com menos veemência, ergueu a voz para Feq'qesh:

— Não é assim! A vontade de Yahweh é a única que importa!

Feq'qesh riu:

— Então, para que nos teria dado Ele a capacidade de escolha? Se apenas a vontade de Yahweh importasse, só haveria a vontade de Yahweh, e nenhum de nós, suas criaturas, seria capaz de qualquer outra coisa que não fosse essa vontade. Não sendo assim, como assim não é, a capacidade de escolha tem um motivo: é a capacidade de escolher que nos faz semelhantes a Ele. Não existe no Universo nada mais belo que o momento em que a escolha de um homem faz com que sua vontade seja uma só com a vontade de Yahweh...

Foi como se eu entendesse o motivo de minhas dúvidas: esse deus Yahweh esperava que eu fizesse a escolha certa, porque só através de minhas dúvidas e pela minha própria escolha é que Sua vontade teria sentido. A decisão era minha, e o que eu decidisse afetaria muitas outras pessoas, além de mim. Chegara enfim a hora de tornar-me adulto, e a palavra *acharaiut*, responsabilidade, atravessou o espaço de minha mente. Olhei para Feq'qesh: ele sabia o que me ia na alma, de cuja existência eu tivera o primeiro vislumbre. Não estava livre de minhas dúvidas, mas entendia que elas deveriam ser enfrentadas da maneira mais honesta, pois de nada valia ser do povo de Israel se não o fosse de mim mesmo. Respirei fundo, erguendo a mão direita, e disse:

— Não sei se posso ser o rei que desejais. O sangue que me corre nas veias nada me diz: mas não posso negar esse sangue que me une a vosso destino. Não pretendo enganar-vos: meu desejo mais intenso seria estar longe daqui. Reconheço uma tarefa a cumprir. Se o momento mais belo do Universo acontece quando uma criatura de Deus faz por sua própria vontade a mesma escolha que Yahweh, este é o meu momento da escolha, e eu o enfrentarei da melhor forma possível.

Silenciei, o coração escurecido por anos de inconsciência, começando a iluminar-se pela estranha luz negra que andava escrevendo palavras desconhecidas em minha mente, trevas iluminando trevas e delas extraindo a claridade mais intensa, feita de algumas poucas certezas. Eu seria o que devia ser: se um dia tivesse que superar a mim mesmo, que esse momento chegasse quando eu já soubesse como ser mais do que era. Os homens que estavam na sala me olhavam, mas foi a Feq'qesh que encarei, para dizer:

— Aceito ser vosso rei e cumprir a profecia, e nada além disso. Assim que o Templo de Yahweh estiver reerguido, seguirei minha vida. Faço essa escolha por minha vontade própria, sem equívoco nem reserva mental de qualquer tipo.

A alegria foi grande, mas do meio do riso de júbilo se ergueu a voz de Feq'qesh, dizendo o que imediatamente gerou um silêncio ainda maior que o anterior:

— E o que desejas em troca disso, Zerub? Se ides prestar-nos esse serviço, é justo que te seja dada alguma coisa em troca. O que queres?

Finalmente: eu teria o que desejava, numa troca justa. Milhares de coisas passaram por minha mente, riquezas, prazeres incontáveis, os desejos mais absurdos. No entanto, do fundo de meu coração se ergueu o mais singelo de todos eles, permanecendo de pé enquanto os outros ruíam, talvez por ser o único que podia ser realizado. Eu aceitava esse desígnio como vontade de deus, por ser nesse momento o único comum entre nós. Suspirei fundo, ergui a cabeça e disse:

— Todas as noites, depois de minha última refeição, Feq'qesh deve fazer de mim o que me prometeu na Grande Baab'el: quero que me ensine a ser músico como ele, para que, quando minha tarefa estiver cumprida, eu possa finalmente viver como meu coração anseia.

Ninguém entendeu, mas Feq'qesh, sabendo o que eu desejava, avançou em minha direção e apertou-me a mão, selando o contrato entre nós. Depois, estreitou-me em seu peito com tal emoção, que eu não pude conter o pranto, e chorei, passando em instantes de menino a homem. Meus motivos para chorar eram muitos, mas o mais forte deles era o pensamento "se meu pai me visse agora", fazendo lembranças se derramarem de meus olhos, lavando minha alma.

A figura de meu pai, oculta sob camadas e camadas de ressentimento e rebeldia, apareceu-me nesse instante como realmente era, sem nada do que a ocultava desde que eu decidira ser o oposto do que ele desejava. Nunca entendera o que ele queria de mim: mas agora podia ver que, como todos os outros, ele também queria o meu melhor, mesmo que isso não fosse o meu desejo. Meu pai não respeitara minha vontade, e as razões que o levavam a isso eram agora claras: obrigar-me a aprender o que não me interessava e preparar-me para um futuro que eu não conhecia, ainda que isso criasse um abismo entre nós. Se eu tivesse entendido seus motivos, tudo teria sido mais fácil: mas minha alma nada sabia dos motivos alheios, porque eu só via os meus próprios. Enxuguei os olhos com as costas da mão, e um levita imediatamente pôs entre meus dedos um pano macio, para que eu secasse a face. Havia grande diferença entre esses súditos, formados por levitas e *kohanim*, e os pedreiros que permaneciam unidos, aguardando com tranqüilidade. Determinadas pessoas, principalmente as que estavam em posição inferior, sempre agiam de maneira subserviente, e eu estranhava isso, admirando cada vez mais os pedreiros, pois percebia neles a altivez que nunca se apaga, não importa o que se esteja fazendo. Para os pedreiros, a execução de um serviço qualquer não os diminuía: pelo contrário, cada tarefa os engrandecia, por ser realização do dever. Os outros eram gente tacanha, movida exclusivamente por preconceitos sem sentido, todos em nome de seu deus, como se isso os transformasse em seres de perfeição absoluta. Eu preferia os pedreiros, vendo que neles havia qualidades de que os outros careciam, e novamente recordei a figura de meu pai, sua rigidez absoluta em relação a qualquer compromisso assumido, dizendo sua frase preferida:

— Assumido o compromisso, morro, mas faço.

Era isso que de mim exigiam: que eu cumprisse o compromisso assumido, e nada mais. Eu o aceitara, com a figura de meu pai iluminando essa decisão: em minha mente havia um lugar onde ele se tornara sempre presente, ainda que eu não lhe ouvisse a voz, e na tarde desse mesmo dia, durante a aula de hebraico, meu pai deixou de estar mudo. O velho que tossia entre frases, mordendo os grãos de minha paciência, sentou-se à minha frente, enfadado, e começou a falar:

— Al naharot Baav'el, sham iashávnu gam bachinu bezoch'rênu et Tsion....

Um violento relâmpago de fogo negro explodiu em minha mente, com um lancinante lampejo de dor aguda, penetrante, uma barra de ferro em brasa atravessando-me a cabeça por trás dos olhos de um lado a outro do crânio, e eu inesperadamente compreendi cada uma das palavras que ele me dizia, que elas me eram conhecidas, que eram as palavras que meu pai dissera na sala de nossa casa na Grande Baab'el exatamente no dia em que dela eu fora expulso, morrendo por sua bofetada:

— Junto aos rios da Babilônia, ali nos assentamos e choramos, lembrando-nos de Sião....

Eu entendia! Eu sabia o que aquilo queria dizer! A língua que o velho e seus ajudantes haviam balbuciado à minha frente durante tantas tardes repentinamente ganhava significado! Ergui minha voz acima da voz do velho e continuei a oração sem precisar imitar a ninguém:

— *Al aravim betocha talinu kinorotênu!*

Outro relâmpago negro explodiu em minha mente: a língua que eu rejeitara, ao rejeitar pai, mãe, irmãos, família, sangue e carne de meu povo, a língua que eu bebera no leite materno e nos olhos de meu pai, tornava-se novamente parte de mim. Eu entendia, eu percebia, eu voltara a pensar nessa língua, e me recordava de tudo, pois, ao mesmo tempo em que o fazia, era novamente criança na sala escura da pequena casa na Grande Baab'el, gritando em coro com meus irmãos e tantos outros meninos como eu:

— Sobre seus salgueiros, penduramos nossas harpas...

Voltei até os dias de minha infância, antes que as delícias da Grande Baab'el se tivessem tornado mais fortes em mim do que eu mesmo. Meus gritos na língua de Israel deviam ser fortes, porque a sala se encheu de homens e mulheres de todos os tipos, cores e tamanhos, boquiabertos, enquanto minha boca derramava sobre eles o fogo líquido das palavras que eu não sabia que sabia:

— Pois ali nossos captores nos exigiam canções, e nossos atormentadores ordenavam que nos alegrássemos, dizendo: "Cantai-nos um dos cânticos do Sião!" Mas como podemos entoar o Cântico do Eterno em terra estranha?

Cobri a face, ocultando a dor de nunca ter percebido quem verdadeiramente era. O pior escravo é aquele que, por sua própria vontade, aceita o jugo de seu captor. Eu fizera pior que isso: regozijara-me na escravidão, e nela chafurdara, cortando meus laços apenas para poder ser mais escravo do que seria humanamente possível. Eu não sabia que era escravo até que a luz da língua sagrada se impôs sobre mim:

— Se eu me esquecer de ti, ó Jerusalém, que minha mão direita esqueça a sua destreza, que minha língua se cole ao céu de minha boca, se eu não me lembrar de ti!

Recordei tudo que esquecera, num roldão: a língua, os cânticos, as palavras e verbos, a vida em família, as frases corriqueiras do dia-a-dia, as histórias e os rituais, as festas comemoradas a meio tom, a tristeza que cobria todas as faces quando as lembranças se avizinhavam. Quando um homem perde o seu passado, perde mais da metade do que é: quando é todo um povo que o perde, perde-se inteiramente. Eu jogara fora meu passado e minha identidade: e no momento em que a língua abandonada reflorescia dentro de mim, eu só desejava recuperar o tempo perdido, fazendo o que devia ser feito para encontrar minha própria felicidade. Disse isso na nova velha língua para o velho, que arregalou os olhos, e os outros ergueram as mãos para os céus, saudando a deus nessa língua que era novamente minha velha conhecida. A língua familiar voltava à minha mente, tendo como centro a figura de meu pai, de quem eu nesse momento sentia profunda saudade. Ninguém melhor do que ele para me dar o rumo de que eu tanto precisava: mas estávamos tão longe um do outro, que eu só poderia mesmo contar com minhas tênues lembranças.

Mais tarde, sozinho em meus aposentos, suspirei de alívio sobre as almofadas, derreado, como se tivesse lutado contra um anjo mais forte que eu. Quando Feq'qesh, encontrando de saída os que me haviam trazido o jantar, entrou em meus aposentos com sua harpa, percebeu o meu cansaço: eu mal conseguia manter os olhos abertos, pois a lembrança de tudo o que eu fora tinha exaurido minhas forças. Ele se sentou a meu lado, e naquele instante tudo foi como num sonho, por detrás de uma névoa de cansaço. Passando o braço por meus ombros, sustentou-me, enquanto me dizia:

— O dia de hoje foi de grande exigência para tua mente e tua alma, porque despertou em ti um homem que não sabias que eras. Esse homem nunca mais adormecerá, e será teu companheiro de viagem de hoje em diante. É a ele que darás conta de tuas ações e de teus impulsos, buscando o equilíbrio exato, porque estamos no mundo apenas para aprender este equilíbrio.

— O sono que estou sentindo torna quase impossível compreender-te, meu mestre. Acredita; a única coisa que esse homem deseja é poder dormir sem que o acordem mais.

Feq'qesh tocou os dedos em sua harpa, mansamente:

— É pena que estejas assim tão cansado: tinha para ti um presente que decerto muito te agradaria.

Bateu palmas, os reposteiros de minha câmara se abriram, e uma figura de mulher deu alguns passos para dentro do aposento, curvando-se à minha frente. Despertei incontinenti, porque meu corpo, ainda que muito cansado, foi imediatamente tomado pelo perfume que dela se evolava. Seu manto caiu, e eu reconheci a mulher morena que dançara para mim em minha primeira noite no palácio: era mais velha que moça, um ar cansado no rosto, mas seu corpo ainda ágil começou a retorcer-se suavemente ao som da harpa de Feq'qesh, no mesmo ritmo de oito batidas sobre cinco, três curtas e mais três curtas por duas longas, que eu ouvira durante a subida da torre da Grande Baab'el, acompanhando Sha'hawaniah. O ritmo, o perfume, a lembrança dela começaram a ferver em meu baixo-ventre, e enquanto o sono tomava meu corpo, o vulcão entre minhas pernas acordou, e nem notei que Feq'qesh estava saindo da câmara. A mulher estava cada vez mais linda à luz bruxuleante das lamparinas, e o som da música de Feq'qesh, afastando-se lentamente para fora do quarto, sustentava a minha respiração e a dela, enquanto meu coração pulsava em meus ouvidos. Os véus flutuavam à sua volta como se estivéssemos dentro d'água, e quando ela pôs um joelho sobre as almofadas de meu leito e se aproximou de mim, avançando sua mão enfeitada de anéis dourados pela minha coxa, em direção a meu membro pulsante, eu me entreguei à vertigem do prazer, perdendo qualquer noção de tempo e espaço, reduzido apenas a essa fonte de deleite que saía de mim para ela.

Ao acordar por mim mesmo na manhã seguinte, antes que as trombetas soassem, meu primeiro movimento foi procurar a meu lado aquela que tanto prazer me dera: não me recordava de nada, nenhum detalhe, apenas da sensação de completa saciedade que ainda permanecia em meus rins e boca. Ao erguer-me, contudo, recordei algo que ela me dissera, depois de satisfazer-me e satisfazer-se, várias vezes: arrumara-me sobre o leito, com a delicadeza de uma mãe, e, chegando junto a meu ouvido, sussurrara:

— Minha senhora Ishtar te manda lembranças...

Fiquei por alguns instantes imerso nessa lembrança da qual não tinha muita certeza: uma agitação do lado de fora do palácio me chamou a atenção, e me vesti rapidamente. Estava atando minhas sandálias, quando meus dois protetores ergueram os reposteiros e ouvi do lado de fora um grito inesperado:

RECONSTRUINDO O TEMPLO

— A caravana de pedreiros está retornando da viagem!

Isso era impossível: fazia apenas oito dias que haviam deixado Jerusalém, e, por mais céleres que fossem seus cavalos, não havia tempo para chegar ao destino no Egito e dele retornar. Algo devia ter acontecido para que interrompessem sua viagem: cobri-me com o manto vermelho e, sem me lembrar da coroa, atravessei as salas do palácio de madeira, deixando-o. Meu coração ansiava rever Daruj, o único amigo que me restara, com quem desejava partilhar as alegrias do reinado e as descobertas da alma, desejando apenas enxergar minha felicidade refletida em sua face.

Capítulo 15

A possibilidade de ver a face de meu amigo ensandeceu meu coração. Saí correndo para encontrá-lo, pensando no que lhe tinha a contar, as descobertas que fizera sobre o mundo e sobre mim mesmo, as vitórias que poderíamos colher juntos. Não me incomodaria de dividir o poder com Daruj, tal a felicidade que sua volta me dava: sentar-me-ia com ele fraternalmente, no trono de Israel e Judah, se ele assim o desejasse. Juntos, seríamos um excelente rei, porque ele tinha tudo o que me faltava para o exercício da função, enquanto eu era possuidor de certas coisas de que ele verdadeiramente carecia.

No terreno onde meus exercícios eram realizados, todos os dias, a caravana começava a arriar seus fardos, e eu, seguido de perto por meus protetores, avancei por entre cavalos e homens, procurando por Daruj, o amigo que o destino outra vez colocava em minha presença. As faces eram familiares, mas o rosto que eu ansiava ver não surgia entre os viajantes. Repentinamente, atrás de uma tenda, vi a face enrugada de Ragel. Gritei seu nome, e ele, com os olhos apertados, moveu a cabeça de um lado para outro, até perceber a direção de onde vinha a minha voz. O sol lavado da manhã enevoada o impedia de enxergar, o que já não lhe era muito fácil: mas ele reconheceu minha voz, e o abraço que lhe dei teve resposta intensa, como a de um pai ou irmão, enchendo-me a alma de alegria. Minha preocupação, contudo, era outra, e enquanto Ragel iniciava seu relato dos acontecimentos que os tinham feito retornar tão rapidamente a Jerusalém, eu esquadrinhava cada rosto à minha volta, na ânsia de rever o amigo perdido:

— Não andamos mais que quatro dias, atravessando o Wadih Arabah. Na beira do mar, em Aqabah, onde navios nos esperavam, estava um grande batalhão de soldados de Cyro, interrompendo a passagem de quem queria cruzar o mar, em direção ao Egito do Faraó. A multidão se acotovelava, e os soldados armados só permitiam o retorno. Ainda tentamos negociar com o comandante do batalhão, que foi inflexível: até que o império de Cyro esteja totalmente organizado, ninguém se desloca dentro das fronteiras, para impedir movimentos de rebelião ou inimigos ocultos. Os navios que lá estavam voltaram todos vazios para seus portos de origem, porque nem mesmo as mercadorias foram embarcadas.

Ao lado dos caravaneiros, vi Jael, meu primeiro amigo pedreiro, junto a muitos outros: de Daruj, nem sinal. Jael adiantou-se em minha direção, curvando a cabeça ao chegar perto de mim. Não titubeei: abracei-o com a mesma intensidade com que abraçara Ragel, beijando-o na face esquerda, e lhe perguntei:

— Onde está Daruj, meu amigo da Grande Baab'el?

Jael franziu o sobrecenho:

— Zerub, ele partiu conosco mas não retornou: na noite em que acampamos na confusão do porto de Aqabah, mostrou-se muito irritado com a proibição de atravessar o mar: na refeição da noite, comeu rapidamente e se enfiou pelo meio da multidão, não voltando para dormir conosco. Quando começamos a preparar a caravana para a volta, ele já não estava entre nós. A confusão no porto aumentava sem cessar, com navios que saíam para aproveitar o vento da manhã, e toda uma população que esbravejava e era reprimida pelos soldados, fazendo tal alaúza que era impossível ouvir até mesmo os próprios pensamentos. Havia de tudo naquele lugar: ladrões, mulheres, mendigos e aleijados de toda espécie, uma caterva sem rosto tão violentamente asquerosa, que foi um verdadeiro alívio sair de lá.

— Mas não houve nenhum sinal dele?

— Nenhum: até mesmo o pequeno fardo que ele carregava em seu cavalo foi abandonado. Quando os soldados começaram a espicaçar suas montarias sobre a multidão, as espadas erguidas sobre a cabeça, vimos que era hora de partir sem olhar para trás. Foi o que fizemos, Zerub. Sinto muito não poder dar-te as notícias que querias ouvir, nem mostrar-te o amigo que desejavas ver. Foi desejo dele afastar-se de nossa companhia: como poderíamos obrigá-lo a ficar conosco?

Fiquei triste, porque acabara de perder meu amigo de juventude, como perdera a todos os outros. Meus companheiros, eu os perdera a todos, como se meu destino fosse a solidão mais absoluta, sem um amigo sequer que pudesse chamar de meu.

Ragel percebeu minha tristeza e passou seu braço em volta de mim, enquanto me dizia:

— Tranqüiliza-te, Zerub: cada vez que se perde um amigo, outros surgem para substituí-lo, sempre na medida exata de nossas necessidades e anseios. A perda de um amigo é como a de uma perna, ou um braço: o tempo pode até curar a angústia da ferida, mas nunca cicatriza a ausência. Um amigo é um presente de Yahweh, pois apenas Ele, que criou os corações, pode verdadeiramente uni-los. Quem sabe ele já não te pôs nas mãos esse novo amigo, para substituir o velho amigo perdido?

Meu coração se transformara em pedra. Com quem dividiria meus sonhos agora? Não havia o que fazer, a não ser sepultar bem fundo as lembranças e seguir em frente, aceitando que o destino separe os que deveriam estar juntos, como às vezes junta os que nunca deviam ter-se encontrado. Cumprimentei Ragel e Jael, em silêncio, tomando o caminho de volta para meu palácio, seguido por Heman e Iditum, a quem cada vez percebia menos. No pátio em frente, encontrei Théron, o grego que me dava o treinamento físico, trabalhando com um pequeno cinzel em uma pedra comprida. Ao ver-me, ele jogou um pano encardido sobre a pedra, mas eu o afastei para ver a obra. Era uma espécie de friso, e eu nunca tinha visto nenhum tão belo, com figuras de perfil em baixo-relevo executando exercícios físicos muito familiares: reconheci a mim mesmo ali representado, por causa da coroa, estirando um arco até o ponto máximo, os músculos finamente desenhados pela mordida do pequeno cinzel. Procurei pelo próprio Théron naquele friso, e lá estava ele, no canto esquerdo, sentado com os braços entre os joelhos, a cabeça voltada em minha direção, como sempre fazia, na posição de descanso absolutamente atenta que, havendo necessidade, o faria saltar, como os felinos que eu vira na Grande Baab'el, enormes gatos de pêlo listrado de negro e amarelo, os dentes cobertos pelo sangue de suas vítimas.

RECONSTRUINDO O TEMPLO

O rosto de meu treinador se transformou em uma expressão de prazer quando eu lhe disse achar belo seu trabalho, e ele voltou a trabalhar com delicadeza em um detalhe da moldura, contando-me como descobrira esse talento:

— Foi durante um longo cerco, quando o tédio e a ousadia me levaram ao oráculo: eu precisava de um pretexto para tirar-me daquele acampamento, onde minhas pernas ja começavam a enferrujar, e escapei durante a noite, subindo até a caverna de Sifnós. No meio dos fumos de cheiro forte, que me entonteciam a cabeça, a voz do oráculo disse que eu era irmão da pedra. Desci das montanhas com aquilo na cabeça, e quando cheguei ao acampamento, já pensava como faria para realizar em pedra as pequenas esculturas que desde pequeno fazia em madeira. A maior parte do que sei aprendi sozinho, até encontrar um pedreiro que se encantou com meu talento e me convidou para segui-lo pelo mundo, como seu aprendiz. Abandonei a vida de soldado e fui atrás dele, viajando por todas as ilhas, exercendo a arte da escultura em pedra. Uma noite, em Atenas, fui iniciado na irmandade da pedra, e desde então viajo para onde quer que meus irmãos necessitem de mim. Faz três anos, espero aqui em Jerusalém, porque me foi dito que minha presença aqui seria necessária: mas nunca pensei que precisassem mais de meus talentos de soldado que dos de pedreiro.

Com um suspiro, Théron espanou a pedra e, percebendo a aproximação de alguém, cobriu-a com o pano sujo, explicando-me:

— Em Jerusalém, não admitem que se represente a figura humana de nenhuma maneira, por isso oculto minha obra de todos os olhos que não devam vê-la. Temia que meu rei também partilhasse dessa noção, por isso nunca permiti que visse o que faço com minhas mãos inábeis.

Era interessante ouvir a história de Théron contada por sua própria boca, de maneira tão lenta e descansada, enquanto seus dedos nodosos e calejados passavam carinhosamente pelos cortes que o cinzel deixava na pedra. O servo do palácio se aproximou com uma jarra de água fresca, e eu, orgulhoso da confiança que meu instrutor em mim depositava, fiz questão que ele bebesse dela antes de mim, em minha própria taça. O levita que me servia abriu a boca de espanto, chocado com a familiaridade entre seu rei e um soldado estrangeiro, e Théron, percebendo isso, fez questão de limpar a borda da taça na parte superior de seu manto, ajoelhando-se à minha frente para oferecê-la já seca. O levita suspirou, aliviado, e o olhar de cumplicidade que eu e meu instrutor trocamos lhe escapou, porque logo retornou à atitude servil de sempre, olhos baixos, cabeça curvada. Iniciamos nossos exercícios, e nesse dia foi Théron quem teve que dizer-me "basta", porque me atirei de tal modo ao treino, que só ao parar percebi o quanto me esgotara. Retornei ao palácio, onde, em vez de sentar-me ao trono como sempre, deitei-me ao leito, com o corpo cheio de dores, curioso sobre essa intimidade com a pedra que homens como Ragel, Théron e Jerubaal tinham, fazendo deles homens tão diferentes dos outros homens.

Os reposteiros se abriram, e Jael aproximou-se solicitamente de mim. Meu corpo doía, meu humor se azedava, mas a preocupação sincera de Jael aliviou um pouco o peso sobre meu coração. Com rara sensibilidade, ele me perguntou:

— Há alguma coisa que eu possa fazer por ti, Zerub?

Eu sorri, com tristeza:

— Tens como levar-me de volta ao tempo em que nenhuma preocupação me toldava a mente? Porque os tempos que hoje vivo não são de forma alguma os que imaginei quando pensei em meu futuro. Reconheço que meu destino tem que se realizar, mas não entendo por que, para que isso aconteça, eu deva perder tudo o que me é mais caro.

Jael também sorriu, tão triste quanto eu:

— As perdas são a marca da vida, meu rei, é nelas que se aprende a valorizar os ganhos. Quando meu próprio pai me vendeu como escravo, acreditei que nunca mais encontraria um momento sequer de felicidade. Tudo estava perdido: mas o pedreiro que me comprou do homem a quem meu pai me vendera era sábio, e quando fui aceito como aprendiz, ainda em Qornah, não sabia que o que me parecia perda era na verdade meu maior lucro. Viver entre os pedreiros me fez desejar ser um deles. Recordo uma frase que meu mestre me disse, exatamente antes de perguntar-me se desejava ir mais longe: quando a riqueza se perde, nada se perde; quando a saúde se perde, perde-se alguma coisa; mas quando o caráter se perde, tudo está perdido. Isso me fez desejar ser como eles, e a vida entre os pedreiros, mesmo dura, cansativa, sem recompensas aparentes, é a única coisa que me tranqüiliza o coração, porque eu, como todos os homens, também tenho a nostalgia daquilo que não conheci.

RECONSTRUINDO O TEMPLO

Olhei para Jael como se estivesse olhando para mim mesmo. Sinceramente o invejei, porque ele parecia ter chegado a um domínio de si próprio que eu não acreditava ser possível. Era certamente a característica mais forte dos pedreiros: o autodomínio, o permanente estado de alerta, sem deixar que emoções inferiores tomassem as rédeas de suas vidas. De repente, num relâmpago súbito, recordei de algo muito importante, que me pareceu a descoberta dos verdadeiros motivos pelos quais eu me sentia mal:

— Jael, é isso o que me falta! A revelação de minha herança de sangue interrompeu minha iniciação! Para ser rei, deixei de ser pedreiro, e ouvindo as tuas palavras vejo que é preciso ser pedreiro para ser rei. Sabes se nunca mais terminarei minha iniciação? Ficarei para sempre pendurado a meio caminho entre uma coisa e outra, sem ser nenhuma das duas?

A boca de Jael se abriu:

— Com efeito, Rei Zerub, tua iniciação foi interrompida pela revelação de tua descendência, e nunca mais se falou sobre o assunto. É estranho, porque não se costuma agir assim em matéria de iniciações: parece que desde Salomão não se inicia nenhum rei, havendo mesmo dúvidas se ele ou seu pai David foram verdadeiramente iniciados em nossos mistérios. Talvez tenhamos sido paralisados por essa dúvida... Meu rei, é preciso indagar sobre isso a nossos irmãos. Quereis que eu faça isso?

Ergui-me do trono, determinado:

— Não, Jael, façamos isso juntos! Dedicarei o que resta de meu dia a ser pedreiro, porque no momento nada me parece mais importante do que isso!

Na sala do trono, quando saí de meus aposentos, estavam o velho e o vesgo, prontos para mais uma longa sessão de narrativas e comentários na língua sagrada: com um gesto, descartei-os, sem maiores explicações. Eu e Jael, seguidos de perto por Heman e Iditum, atravessamos as ruínas da cidade semi-abandonada, indo para onde os pedreiros costumavam se reunir. As ruas tortuosas e vazias eram formadas por casinholas de alvenaria e pedra, extremamente pobres e maltratadas, com suas pequenas janelas sempre fechadas, como se lá não houvesse ninguém. Jerusalém parecia ter apenas velhos sem força, porque todos os outros homens e mulheres com algum valor se esfalfavam de manhã à noite nas terras áridas e secas que cercavam a cidade, tentando delas tirar seu sustento. Os magros e descarnados rebanhos de cabras eram mantidos quase que apenas para produzir o leite, que servia para alimentá-los antes de alimentar seus criadores.

Na curva de certa rua estava uma taberna que já não o era mais, com janelas fechadas por tábuas e a porta apenas ligeiramente aberta: era o lugar onde os pedreiros que habitavam Jerusalém dormiam e se alimentavam. Ao entrar na sala escura, perfurada aqui e ali por alguns raios de sol que manchavam o assoalho de pedra, recordei as casernas do palácio de Belshah'zzar, onde vivera os momentos mais terríveis e assustadores de minha vida. Aqui, uma vez os olhos se acostumando à obscuridade, a impressão era quase que oposta: uma grande calma a tudo cobria, e os homens que ocupavam os três salões sucessivos, cada um envolvido em suas próprias tarefas, estavam tranqüilos, como sempre acontece quando pedreiros se reúnem.

Quando dei três passos para dentro daquele lugar, alguns homens se ergueram, mas um deles, reconhecendo-me, acalmou os outros e me saudou:

— Zerub, bem-vindo à casa dos pedreiros. Como te podemos ser úteis?

Avancei em sua direção, e todos os pedreiros do aposento se ergueram, interrompendo suas tarefas. Aproveitei a atenção e disse:

— Nada melhor que esta também fosse a minha casa, e eu nela não fosse um visitante.

— Não compreendo, meu rei: ao que eu saiba, tu és um de nós... — Jerubaal, a meio de sua frase, percebeu a que eu me referia. — Na verdade, não o és, ainda, não completamente, pelo menos. Mas te garanto...

Interrompi-o:

— Não me garantas coisa alguma, Jerubaal: se o acaso fez com que eu soubesse a metade do que não devia, garantindo-me o direito de ser um de vós, o que me impede de conhecer a outra metade e ser vosso irmão por inteiro, sem que nenhuma diferença nos separe?

O burburinho na sala aumentou, enquanto todos comentavam o fato de eu ser apenas meio-pedreiro. Jerubaal sorriu, desanuviando o clima, e falou:

— De certa maneira, aconteceu o que tinha que acontecer. Todos fomos escolhidos para ser pedreiros por movimentos insondáveis do Universo, mas tu és o primeiro a se prevalecer dessa garantia que o conhecimento fortuito dá. Alguém aqui se recorda de outro alguém que se tenha tornado irmão nas mesmas circunstâncias?

A sala se encheu de negativas: Jerubaal virou-se para mim, com ar de certeza:

— Vês, meu rei? Teu caso é único em toda a nossa história, e de certa maneira emblemático, dada a tua importância para Jerusalém e a fraternidade da pedra. — Jerubaal estendeu o braço em círculo, como que abrangendo toda a sala. — Este lugar tem sido abrigo e moradia de inúmeros pedreiros, desde os tempos do rei David: quando deixou de ser a taberna de Naftuli, permaneceu sendo o porto seguro de todos os pedreiros que passam por Jerusalém. Aqui nos reunimos, e quando não estamos trabalhando em nenhuma obra, é aqui que os aprendizes são treinados nos rudimentos de nosso ofício. Esta é nossa casa, o lugar onde os pedreiros estudam as mesmas coisas que os reis.

Minha face deve ter mudado, porque repentinamente uma onda de riso nos cobriu a todos. Olhando para o lado, percebi que Jael também tinha o riso estampado na face. Apenas eu não estava rindo, determinado a ter tudo que fosse meu por direito. Sentei-me em um escabelo, e disse:

— Era o que eu queria ouvir: podem começar a transformar esse rei em um pedreiro.

As risadas aumentaram, e a sala ficou mais calorosa e familiar do que antes. Jerubaal, ajudado por alguns outros, contou-me a história da fraternidade da pedra, de como se formara a partir do conhecimento que alguns possuíam sobre a natureza interna das pedras do mundo, sua formação, seus veios, a maneira correta de cortar e trabalhar as melhores dentre elas, e também de transformar as praticamente imprestáveis em verdadeiras obras de arte:

— Muito desse conhecimento prático da natureza da pedra tem extrema semelhança com o trabalho interno pelo qual cada um de nós passa enquanto a trabalha, porque pedra e homem são uma só coisa. — Jerubaal falava com voz muito calma. — Alguns de nós, iniciados em mistérios mais antigos que a própria humanidade, também percebemos a semelhança entre esses mistérios e o desbastar de nossa pedra bruta, e isso enriqueceu o corpo de conhecimentos da fraternidade. O segredo de ofício é para nós tão importante quanto o mistério para os iniciados, e essa semelhança nos une em um só corpo. Os iniciados nos mistérios partilham os símbolos do trabalho dos pedreiros, assim como os pedreiros se tornam iniciados em seus mistérios.

Fascinado com essas idéias, não pude deixar de perguntar:

— Sim, de iniciados a pedreiros, e vice-versa, mas... e os reis?

Os risos tomaram a sala novamente, e Jerubaal continuou:

— Para que um rei seja rei, precisa antes deixar de sê-lo, tornando-se pedreiro de si mesmo. Com tempo e trabalho, há de acordar numa determinada manhã e perceber que a pedra bruta se transformou em pedra polida, e que o pedreiro se transformou em rei. Por isso dizemos que os reis e os pedreiros estudam as mesmas coisas, e todos os pedreiros podem ser reis, se isso for necessário.

— Então, se devo ser rei deste povo, é preciso que me ensineis a ser pedreiro. Na verdade, como bem o sabeis, estou mais que disposto a deixar de ser rei, se a oportunidade se apresentar...

Gargalhadas explodiram entre nós, porque todos conheciam minha relutância em aceitar a herança que me era imposta. Compreendi nesse instante que podia fazer parte desse grupo de homens de todos os tipos e origens, se esquecesse meu orgulho, vencesse minhas paixões, submetesse minhas vontades e estivesse disposto a ser apenas mais um pedreiro entre muitos. Não me considerei capaz de tanto: mas acreditei que, se me fizessem pedreiro e me dessem o conhecimento do poder que guardavam, eu seria um rei mais poderoso que todos os outros.

Jerubaal aproximou-se de mim, tomado de uma emoção tão forte que eu quase a podia sentir refletir-se em meu ser, cálida, intensa:

— Creio que breve te chamaremos de irmão. Não basta que sejas escolhido pelo destino, pelo sangue, ou por qualquer um dos elos inexplicáveis que fazem homens como nós nos reconhecermos como iguais, descobrindo, entre muitos, exatamente aquele a quem chamaremos de irmão. É preciso também que a tua vontade intervenha, e que tenhas verdadeiro desejo de encontrar dentro de ti não só o pedreiro que podes ser, mas a pedra bruta que és, vislumbrando a pedra polida em que podes te tornar. É o que desejas, Zerub?

RECONSTRUINDO O TEMPLO

Ergui-me e disse sim, mesmo não entendendo muito bem o que ele me perguntara. Os outros homens que estavam na sala vieram abraçar-me com emoção e carinho indescritíveis, dificultando-me manter a tranqüilidade. Na volta ao palácio, fui acompanhado pelos pedreiros, que ainda me saudaram por três vezes à beira da grande escadaria, criando estranheza entre os levitas que me aguardavam, preocupados com minha ausência. Deitei-me em meu leito tomado por dúvidas que nunca havia tido, e adormeci sem que meu corpo precisasse do alívio a que freqüentemente vinha recorrendo. Sonhei com Sha'hawaniah, dançando à minha frente. O lugar onde ela dançava, no entanto, era um céu formado por palavras escritas com letras de fogo negro, cercando-a cada vez mais e por fim dissipando sua imagem, deixando no ar apenas o grito de que sua senhora Ishtar me mandava lembranças.

Acordei sem sinais de emissão noturna, sentindo que a vida poderia ser mais fácil, pois ao me recordar do encontro entre pedreiros minha alma se enchia de uma paz tão grande, que nenhuma outra emoção a conseguia sobrepujar. Eu invejava essa paz impossível de preservar, desejando que minha iniciação completa me desse o poder de convocá-la a meu espírito sempre que me desse vontade.

Quatro dias depois, avisaram-me que eu seria finalmente iniciado como pedreiro, completando o ritual que fora interrompido. Aguardei ansiosamente que a noite chegasse, e mesmo com a cara fechada dos levitas e *kohanim* de meu séquito, absolutamente avessos a qualquer coisa que não fosse exatamente os rituais de sua crença, esperei, cheio de uma ansiedade que não sabia explicar. Se toda a minha vida anterior tivesse sido uma preparação para esse exato momento, talvez não estivesse assim. O que me movia era a possibilidade indiscutível de ter em mãos um poder maior que qualquer poder imaginado: eu seria o primeiro rei pedreiro a dispor desse poder sem que ninguém viesse dizer-me como usá-lo ou o que fazer com ele.

Quando a noite caiu, entraram na sala do trono, onde eu estava à espera, alguns pedreiros vestidos com simples mantos brancos, todos portando seus aventais de ofício e também luvas brancas feitas da mesma pelica macia dos aventais. Dentre eles surgiu Feq'qesh, com seu eterno sorriso, trazendo uma corda verde que, depois que me vestiram uma túnica branca igual à que os pedreiros usavam sob os mantos, foi atada à minha cintura com duas voltas. A partir daí, ninguém mais tocou em mim: todos os meus passos foram guiados por puxões e toques na corda verde. Atravessamos a escuridão das ruas desertas da Jerusalém semi-abandonada em procissão ardente, seguindo o mesmo caminho de antes, desta vez passando por trás do subterrâneo onde eu havia espionado a primeira reunião de minha vida, durante a qual fora revelada minha identidade. Ao fundo do grande platô onde estavam as ruínas do Templo de Salomão, havia outra abertura, pela qual eu via a luz dos archotes, tingindo de amarelo a névoa seca que pairava sobre o solo.

O subterrâneo em que entramos, diferente do outro que eu conhecera, era uma sala cúbica, de um de seus lados se projetando uma pedra razoavelmente grande, na qual havia uma depressão do tamanho de um alguidar de barro. Este calhau atravessava os reposteiros de cor carmesim que cobriam as paredes, do chão ao teto, e um grande número de pedreiros se alinhava em três lados da sala, deixando o lado onde estava a pedra ocupado apenas por Jerubaal e Ananias, um de cada lado. Feq'qesh, guiando-me pela corda verde, postou-me à frente desses homens, enquanto eu observava pequenas luminárias feitas de vidro egípcio de cores diversas, azuis, amarelas, encarnadas, alaranjadas, brancas e arroxeadas, que tingiam as faces e paredes à nossa volta com matizes variados dessas cores, simples e combinadas. O ar era frio, mais do que o normal, principalmente por estarmos em um subterrâneo: devia haver alguma fonte de ar puro que alimentava a sala, e por diversas vezes no decorrer da cerimônia tive arrepios, sem poder verdadeiramente precisar-lhes as causas.

Não posso dizer com sinceridade que compreendi o que ali se passou. O ritual de que me fizeram participar não fez nenhum sentido: algumas frases dele, no entanto, impregnaram-se em mim de tal maneira, que se tornaram inesquecíveis, talvez por tocarem pontos mais controversos de minha alma. A primeira delas foi uma que se repetia constantemente e cada vez mais alto, ficando gravada a fogo em minha memória:

— Se minha razão for impotente, de que me serve a liberdade?

Fui arrastado à volta do assoalho, feito das mesmas pedras brancas e negras incrustadas uma na outra, sem junção aparente entre elas, tal a perfeição do trabalho. Ouvi coisas como "o neófito sai das profundezas da terra", "o neófito viaja pelos domínios do ar", "é preciso que o neófito seja purificado pela água e pelo fogo", sem que em nenhum momento percebesse qualquer relação entre esses elementos e as direções em que Feq'qesh me movia com leves puxões da corda em minha cintura. Tudo parecia se referir a outros rituais anteriores, como se eu tivesse passado por eles. Parecia haver, por trás dessa iniciação, outros motivos e intenções que me escapavam completamente à compreensão.

Outra frase repetida com certa constância de modo cada vez mais triste e acabrunhado chegou a ser um sussurro, escapando como vento das gargantas dos presentes:

— A ignorância e a dor são as eternas companheiras do homem.

Mesmo sendo de natureza alegre e otimista, eu reconhecia a marca da tristeza nos acontecimentos dos últimos tempos, principalmente por não ser dono de minha própria vontade, vivendo para cumprir uma missão que não compreendia. Tinha perdido todos que me eram caros, pelos motivos mais inesperados, e estava absolutamente só.

Chegou o momento em que prestei o juramento dos pedreiros, minha mão direita sobre a pedra estranhamente quente em ambiente tão frio, transferindo seu calor por meu braço acima até o centro de meu peito, enquanto eu me declarei fiel às obrigações de que ser pedreiro me investia, mesmo sem entender a que obrigações esse juramento se referia. Um anel me foi posto no dedo anular da mão esquerda, e o ouro bruto de que era feito contrastava profundamente com a superfície lisa e brilhante da pedra negra que o enfeitava. Nesse momento, foi proferida a uma só voz a terceira das frases inesquecíveis, com tal vigor que até mesmo as chamas das lamparinas, até então firmes e retas, sentiram seu efeito:

— Juramos ser fiéis uns aos outros, honrando todos os atos de nossas vidas, levando os princípios de nossa fraternidade até o sacrifício, se preciso for, declarando infame todo aquele dentre nós que desonrar qualquer outro de seus irmãos, nas pessoas de sua esposa, sua filha, sua mãe, sua irmã.

Sem compreender essa frase inesperada, corri os olhos pela audiência, e meu olhar se fixou no de Jael, que me deu um suave sorriso, cheio da amizade que começávamos a devotar-nos mutuamente, e eu me senti um pouco menos abandonado, menos inadequado, menos só. A partir desse momento, poderia contar com esse homem tão igual e tão diferente de mim, e sua presença preencheria os poços secos das amizades perdidas, dos quais o deserto de minha alma estava coalhado. A corda me foi tirada da cintura e jogada aos pés, enquanto os reposteiros carmesim que envolviam a pedra eram afastados, deixando ver atrás dela um longo corredor iluminado aqui e ali por archotes de luz estranhamente prateada. Feq'qesh tomou esse corredor e eu o segui, tendo logo atrás de mim alguns dos pedreiros mais velhos, entre eles o engelhado Ragel, seus olhos cada vez mais apertados. Atravessamos nove pequenos arcos feitos de pedra, chegando a uma sala também cúbica, muito menor que a anterior, onde estava posto sobre um pedestal de mármore muito branco, um cubo razoavelmente grande feito de ágata perfeitamente polida, em cujo centro do qual brilhava algo que não pude definir o que era, pois mesmo quando diminuí a distância entre mim e esse cubo, o que estava lá dentro me escapava ao entendimento. Parecia ser uma lâmina de metal em volta da qual o cubo se formara, cheia de inscrições incompreensíveis. Tentei decifrá-las, enquanto Ananias falava em voz pausada e respeitosa:

— O corredor que atravessamos é a réplica da câmara de nove arcos que nosso pai Enoch construiu, para nela guardar o cubo de ágata cuja cópia ora vemos. Quando da destruição do Templo pelos serviçais de Nebbuchadrena'zzar, o verdadeiro cubo foi oculto em um subterrâneo ainda mais profundo, cuja localização nenhum de nós conhece, repleto dos verdadeiros tesouros a que nossos invasores nunca puderam ter acesso. O verdadeiro cubo tem milhares de anos: foi visto pela primeira vez algumas gerações antes do Grande Dilúvio, que renovou a humanidade. Nele se incrusta um triângulo de ouro onde está gravado o Verdadeiro Nome do Grande Arquiteto do Universo, nome que ninguém pode pronunciar, pois ninguém sabe o que significam as letras em que ele está traçado, tal a sua antigüidade.

Um zumbido muito forte em meus ouvidos me tonteou, enquanto os riscos sobre a lâmina de metal dentro do cubo de ágata se iluminaram com o mesmo fogo negro que ultimamente vinha surgindo em minha mente, cada vez que minha inteligência se abria para aquilo que eu desconhecia. Voando pelo espaço de luz amarela onde minha consciência se encontrava, meu corpo penetrou o cubo e por ele foi cercado, enquanto minha alma sobrevoava os setenta e dois sinais na superfície da lâmina de ouro, conhecendo e decifrando cada um deles, entendendo o valor de cada letra e de cada som, separados e juntos, num turbilhão de vozes formando uma única e poderosa voz que gritava Seu Único e Múltiplo Nome, formado por todos os infinitos aspectos através dos quais a Criação havia surgido, na Luz Infinita em cujo centro a Lanterna das Trevas abrira espaço para que surgisse o Universo Criado, celebrando num imenso movimento de amor uníssono o Verdadeiro Nome de Deus, que eu gritei, pois acabava de ouvir esse nome na partícula de vida que estava no centro de minha própria existência.

Ao dar novamente acordo de mim, estava caído de bruços sobre o solo. Mãos amigas me ergueram, preocupadas, mas Feq'qesh, ao ver-me a face transfigurada, ergueu as mãos para o céu, gritando:

— *SHEMA YISRAEL!* Ouve, Israel! *ADONAI ELOHÊNU!* O Eterno é nosso Deus! *ADONAI ECHAD!* O Eterno é Um!

Enquanto Feq'qesh proferia estas palavras, com temor, veneração e estremecimento, dentro de mim uma voz como a de meu pai sussurrou, idêntica ao sopro divino que me dotou de vida:

— Bendito seja o Nome daquele cujo Glorioso Reino é eterno.

Firmando-me com dificuldade sobre os pés, fitando o grande Nada e Tudo incompreensíveis, minha alma se entonteceu consigo mesma, e eu pensei que, se não me transformasse no pedreiro que precisava ser, talvez nunca pudesse me tornar o rei para cuja missão Yahweh me criara.

Capítulo 16

A manhã seguinte me encontrou fisicamente esgotado: era como se a noite anterior me tivesse exaurido de toda a energia, usando-a para que eu pudesse mergulhar no cubo de ágata e conhecer o verdadeiro nome de Yahweh, impronunciável pela voz humana, mas que se repetia dentro de mim sem cessar, cada vez que me recordava do acontecido. Não sei como voltei para meu leito no palácio, mas senti que o dia já ia bem alto quando finalmente abri os olhos. Ninguém estava em meus aposentos: quando me vesti e atravessei as cortinas, percebendo pela primeira vez em muito tempo a ausência de meus dois guardiões no umbral da porta, a sala do trono também estava vazia. Cansado, sentei-me ao trono, o cotovelo esquerdo apoiado sobre o braço de pedra, o queixo firmemente fincado na palma dessa mão, tentando concatenar os acontecimentos da noite anterior. Lembrava muito pouco do que se passara: as ações, movimentos e frases proferidas no estranho subterrâneo cúbico, por me serem incompreensíveis, eram quase impossíveis de recordar, e as únicas três frases que me haviam marcado a alma se destacavam da mixórdia de passos, sussurros, gestos e símbolos por serem as três únicas idéias claras o suficiente para ser lembradas. O caminho que minha mente fizera até o estranho cubo de ágata, a inesperada viagem por seu interior, o conhecimento desse nome imenso que soava com clareza quase mecânica em minha mente, isso sim era inesquecível. Diz-se que cada pedreiro guarda de sua iniciação aquilo que lhe dão: eu creio que guarda apenas o que pode compreender dela, e o que lhe fica no espírito, ainda que nebuloso, aguarda que a vida real lhe venha ao encontro para finalmente fazer sentido, como aconteceu comigo. Só a realidade vivida dá sentido aos símbolos, só através dos símbolos firmemente embebidos no espírito é que a realidade faz sentido. Isso eu entendi no decorrer de minha existência, mas nesse dia sentia como se tivesse passado por um umbral que me modificara, ainda que não percebesse como. O menino de rua da Grande Baab'el não existia mais, certamente, a não ser como lembrança. Eu era verdadeiramente outra pessoa, sem perceber como essa transformação se dera. Meu corpo, minha mente, o sangue que corria dentro de mim, os pensamentos que me passavam pela cabeça, tudo parecia tão novo que eu me acreditava capaz de grandes coisas, até mesmo da realeza que me havia sido imposta e que já não me incomodava tanto assim, graças a esse poder de que a iniciação me dotara. Eu era pedreiro, ainda que nunca houvesse tocado em uma pedra, e portanto era rei, mesmo que as provas de meu poder ainda estivessem por vir. Os acontecimentos, no entanto, vieram a mostrar-me que o poder de um rei e de um pedreiro são iguais, pois devem acontecer dentro do espírito antes que aconteçam no mundo real, já que este é apenas uma decorrência do que se passa dentro de nós.

Ruídos do lado de fora da grande sala me tiraram de minha abstração, e quando o grupo misto de pedreiros e súditos se aproximou, discutindo, preparei-me para mais uma das infinitas disputas por minha pessoa e minhas ações, nas quais os pedreiros e os religiosos, ainda que desejando o mesmo fim, sempre entravam em conflito, por não haver acordo sobre os meios de alcançá-lo, puxando-me para um lado e para outro, sem pensar que o objeto de sua disputa podia terminar dilacerado. Eu não pretendia mais ser esse objeto, queria ser o único dono de minha vida, tendo a palavra final nessas decisões. Assim, sem que ninguém esperasse por isso, bati várias vezes com a taça que estava a meu lado sobre o braço do trono, e o ruído forte e repetido ecoou pela sala até que todos se calassem, olhando-me com espanto. Meu rosto devia estar diferente do que havia sido até esse dia: quando eu sorri, seguro de mim como nunca dantes, houve um movimento de recuo por parte de todos, como se não reconhecessem o homem que estava sentado no trono de seu rei. A única face sem mudanças era a de Feq'qesh, com seu sorriso indecifrável nos olhos, destacando-se em meio à platitude infinita dos que se assustavam com o inesperado. Perguntei, sem me abalar:

— Qual é o motivo da disputa, senhores?

Todos falaram ao mesmo tempo, mas assim que ergui minha mão direita fez-se silêncio: percorri com o olhar as faces à minha frente, lendo em cada uma delas as pequenas e grandes questões que impulsionavam suas vidas, a maneira pela qual essas vidas se entrelaçavam umas às outras, e o poder que eu tinha para fazer delas o que bem entendesse. Meu olhar se fixou em Ananias, que, com uma curvatura de cabeça, disse:

— Zorobabel, entre nós há os que crêem que devamos iniciar imediatamente a reconstrução do Templo, por já haver rei sobre o Trono de Israel e Judah. Outros, no entanto, acreditam que a reconstrução só pode se dar quando esse rei for reconhecido como tal pelos outros reis do mundo. Uns pensam que basta haver rei para que a profecia se realize, outros acreditam que isso só se dará pelo reconhecimento desse futuro rei. Enquanto tu descansavas, fomos tomados por esta questão que nos parece insolúvel, pois nenhum de nós está disposto a aceitar opinião contrária à sua.

O velho que me recitava as antigas tradições, chamado Elimelech, ergueu a voz rouca entremeada por pigarros cada vez mais fortes:

— É a vontade de Yahweh! Já se passaram as dez semanas de anos que a profecia estabeleceu! Aí está o rei sentado sobre o Trono de nossos antepassados! O que mais temos que esperar? Que esse invasor Cyro nos dê sua permissão? Um invasor com mais poder que Yahweh?

Seus companheiros de sempre esbravejaram, erguendo os punhos contra os pedreiros, alguns deles virando os olhos para o céu e sacudindo as mãos em desespero. Ananias interveio:

— Não se pode comparar o poder de um deus ao poder de um rei, por mais forte que este seja. Mas o poder de Cyro é verdadeiro: ele derrotou os antigos senhores desta terra, tomando para si território e poder, acrescentando-os ao seu próprio. Em termos absolutos, não existe comparação entre o poder de um deus e um rei: mas no caso presente, e para os objetivos que nos interessa alcançar, o poder desse rei certamente vem antes do poder de deus.

— Blasfêmia! Vós pedreiros não sois crentes no verdadeiro Deus! — retrucou Elimelech. — Colocais a vontade dos homens acima da vontade de Deus! Sequer tendes respeito suficiente para dar-lhe seu verdadeiro nome, Yahweh! Vós o chamais de arquiteto ou coisa mais baixa ainda, como se Yahweh não fosse mais que um de vós!

Feq'qesh ergueu sua voz:

— Pelo contrário, Elimelech: assim fazemos por reconhecer que todos os homens, sem exceção de um só que seja, somos filhos do mesmo Deus que nos criou, não importa sob que nome O estejamos reverenciando. Se existe apenas um Deus, como dizemos ambos, então tudo o que existe sobre a terra é parte Dele, por Ele tendo sido criado. Reverenciá-lo de maneira diversa da nossa não torna ninguém menos parte d'Ele. Se insistirmos em rejeitar homens que parecem diferentes de nós, considerando não serem filhos do mesmo Deus que adoramos, estaremos reconhecendo a existência de outros deuses, tão poderosos quanto o nosso, e o nosso deixa de ser único para ser apenas mais um, não é verdade?

O silêncio na sala se fez subitamente sepulcral, e de repente os levitas e *kohanim*, liderados por Elimelech, ergueram as mãos para os céus, revirando os olhos e retirando-se da sala uns após os outros, com grande exibição de irritação, deixando-me apenas com os pedreiros de quem agora era irmão, ainda que não compreendesse nem a sexta parte do que isso significava. Sem a presença negativa dos religiosos, os pedreiros ficaram mais à vontade, cercando meu trono com uma familiaridade que em outras condições seria vista como desrespeito. Eu, sempre mais solitário do que gostaria, aceitei com grande prazer a demonstração de amizade, ordenando que apanhassem alguns escabelos baixos que estavam pelas paredes da sala e que nos sentássemos todos. A alegria de meus novos irmãos foi imensa, porque sentar-se na presença de um rei era uma licença a que poucos tinham acesso.

Feq'qesh sentou-se a meu lado, comentando:

— São pouco afeitos ao argumento claro, Zerub, os vossos súditos: quando colocados frente a alguma coisa que se choque com seus preconceitos, simplesmente voltam as costas à verdade e prosseguem no caminho semicego de antes.

Acenei em concordância:

— Compreendo, Feq'qesh, mas de certa maneira também partilho de suas dúvidas. Se sou por sangue o herdeiro deste trono em que me sento, não vejo motivo para não tornar fato aquilo que tenho sido na prática. Existe algum impedimento para isso?

Os mais velhos entre meus irmãos pedreiros se entreolharam, e Ananias quebrou o silêncio:

— Nenhum impedimento, a não ser a tua capacidade de ser rei, irmão Zorobabel;: não te esqueças de que estás sendo preparado para exercer essa função, com uma missão muito específica. Reerguer o Templo de Salomão não é tarefa simples, principalmente porque nós e os religiosos, ainda que desejemos a mesma coisa, temos motivos bem diversos. Tu mesmo sabes disso, irmão, pois juraste ser rei deste povo apenas para que a profecia se cumprisse, com certeza conhecendo o verdadeiro valor dessa promessa. Para que isso se dê, é preciso que estejas pronto, dando-nos provas de que podes fazer o que deve ser feito. Por isso, é nosso dever preparar-te da melhor maneira possível: o povo de tua terra merece a prova definitiva de que és o rei pelo qual esperavam. Pedreiro já és, desde que te aceitamos entre nós, e para os pedreiros que desejamos reerguer o Templo de Yahweh, isso basta. Resta agora conquistar o direito ao trono, que só se torna verdadeiramente teu na medida em que proves teu valor e sejas reconhecido pelos povos e seus reis. Para isso, é preciso que cumpras tua missão, mostrando a todos que és quem dizes que és.

Feq'qesh ergueu a voz:

— Nada menos valioso que um rei que não tem o amor de seu povo. Esse amor precisa ser conquistado, e o que tens a fazer para conquistar esse amor não é coisa simples.

Bati com a palma da mão sobre a pedra de meu trono:

— Quereis dizer que enquanto não realizar isso que chamais de minha missão não serei efetivamente o rei desse povo?

— Exatamente. É preciso que não reste nenhuma dúvida, e para isso é preciso haver provas definitivas.

Meu coração tremeu, porque a missão subitamente pareceu maior que minha capacidade, e até eu mesmo duvidei de mim. Já não me agradava ter que passar pelo que estava vivendo, mas ainda por cima ter que dar provas de meu valor para realizar algo que não era parte de mim abalava meu espírito. Sacudi a cabeça, em negativa: antes que eu pudesse dizer qualquer coisa, Feq'qesh pôs sua mão sobre a minha:

— Acalma-te, irmão Zerub: se te fizemos pedreiro antes que te fizesses rei, foi exatamente para que pudesses contar com teus irmãos em todos os quadrantes do Universo, na realização da tarefa. O Templo de Salomão tem um valor diferente para cada um que faz dele o foco de sua vida: para nós pedreiros é centro e fonte geradora de força e sabedoria. Onde quer que estejas, não importa o que estiveres sofrendo ou desejando, recorda-te sempre que teus irmãos estão permanentemente junto de ti.

— Como diz nossa tradição, uma vez pedreiro, sempre pedreiro — ajuntou Ragel, com uma face jocosamente séria. — Nunca mais te livrarás de nós, irmão Zerub! Onde quer que estejas, não importa a direção em que olhes, noite, dia, sol, chuva, sempre nos encontrarás!

Isso me aliviou muito: saber que sempre poderia contar com meus irmãos pedreiros me enchia de uma força que quase sustentava a decisão de cumprir a missão que me fora confiada. Seria este o poder da fraternidade dos pedreiros? Quaisquer dúvidas que eu ainda tivesse sobre minha capacidade de realizá-la foram instantaneamente relegadas a plano inferior, pois nesse momento a presença de meus irmãos me reassegurava de meu próprio poder.

E assim foi: o ano quase inteiro que se seguiu à minha aceitação na fraternidade dos pedreiros foi vivido como sempre, cumprindo uma rotina que seria enlouquecedora se eu não estivesse determinado a cumpri-la. Os religiosos que me cercavam me tratavam com toda a deferência de que um rei é merecedor, sempre deixando claro que eu ainda não era rei. Meu ramerrão poucas novidades tinha: continuei sendo acordado aos primeiros raios do sol e fazendo meus exercícios diários com Théron, a quem cada dia respeitava mais, por seu conhecimento tanto das artes da guerra quanto da mente dos que guerreiam, ficando também fascinado por sua arte no trabalho da pedra. Ele algumas vezes me permitiu experimentar o cinzel e o malho, mas minha paciência era mínima, e a pressa com que eu movia as ferramentas fazia com que meu trabalho se perdesse. Théron ria, eu também, e cada um de nós seguia seu ritmo, porque meu corpo e minha mente estavam certamente mais próximos de se tornar os de um soldado que os de um pedreiro.

As tardes também eram sempre as mesmas, e eu comecei a traçar, com o auxílio de Elimelech, as letras da linguagem sagrada, primeiro em pequenos pedaços de lousa esverdeada, onde podia apagar meus erros, e depois em pedaços de papiro ou de couro de cabra muito raspado, onde o que escrevesse estaria fixado para sempre. Percebi, com o decorrer dessas lições, a identidade entre os sinais e os sons das letras, como umas se formavam das outras, mantendo sua personalidade até mesmo quando já totalmente modificadas, e como todas eram feitas das mesmas línguas de fogo negro que eu via naqueles momentos em que o inesperado me perfurava o cérebro, e a compreensão de algum conceito, do qual nunca tivera sequer a noção, fazia de mim sua morada. O longo nome de Deus, que eu enxergara em minha viagem por dentro do cubo de ágata, era feito dessas mesmas línguas de fogo, estruturadas de modo diferente, agrupadas três a três, e acabei decorando os setenta e dois nomes correspondentes. Não conseguia encontrar entre eles nenhuma palavra que fizesse sentido, mas pressentia haver em cada uma delas um poder excepcional. Jael estava cada dia mais próximo, e quando, numa visita à taberna dos pedreiros, me contaram a história do pedreiro que fora secretário íntimo de Salomão, uma súbita inspiração me fez decretar que Jael ocuparia essa mesma posição a meu lado, mais pela intimidade que pelas atividades de secretário: eu precisava substituir os amigos que perdera.

As noites, depois que um dia terminava e outro se iniciava, eram sempre dedicadas à música que Feq'qesh pacientemente me ensinava. Meu corpo e mente, cansados pelos treinos e concentração na linguagem sagrada, encontravam nesses momentos um verdadeiro bálsamo: através das notas que me bailavam na alma e na capacidade cada vez mais apurada de deixá-las fluir por meus dedos e garganta, eu me esquecia de tudo, até mesmo de quem era, tornando-me um só com a música que enchia a sala, ansiando apenas ter com ela a mesma intimidade natural que Feq'qesh demonstrava, entoando e executando sem nenhum esforço as melodias que nunca deixaram de trazer-me lágrimas aos olhos. Feq'qesh, ao que tudo indica, estava a cada dia mais satisfeito comigo, e quando percebeu que minha memória era tão boa para palavras quanto para melodias, pôs-se a ensinar-me os cânticos que Salomão compusera, mostrando-me as belas canções de amor que meu avô imaginara: enquanto eu as ouvia, decorava ou tentava reproduzir, pensava como seria bela a vida se em meu caminho como músico não tivesse surgido a missão de reerguer o Templo destruído. Eu me satisfaria plenamente em expressar apenas amor, para deleite de todos: quem sabe até um dia pudesse acompanhar a dança de Sha'hawaniah, como fizera na tarde ensolarada em que por impulso tomara o adufe de um músico extenuado...

Sha'hawaniah surgia sempre em minha mente, assim que a noite caía: sua imagem, gestos e palavras eram a princípio tênues e difusos, mas estranhamente, com o correr do tempo, tornaram-se tão perfeitamente delineados, que por vezes eu quase a sentia em carne e osso na minha presença. Feq'qesh, com certeza, percebia isso, e começou a premiar-me com prazer cada vez que eu me superava em uma de nossas aulas. Sempre que isso acontecia, logo que eu me retirava para meus aposentos, esfregando as pontas dos dedos calejados pelas cordas da harpa, uma mulher, que a mim sempre parecia voluptuosamente bela e desejável, mesmo não o sendo verdadeiramente, entrava por minha porta, curvando-se em minha direção, pronta a realizar todos os desejos de meu corpo. Vinham das cercanias de Jerusalém, uma cidade sem muita importância num território cheio de negócios e diversões, e a arte da dança de que eram praticantes fazia delas objeto de desejo de muitos negociantes e viajantes da região. Não duvido que muitas tenham vindo visitar-me por dinheiro, mas algumas, certamente, teriam tido a curiosidade de conhecer esse quase-rei de um povo disperso, jovem e pouco senhor de seu próprio corpo. Em todos esses encontros, o mais estranho era quando, depois de me dar a benesse de seu calor para que nele eu encontrasse o meu prazer mais explosivo, todas me dissessem ao ouvido:

— Minha senhora Ishtar te manda lembranças.

Nunca revelei isso a ninguém, temendo que fosse considerado blasfêmia, fazendo-me perder os rápidos e intensos momentos de prazer que me concediam. Afinal, era normal que pessoas diferentes louvassem a deuses e deusas diversos, e mesmo na Grande Baab'el isso não perturbava demasiadamente os sacerdotes da religião oficial. Eu duvidava que o mundo tivesse sido obra de um deus apenas, e que os outros fossem apenas ídolos sem nenhum poder, como dizia Elimelech. Feq'qesh me explicou isso de forma mais interessante:

— Deus é como nós, irmão Zerub, cheio de facetas e aspectos: se assim somos, é porque fomos feitos à sua imagem e semelhança. Nem todos compreendem isso, e costumam achar que os múltiplos aspectos do Deus Único são uma infinidade de deuses e deusas, alguns até mesmo pretendendo que as deusas do mundo sejam coisa diferente do Grande Deus que a tudo criou. Mas tudo está em Yahweh, e Yahweh está em tudo, pois o Tudo e Yahweh são uma coisa só.

    Essas conversas faziam parte de minha educação formal: por influência cada vez mais crescente dos gregos, ia se tornando essencial que homens de alguma importância pudessem discorrer sobre os mais diversos assuntos, mesmo que essa capacidade não fosse de nenhuma utilidade frente a algum conquistador brutal capaz de manejar com perícia suas armas mortais. Graças a essas conjeturas, meu espírito se enriquecia com outras armas: o conhecimento é uma fonte de poder, e grande parte do poder dos pedreiros talvez estivesse no conhecimento de que eram guardiões. Eu queria aplicar bem o conhecimento amealhado durante esse tempo em que me moldava para o cumprimento de minha missão e acabei por praticar tudo o que se considerava dever e atribuição de um verdadeiro rei, intervindo em pequenas disputas, ouvindo com paciência as opiniões alheias antes de formar a minha própria, agindo com força e dureza cada vez que uma dessas disputas passava dos limites, e aproveitando tudo o que ouvia para formular a minha própria opinião sobre todos os assuntos, executando-a segundo meu próprio discernimento, que se tornava a cada dia mais equilibrado. Devo ter amadurecido uns cinco anos nesse ano quase inteiro que passei sendo preparado, vindo quase a esquecer-me da missão que tinha a realizar, tão acostumado estava com minha rotina. Por isso, fui tomado de surpresa quando, determinada manhã, depois de uma noite particularmente satisfatória com uma dançarina de longos cabelos negro-azulados e quadris exageradamente grandes, encontrei a sala do trono cheia de gente, como havia muito não acontecia. Estavam todos hieraticamente postados ao longo da sala, em ordem decrescente de importância, e tanto os pedreiros quanto os religiosos pareciam vestir seus melhores trajes, os pedreiros com suas luvas brancas e os mais velhos dos *kohanim* com mantos multicoloridos, peitorais recobertos de pedras preciosas, chapéus de formato estranho cobrindo-lhes as cabeças. Meu ar de espanto deve ter sido grande, mas nem uma sombra de riso cruzou as faces que miravam em minha direção. Quando me sentei ao trono, mesmo antes que pudesse dizer qualquer palavra, Elimelech ergueu suas mãos para o alto e falou, em voz clara e alta:

— *Iehi ratson milefanêcha Adonai Elohênu velohê avotênu...*

A Oração dos Viajantes, que eu aprendera na infância, estava sendo dita em minha presença, e eu sabia o que isso significava: chegara a hora em que eu deveria partir de Jerusalém para cumprir a missão. Eu sabia que esse dia chegaria, mas, como tudo era sempre igual, eu me habituara a estar na proteção do palácio, que nunca antes me parecera tão aconchegante. Amedrontado, repeti em meu espírito as frases que abençoavam minha viagem:

— Que seja da Tua vontade, Eterno, nosso Deus e Deus de nossos pais, conduzir-nos em paz, dirigir nossos passos em paz, guiar-nos em paz, fazer-nos chegar a nosso destino em vida, com alegria e paz, e fazer-me retornar em paz.

O momento havia chegado: o rei devia tomar o mundo. A idéia de abandonar o sossego e a segurança do aprendizado me enchia o coração de temor, mas eu estava comprometido com essas pessoas, que me viam como sua última oportunidade, enquanto em minha alma soava sem cessar a frase de meu pai: "Assumi um compromisso? Morro, mas faço.

Não havia outra possibilidade a não ser cumprir o destino que o destino me impusera: eu tinha que encontrar o poderoso Cyro e dele conseguir, não importa por que meios, permissão para que o Templo de Salomão fosse reerguido. Muitos poderiam fazer isso, mas nenhum deles tinha dentro das veias o sangue de David, como eu, e só esse sangue real poderia trazer de volta a Jerusalém todos os judeus que agora viviam na Grande Baab'el, ansiosos por um líder, um *man'hig* que os guiasse de volta à Terra Prometida. Por mais que o tempo de preparação me tivesse dado o necessário para realizar essa tarefa, faltava-me o essencial: a crença em minha própria capacidade de realizá-la. No fundo de meu espírito havia grande dúvida, e a idéia de enfrentar um poderoso senhor de povos e dele arrancar essa promessa gigantesca me parecia muito além de minhas forças. Eu tremia por dentro, apesar do exterior plácido, ouvindo os planos que meus irmãos e meus súditos contrapunham uns aos outros:

— As notícias vindas da Grande Baab'el são de que Cyro é um monarca esclarecido, que insiste em espalhar a liberdade entre seus súditos, permitindo que morem onde quiserem, cultuem os deuses que desejarem e vivam da maneira que melhor lhes aprouver. — As palavras de Jerubaal ecoavam na sala silenciosa. — Tudo que precisamos é que ele reconheça o direito que os habitantes de Jerusalém têm de reerguer o templo de seu deus, e talvez essa idéia de liberdade religiosa, que parece ser parte muito importante de sua política, possa nos ser muito útil.

Elimelech, como sempre, esbravejou, acompanhado por seus acólitos:

— Yahweh nos dará forças para que imponhamos Sua vontade sobre Cyro! Devemos exibir a vontade de Yahweh a esse pretenso poderoso e dele tomar tudo o que é nosso!

Os levitas concordaram ruidosamente, como sempre, repetindo de maneira atabalhoada as palavras de Elimelech, como se fossem parte do Livro Sagrado. Era flagrante a má vontade dos religiosos para com os pedreiros, como se sua existência fosse um incômodo para o povo de Jerusalém: não me recordo de uma vez sequer em que estivessem de acordo. De maneira geral, as opiniões e posições dos pedreiros eram mais coerentes e racionais, enquanto as dos *kohanim* e seus seguidores eram geradas por impulso, nascido de sua incapacidade de aceitar a existência de quem não fosse exatamente igual a eles. Os pedreiros, pela experiência na fraternidade da pedra, eram unidos por outros fatores que não raça, cor, língua ou hábitos: suas diferenças os tornavam mais fortes, porque era além das diferenças e das semelhanças que ficava o território comum onde todos eram irmãos.

Eu me sentia estranho em meio a essa discussão: mesmo que quisesse, teria que aceitar o que decidissem em relação à minha forma de agir. Pretendia chegar à Grande Baab'el investido de grande autoridade, desfilar na larga avenida em frente à Esagila e ouvir o murmúrio embevecido da multidão, reconhecendo-me como o Rei de Jerusalém, para depois ser recebido por Cyro com todas as honras, aclamado pela corte e, mais tarde, em pleno templo no alto da Grande Torre, encontrar-me com Sha'hawaniah e mostrar-lhe minha realeza, finalmente usufruindo de suas delícias.

Voltei ao mundo real em meio aos gritos de Elimelech e dos levitas, percebendo a realidade mais áspera que meus sonhos. Em sã consciência, por maior que fosse o desejo de exibir meus poderes, eu não os tinha: era apenas o quase-rei de um quase-reino, senhor de um povo que raramente via e que bem podia ser uma ilusão criada pelas palavras e atos dos que me cercavam. Meus irmãos na pedra tinham razão: era melhor retornar à Grande Baab'el da maneira menos flagrante, estudar as condições em que me encontrava e só então, caso fossem propícias, revelar minha verdadeira identidade, tentando conseguir de Cyro aquilo que fora buscar. Aceitando o dever que meu sangue me impunha, e acreditando ser esta a última prova que me restava, limpei a garganta e disse:

— Não posso me apresentar ao poderoso Cyro sem saber exatamente onde estou pisando. Decido viajar até a Grande Baab'el sem revelar meu verdadeiro papel, tentando descobrir as verdadeiras intenções desse novo senhor do Império antes de revelar-me. Se ele realmente for como dizem que é, apresentar-me-ei como Rei de Jerusalém, conseguindo apoio para nossa tarefa. Para isso, devo ser acompanhado por um grupo pequeno o suficiente para não chamar sobre mim mais atenção que a necessária, mas grande o bastante para que, quando tiver que me apresentar como rei, possa fazê-lo da forma adequada.

A decisão estava tomada: eu dera a última palavra sobre meu próprio destino, ainda que dentro de mim, como uma criança, tremesse de medo. A perspectiva de retornar à minha cidade natal, no entanto, enchia-me de uma excitação que eu nunca conhecera. Pedreiros e acólitos me olhavam, sem perceber o torvelinho que me ia dentro do espírito, fruto de tantos sonhos e desejos, e principalmente da saudade que sentia dos lugares onde passara os melhores anos de minha vida.

Os dias que se seguiram foram de preparação intensa: uma caravana fora reservada para nossa viagem, e quando se aproximou de Jerusalém, acampando ao fundo de meu palácio, senti durante três dias inteiros o cheiro dos *j'mal* que me recordavam a viagem anterior, terminando ilhado entre as ruínas de Jerusalém, para que me declarassem rei. Na memória circulavam imagens do passado cada vez mais rápidas, como rodas d'água no palácio de Belshah'zzar, ativadas por uma torrente mais rápida que o Eufrates. Não consegui me concentrar em nada durante esses três dias de tensão quase insuportável, e nem mesmo a harpa, que costumava ser meu grande calmante, conseguiu fazer mais que irritar-me, cada vez que não soava como eu queria. Na verdade, tudo escapava a meu controle: como aceitar que mais uma vez estaria à mercê da vontade alheia, sem poder sequer discutir as conseqüências dos atos que devia realizar?

Na manhã do terceiro dia, depois de mais uma noite insone e solitária, em que nem mesmo a masturbação compulsiva me trouxe algum prazer ou descanso, ergui-me antes que as trombetas soassem, vestindo os limpos trajes de mercador que estavam sobre meu leito desde o dia anterior. Alguém havia desencavado em seus guardados um manto idêntico ao que eu usara quando chegara a esta cidade, e o tecido rústico e com cheiro de guardado, urdido com os nós e laçadas dos teares da Grande Baab'el, fez-me sentir reatando os laços com minha origem, como se essa viagem não tivesse outro objetivo senão recolocar-me em meu devido lugar. Meu pai tinha um manto igual a esse, com as mesmas franjas e a mesma borda de tecido azul-escuro: mesmo havendo o tempo me modificado a face e o porte, esse pedaço de pano seria testemunha de minha identidade na Grande Baab'el. Eu queria, antes de qualquer coisa, encontrar meu pai, mostrar-lhe o manto com que me cobria exatamente como ele fazia, dar-lhe a notícia de que sua vontade estava sendo cumprida. O homem que ele queria que eu fosse estava finalmente caminhando à luz do sol, e eu precisava de sua ajuda para isso.

Feq'qesh entrou em meus aposentos antes de todos, e, vendo a harpa jogada descuidadamente ao solo, apanhou-a, junto com o saco de pano vermelho dentro do qual ela ficava guardada, perguntando-me:

— Pretendes abandonar teus estudos da arte só enquanto durar tua viagem, ou é em definitivo que estás desprezando o *kinn'or*?

Eu não tinha cabeça para música nenhuma, envolvido nessa difícil missão que, se pudesse, recusaria. Era tarde para isso: minha sorte estava lançada, e eu, sem proferir palavra, continuei a me vestir, atando as sandálias por sobre os calções amplos, à moda babilônia, cobrindo as pernas inteiramente. Feq'qesh sentou-se de pernas cruzadas, dedilhando minha harpa, enquanto distraidamente me dizia:

— É uma pena que não a leves: terás tempo suficiente durante a viagem para dedicar-te, dessa vez por ti mesmo, ao aprimoramento de teu talento natural para a música. E sempre há de surgir uma oportunidade em que teu talento será tudo de que precisarás para alcançar sucesso. A música opera milagres, e os milagres são essenciais para quem, como tu, espera realizar aquilo de que não se reconhece capaz.

RECONSTRUINDO O TEMPLO

Olhei-o, com espanto: era impressionante a capacidade que Feq'qesh tinha de ler o que me ia na alma, como se lá dentro estivesse. Dedilhando na harpa uma frase que me era familiar, mas que eu não conseguia precisar onde tinha ouvido pela primeira vez, ele continuou, alternando suas frases musicais com o que me dizia:

— Infelizmente, não posso seguir contigo para a Grande Baab'el, porque, quando retornares com a permissão imperial para reconstruirmos nosso templo, não haverá tempo a perder.

— Duvido que o consiga, mestre. — Eu estava certo de minha incapacidade, e Feq'qesh o percebera. — Não tenho nenhum traquejo quanto a essas questões, e, por mais que tenha sido treinado pelos melhores, o que sei é apenas uma nuvem que se dissipará quando em contato com a realidade dos fatos.

— Acalma-te, Zerub: acredita que és rei e comporta-te como tal. Os compromissos que assumiste com nossos irmãos pedreiros te ajudarão muito, pois se enraízam na alma de maneira inexplicável, causando, mesmo sem que o percebamos, uma mudança em nossa maneira de ser. Não importa o que te aconteça, lembra-te sempre que juraste por tua própria vontade, e deves tanta obediência a esse juramento quanto a ti mesmo.

— Meu mestre, eu tenho medo de não ser capaz de manter as promessas que fiz. Minha alma é fraca.

— Todas as almas o são, e a vontade é o que as impulsiona no caminho que trilharão. Não te esqueças também que as situações mais insuportáveis, antes de chegar a seu limite, sempre admitem uma última possibilidade.

— E qual é ela?

— O milagre, o inesperado, o de que só Deus é capaz. A vida está cheia de milagres que não percebemos, pois eles acontecem a todo instante.

Feq'qesh envolveu minha harpa no pano vermelho, atando-a com as cordas de seda, e colocou-a por sobre minha pequena bagagem, dizendo:

— Leva tua harpa, treina tua arte sempre que tiveres oportunidade, deixa que tua alma divague com a música, em busca das respostas para as perguntas que te serão feitas. Procura no que te ensinei aquilo que melhor preencha o momento, e acredita no milagre, porque Yahweh é o Senhor do Impossível.

Saí de meus aposentos como que sonhando, e quando me vi por sobre um *j'mal*, ladeado por meus dois eternos protetores, com Jael à frente, cercados pela pequena e colorida caravana, o sol nascendo entre as pesadas nuvens, percebi não haver retorno possível. Voltei os olhos para trás, vendo a figura impávida de Feq'qesh em uma janela de meu pobre palácio de madeira gasta. E só quando sua figura se desvaneceu pela distância, foi que me recordei onde tinha ouvido a frase musical que ele repetira como um fundo constante de seus conselhos: era a frase em ritmo quinário que soara na rampa da Torre da Grande Baab'el, acompanhando a dança de Sha'hawaniah.

Essa lembrança me encheu de alegria e excitação: dessa vez, a mulher que eu desejava não escaparia de mim. Ela dissera claramente que seria minha se eu fosse rei, e eu o era, mesmo que de um povo pobre e sem rosto, e ainda que covardemente disfarçado de mercador. Os recados que ela me enviara, através de tantas mulheres diferentes, estavam marcados indelevelmente dentro de mim: cada mulher que comigo tivesse estado fortalecera em mim sua presença. Tomei nesse instante uma decisão inesperada: guardar-me-ia para esse encontro, faria qualquer coisa para preservar-me para ela, buscando o maior de todos os prazeres, a grande recompensa de meus feitos ainda por realizar. Sorrindo, ajeitei-me em minha sela colorida e, instigando minha montaria aos gritos de *sul'lah! sul'lah!*, como fizeram os cameleiros de minha primeira viagem, avancei para a cabeça da caravana, em nosso caminho para fora de Jerusalém.

A primeira sensação nova foi sentir o calor do sol no rosto, enxergando por trás das nuvens o azul do céu, e notando que fazia quase um ano que não via esse azul, de que já quase me esquecera. O céu plúmbeo e carregado de Jerusalém, tão baixo que parecia poder ser tocado, impunha uma tristeza ainda maior sobre tudo e todos, e nessa cidade era fácil estar cada vez mais triste e ensimesmado, até sucumbir. Do lado de fora da massa de nuvens, permanentemente pousada sobre a cidade, entendi a imensa ausência de vida que cobria seu território. Tudo era muito difícil na Jerusalém abandonada por Yahweh, a terra praticamente morta nada mais tendo a oferecer, como se estivesse esgotada de toda a sua seiva vital, e eu duvidava que algum dia pudesse voltar a ser fértil e benfazeja.

Meu espírito se animou com a visão do céu azul e do sol, e cobrindo melhor minha cabeça para escapar da força de seus raios a cada instante mais fortes, pus-me a cantar com voz bem alta o último salmo de David que Feq'qesh me ensinara:

— "Os céus cantam a Glória de Deus, e o firmamento proclama a obra de Suas mãos! O dia entrega a mensagem a outro dia, e a noite a dá a conhecer a outra noite!"

Minha voz, solta nas montanhas que íamos atravessando, soava mais bela que em qualquer outro dia. Os salmos que meu parente distante arrancara de dentro de sua própria alma, muito antes de tornar-se rei, falavam claramente desse Deus que eu sentia presente em alguns lugares e ausente em outros. Na viagem para o meu remoto-ainda-que-próximo passado, era flagrante a presença divina em cada coisa que a Natureza nos mostrava, cada animal e planta e cada contato entre eles, como se todo o movimento estivesse incluído em uma imensa roda girando tão lentamente que parecesse estar parada. Durante todo o caminho entre Jerusalém e a Grande Baab'el, fiz soar a minha voz, quando o caminhar era mais manso, e toquei minha harpa todas as noites, entre a última refeição do dia e o sono que a ela se seguia.

Depois de descer as montanhas que cercavam Jerusalém pelo leste, cruzamos o Jordão, pastoso e enlameado, ladeando íngremes falésias de pedra, logo acima de Bet-Nemrah, encontrando o sol claro e céu aberto no território dos amonitas. Era quase tempo de plantio, e a terra úmida e rica brilhando ao sol era um choque perto da cidade seca de Jerusalém. Quando contei a Heman e Iditum que em volta da Grande Baab'el a terra era sempre fértil e costumeiramente carregada de verde, os dois sorriram juntos, duvidando de mim. E por toda a margem esquerda do Jordão, entre Bet-Nemrah e Afeq, na terra de Basã, após dois dias atravessando o território dos gaaladitas, cruzamos o Jamuc: cada volta do caminho era uma nova surpresa, tal a luxuriante vegetação natural que cercava as margens dos pequenos e médios regatos que atravessávamos. Uvas, figos, laranjas e limões, imensos bosques de tamareiras, gente de toda espécie deitando ao solo as sementes que ali brotariam em pujança cem vezes multiplicada. Essa exibição de fartura era tão grande, que por diversas vezes percebi os olhos tristes de meus guardiões silenciosos, filhos de agricultores de Jerusalém, nascidos e criados em meio à imensa pobreza das terras onde se achava a cidade. Subimos rumo norte, e eu estranhei, pois chegara a Jerusalém praticamente em linha reta, passando pelos desertos e pelo Wadi Shir'han, mas Jael disse que nessa época do ano, quando a cheia do Eufrates era grande, valia a pena desviar-se para o norte até Shaubak, onde ficavam as minas de cobre, e de lá seguir a trilha que levava a Dimashq, e depois à cidade de Tadmohr, que seus habitantes chamavam de Palmyra, indo depois para Rusafah, logo depois do grande lago onde nasce o Eufrates. Aproveitaríamos a velocidade que suas águas ganham assim que ele faz a grande curva do leste para o sudeste para descer com ele em linha reta, célere, ágil, até alcançar os campos férteis da poderosa Grande Baab'el. Os quase setenta dias de minha primeira viagem se reduziriam muito, pois entre Jerusalém e Rusafah, mesmo se descansássemos mais do que o costume em Dimashq, viajaríamos de dez a quinze dias, e menos de uma semana depois disso estaríamos aportando no cais de minha cidade natal.

 Quanto mais nos movíamos para longe de Jerusalém, melhor eu me sentia: a cidade era o cemitério de minha alma. Eu rejuvenescia dia a dia, reencontrando uma alegria que a todos contagiou, e cantava o dia inteiro, balançando sobre a colorida sela de meu *j'mal*, que, por não ser tão afetivo quanto o primeiro de que fizera uso, era mais rápido e sensivelmente mais bem adaptado à viagem. Em Dimashq, cidade próspera e grande, se comparada com o lugar acanhado de onde eu vinha, passamos três dias, e eu pude aliviar-me do peso que sentia entre as pernas, causado não só pelo roçar contínuo do pênis nas roupas, mas também por minha recusa em tocar-me para alcançar prazer. As três noites em que lá estivemos foram gastas em uma taberna ao ar livre, coberta apenas por uma imensa tenda de pano azul e amarelo, sob a qual se comia, bebia, dançava, cantava e tudo o mais. Grandes *narg'hillas* das quais escapava o forte olor da *tam'bakha* estavam espalhadas pelas mesas, onde inúmeros homens vestidos como nós, também mercadores, negociavam suas cargas, aproveitando-se da fraqueza mental de outros para obter imensos lucros. Quando sentamos a uma das mesas baixas, junto com os cameleiros mais graduados de nossa caravana, ninguém nos deu atenção, Foi difícil encontrar até quem nos servisse, pelo menos enquanto não tomei da harpa e pus-me a cantar uma das canções de meu avô David, que, falando dos filhos de Coreh, dizia "meu coração transborda em um belo poema, dedico minha obra a um rei", criando tal silêncio na taberna, que, quando terminei o canto com um toque rápido em oito de minhas doze cordas, pôde-se ouvir o vento soprando nas folhas da tenda, e logo depois todos ergueram suas mãos e começaram a estalar os dedos e gritar agudamente, aprovando minha arte. Isso imediatamente trouxe até nós várias pessoas, querendo nos obsequiar com vinhos e alimentos dos quais tomamos o que nos interessava, assim como várias mulheres, que nos cercaram com propósitos evidentemente lascivos. A todas olhei, mas nenhuma delas me despertou mais que a excitação do corpo, e quando já estava por aceitar qualquer uma que me fosse menos desinteressante, aproximou-se de mim a mais velha dentre elas, olhos pintados de negro e azul, dizendo-me ao ouvido o que me parecia mais uma ordem que um cumprimento:

— Minha senhora Ishtar te manda lembranças.

Das três noites que passei em companhia desse arremedo do que eu verdadeiramente desejava, a melhor sem dúvida foi a primeira, com prazeres quase indescritíveis. Na segunda, eu já pude perceber que seus movimentos eram um tanto canhestros, e o perfume de seu corpo, que tanto me excitara na primeira noite, ia ficando cada vez mais enjoativo. Na terceira noite, assim que alcancei com ela o meu prazer, demorando apenas uma pequena fração do tempo em que o perseguira na noite anterior, pedi-lhe que se afastasse, pois desejava dormir, e, como seguiria viagem na manhã seguinte, queria descansar à vontade. Notei que ela saiu de minha tenda com um ar de amuo em seu rosto vincado, mas logo que desapareceu fui em busca de Jael, já que Heman e Iditum haviam adormecido à porta da tenda, um apoiado no outro.

Jael estava derreado em suas almofadas, abraçado com uma pequena *houri* que dançara à minha frente nessa noite, e por quem eu chegara a me interessar. A perna esquerda de Jael cobria a anca das mulheres, e eu notei na nádega esquerda dele um sinal triangular de cor sépia, com as bordas tão retas como se tivesse sido pintado por alguém, manchado no centro por uma pinta mais escura, tão diferente dos sinais comuns que nunca mais dele me esqueci. Como ele dormia, voltei para minha tenda, logo ao lado, e ressonei até a manhã seguinte, quando partimos de Dimashq em direção ao Eufrates, bem mais a nordeste de onde estávamos. Treze dias depois de deixar Jerusalém, chegamos ao pequeno porto de Rusafah, onde negociamos um barco nem grande nem pequeno, arredondado à frente e à popa mas reto dos lados, um dos barcos do Império da Babilônia encomprido para suportar mais carga. A nossa era pequena: alguns fardos de seda que Jael adquirira em Dimashq, e que junto com nossa bagagem ocupava os seis *j'mal* nos quais nós e dois cameleiros contratados seguiríamos montados assim que aportássemos no cais da Grande Baab'el. Nosso projeto era simples: enquanto os cameleiros estivessem negociando a seda no mercado da Esagila, nós quatro, fazendo-nos de grandes negociantes, flanaríamos pela cidade em busca de informações. Se as condições nos fossem propícias, eu pediria uma audiência ao poderoso Cyro, agora senhor de todo o Império, e abriria meu coração, revelando-lhe o verdadeiro motivo de minha viagem.

Por seis dias, à força de remos que serviam mais de leme que de impulso, descemos a célere correnteza do Eufrates, que alagava suas próprias margens, observando a enorme quantidade de casebres com água até o meio das paredes de barro, lentamente voltando a ser parte da terra, e a cada dia em maior quantidade. Na manhã do sexto dia, os casebres de barro já estavam praticamente grudados um no outro, e ainda que os campos atrás deles estivesssem coalhados de plantas verdes, eram um prenúncio da cidade que se avizinhava, e que surgiu, brilhante e colorida, de um lado e outro do rio, tão cheio de barcos que era difícil enxergar-se a água em que se moviam, atravessada por pontes tão conhecidas e coalhadas de gente, a mesma gente de quem eu agora percebia estar tremendamente saudoso. A maior saudade, no entanto, era de meu pai, a quem desejava encontrar mais do que a qualquer outro, para que fosse meu guia nesse caminho tão difícil, onde apenas o amor de um pai serve de garantia.

Com a cabeça cheia desses pensamentos, e o olhar perdido na distância, mergulhado dentro de mim mesmo, senti um súbito golpe no peito, forte como se o barco houvesse batido em algum obstáculo. Olhando à minha volta, divisei ao longe a Grande Torre de Marduq: as trombetas que marcavam o fim de mais um dia soaram e um relâmpago de luz dourada em sua parte mais alta me feriu a vista e a alma, enquanto a voz de Feq'qesh, tão claramente quanto se ele estivesse a meu lado, soou em meus ouvidos:

— Agora é tarde. Teu pai morreu.

Capítulo 17

Foi como se eu estivesse enlouquecendo: ouvia as vozes dos ausentes dizendo coisas que não faziam o menor sentido. Dentro de mim vibrava o prenúncio da sandice que um dia me tomaria corpo e alma, rojando-me ao solo de quatro, para que me alimentasse das ervas do campo, tal qual Nebbuchadrena'zzar. O sol no horizonte alongava as sombras da Grande Baab'el por sobre o rio em que navegávamos com muito cuidado, desviando-nos de uma miríade de barcos que nos cercavam, e cada vez que passávamos por uma dessas sombras um arrepio gelado me percorria o espinhaço. A náusea que eu não sentira em toda a descida do Eufrates agora me assomava em ondas, e eu só desejava pôr os pés em terra, correr até o *tel'aviv* e encontrar meu pai, a quem pediria perdão e apoio. Tudo se me esvaiu da mente enquanto eu tentava com todas as minhas forças manter a sanidade que me restava, cada vez menor.

Quando nosso barco encontrou uma vaga nos molhes inteiramente tomados por pessoas e cargas, quase me joguei de cabeça nas pedras, tal a pressa de alcançar o bairro onde nascera, e do qual me recordava vivamente, visualizando o que estava em minha memória. Pulei no cais, afastando os que vinham em minha direção: toda a Grande Baab'el decidira ali se encontrar para caminhar na direção contrária à minha, criando essa poderosa onda de carne humana que eu tentava furar com meu corpo cansado. Eram muitos os que me arrastaram para trás, e as lágrimas de impotência me subiram aos olhos: não fosse o apoio constante de meus guardiões Heman e Iditum, e também o braço amigo de Jael, que de mim se aproximara, ajudando-me a romper a barreira semovente até encontrar uma saída que me deixasse próximo à grande avenida, eu não andaria em direção ao Chebar, para atravessar o canal estreito e avançar pelo bairro dos alfaiates até encontrar a casa de meu pai. A sensação física piorava sensivelmente a cada passo que eu dava, e no meio do caminho o ar já me faltava, deixando-me mais ofegante. Jael segurou-me pelo manto, mas eu me atirei para a frente, quase caindo de cara ao chão, acabando por ajoelhar-me, olhando na direção norte, fortemente atraído para o meu destino.

Jael, com uma mão fria como gelo, segurou-me pela testa:

— Espera, meu irmão! Tem calma! O que te sucedeu?

Eu não podia dizê-lo, com medo de que meus amigos de mim se afastassem: eu queria, precisava, tinha que ir ao encontro de meu pai, tinha que encontrá-lo vivo:

— Minha casa, tenho que ir até minha casa...

— Acalma-te, então! Não vês que estamos chamando a atenção de todos? Se estamos disfarçados, não nos entreguemos assim, sem motivo! Acalma-te!

Jael tinha toda razão, mas nem meu corpo nem meu espírito queriam saber de coisas razoáveis: a voz de Feq'qesh ainda ecoava em meus ouvidos, ampliando meu medo de perder o que precisava encontrar. O pai que me amara à sua moda, sem que disso eu me apercebesse, nunca havia tentado explicar-me por que me tratava daquela maneira, no silêncio e na exigência mais absolutos. Eu não o compreendera, como compreendia agora, e precisava dizer-lhe isso. Aprumei-me, mas não desisti: reduzindo um pouco meu impulso físico, continuei em passo acelerado por entre a multidão que enchia a grande avenida, seguindo para o norte, vendo ao longe os azulejos de azul brilhante da Porta de Ishtar, que logo atravessamos, deparando com a pequena ponte tão minha conhecida pousada em eterno movimento por sobre as águas do Chebar. De sua outra margem viramos à direita, entrando pelo labirinto de casas cada vez menos suntuosas, sentindo os perfumes familiares de que me tinha esquecido completamente. Eu ansiava chegar à porta de minha casa, vê-la abrir-se e na sala central, de costas para o fogo que minha mãe sempre avivava, avistar meu pai, barbas longas e cabeça coberta por um manto, aos pés de quem me rojaria, pedindo perdão, rogando que me aceitasse de novo como se nunca tivesse deixado de ser filho para ele.

ZOROBABEL

    Ao virar a esquina de um beco coberto por panos de um azul tão intenso que mudava as cores de tudo, encontrei uma multidão indo na mesma direção que eu, composta por homens a quem reconhecia, mas cujas faces não eram mais que um fundo para a face de meu pai, a cada instante mais e mais clara em minha memória. Passei pela casa de Yeoshua, seguindo junto com a multidão, enquanto meu coração se apertava cada vez mais. Cada passo me era mais difícil que o anterior, a cada instante a dor surda doía mais. Avistei a porta da casa de meus pais, à frente da qual a multidão se ajuntava. Ladeado por Heman e Iditum, cheguei à porta, sem perceber o interior da casa, que a escuridão não me deixava ver. Pisei na soleira, atravessei a porta, esperando ver a imagem do pai sentado à mesa, com meus irmãos à sua volta, e ele me sorriria e mandaria que eu entrasse, como se eu fosse o filho pródigo que retornasse à casa paterna...

    Meus olhos se acostumaram à escuridão: sobre a mesa estava um corpo inerte, coberto pelo manto branco debruado de azul de que me recordava perfeitamente. Na parede do fundo, descalços e com a cabeça coberta, estavam minha mãe, meu jovem irmão, minhas irmãs, acocorados, as cabeças mais baixas que as dos visitantes. Não compreendi: decerto meu pai estava doente e, na falta de cama em que deitar-se, havia deitado sobre a mesa. Todos me olhavam, sem me reconhecer, até que minha mãe, erguendo os olhos do chão, deu comigo, e uma luz de alegria por minha presença foi imediatamente sufocada pela profunda mágoa do que estávamos vendo. Ela abriu os braços e disse:

    — Zerub, meu filho! Agora é tarde. Teu pai morreu. Acaba de morrer. Foi na hora exata em que o sol se pôs sobre a torre dos gentios.

    Debrucei-me sobre ela, beijando-lhe as faces úmidas, sem reconhecer que experimentara um terrível instante de poder imenso, quando a voz do mestre ausente me dissera o que acontecera no exato momento em que se dera. Ergui-me, a medo, e me dirigi para a mesa, ouvindo o burburinho dos que estavam em volta "é o filho morto", "é o que foi expulso", "Yahweh o trouxe até o pai, tardiamente", e lentamente ergui a borda do manto que ficava por sobre a cabeça de meu pai. Lá estava o mesmo rosto, as barbas longas, os olhos meio entreabertos, a boca mostrando a fímbria dos dentes, o nariz muito mais afilado, como se seu osso se tivesse tornado uma lâmina cortante. A pele azeitonada estava mais amarelada e pálida do que eu me recordava, e a mão crispada sobre o peito murcho ainda era a mesma que me esbofeteara no dia em que ele desistira de mim. Eu também desistira dele, mas a vida em Jerusalém só se fizera possível porque ele me dera tudo de que eu precisava, ainda que eu tivesse rejeitado tudo que ele me dera. Tardiamente, a língua que eu rejeitara trouxera tudo de volta, menos meu pai: este estava morto à minha frente, e eu nunca mais poderia dizer-lhe o que sentia nem mostrar-lhe que o havia compreendido.

Estendi minha mão e toquei a face gelada de meu pai, para horror dos que ali estavam:

— Não! Não se toca no cadáver! Vais ficar impuro!

Tive vontade de rir, e o teria feito se não estivesse tão desesperadamente triste: a idéia de ficar impuro por tocar a casca vazia que tinha abrigado a vida de meu pai me soava como a pior das tolices. Cerrei os dentes e segurei sua face com as duas mãos, dando-lhe um beijo na testa úmida. As pessoas à minha volta reagiam com cada vez mais desagrado:

— Como é possível? Ele não compreende as tradições? Já está impuro!

Alguém se destacou da multidão, aproximando-se de mim:

— Não devias tocá-lo, amigo: mas já que o fizeste, deves ir comigo até a *mikvah* para purificar-te.

A voz era conhecida, assim como a face sardenta, coberta por pêlos encaracolados como os cabelos que escapavam por debaixo do manto, e os olhos de um castanho claríssimo, quase amarelos, fitando-me com tristeza. Seu nome me escapou dos lábios:

— Yeoshua!

Avancei para ele, que recuou, colocando em meu peito uma mão coberta pelo manto:

— Meu amigo, não me toques; porque então seremos dois impuros. Eu também estou feliz em rever-te, mas esperemos o momento certo, depois que estiveres purificado pelas águas da *mikvah*.

Recuei, sem compreender a crença que me impedia de demonstrar o quanto precisava desse amigo. Minha mãe, de seu lugar, sussurrou:

— Yeoshua foi para teu pai o filho que ele não tinha mais, Zerub: ficou em teu lugar, fazendo tua parte como se fosse o próprio Zerub.

Meu amigo me substituíra, enquanto eu andava longe? Mas meu amigo tinha um pai, eu me recordava disso. Yeoshua, lendo a dúvida em minha face, disse:

— Meu pai, ao contrário do teu, nunca se interessou pelas coisas de nosso povo. Quando eu quis saber delas, foi em teu pai que encontrei apoio e ensinamento.

— O que queres dizer com isso? Que eu devia ser o filho de teu pai, e tu o filho do meu?

Minha frase estava cheia de veneno, ciúme, inveja, mas Yeoshua, sentindo a força de minha emoção, resistiu ao golpe:

— Se soubesses o quanto ele te via ao me olhar, não dirias isso. Cada vez que eu vinha até ele em busca de ensinamento, era a ti que ele instruía, através de mim. Agora mesmo, nos arquejos finais da morte, quando o ar já não mais lhe entrava pelos pulmões e ele se debatia, pus-me a fazer as orações, e ele morreu dizendo uma única palavra: o teu nome.

Um urro de dor escapou de minha garganta. Perdera meu pai no momento em que dele mais precisava: outros haviam usufruído de tudo o que ele tinha a dar-me, e ele ansiara por mim, pressentindo que eu estava chegando. O maldito Eufrates fora lento demais, tornando-me mais um dos que não podem tocar as mãos do pai nem olhá-lo nos olhos nem ouvir-lhe a voz, mas eu certamente era o mais prejudicado de todos, porque meu pai me faltaria exatamente quando eu mais precisava dele. Pior que isso só a sensação de não ter sido perdoado. Meus olhos derramavam toda a minha mágoa, e Yeoshua, num impulso, passou-me o braço pelos ombros, estreitando-me contra seu corpo. Eu o abracei fortemente, e nossas faces se tocaram, enquanto ele me dizia, como que sabendo o que me ia no coração:

— Pensa, amigo, que teu pai sempre te amou, e mesmo tendo aplicado a lei sobre ti, nunca deixaste de ser seu filho. Cada vez que ele tratava um de seus discípulos com severidade, ensinando e corrigindo nossos erros, era a ti que ele corrigia e ensinava. O maior sonho de teu pai era o de ser teu mestre, como fora nos anos de nossa infância. Recordas das aulas que ele nos dava, aqui nesta mesma sala? Mesmo depois que abandonaste o aprendizado, as aulas só tinham sentido porque eram para ti: mesmo quando aqui não estavas, era a ti que ele se dirigia.

— Isso não me traz nenhum consolo, amigo, nenhum consolo...

quando entendi que meu pai era a única pessoa a quem eu deveria ouvir, retornei em busca de seu perdão. Por alguns instantes, alguns instantes apenas, perdi a oportunidade de ouvir esse perdão de sua própria voz! Por que Yahweh é tão cruel?

O amargor em meu peito era imenso, mas o amigo de tantos anos e tantas aventuras me amparava, sendo meu consolo e meu suporte nessa hora de dor. Yeoshua engordara bastante nesse ano em que estivéramos separados, e mesmo por trás da barba razoavelmente cerrada ainda mostrava o rosto rubicundo e sardento, estranhamente adulto através dos mesmos traços de sempre:

— Meu amigo, o perdão de teu pai de nada vale, se não fores capaz de perdoar-te a ti mesmo. Talvez seja o perdão mais difícil de alcançar, e com certeza é dele que tu precisas. O de teu pai, podes ter certeza de que te foi dado quando ele exalou seu último suspiro dizendo teu nome.

Não tive como me controlar mais: aos urros, dei vazão a todo o meu desespero, sendo cercado pelo carinho dos que ali estavam, apesar de nenhum deles me tocar, com exceção de Yeoshua. Disse-lhe ao ouvido:

— Yeoshua, também ficaste impuro...

— Não há o que eu não faça para confortar um amigo: é minha obrigação cuidar de teu pai. Façamos isso juntos, e juntos depois nos purificaremos.

Pedimos que todos se retirassem da sala, inclusive minha mãe, minhas irmãs e meu irmão caçula, a quem eu quase não reconhecera, com sua cara de menino sobre um corpo espigado. Envolvemos meu pai em seu manto e mais uma grande peça de pano branco, e atravessamos a rua do *tel'aviv*, andando algumas braças até entrar no edifício que fora construído sobre a fonte de água limpa que alimentava a *mikvah* de meu povo. Na sala onde eram banhados e cuidados os mortos, já estava numa das duas mesas de pedra o cadáver de um velho muito gordo, que havia morrido ao norte da cidade, endurecido e fedendo. Três homens com túnicas brancas haviam começado a lavá-lo, e meu amigo Yeoshua, maduro como se o tempo que passara entre nós fosse não um ano, mas uma década, mantinha-se contrito, murmurando em silêncio. Lavaram o velho com panos encharcados de água, primeiro de frente, e depois de costas, começando sempre pelo lado direito: depois o arrumaram sobre a mesa, com o máximo respeito possível, e forçaram suas juntas rígidas a tomar uma posição de acordo com sua natureza, para que pudesse ser entregue ao solo. Vestiram-lhe uma túnica branca sem costuras, colocando em suas mãos entrelaçadas um pequeno galho de árvore, que foi puxado para cima até que as palmas das mãos ficassem expostas, e prepararam uma mistura de terra, tirada de uma caixinha de madeira, com a água que molhava a mesa de pedra, formando uma pasta com a qual selaram seus olhos e boca, envolvendo-o depois em um grande manto de orações muito puído, que o cobriu totalmente, não deixando nada para ser visto.

    Quando se dirigiram para o corpo de meu pai, alguma coisa em mim se quebrou, e me pus a chorar tão convulsivamente, que Yeoshua achou melhor tirar-me dali: ficamos na frente da casa de tijolos onde a fonte alimentava a *mikvah*, enquanto eu me esvaziava de um pranto antigo como o mundo. A tarde se foi, e quando percebi, a noite vinha caindo: Yeoshua murmurava baixinho uma série de frases na língua de nosso povo, até que eu lhe perguntei:

— A casca de meu pai está vazia: para onde foi sua alma?

— Ainda está entre nós, Zerub: a morte não separa as almas dos corpos onde habitou de imediato. Ela ainda vaga perto de seu antigo invólucro, depois acompanha a vida da família por um tempo, ficando presa à casa onde morou; só no sétimo dia após a morte, é que finalmente encontra seu caminho para longe deste mundo.

Eu não entendia por que Deus me tirara a oportunidade de ver meu pai vivo, ainda que por instantes apenas:

— Não aceito! Agora que me era mais necessário, meu pai me é tirado para sempre? Não é justo...

Yeoshua suspirou profundamente, ergueu as mãos para o céu e me disse:

— A morte não é o fim, amigo: enquanto a lembrança de teu pai estiver dentro de ti, ele permanece vivo, acrescentando à tua alma tudo que dele recordares. Aqueles de quem nos recordamos permanecem vivos dentro de nós.

— Isso de nada me adianta! — esbravejei, sentindo o espírito cada vez menor. — Eu necessito dele vivo, para me ensinar a fazer o que deve ser feito! A quem mais posso recorrer?

Yeoshua me olhou com calma:

— A esse mesmo pai cuja morte agora deploras. Se nunca te esqueceres dele, ele continuará vivo dentro de ti, e basta que abras os teus ouvidos àquilo que ele tem a te dizer. Não duvides, amigo: se permitires, ele te dirá tudo que precisas ouvir.

Parecia que meus olhos nunca mais cessariam de verter o pranto. Ficamos em silêncio, e Yeoshua subitamente me perguntou:

— Mas por que voltaste à Grande Baab'el, Zerub? Da última vez que nos vimos, estavas decidido a nunca mais pôr os pés deste lado do mundo. Por que exatamente agora o conselho de teu pai te seria tão necessário?

Um frio súbito me percorreu a espinha: eu não podia revelar a ninguém, a não ser a Cyro, o objetivo de minha viagem e quem eu realmente era. Meu amigo de tantos anos me olhava curioso, e subitamente algo em meu espírito me disse: "Confia em teu amigo", cogitei que meu pai verdadeiramente continuava vivo dentro de mim, como Yeoshua dissera. Olhei-o longamente, pesando os riscos: então, sem pensar mais no assunto, contei-lhe tudo o que me acontecera, desde que o deixara ao lado de Mitridates ao sul de nossa cidade. Não escondi nem o encontro com os pedreiros, nem a ida para Jerusalém, nem minha invasão de sua reunião e a descoberta de meu papel em seus negócios, nem mesmo os meses de dúvidas e treinamento pelos quais eu passara. A face de Yeoshua ia ficando mais e mais escura, porque a luz do dia diminuía enquanto eu falava, e por diversas vezes hesitei em continuar, sem saber se estava sendo compreendido ou aceito. Subitamente, ele pôs a mão sobre a minha, sussurrando:

— Então és tu! O messias da profecia és tu, meu amigo! Meu amigo de infância, o reconstrutor de nossa nação! Agora entendo esses três homens que nos seguem desde que saímos da casa de teu pai e não cessam de olhar para nós... são teus guardiões?

Eu tinha esquecido de Jael, Heman e Iditum, que estavam a alguns passos de nós, observando-nos atentos. Ergui o braço e chamei-os, apresentando-os a Yeoshua. Os quatro se saudaram com muitas reservas, por mais que eu esperasse por amizade entre eles. Como Jael fez questão de recordar, era preciso que descobríssemos a melhor maneira de entrar em contato com Cyro, o grande senhor do Império. Yeoshua foi um choque de água fria:

— Cyro não está na Grande Baab'el, Zerub: somos apenas uma das grandes cidades que ele tomou. No momento se encontra perto de Fars, onde pretende construir uma nova capital para seu Império dos Persas. Logo depois de conquistar a cidade, Cyro seguiu viagem, em busca desse lugar onde erguerá o centro de seu poder.

— Mas, então, quem está no comando? — perguntou Jael, tão desacorçoado quanto eu. Não deve tê-la deixado sozinha, por conta dos que nela estavam.

— Quase isso: escolheu entre seus primos um *ve'zzur* com parentes na Grande Baab'el, chamado Darius, e o deixou no comando, enquanto solidifica suas vitórias em todo o novo Grande Império dos Persas.

— Isso é mau — ponderou Jael, percebendo meu desalento. — O assunto que aqui nos traz não deve ser debatido com um *ve'zzur*, e sim com o verdadeiro rei.

Yeoshua franziu o cenho:

— Concordo contigo: num mundo conturbado como este, seria um grande risco apresentar-se como rei de uma outra nação ao *ve'zzur* de um poderoso: ele pode entender mal a tua intenção, e simplesmente acabar contigo, para que não representes ameaça a seu senhor. Darius é estranho: sendo filho da cidade, acaba sendo mais persa que o próprio Cyro na defesa do Império. As ordens do Imperador são apenas palavras; na realidade, pouca coisa mudou. Continuamos livres para ser os mesmos escravos que sempre fomos, e os abastados da Grande Baab'el são a corte deste Darius, como sempre têm sido. Precisamos esperar que os acontecimentos se tornem promissores, para que não te ocorra o mesmo que aconteceu a Daniel, mais conhecido entre os de Baab'y'lon como Baal'tassar.

Eu me lembrava de Daniel e de seus três seguidores, na reunião dos astrólogos e magos de Belshah'zzar: fora ele quem decifrara as mensagens que a gigantesca mão do milagre escrevera sobre as paredes do salão. Aconchegamo-nos sobre o muro de pedra à frente da *mikhvah*, enquanto Yeoshua narrava os fatos:

— Daniel foi escolhido para ser um dos trezentos e sessenta homens de poder da Grande Baab'el, que formam o conselho de ministros de Darius, a quem tudo deve ser apresentado e com quem todas as ações devem ser discutidas. A sabedoria de Daniel é tal, que Darius já nada mais fazia sem ouvir-lhe a opinião. Os outros trezentos e cinqüenta e nove ministros resmungaram: "Por que esse escravo tem tanto poder? É preciso colocá-lo em seu devido lugar!" Tudo fizeram para que Daniel se desvalorizasse perante seu senhor Darius: mas Daniel, ao contrário deles, é incapaz de receber um presente que lhe manche as mãos. Tudo tentaram, mas nada conseguiram. Percebendo que Daniel três vezes ao dia se retirava para orar a seu deus, convenceram Darius a suspender durante um mês lunar todas as orações a todos os deuses, estabelecendo como castigo para os que não obedecessem ser atirado numa cova de leões. Darius, movido por grande vaidade, acabou baixando essa ordem em todo o Império da Babilônia.

Yeoshua era um bom contador de histórias, mas agora havia nele uma qualidade inefável que se ajuntava à sua narrativa, como se movido por uma força além de suas próprias, quando continuou:

— Daniel ignorou o edito sem sentido e continuou a fazer suas orações à vista de todos. Três dias depois, seus inimigos levaram a Darius a notícia de que Daniel desobedecia sua lei, e que era um traidor, por descumprir ordem tão clara em público. E então o próprio Daniel disse: "Se por devoção a meu deus, descumpri uma de vossas leis, não há nada a fazer a não ser aplicar-me o merecido castigo." E ele mesmo se encaminhou à cova dos leões nos subterrâneos do palácio, pedindo que lá o deixassem trancado.

Yeoshua se aprumou, enquanto os ruídos da Grande Baab'el chegavam até nós, trazidos pelo vento quente:

— Na manhã seguinte, quando os tratadores dos leões foram ao covil, tiveram uma imensa surpresa: Os leões dormiam, Daniel estava vivo, absorto em suas orações, sem que um pêlo sequer de seu corpo houvesse sido tocado!

Eu ri, e Jael sacudiu a cabeça, dizendo:

— Isso é muito fácil: os que se dizem domadores de leões sempre os alimentam muito bem antes de qualquer contato com eles. Leões bem alimentados são extremamente dóceis, e como sua digestão é muito lenta, permanecem desinteressados por comida durante muito, muito tempo...

— Daniel é, antes de tudo, um homem muito inteligente — disse eu, sem querer acreditar no prodígio que Yeoshua nos narrava. — Sabia que os leões estavam alimentados e se arriscou com segurança.

Dessa vez foi Yeoshua quem riu, francamente:

— Foi exatamente isso que os mais afoitos entre os trezentos e cinqüenta e nove disseram: mas Darius, impressionado, mandou chamar Daniel para confrontá-lo com seus acusadores. Daniel lhe disse que aquilo era uma prova do poder do deus Yahweh, Bendito seja. Foi recebido com risadas e acusações de desrespeito: Darius, bastante irritado com as atitudes dos agressivos acusadores de Daniel, tomou uma dessas decisões que só os poderosos podem se dar ao luxo de tomar: mandou alimentar com fartura os leões, para que se colocassem na cova exatamente aqueles que tanta certeza tinham de que a sobrevivência de Daniel fora um truque. Seis acusadores não puderam recuar: colhiam o que haviam plantado, e só Darius tinha poder para confrontá-los com a verdade. No mesmo instante em que os seis foram jogados à cova dos leões bem alimentados, estes os dilaceraram e estraçalharam com toda a sua força, e seus gritos fizeram Darius rir muito, calando definitivamente quaisquer vozes que pudessem se erguer contra Daniel. Dizem que Darius se ajoelhou aos pés de Daniel, reconhecendo Yahweh como deus poderoso, verdadeiro e único, mas eu não creio nisso: homens de poder rapidamente se esquecem dos portentos a que assistiram, como se tudo o que viram fosse apenas um sonho.

— Isso é mau — disse Jael, preocupado —, vejo que Darius também é um impulsivo, vivendo por rompantes. Acho que devemos esperar a presença de Cyro para que tu possas te apresentar a ele como o que verdadeiramente és, pedindo-lhe que te conceda o que vieste pedir.

— Mas o que mais vieste pedir além da permissão para reerguer o Templo de Yahweh?

Yeoshua estava curioso, olhando minha face, que, como a sua, era um mar de sombras. Eu lhe disse, candidamente:

— É preciso que ele me permita levar nosso povo de volta para Jerusalém...

O grito que Yeoshua soltou foi inesperado, gutural, e ele se rojou ao chão, esfregando a testa na areia amarela, enquanto nós o olhávamos, boquiabertos. Depois se ergueu, e à fraca luz da noite eu pude ver as lágrimas que riscavam sua face. Ele se ergueu, pondo as mãos sobre meus ombros, apertando-os e dizendo:

— Meu irmão, meu amigo da infância! És tu o *man'hig* que teu pai prometia a nós, seus discípulos! Tu és o novo Moisés e nos levarás de volta à Terra Prometida de nossos avós!

— Se o trabalho for bem-feito, a Grande Baab'el vai ficar quase vazia! — disse Jael, sorrindo. — Quantos descendentes dos primeiros prisioneiros moram aqui?

— Na Grande Baab'el moram quase duzentas mil pessoas, e, destas, creio que mais da metade somos descendentes dos que vieram de Jerusalém com Nebbuchadrena'zzar, atados por correntes triangulares.

— Como assim, triangulares? Não se usavam correntes comuns no Império de Baab'y'lon?

— Essas foram mandadas fazer especialmente, para atar a Zedeqias, o rei cego de Jerusalém, que se recusava a revelar o lugar onde estava o cubo de ágata em que se enraíza o triângulo de ouro com o Verdadeiro Nome de Deus. Nebbuchadrena'zzar sabia que Enoch havia escondido esse triângulo de ouro e foi buscá-lo em Jerusalém, reconhecendo seu grande poder.

Sonolento, eu ouvia as vozes de Yeoshua e Jael cada vez mais longínquas, aninhado sob meu manto no canto de muro onde estávamos, apoiando a cabeça sobre os joelhos. Era difícil manter os olhos abertos, mesmo com a menção a esse triângulo cuja cópia eu vira no subterrâneo do templo, e dentro do qual viajara como que em um rodamoinho, por causa do poder que as letras tinham sobre mim. Olhá-las era sempre algo especial, porque, ao mesmo tempo em que traçavam palavras, determinavam também quantidades, números, operações infinitas, cujo objetivo sempre me escapava, como se por trás delas houvesse outras letras, outras realidades, outras verdades. As grandes filas se desenrolavam e giravam da direita para a esquerda, a tudo permeando e a tudo formando, céu, nuvens, plantas, pessoas, todo o Universo feito de letras e números, cada ser e espaço à minha frente perfeitamente repleto dessas quantidades e palavras, e por dentro de todas elas uma palavra que se repetia, o nome de Yahweh, ponto de partida e lugar de chegada de todo o movimento, que eu via dentro de todas as outras, e que se ergueu de sua posição deitada e se pôs de pé, com suas letras umas sobre as outras, o *yod* por cima de todas, como uma cabeça, o primeiro *heh* formando ombros e braços, o *vau* no centro da barriga e ventre, e o segundo *heh* se apoiando no chão como as pernas desse ser, que se agigantou à minha frente, ficando de incomensurável altura, passando acima das nuvens, do céu negro azulado onde as estrelas brilhavam, e subitamente até mesmo as estrelas eram letras-números, tudo dentro do ser gigantesco, em meus ouvidos soando distintamente a frase "à sua imagem e semelhança": com um sobressalto, cambaleei e tentei me segurar, acordando assustado com a mão de Jael em meu peito. O dia estava nascendo: eu dormira não sei quantas horas naquele canto de muro, mas em meu sonho só se haviam passado alguns instantes, sem que eu compreendesse como isso se dera. Yeoshua me fitava preocupado, e me disse:

— Vamos, meu amigo: devemos enterrar teu pai.

A realidade da morte caiu sobre mim como uma pedra: eu me esquecera dela, como que narcotizado para passar pela lenta transformação da perda em alguma coisa suportável, ainda que para sempre inesquecível. Entramos na *mikvah*, apanhando o corpo, que carregamos em direção ao norte: um pequeno outeiro marcava o lugar onde os moradores do *tel'aviv* enterravam seus mortos, em contato direto com a terra, para que o pó pudesse ao pó retornar, tendo como única e última proteção a mortalha. O caminho era aquele onde eu passara a maior parte de minha vida, e essas ruas em minha memória traziam todas a marca e a figura de meu pai. Subitamente, ao virar uma esquina, saindo na rua mais larga do *tel'aviv*, onde os comerciantes faziam seus negócios, havia uma multidão que nos aguardava, abrindo passagem para nosso pequeno cortejo, seguindo-nos a uma distância respeitosa. Yeoshua comandava nosso passo e controlava nosso ritmo, fazendo com que parássemos de vez em quando e pousássemos o lúgubre fardo no chão, até que finalmente nos encontramos no ponto mais alto do outeiro, onde um buraco já estava aberto no solo.

Só havia homens à nossa volta, e eu voltara a chorar convulsivamente, sentindo-me cada vez mais perdido, isolado, abandonado, enquanto meu pai era colocado dentro do buraco profundo e a terra acumulada em sua borda ia sendo lentamente devolvida a seu lugar, cobrindo-o para sempre. Os torrões de terra caíam sobre ele, e no momento em que uma grande quantidade cobriu o lugar onde estava sua cabeça, meu corpo fez um movimento instintivo para livrá-lo daquilo, com medo de que se sufocasse, mas logo percebi a tolice de meu gesto, voltando a chorar mais ainda. Jael estava do lado esquerdo de minhas costas, e eu sentia meus dois guardiões, Heman e Iditum, em silêncio total como sempre, ladeando-me discretamente. Yeoshua, acompanhado por uma meia dúzia de homens que, como ele, traziam a cabeça completamente coberta por seus mantos, tinha os olhos fechados, e seus lábios se moviam em oração. Em determinado momento, olhou-me, dizendo em meu lugar o *Kadish* que eu mesmo deveria estar fazendo, como filho mais velho. Isso me era impossível: mesmo com as rezas soando na memória, a garganta se fechava, junto com o buraco que abrigaria para sempre o cadáver de meu pai.

Quando não restava mais nada a fazer, voltamos as costas ao pequeno monte de terra que dois coveiros alisavam, descendo o pequeno outeiro. No seu sopé, virei-me em direção à rua onde ficava minha casa, sendo impedido por Yeoshua:

— Onde vais?

— Para casa: minha mãe e irmãos certamente precisam de mim.

Yeoshua fez um ar de desagrado:

— Não deves ir até lá: não percebes que o Anjo da Morte nos seguiu até aqui? Devemos enganá-lo: se voltarmos diretamente para lá, ele pode querer levar mais alguém. É melhor dar uma volta pela cidade, de preferência passando por lugares onde haja muita vida, pois é de vida que o Anjo da Morte se alimenta, e quanto mais vida ele encontrar, mais longe de nós ficará. Aí sim, com segurança, poderemos voltar à tua casa, retomando a vida familiar, depois dos sete dias de praxe.

Os homens mais velhos em volta de nós aprovaram as palavras de Yeoshua: era interessante ver que, tão jovem, já tivesse tanta ascendência sobre a comunidade. A impressão que dava era a de que, havendo morrido meu pai, o papel de *rosh'ha'golah* da Grande Baab'el lhe estivesse naturalmente destinado: não parecia haver mais ninguém que conhecesse tão bem os hábitos e costumes de nosso povo, preservando no cativeiro um pouco do que era a essência dessa existência. Yeoshua deu alguns passos à frente, e todos o seguimos, inclusive eu: ele me tomou pelo braço e me fez andar a seu lado, descendo a rua principal do *tel'aviv* e seguindo para o sul, atravessando a Esagila cheia de mercadores e caravaneiros, ruídos e perfumes indestacáveis uns dos outros, dando a impressão de que ali estava toda a população da Grande Baab'el.

Ao nosso lado se erguiam os palácios e templos que formavam essa avenida, e olhando para a esquerda vi a Grande Torre de Marduq, sete imensos degraus uns sobre os outros, e em seu topo a mesa do deus de ouro, onde Sha'hawaniah dançara e eu invejara o rei que podia usufruir de seu corpo.

Era estranho estar de volta à minha cidade depois de tão pouco tempo, um ano que se transformara em eternidade pelas mudanças em minha vida. Respirei profundamente o ar quente da Grande Baab'el, flanando por sua avenida congestionada com passo tão sem ritmo, que em pouco tempo me separara de meus companheiros. Heman e Iditum, acostumados à intensa frugalidade da Jerusalém em ruínas onde haviam nascido, a cada instante que se passava prestavam menos atenção a mim e mais ao que os cercava, boquiabertos e ávidos da fartura que o mercado da Esagila exibia. O sol brilhava sobre nossas cabeças, o cheiro de lama tão familiar penetrava em minhas narinas a cada rajada mais forte do vento, que fazia tremular os estandartes dos deuses nos mastros em frente aos templos gigantescos, de onde saía o som de cânticos dos fiéis que entravam e saíam. Com um suspiro profundo, olhei para o céu me sentindo instantânea e inexplicavelmente feliz por um breve instante em que tudo em mim e à minha volta estava perfeito, como se deus houvesse criado esse instante de beleza absoluta para que minha alma pudesse nele se regozijar.

Foi exatamente no meio desse instante de felicidade pura que uma pesada mão caiu sobre meu ombro e eu ouvi a voz rascante de meu pior pesadelo, encarando seus olhinhos de porco, brilhando na face molenga, encimada por um capacete de grande tamanho:

— Mas se não é o ladrãozinho fujão que me escapou das mãos uma vez! Marduq é grande! Acaba de me dar a oportunidade de terminar o trabalho que tive de largar pelo meio...

Na'zzur me segurava com mão de ferro, cercado por seus soldados, e minha felicidade momentânea foi imediatamente substituída pelo terror do passado, engolfando-me com a infinita maldade desse inimigo sem misericórdia.

Capítulo 18

Não faço a menor idéia do que aconteceu à minha volta enquanto os esbirros me mantinham imprensado entre seus corpos vestidos de armadura: não eram meninos, como eu e meus amigos o fôramos, mas homens feitos, de má catadura e olhar brutalizado. Não sei como eram escolhidos nem com que objetivo, agora que não havia mais Belshah'zzar para selecionar os mais interessantes corpinhos como membros de sua guarda pessoal. Parecia que, debaixo dos uniformes que abriam um espaço imenso à sua simples passagem, estavam corpos mais rudes e fortes, bem preparados para o trabalho que deviam executar, porque sem dificuldade me mantinham manietado e curvado para a frente, sem que ninguém pudesse sequer perceber quem estava sendo levado por eles. Não andamos muito: estávamos bem perto do Palácio Real, e percebi pela inclinação das rampas e pelo vislumbre do caminho que estávamos descendo para seus subterrâneos. O terror que me assomara ao ser preso começou a se multiplicar cada vez mais, a cada passo que dávamos na direção das entranhas do palácio, onde eu sabia estarem as masmorras fedorentas onde eu perderia a minha vida, rápida ou lentamente, dependendo da maior ou menor misericórdia de meus algozes. Dobrado violentamente para a frente, enquanto os guardas me suspendiam os braços fortemente atados às costas, eu esticava o pescoço, vendo apenas os pés calçados nas grosseiras e pesadas botas, marcando os passos ritmados no chão. O ar foi ficando mais e mais pesado, a luz se tornando baça e acinzentada: estávamos descendo muito abaixo do que eu podia imaginar, e a água das grandes rodas que a elevavam para terraços mais altos, caía de altura quase vertiginosa, com grande estrondo, umedecendo o ar viciado.

A pressão de meus guardas mostrou que o corredor onde estávamos ficara estreito, e subitamente, a um grito de Na'zzur, estancamos: eu, como não esperava por isso, tropecei e caí ao chão, sendo brutalmente erguido e jogado na direção de uma abertura escura, à borda da qual tentei me segurar. O guarda das masmorras bateu a porta com toda a violência, fechando-a sobre meus dedos: com a dor, soltei um berro que foi respondido com violenta pancada no alto da cabeça, o que me fez perder o equilíbrio e cair sobre o solo de barro socado, aqui e ali coberto de uma palha viscosa e cheirando a estrume. A porta se fechou atrás de mim, e a voz de Na'zzur, cuja sombra eu pude ver enchendo a pequena abertura no alto da porta, disse:

— Economiza teu choro, ladrãozinho... breve terás razões verdadeiras para chorar, porque, enquanto eu não te arrancar tudo o que tens escondido aí dentro, não ficarei satisfeito. Hei de te ver seco, por dentro e por fora, um bagaço espremido por mim...

Na'zzur se foi e fiquei sozinho, pior do que se estivesse morto. O destino mais uma vez mudava violentamente, e sempre sem que eu entendesse por que isso me acontecia. Desesperadamente me esgoelei, gritando como se precisasse colocar para fora todo o desespero que me preenchia, e o eco de meus gritos refletidos no pequeno espaço onde me encontrava quase me ensurdeceu. Não sei quanto tempo fiquei nessa completa agitação: quando dei acordo de mim, estava encolhido em um canto da cela, a garganta doída pelo tanto que gritara, sentindo-me ainda pior por não obter resposta a meus pedidos de socorro. Estava sozinho, e a temperatura abafada e ao mesmo tempo úmida me fazia perder a noção de frio ou calor; além disso, a pressão física me comprimia, como se o peso do palácio estivesse apoiado sobre minha cabeça, enterrando-a em meus ombros. Não havia nada à minha volta, a não ser o terror quase palpável.

O que seria de mim? Na'zzur parecia ter mais poder do que quando o conhecera: seu batalhão era imenso, e era como se estivesse esperando que eu caísse em suas mãos para fazer de mim aquilo que quisesse. Eu era um peixe em sua rede, e me debatia, procurando o que já não estava mais em mim: atravessara a fronteira que separava um mundo de outro, onde já era um cadáver, esperando apenas que meu corpo começasse a se deteriorar, a pele a se carcomer, a carne embaixo dela a se esgarçar, o sangue a se transformar em pó, os ossos a tornar-se pedra...

Ergui a cabeça, num susto. Não sabia quanto tempo se passara, e estava delirando, antecipando aquilo que certamente me aconteceria: quase pudera enxergar a deterioração de meu corpo, na escuridão que já era um pouco menos densa. Podia ver os contornos das coisas do lado de fora da cela: alguns archotes, com seu cheiro característico de nafta, bruxuleavam amarelados. Pensei que, se havia archotes, era porque a luz do sol não entrava pelas aberturas costumeiras, portanto devia ser noite; mas não sentia que tivesse se passado tanto tempo assim, a não ser que meu momento de desespero tivesse durado mais do que eu podia acreditar. Estava completamente perdido: não sabia o que sentia, onde estava, não percebia sequer o que meu corpo me dizia, porque o medo que me cobria era maior que tudo. Fechei os olhos com força, para que a decisão de não ver transformasse minha realidade e ao abrir os olhos eu me encontrasse fora dali, na rua ensolarada em que tivera meu último momento de felicidade antes que a pesada mão de Na'zzur descesse sobre meu ombro...

Não havia solução: a imagem de felicidade seria para sempre substituída pela perda absoluta que meu inimigo me impusera. Perdera tudo: pai, liberdade, vida. O Anjo da Morte estava sobre meus ombros, não se afastara de mim, era a mim que ele buscava: meu pai fora apenas o pretexto que ele usara para se aproximar de mim. Na verdade, tudo em minha vida fora pretexto para minha morte: olhando com honestidade, veria que meu pai era o culpado de tudo...

Ergui a cabeça novamente: cada vez que me entregava a um fluxo qualquer de pensamentos, eles se transformavam em delírio, reiterando sem cessar no meu espírito desgraçado o sofrimento que se avizinhava. A imagem de meu pai estava de novo em minha mente, como eu dele me recordava: firme, ereto, a cabeça coberta pelo manto azul e branco, o olhar profundo e triste, e a frase que estava sempre em seus lábios: "Assumi o compromisso? Morro, mas faço."

Um choque me sacudiu corpo e alma: era isso que se esperava de mim? Que eu mantivesse o compromisso da missão a executar, mesmo que meu corpo fosse transformado em pasta sanguinolenta? Era para isso que meu pai havia morrido, ocupando meu corpo como um *dibbuk* para que eu cumprisse o compromisso assumido? Eu não podia, não tinha forças, e nem mesmo compreendia por que me havia sido dada essa missão, que rejeitava mais do que nunca!

Na escuridão da parede à minha frente, uma mancha mais clara me chamou a atenção: eu não podia precisar se já estava ali desde que eu caíra na cela, ou se meus olhos lentamente acostumados às trevas me estivessem fazendo ver coisas que antes não havia visto. Não era isso; a mancha não estava na parede, mas um pouco à sua frente, a cada instante se definindo mais. Era como se afundasse no centro, formando um funil que lentamente fosse se esticando para trás, para dentro dos tijolos, enquanto suas bordas giravam cada vez mais rapidamente, alargando-se e vindo em minha direção, e subitamente eu estava envolvido por essa mancha de luz, um imenso tubo dourado e girante que me cercava e através do qual eu flutuava, vendo à minha volta as letras de fogo negro com que todo o Universo era criado: dentre elas, três se destacaram, e pairaram à minha frente, formadas por labaredas de fogo negro, *nun*, *lamed* e *khaf*, unidas umas às outras sem que seu fogo se misturasse, mostrando o que eu não compreendia, e de súbito em minha mente surgiu a certeza de que só através dessas letras eu poderia superar minhas fraquezas e ultrapassar meus limites, e que só aquela palavra que eu não sabia ler me daria a força necessária para ser como meu pai, assumir um compromisso e cumpri-lo, mesmo que à custa de minha própria vida. Estendi a mão para as três letras e, quando estava quase tocando suas chamas, tudo se apagou, e eu, com um baque, caí ao chão da cela onde estava. À sua porta, que se abria lentamente, estavam dois soldados armados de espadas e cordas: um deles me laçou o pescoço, puxando-me para fora até que eu caísse no corredor, de onde me ergueram e me arrastaram, enquanto me atavam com requinte, deixando-me totalmente imobilizado, a não ser dos joelhos para baixo, de forma que eu podia apenas saltitar com passos ridiculamente curtos.

Eu ainda estava sob a influência do que acabara de ver: meus olhos fitavam o nada, porque as imagens tão reais, tão vivas, tão diferentes dos delírios que vinha experimentando, eram suficientes para apagar de minhas retinas a fealdade dos corredores que íamos trilhando. Um dos soldados disse ao outro:

— Este é que é feliz: enlouqueceu antes de Na'zzur pôr as mãos sobre ele...

Fui arrastado por todo o caminho: quando entramos na sala de torturas, minha visão se aclarou, ao ver os instrumentos e ferramentas de que Na'zzur e seus auxiliares fariam uso: era a mesma sala onde Belshah'zzar havia durante noites sem conta excitado seus sentidos com os maus-tratos impostos a outrem, dali saindo para alcançar o mais violento orgasmo enquanto recordava das visões e sons e perfumes que havia acabado de presenciar. Sobre um trono que se destacava, erguido em um degrau bastante alto, Na'zzur bebia vinho e ria de algum comentário feito por seus auxiliares, dois homens com casquetes de couro negro sobre a cabeça, sendo um deles extremamente magro e alto, quase cadavérico. Este me olhou e lambeu os beiços, como se eu fosse um pitéu à sua disposição. Insensivelmente, tremi, e Na'zzur, gargalhando, gritou do alto de seu trono:

— Vamos, atem-no à mesa de trabalhos... é preciso descobrir onde ele é mais sensível, para que nossa tarefa seja mais efetiva...

— Não é preciso, comandante: rapazes dessa idade sempre temem mais que tudo que os impeçamos de ser homens quando crescerem... olhando para a cara desse aí, tenho certeza de que toda a sua vida se resume ao prazer que seu pênis pode lhe dar. Portanto, que melhor área de ação para a nossa arte do que a parte do corpo que ele considera mais importante?

O magro parecia ser muito competente em sua especialidade. Na'zzur riu mais alto ainda:

— Parece que o conheces tão bem quanto eu, Bal'amun: sabes que já fomos companheiros? Há pouco mais de um ano, ele também trabalhava para nossa querida Bel'Cherub, e estava para ser brinquedo noturno do finado Belshah'zzar quando a situação se transformou... ele e seu asseclá Daruj se aproveitaram da confusão reinante para fugir de nós.

Enquanto seus dois auxiliares me atavam à mesa, Na'zzur levantou do trono e veio até mim, pondo sua cara retorcida pela crueldade a tão pouca distância da minha, que senti o cheiro azedo do vinho em sua respiração:

— Pensas que me esqueci do desafio que me fizeste? Nunca! Foi a certeza de aceitá-lo no futuro que nos fez estar juntos, hoje, aqui, tu nessa posição tão comprometedora, à minha mercê...

O ódio que Na'zzur sentia por mim era quase palpável, e eu me retesei nas cordas que me atavam, olhando diretamente em seus olhos. Não importava mais nada: se estava à sua disposição, tinha que dizer-lhe o que me ia na alma antes que sua brutalidade me calasse para sempre:

— Teus novos patrões sabem que eras homem de Belsha'zzar, Na'zzur? Como caíste nas graças dos conquistadores? Deves ter mentido muito, fingindo ser o que não és, como na última vez em que nos vimos... trocas de farda com muita facilidade...

— Não falemos de trocas de uniforme, ladrãozinho: da última vez, também deixavas de ser quem eras e te transformavas em acólito de Ishtar, esqueceste? A diferença entre nós é que eu sou necessário, e tu és dispensável. Nenhum poderoso pode prescindir de gente como eu, disposta a fazer as coisas com que detestam sujar as mãos, ao passo que tu, animal sem valor, serás sempre vítima, porque dentro de ti não existe a capacidade de ser amo e senhor.

— Falando em amo e senhor, Na'zzur, como vai tua senhora Bel'Cherub? O poderoso Cyro sabe que serves a dois senhores, ou tu o enganaste com teus préstimos de devoção absoluta?

A bofetada de Na'zzur estalou em minha face, toldando-me a visão, enquanto seus auxiliares riam. Com um esgar de seus dentes trincados, ele falou, em voz bem baixa:

— Não percebeste ainda que não é a Cyro que devo obediência, mas sim a seu *ve'zzur* Darius, cuja única função é livrar o Império daqueles que de alguma maneira possam ameaçá-lo? Darius conhece meus talentos e confia plenamente em mim. Quando Cyro estiver novamente entre nós, a Grande Baab'el já será um paraíso, sem nada que ameace seu poder. É para isso que Darius me utiliza, e a responsabilidade de decidir quem serve ao Império e quem não serve, dispondo dos sem-serventia da maneira como melhor me aprouver, garantindo sua extinção, é toda minha. Meu prazer tu já sabes qual é: gosto de ver os corpos se desmanchando, reduzindo-se a uma massa informe de carne e sangue, liquefazendo os ossos, rasgando a pele, queimando os cabelos. Este é o verdadeiro poder, e quem o possui não é nem Cyro nem Darius: sou eu! Nesta hora me igualo aos deuses, porque sou capaz de destruir tudo aquilo que eles criaram! Tu, ladrãozinho sem valor, hás de curvar-te a mim! Hás de me reconhecer teu deus, primeiro para livrar-te da dor, e depois porque realmente acreditarás nisso! Comecemos.

Chegando ainda mais perto de mim, sussurrou:

— Quando estiveres pronto, convidarei Bel'Cherub para que venha ver-te transformado num fiel devoto do deus Na'zzur...

O terror se aproximava, e me debati enquanto o outro auxiliar de Na'zzur, mais baixo e gordo, com um olho voltado para cada lado de sua cabeça e a boca tremendo de excitação, pegou meu pênis, atando-lhe uma corda de couro na base, por detrás dos testículos, manipulando-o com verdadeira volúpia. Confesso que, por maior que fosse o meu terror, meu corpo reagiu como sempre: a manipulação de meu membro fez com que ele se intumescesse e erguesse, ficando cada vez mais rígido, deixando-me desesperado de vergonha. Na'zzur e seus auxiliares riam despregadamente, e o mais alto recuou até um braseiro, de onde pegou com a mão muito calosa um longo espeto de metal, rubro até a metade. Trouxe-o até perto de meu rosto, tão perto que eu pude sentir o calor e o cheiro do metal quente, temendo que ele quisesse marcar-me a face com aquilo. Torci o rosto, e Na'zzur, com uma mão muito úmida, acariciou-me a testa:

— Acalma-te, belo ladrãozinho: não te estragarei o rostinho. O que quero que conheças é a dor absoluta, aquela que só tu podes saber como é, tão forte que dela nunca te esqueças. A princípio, nada te perguntarei: só te apresentarei à tua companheira eterna, a dor. Depois que tu e ela já estiverem bem íntimos, a simples lembrança será suficiente para que faças tudo o que eu quiser... e se em algum momento eu desconfiar que estás te esquecendo dela, volto a mostrá-la, porque é através dessa dor que serás meu para sempre.

Urrei violentamente antes mesmo que o magro enfiasse o arame incandescente pela minha uretra adentro, porque a certeza do que aquilo era já fazia com que eu sentisse um horror que não acreditava ser possível. Desmaiei antes que o arame entrasse em meu pênis mais que um terço de seu comprimento, flutuando dentro do cone de luz dourada forrado de labaredas de fogo negro, finalmente tocando as três letras que me haviam escapado da primeira vez, e que entraram por meu braço adentro, tornando-se parte de mim.

Voltei a mim com o choque da água fria sendo jogada em meu rosto, quase me afogando, e a dor lancinante em meu ventre dando-me a certeza de que me haviam aleijado para sempre. Não seria capaz de suportar outro ataque desses, e chorei, pedindo perdão por tudo o que ainda me iriam fazer sentir. Na'zzur ria em meu ouvido, perguntando coisas que eu não sabia o que fossem, enquanto seus acólitos, alternadamente, torciam meus testículos até quase o ponto da ruptura, e essa dor trazia a lembrança da dor que eu acabara de sentir:

— Vamos, conta: por que voltaste à Grande Baab'el? O que te trouxe aqui? Pretendes tomar o lugar de teu pai? Tens algum plano que ameace a estabilidade do Império? Vamos, coragem... falta tão pouco para que te livres da dor...

Por trás de meus olhos fechados, eu só enxergava as três letras de fogo negro, *nun*, *lamed* e *khaf*, enquanto em meus ouvidos a voz de meu pai soava claramente como se ele estivesse falando pela minha boca: "Assumi o compromisso! Morro, mas faço! Morro, mas faço! MORRO, MAS FAÇO!"

Quando Na'zzur me deu uma forte bofetada na orelha, sacudindo meu cérebro dentro do crânio, foi que percebi ser eu mesmo quem gritava a frase de meu pai. Não sei de onde vinha essa força, mas alguma coisa em mim impedia que o segredo de minha presença na Grande Baab'el fosse revelado, toldando minha compreensão das coisas quase como se não fosse a mim que a tortura estivesse sendo aplicada. Os dois auxiliares de Na'zzur, suados, ainda seguravam meus testículos com firmeza, esperando que seu chefe lhes desse a ordem final para extirpá-los a frio, com as próprias mãos ansiosas pelo meu sangue. Dentro de mim, ao lado do animal amedrontado em que a dor me transformara, havia outra coisa, que sustentava meu empenho de resistir um pouco mais, ainda um pouco mais, só mais um instante, consciente de que em algum momento isso teria que parar, com a minha desistência ou a deles, não importava qual. Em minha cabeça, as três letras de fogo negro brilhavam cada vez com mais intensidade, meu pai se impondo em meio a elas, me fortalecendo, enquanto Na'zzur gritava:

— Fala, imbecil! O que é que fazes mesmo morto? Que compromisso é esse? O que me estás escondendo? Fala!

O animal queria contar tudo, o menino temia a dor, o pai repetia a frase mágica, e as letras brilhando cada vez mais me enchiam de uma força que eu não sabia que tinha: ela me trancava os dentes e eu pensava "só mais um pouco, um pouco mais apenas, ele vai desistir antes que eu desista, tenho que agüentar só mais um pouco".

Foi o que aconteceu: Na'zzur entrou em desespero, sacudindo-me pelos ombros o máximo que as cordas apertadas permitiam:

— Fala, chacal, senão te mato! Sei que vieste à Grande Baab'el porque Cyro está para chegar! É tudo um plano sinistro para desestabilizar o Império! Se não falares, eu te mato!

Não sei de onde arranquei forças para encará-lo nos olhos e dizer:

— Se me matares, nunca saberás...

Na'zzur quase enlouqueceu, sapateando pela sala escura e atirando o capacete ao chão, com fúria: depois se aproximou de mim e me esbofeteou a cara não sei quantas vezes, em seqüência, até que eu não conseguia mais enxergar uma sala só, e ele perdeu o fôlego. Olhou-me com profundo ódio e sibilou:

— Sei que vais dizer que ainda te resta meio dia para que o segredo que trazes aí dentro te seja arrancado. O pior da dor não é senti-la, mas esperar por ela, e sua lembrança tem muito mais poder do que ela. Vais voltar para tua masmorra e esperar que eu me recupere: nesse meio tempo, teu corpo jovem vai parar de sentir dor, e te sentirás quase curado, quase feliz. Nesse momento, volto para te recordar da dor que já é tua conhecida, e posso te garantir: cada vez que ela volta, é muito pior. Levem-no!

Os dois esbirros de Na'zzur me desataram e arrastaram para fora da sala, onde dois guardas, sem interromper seu movimento, guindaram-me para a cela onde eu estivera, atirando-me ao chão e aferrolhando a porta.

Minha cabeça estava vazia, leve, como se eu tivesse fumado vários *narg'hillas* de *tam'bakha*: o corpo dolorido parecia não ser o meu, mas o de uma outra pessoa, e a dor que explodia no centro do pênis e se espalhava pelo baixo-ventre, refletindo-se em cada órgão do meu corpo, eu a sentia como que pertencendo a outra pessoa, que era e não era eu. Cada vez que eu fechava os olhos via as três letras de fogo negro brilhando contra o fundo avermelhado de minhas pálpebras; assim, era melhor ficar de olhos abertos, pois em meu interior essa palavra poderosa gerava tanta luz que era quase insuportável.

Eu vencera uma primeira batalha contra a vontade de Na'zzur, mas, e a próxima? Reconhecia não ter forças suficientes para enfrentar outra vez o que já enfrentara: ele me dissera que cada sessão dessas era pior que a anterior, e chegaria o momento em que eu revelaria o que não devia. Ele também tinha pressa: segundo suas próprias palavras, Cyro certamente estava por chegar, e, pelo que, me dissera, se não me arrancasse o segredo em meio dia, não o faria mais. Provavelmente, a presença de Cyro inibiria o seu poder, e ele, como um rato de esgoto, recuaria para as sombras mais profundas, esperando nova ausência do conquistador para voltar a exercer seu mister execrável. Eu precisava resistir pelo menos mais doze horas, achando uma maneira de me apresentar a Cyro como Rei de Jerusalém. Sem Cyro, minha tarefa estava perdida: esse rei a quem eu não conhecia era a única esperança de sobrevivência que me restava. Apalpei-me a medo, para reconhecer meu estado: ter sido amarrado sobre a mesa me deixara dores em todos os músculos. Fui descendo a mão para o ventre, tateando com o máximo de cuidado, pois o dano que me haviam causado era bem maior do que seria aceitável; o simples roçar dos dedos na pele da barriga já me fazia sentir pontadas lancinantes, levando-me a trincar os dentes. Eu precisava saber o que me haviam feito; por isso, mesmo com a dor que a cada toque aumentava vertiginosamente, fui descendo até meu membro.

Quando meus dedos encostaram nele, não pude conter um grito: a dor se espalhou pelo corpo inteiro, fazendo-me ver clarões de luz cegante dentro da cabeça. Estava inchado e sangrava. Segui até a sua base e percebi que a tira de couro que me atava os testículos ainda lá permanecia: era preciso desatá-la. Busquei com a outra mão e encontrei um nó meio bambo, que tentei soltar, e a cada puxão a dor era tanta, que as lágrimas me vinham aos olhos. O saco escrotal estava intumescido, mas, quando enfim consegui soltar as duas pontas da tira de couro, senti um certo alívio, que me encheu de esperança. Tudo estava imensamente congestionado, e as dores que se espalhavam em todas as direções a partir desse lugar me fizeram ter a certeza de que nunca mais eu seria o homem que um dia fora. Mantive as pernas abertas, para que nada encostasse em meu membro ferido e gotejante, enquanto buscava nas roupas sujas que me cobriam um pedaço mais macio com o qual pudesse me limpar.

    Foi muito estranho: ao correr a mão pela bainha do manto, senti um nó, e dentro desse nó, algum objeto que eu não sabia o que fosse. A custo, ergui-me do chão onde estava e, levantando o manto até o postigo da pesada porta, desatei o nó, usando os dentes, pois estava muito apertado. Quando o pano se abriu, vi em seu interior uma moeda, que a princípio não reconheci, mas que subitamente, como num susto, percebi ser a moeda que girara em toda a volta do salão de Belshah'zzar na noite do milagre de Yahweh, e que eu guardara comigo naquela noite, quase um ano atrás. Como poderia estar ali, se tanto tempo se havia passado e as roupas que eu usava nem por sombra eram as que eu vestira ao sair da Grande Baab'el? Tentei traçar o percurso da moeda desde o dia em que ela entrara em meu poder: eu a guardara na mão durante toda a luta para escapar dos soldados de Nabuni'dush, ficara com ela junto a mim e a atara no manto de acólito de Ishtar que vestira ao sair da Grande Baab'el. A última vez que a vira fora no acampamento dos pedreiros à beira do Eufrates, quando a exibira aos homens que agora eram meus irmãos. Não me recordava mais dela, depois desse dia, e com certeza o ano que passara em Jerusalém a tinha apagado de minha memória. Como podia estar no manto? Quem a atara dessa maneira, imitando com precisão o nó que eu mesmo fazia cada vez que precisava esconder coisas na bainha de minhas roupas? A lembrança de minha última manhã em Jerusalém antes da viagem de volta surgiu com precisão em minha mente: o manto com o qual eu havia fugido, alguém o desentranhara de seu baú de guardados para que eu pudesse passar como apenas mais um babilônio. Não era meu manto original, com certeza, nem o manto com o qual fugira de minha cidade. Era bem diferente, um manto de homem mais velho, em formato triangular, com as franjas e barrado azul-escuro, idêntico ao que meu pai sempre usava. Quem arrumara minhas roupas na noite anterior à viagem, como a moeda poderia estar atada em sua bainha? Quem a colocara ali? A lembrança de Feq'qesh em meus aposentos de Jerusalém, no pobre palácio de madeira, acariciando as cordas da harpa e dizendo que, quando parecesse não haver mais solução, confiasse no inesperado, no milagre, na mão de Yahweh surgindo do nada e traçando um novo destino para suas criaturas...

Era isso! A mão de Yahweh! Surgia, dessa vez na sujeira de minha cela, fazendo com que a moeda rompesse todas as leis naturais e desse a prova de que milagres existem. Seria isso o que eu esperava, e agora só precisava libertar-me? Apertei a moeda com toda a força, como a fizera no dia em que a apanhara do chão, no lugar para onde ela rolara quando voltara a ser uma simples moeda, depois da tempestade a portas fechadas que quase destruíra o salão principal do palácio. Orei com toda a devoção: ao abrir os olhos, ainda estava em minha cela, minhas partes pudendas inchadas e tremendamente doloridas. Não havia milagre algum. Aquela moeda, que surgira em minha roupa sem uma explicação coerente, não ia ajudar na minha missão, nem daria prova de que existia alguma coisa acima de mim ou de minhas dores, e eu não tinha a menor idéia do que fazer com ela.

O corredor do lado de fora de minha cela de repente se encheu de ruídos de passos, grandes imprecações proferidas em voz alta, ruídos de botas e portas sendo destrancadas. Alguém se aproximou de minha cela, vi sua silhueta na abertura do postigo, e meu coração se confrangeu ao pensar que minha tortura recomeçaria antes mesmo que eu pudesse esquecer a dor que me ferira. Arrastei-me para o fundo da cela, ficando o mais longe possível da porta, tentando sumir na escuridão, mas a porta se escancarou e dois homens me apanharam por sob os braços, levando-me aos arrancos para fora: eu decidira lutar, para que me matassem ali mesmo, antes de ser novamente humilhado por meu inimigo. Do lado de fora, no corredor estreito, à luz dos archotes, fui posto junto com outros homens como eu, de todas as cores e feitios, todos tão machucados quanto eu mesmo. Os guardas usavam um uniforme bastante diferente do que eu vira no corpo de Na'zzur e seus soldados, e do meio deles uma voz alta e forte soou:

— Prisioneiros! O Imperador Cyro concede a todos os prisioneiros sob seu domínio um julgamento justo e imparcial! Preparai-vos, porque sereis imediatamente levados à presença de vosso senhor, para que cada um apresente seu caso de voz própria!

RECONSTRUINDO O TEMPLO

Enquanto o grupo, manquitolando e sem nada compreender, arrastou-se pelos corredores, subindo para a superfície, achei que talvez esse fosse o meio pelo qual a mão de Yahweh me faria realizar minha missão. Seria ao próprio Cyro que eu apresentaria meu caso, como sempre desejara, e em suas mãos repousava minha única oportunidade de mostrar quem realmente era. Apertei a moeda e segui para a sala do julgamento, esperando que Cyro também soubesse que sem sabedoria não existe justiça.

Capítulo 19

Não há ser humano que consiga rememorar as dores sentidas e as sinta novamente: mas em alguns casos a memória dessas dores, quando causadas tanto na mente quanto no corpo, é violenta como a dor-ela-própria, da qual o corpo benevolentemente prefere esquecer. Meu membro inchado e extremamente dolorido roçava em minhas coxas quando eu andava, e eu me movia o mais lentamente que podia, tentando minorar o desconforto. Com isso, fui ficando para trás no grupo de prisioneiros, enquanto subíamos as rampas em espiral. Os corredores estavam repletos de soldados com os uniformes que eu não conhecia, e os que se vestiam como Na'zzur mantinham para com eles uma postura subalterna. Nossa subida foi lenta, porque havia muitos entre nós feridos e depauperados, e dentre eles sem dúvida o mais afetado era eu, tanto que em determinado momento, no plano imediatamente inferior ao da sala do trono, tive que me apressar, arrastando os pés e trincando os dentes, para não me perder de meus companheiros de infortúnio.

Um pouco antes de chegarmos à sala do trono, Na'zzur surgiu à nossa frente, altivo como sempre, mas com uma sombra de preocupação no olhar culpado. Estava acompanhado por um grupo de soldados sobraçando correntes e interrompeu nosso caminho com sua voz metálica:

— O que é isso? Pensam que podem chegar diante do Senhor Cyro dessa maneira? Só se estiverem muito bem acorrentados! Soldados, atai esses criminosos, e Marduq vos proteja se alguém tomar qualquer atitude agressiva contra nosso Senhor na sala do trono! Nela entrareis calados, obedecereis a todas as ordens e só falareis quando o Senhor

Cyro assim vos ordenar! E se algum de vós tiver qualquer reclamação a fazer de mim, atenção: que seja bem-feita, porque, se assim não o fizer e depois voltar a meu poder, há de verdadeiramente conhecer minha fúria!

Essa última frase, Na'zzur disse olhando em minha direção. Quando os soldados chegaram perto de mim com as longas correntes de material avermelhado, ele fez questão de supervisionar pessoalmente meu atamento, caminhando a meu lado durante todo o percurso, sorrindo com crueldade a cada esgar de dor que eu fazia. Quando estávamos quase à porta da sala do trono, de onde vinha uma balbúrdia imensa, chegou bem perto de mim, sussurrando:

— Espero que te devolvam às minhas mãos, ladrãozinho: se houver justiça no mundo, serás somente meu.

— Se houver justiça no mundo, Na'zzur, tu é que sairás desta sala acorrentado! — urrei eu, movido pelo ódio e pela dor. — Eu te denunciarei a Cyro como meu torturador assim que estiver à frente dele! E ele te castigará!

— Duvido muito: mesmo os mais justos entre os justos têm necessidade de homens como eu, para fazer-lhes o trabalho sujo. Garanto-te que Cyro, ainda que venha a me detestar, há de encontrar utilidade para mim. E nós nos reencontraremos, ladrãozinho, se não hoje, em outro dia, pelo sol de Marduq!

Com o cabo de seu chicote, deu-me um pequeno peteleco no baixo-ventre, fazendo uma onda de dor tão forte subir por meus nervos, que quase caí ao chão. Passamos pelo arco gigantesco que dava entrada ao salão onde pela primeira vez eu vira a moeda que agora apertava na mão, como se dela dependesse minha sobrevivência.

Era a mesma sala abobadada de um ano atrás, agora limpa dos detritos, a cúpula de seu teto perfeitamente recuperada, os archotes de nafta acesos no alto de cada grossa coluna de sustentação, os soldados de Cyro espalhados dois a dois por toda a volta do grande espaço. Voltei meus olhos para a parede onde a mão gigantesca escrevera as letras hebraicas: ainda estavam lá, profundamente queimadas sobre o material das paredes, uma sentença definitiva e perpétua, destacando-se como se tudo o que ali existia tivesse sido construído à volta dela. Olhando sobre as cabeças e ombros dos que estavam à minha frente, vi, sobre a plataforma do trono recuperado e recoberto por novos tijolos de barro vitrificado azuis e dourados o homem a quem devia revelar-me, sentado com naturalidade e ouvindo o que um ruivo de barba e cabelos frisados lhe dizia. Cyro era um tipo escuro e grande, barba cerrada mas muito curta, e um olhar de genuíno interesse e atenção a tudo que lhe era dito, sobrancelhas franzidas abaixo da coroa cilíndrica que lhe encimava a cabeça, o queixo apoiado no punho fechado, meio que lhe escondendo a boca. Seu traje de púrpura franjada era mais curto que o normalmente usado pelos grandes senhores, deixando ver as canelas marcadas por cicatrizes de antigos ferimentos. O outro era seu *ve'zzur*, o babilônio Darius, muito pouco à vontade, prestando-lhe contas públicas de seus atos:

— Grande Cyro, nossa preocupação com o teu bem-estar e o bem-estar de teu Império exige vigilância constante. Estamos impregnados de inimigos, rebeldes e assassinos, e antes que tomem alguma atitude contra a grande obra do Grande Cyro, é nosso dever impedi-los, dar-lhes fim!

— Se é uma grande obra, não há como ser prejudicada pelos pequenos — disse Cyro, erguendo o queixo. — Considero teu zelo um tanto exagerado: temo mesmo que seja a negação de tudo o que determinei como sendo minha maneira de governar. Deixei bem claro que todos os habitantes de meu Império têm direito absoluto a suas próprias crenças, sem que seja necessário tentar impor-lhes a minha. Já houve excessos desse tipo quando da prisão de Daniel: por que insistir nessa atitude, que só leva ao conflito?

— Grande Cyro, perdão, mas nunca há excesso de zelo na defesa de um Império como o vosso. Os inimigos não dormem, e quando menos esperamos, saem de nosso seio para morder-nos a garganta.

Cyro riu com o canto da boca, e, virando-se para o meio do salão, dirigiu-se a todos que ali estavam, amigavelmente:

— Meu *ve'zzur* confunde atenção permanente com vigilância desnaturada. Prefiro ser conhecido por meus súditos como justo e bom, porque só isso garante nossa convivência. Os vícios de crueldade para com os adversários, de que tantos já fizeram uso, não são a maneira como me recordarão os que vierem depois de mim. Sou firme, mas não pretendo ser cruel desnecessariamente. A liberdade ainda é a maior bênção que os deuses concedem a um ser humano. Sendo eu o maior de todos os imperadores, sou apenas um homem e não um deus, portanto não está em meu poder dispor dela.

A audiência no grande salão reagiu de forma incrédula, sem perceber o que Cyro dizia: afinal, estávamos todos acostumados a reis e imperadores com poder absoluto, e um poderoso que reconhecia nosso valor, sem que fôssemos tão poderosos quanto ele, era certamente algo inesperado. Movidos pelo velho hábito do elogio permanente a quem quer que estivesse ocupando o trono, ergueram suas vozes de admiração e louvação a esse senhor tão diferente de todos os outros:

— Glória ao Grande Cyro! Salve o libertador da Grande Baab'el! O Imperador do Mundo está entre nós!

A moeda em minha mão começou a esquentar. Olhei para ela, que se avermelhava, ficando em brasa, queimando minha palma. Soltei-a com um grito, e ela, por motivos inexplicáveis, movida por uma força incompreensível, rolou em linha reta pelo chão até os pés de Cyro, ficando de pé à beira do primeiro degrau do trono enquanto lentamente voltava à sua cor de metal frio.

O salão inteiro se paralisou, enquanto à minha frente um grande espaço se abriu, deixando-me cara a cara com Cyro. Este, apertando os olhos, baixou-os para a moeda e desceu três degraus para pôr um joelho em terra e apanhá-la entre os dedos. Olhou-a longamente: depois, erguendo as vistas para o grupo de prisioneiros onde eu estava, gritou:

— A quem pertence isto? Quem é o dono desta moeda?

Ali estava minha oportunidade: o milagre que eu esperava se realizara. Apertando os maxilares para controlar a dor que sentia, dei um passo à frente, jogando toda a minha vida num grito:

— É minha! Foi com essa moeda que deus escreveu a sentença nas paredes deste salão! Eu estava presente e dou testemunho disso!

Um urro de horror percorreu os cortesãos, pois entre eles certamente havia sobreviventes daquela noite de portentos, e essa lembrança incomodava menos quando oculta nos recônditos da memória. Trazê-la à tona dessa maneira, com o impossível se tornando possível, era demais para eles: quando na natureza das coisas surge algo que nem a razão da mente humana nem o poder de nossos corpos pode compreender ou reproduzir, e é certamente maior, mais poderoso e infinitamente mais forte que qualquer homem, temos a presença inevitável de deus, porque não pode ser nenhuma outra coisa. Cyro olhou longamente a moeda, virando-a por todos os lados, sentando-se em seu trono sem desviar sua atenção dela: um de seus cortesãos chegou ao seu ouvido e nele sussurrou longamente, e ele permaneceu olhando para a moeda, sem dar sinais de que ouvia o que estava sendo dito. Quando o cortesão se afastou, ergueu os olhos em minha direção e perguntou, com voz calma e suave:

— Quem és tu?

Não havia como recuar: eu tinha que enfrentar o momento para o qual vinha sendo preparado desde que se revelara minha identidade, em Jerusalém. Andei para a frente e puxei meu manto por sobre a cabeça, permanecendo em escuridão total durante alguns instantes, recuperando forças que não tinha para revelar minha missão. Nas trevas a que me impus durante esses momentos, busquei uma força que não conhecia, vendo claramente a figura de meu pai, com o manto sobre a cabeça, coroado por três letras de fogo negro, *ain*, *resh*, *yud*, sentindo um calor imenso, que subiu pela minha espinha dorsal e explodiu em meu peito, garganta e boca:

— Sou Zerub ben-Salatiel-ha-David, filho e herdeiro do *rosh'ha'golah* da Grande Baab'el, Príncipe de Jerusalém e futuro Rei dos Judeus!

Todas as bocas reagiram, e do meio delas pude ouvir perfeitamente o grito que saíra da boca de Na'zzur, a esta altura já pensando em como reverter essa situação perigosa em seu próprio benefício. Minha boca queria denunciá-lo, mas minha alma atropelava essa vontade, e por um átimo pensei se não estaria cedendo à covardia, como o próprio Na'zzur havia previsto. O fogo que queimava dentro de mim era quase insuportável, sentia como se a qualquer momento as línguas de fogo fossem atirar-se pelos sete buracos de minha cabeça e tudo pôr em chamas. Cyro era o único que me olhava com tranquilidade, mas por trás de seus olhos negros eu podia pressentir uma mente trabalhando celeremente para entender o que eu dizia, enquanto se dirigia a mim:

— Sede bem-vindo, Príncipe Zerub. Sois filho de Jerusalém?

— Não, Grande Cyro: sou nascido na Grande Baab'el, para onde meus avós foram trazidos como escravos de Nebbuchadrena'zzar. E já conheci tanto o lado bom quanto o lado mau deste grande Império!

RECONSTRUINDO O TEMPLO

A dor de meu corpo era grande, mas o poder do fogo que me queimava por dentro era ainda maior: de minha boca saiu a narrativa célere de minha conscrição à guarda pessoal de Belshah'zzar, da noite do milagre, do massacre executado por Nabuni'dush, da fuga pelo Eufrates cada vez mais rápido. Nesse momento, Cyro sorriu:

— Invadi a Grande Baab'el pelo leito do Eufrates, e para isso tivemos que represá-lo. Deve ter sido nesse dia que fugiste daqui. E depois?

Narrei-lhe rapidamente nossa viagem até Jerusalém, mas omiti qualquer menção à fraternidade da pedra, da qual era membro. Não tinha como contar-lhe sobre nossa existência, por isso simplesmente disse ter sido reconhecido como o Príncipe de Jerusalém, e também como os habitantes daquela cidade me haviam enviado de volta à capital do Império.

O interesse com que Cyro me olhava era impressionante: seus olhos meio cerrados fixavam os meus sem desviar-se nem dar qualquer sinal do que minhas palavras significavam para ele. A corte reagia a cada uma de minhas palavras das maneiras mais diversas, mas Cyro não parecia se influenciar por nenhuma dessas reações, mantendo ar firme e atento. Quando narrei minha chegada à Grande Baab'el, a morte de meu pai e minha prisão, houve murmúrios de depreciação, como se o fato de ter estado preso deixasse uma nódoa indelével em mim. Nesse exato momento, Cyro ergueu os olhos e percorreu com eles o salão: os murmúrios se extinguiram quase que imediatamente, e ele voltou a fixar-se em mim, enquanto eu suava de dor e de medo. O momento de denunciar Na'zzur havia passado, e eu não sentira nenhuma vontade de me aproveitar dele. Estava verdadeiramente esgotado, e quase desmaiando.

Cyro, percebendo isso, bateu palmas e gritou:

— Um banco para o Príncipe de Jerusalém! Tragam-lhe também algo para beber.... desejas vinho?

— Prefiro a água, Grande Cyro — respondi, sentindo que meu estado físico era pior do que eu queria acreditar. Cyro sorriu e disse:

— Também prefiro a água. Ainda muito pequeno, vivendo com meu avô Astyages, percebi que o vinho era um veneno que causava desordem nos corpos e nas mentes dos que o bebiam. Mas, senta-te, Príncipe Zerub: estou curioso para saber o verdadeiro motivo que te trouxe de volta aos perigos da Grande Baab'el.

Um escabelo foi posto às minhas costas e me sentei nele, no momento exato em que minhas forças me abandonaram e eu estava à beira de um desmaio, vendo pontos negros na frente dos olhos, o coração disparado dentro do peito. A dor no ventre era insuportável, e quando baixei a cabeça para tomar fôlego, percebi um filete de sangue escorrendo pelo lado interno de minha perna esquerda. Sentia meu membro e meu saco escrotal pesando pelo menos dez vezes mais do que o normal. Tudo o que queria era deitar-me e dormir, esquecendo o que acontecera: a cabeça cambaleava, e eu apoiei os cotovelos firmemente sobre as coxas, tentando não cair para a frente. Cyro me olhava com muito interesse, sua face entrando e saindo de foco. Respirei fundo, pensando o mesmo que pensara na sala de torturas, "só mais um pouco, um pouco mais apenas, tenho que resistir só mais um pouco". A taça de água fresca que me foi posta nas mãos deu-me certo alento: tomei-a vagarosamente, sentindo o frescor dentro da boca e garganta crestadas, e, com o pouco que sobrou no fundo, umedeci a testa, tentando refrescá-la. Cyro inclinou-se para a frente, com o cenho franzido:

— Tu te sentes mal, Príncipe Zerub? Há algo que eu possa fazer para ajudar-te?

Respirei fundo e arranquei de meu peito o discurso tantas vezes ensaiado, o pedido que temia fazer, pois se encontrasse um não como resposta teria perdido a oportunidade que tanto desejava:

— Grande Cyro, tanto tu quanto eu fomos escravos dos senhores da Babilônia. Tua vitória sobre eles encerra os anos de dominação sobre nossos povos. Agora que nem medos nem persas nem judeus somos mais escravos de ninguém, e porque Cyro é um homem justo, crente na liberdade de todos os homens, vim a este palácio procurar-te para pedir...

A voz se me travou na garganta, e eu caí para a frente, apoiando-me sobre um joelho, ao som do espanto de toda a corte: o próprio Cyro se ergueu de seu trono, estendendo um braço em minha direção. Eu ergui a mão esquerda para o alto, sem fitá-lo, como que pedindo paciência, e depois de um tempo que me pareceu imenso continuei:

— ... para pedir-te que permitas que o povo judeu volte a Jerusalém e reconstrua o Templo de nosso Deus Yahweh!

RECONSTRUINDO O TEMPLO

Pronto, eu o fizera! O destino de meu povo e o meu próprio estavam jogados ao chão, como astrágalos à frente de Cyro, para que ele decidisse seu resultado. Eu me aliviara de um peso imenso, e quase me sentia bem, comparativamente a meu estado de antes. O suor me escorria pelo rosto em grossas bagas, e a tontura de fraqueza era quase uma bênção, porque, perdendo a consciência, livraria-me da dor e da missão que me havia sido imposta. Não conseguia nem mesmo compreender o que estava fazendo ali: a abençoada escuridão do desmaio foi-me cobrindo lentamente, e só me recordo de ter ouvido, longe como se em outro Universo, a voz de Cyro gritando que me segurassem antes que resvalasse para o frio chão de tijolos onde decidi dormir para sempre, na paz dos que não têm mais nenhuma responsabilidade.

Só dei acordo de mim em outro lugar, deitado em fino leito de almofadas olorosas, cercado por penumbra benfazeja. Ao tentar mover-me, percebi minhas pernas paralisadas e soltei um grito de preocupação: mas quando se acercaram de mim as mulheres, que decerto ali estavam para cuidar-me, pude ver que tinha sido amarrado ao leito, e que meu membro e escroto já não estavam tão magoados e inchados quanto antes. Alguma coisa se projetava de minha glande: soube depois que o médico de Cyro havia-me enfiado pela uretra magoada um fino caniço perfurado, para que minha bexiga pudesse aliviar-se da urina, pois o arame em brasa havia deixado uma ferida que criava um refluxo em meu organismo, já que eu não tinha como aliviar-me dos líquidos que se acumulavam. O que o médico fizera fora romper essa calosidade com seu caniço, permitindo que a urina gotejasse para fora da bexiga, enquanto a uretra se recuperava, e, para que eu não me prejudicasse, havia imobilizado a parte inferior de meu corpo.

Era o segundo dia, desde que eu caíra em frente ao Grande Cyro, e, por mais que tentasse saber de que maneira minhas afirmativas haviam sido encaradas, ninguém me dizia coisa alguma. O silêncio era total, rompido apenas por meus gemidos, que imediatamente punham a meu lado alguém que cuidava de mim. Só recordo de ter ingerido líquidos, todos eles com alguma coisa que me deixava a boca dormente: presumo que isso também tenha sido usado para amortecer minha parte de baixo, fazendo com que as dores da micção fossem menores. A urina saía gota a gota, e a cada gota que percorria meu sistema eu me sentia menos ferido, se bem que ainda amedrontado pela possibilidade do sofrimento. Dormi mais do que de costume, nos cinco dias que passei nesses aposentos, e na última noite em que lá estive, uma das mulheres, usando um manto azul-marinho sobre a cabeça, disse-me ao ouvido, sem que eu pudesse ver-lhe o rosto:

— Minha senhora Ishtar te manda lembranças.

A recordação de Sha'hawaniah veio intensa, e até cogitei se os aposentos em que estava não seriam os mesmos em que com ela estivera na noite anterior à minha fuga desse palácio. Logo adormeci, de forma muito diversa das noites anteriores, segundo minha memória muito enevoada. Na manhã seguinte, o médico de Cyro veio ver-me, examinou-me o pênis com atenção, moveu o caniço em seu interior com delicadeza e, vendo que eu reagia normalmente, retirou-o com firmeza mas sem pressa de dentro de mim, mandando que minhas pernas fossem desatadas. Duas das mulheres esfregaram meus pés e pernas com algum ungüento, porque estavam quase que atrofiados pelos dias sem movimento, mas logo consegui movê-los e dei sinal de que queria me levantar. O médico permitiu que eu o fizesse e me perguntou se eu queria urinar. Disse-lhe que sim, e, ainda que todo o meu interior estivesse profundamente sensível, foi com certo prazer que senti a urina descendo dos rins, juntando-se na bexiga no centro de meu ventre e passando daí para fora, em seu caminho para a liberdade. Ainda doía um pouco quando atravessava o lugar onde a queimadura com o arame havia criado a calosidade, uma dor ácida e cortante, mas o médico me garantiu que a cada dia ela seria menor, pois minha urina estava fluindo de forma razoavelmente direta. Recomendou-me muita água e que ingerisse muitos líquidos, porque esse sistema do corpo só se recupera na medida em que é usado com constância, aconselhando-me que fizesse sexo assim que tivesse a oportunidade, ou me aliviasse por mim mesmo, porque, sendo nos homens os dois sistemas tão integrados um ao outro, era preciso fazer com que ambos estivessem em forma, por ordem de seu senhor Cyro.

Quando me ergui, percebi o alívio dos que me cercavam, compreendendo que minha saúde tinha sido objeto de ordens expressas de Cyro, especulando mesmo se suas vidas e bem-estar não teriam sido vinculados ao meu próprio bem-estar e vida. Cheguei até a varanda de meus aposentos por sobre o Eufrates, num dos andares mais altos do palácio, divisando abaixo de mim os jardins suspensos, de luxuriante beleza e cor. Minha varanda se projetava para fora do corpo da construção como a proa de um barco, e os cheiros trazidos pelo vento mostravam claramente que eu estava de volta à vida. Recordei-me de Ragel, o médico dos pedreiros, seus olhos apertados e seu olfato incomparável, e desejei tê-lo ali comigo: por mais que o médico de Cyro demonstrasse competência, era difícil confiar em gente desconhecida.

As notícias de minha recuperação correram celeremente pelo palácio, pois tão logo saí da varanda, voltando para dentro dos aposentos, vi à porta dois soldados de Cyro: esses homens me saudaram e informaram que o Grande Cyro me esperava, para que continuássemos nossa entrevista. As mulheres me ajudaram a vestir por sobre uma túnica curta os longos e flutuantes trajes finos, de tecido de algodão misturado com seda, com cores brilhantes, enfeitando-me os braços e o pescoço com colares e braceletes de ouro e esmalte. Duas delas se aproximaram com uma peruca de grande tamanho, enquanto outras duas estavam por adornar-me o rosto com cremes brancos, mas achei que isso seria demais: não pretendia tornar-me um arremedo do que não era nem sabia ser. Minha identidade de Príncipe de Jerusalém devia ser preservada a todo custo pela imposição do que eu era sobre aquilo que pretendiam que eu fosse. Não insistiram: tentei o tempo todo reconhecer entre as mulheres aquela que havia sido mensageira de Ishtar, mas nada consegui, porque nenhuma delas dava qualquer sinal de ter-me dito qualquer coisa. Estranhei que não me tivessem colocado nenhum tipo de calçado, acreditando ser esse o costume entre os medos. Pensando todo o tempo se não estaria perto de Sha'hawaniah, segui os dois soldados, esperando que descêssemos até o salão onde eu perdera a consciência: mas subimos mais ainda, até pelo menos dois andares acima de onde eu me curara, chegando no topo do palácio a um aposento quadrado e largo, com grandes janelas abertas e uma imensa mesa de madeira onde se espalhavam grandes mapas e desenhos que Cyro estudava com atenção. Alguns homens e mulheres o cercavam, atentos a todos os seus desejos, mas quando ele me viu, bateu palmas e cada uma dessas pessoas foi se curvando para o chão e se afastando de costas, até que no grande aposento estávamos apenas eu e ele, que me mandou sentar a um dos dois escabelos que nos aguardavam, perto de uma mesa redonda e baixa feita de cobre trabalhado, onde estavam dois púcaros de barro vidrado e uma jarra, da qual Cyro serviu-nos água fresca e cristalina.

Marcas de soldado cobriam todo o corpo de Cyro: pequenas e grandes cicatrizes, manchas arroxeadas e amareladas, nós dos dedos ralados. Notei também que sua juventude era muito desgastada, e seu rosto parecia precocemente envelhecido pelo sol e o vento, como acontece com os agricultores. A agricultura de Cyro era outra: ele plantava batalhas e colhia vitórias, com safras mais ou menos marcantes, mas nunca inferiores ao que decidira ser sua meta. O sorriso em seu rosto era de segurança absoluta: não parecia reconhecer nada mais poderoso que ele mesmo, e ainda assim, com todas as marcas que exibia, havia em seu olhar uma qualidade etérea que eu não conseguia captar, como se seu corpo fosse apenas a fachada de algo indefinido:

— Grande Cyro, estou a teu dispor: agradeço-te o médico que me pôs em forma. Se não fosse por ele, não sei se conseguiria sequer pôr-me de pé.

— Meu cirurgião disse que estavas impedido de urinar, e em meu país, talvez por causa da água, muitos morrem quando a urina, impedida de sair pelas vias normais, reflui para o sangue. Dei a ele uma opção clara: salvar-te a vida ou salvar-te a vida. Ele não fez mais do que escolher acertadamente.

Era interessante a maneira como Cyro encarava o próprio poder: um riso de galhofa pairava em sua boca, como se estivesse brincando, ou soubesse de algo que ninguém mais conhecesse. Sua frase seguinte, dita no mesmo tom, no entanto, foi assustadora:

— Tu me enganaste, Príncipe de Jerusalém: por que não me contaste toda a história?

Fiquei mudo: em momentos como esse, sobrevém uma imensa vontade de justificar as próprias atitudes, mas eu ainda estava por demais enfraquecido para fazer uso desse artifício. Permaneci olhando para Cyro, que continuou:

— Por que não me revelaste que és membro da fraternidade da pedra? Ou pensavas que por estar longe de Jerusalém eu não saberia da existência desses homens, que fizeram do Templo de Salomão o objetivo de sua vida?

RECONSTRUINDO O TEMPLO

Balbuciei, desculpando-me:

— Grande Cyro, estou aqui como representante do povo de Jerusalém, que deseja reerguer o templo de nosso deus Yahweh. Os homens que trabalham a pedra são todos gente de nosso povo, e viveram todo esse tempo entre as ruínas, para que um dia a morada de nosso deus fosse reerguida. Não sei a que te referes quando mencionas uma fraternidade da pedra.

Cyro debruçou-se mais ainda em seu assento, fixando os olhos muito negros nos meus, como que me examinando a alma, e sua boca se alargou em um sorriso ainda mais jocoso, enquanto apoiava a face barbada na palma da mão esquerda:

— Seria melhor que me dissesses a verdade, Príncipe de Jerusalém: os homens que tudo sabem sobre todas as coisas mencionam essa fraternidade como a verdadeira força por trás da construção do Templo, e também que em seus subterrâneos existem vastos e impressionantes segredos, prova real de todo o poder de teu deus, aos quais apenas os homens que fazem parte dessa fraternidade têm acesso. É verdade?

— Grande Cyro, se isso é verdade, eu o desconheço: como já te disse, sou apenas o representante da vontade de meu povo, vindo à tua presença para ...

Cyro, sem afastar os olhos dos meus, ficando subitamente sério, varreu o ar com a mão direita, atirando longe a jarra e os dois púcaros de barro, que se quebraram na parede lateral do aposento com grande estardalhaço. Seu olhar tornou-se gélido como o metal de uma espada:

— Fala a verdade, Zorobabel! Conta-me tudo! Se pretendes sair daqui com vida, conta-me tudo! Eu sei que tu sabes o que se oculta sob as ruínas! Eu sei que conheces o triângulo de ouro que Enoch incrustou em um cubo de ágata! Por que insistes em fazer-te de ignorante?

Fiquei sem ação. Cyro já sabia mais do que eu podia crer, colocando-me em posição insustentável: como poderia eu trair a confiança de meus irmãos, se dessa confiança, nascia a minha força? Eu abominava a missão que recebera, mas era minha missão, da qual não podia escapar, sob pena de perder o que aprendera a prezar acima de tudo, meu respeito próprio. Aceitara a tarefa, e a figura de meu pai pairava sobre minha alma, com seu manto azul e branco e sua frase pétrea sobre compromissos e morte. Não me restava outra coisa a fazer: se cedesse ao medo e revelasse o que não devia, não poderia sequer conviver comigo mesmo. Respirei fundo e resolvi ganhar tempo:

— Grande Cyro, perdão: é verdade que faço parte da fraternidade da pedra, mas não podia revelá-lo, e o Grande Cyro deve entender meus motivos. Somos unidos por um laço de segredo que é a razão de nossa existência, e eu não tenho permissão para romper o laço que nos une. Podeis pedir-me qualquer coisa, menos que traia os que confiaram em mim.

Cyro ergueu-se e olhou para fora da grande varanda, com as pernas abertas e as mãos para trás: depois de um tempo, sempre de costas para mim, falando com voz bastante alta, disse:

— Não creio que sejas assim tão resistente à tortura, ainda mais agora que já sabes como ela é. O que quero saber, saberei, de uma maneira ou de outra, leve o tempo que levar. Se me revelares o que desejo conhecer, teu futuro estará garantido. Restituir-te-ei os tesouros da Judéia, permitirei que reconstruas o templo de teu deus, concederei plena liberdade a ti e a teu povo. Basta que me digas que nome está escrito no delta sagrado de Enoch. Se não o fizeres, sinto muito: teus dias estarão contados, e no fim deles extrairei de ti a verdade que me interessa, sem que nada possas contra mim. A decisão é tua: ou me contas a verdade ou retornas para as masmorras.

O sangue me ferveu nas veias: com que então, era este o homem de quem se dizia ser justo? Um tirano, como todos os outros, um animal idêntico ao mais baixo dos animais, tão baixo quanto Na'zzur e seus esbirros, a quem se igualava em crueldade e egoísmo. Minhas palavras duras saíram como cusparadas, enquanto eu olhava fixamente as costas desse maldito Cyro:

— Se é com a violação de meus segredos e sentimentos que me concedes a liberdade, prefiro morrer escravo! Não trairei de forma alguma os que confiam em mim!

Cyro, ainda de costas, ergueu os ombros e as mãos, num gesto de desalento:

— Tu é que sabes o que farás de tua vida e teus segredos. Minha cólera não é nem grande nem pequena, mas sempre do tamanho exato para os fins a que se destina.

Eu nada mais tinha a perder:

RECONSTRUINDO O TEMPLO

— Tua honra de Imperador não vale nada, Cyro! O "grande" que colocam antes de teu nome é um exagero sem sentido! Na verdade, és igual ao torturador que me ensinou na carne a verdadeira justiça dos impérios: entre tu e ele não existe nenhuma diferença!

Cyro bateu palmas, e imediatamente dois guardas entraram na sala e me seguraram pelos braços. Cyro virou-se lentamente e, sem olhar em meus olhos, disse-lhes:

— Levai-o para as masmorras que mandei preparar hoje cedo: lá, ele terá tempo de pensar e decidir se me revela ou não o que quero saber.

— Covarde! És um covarde! O poder que tens de nada vale! Olha-me nos olhos, Grande Cyro, olha-me nos olhos! Encara sem medo o homem que vai sofrer a tua covardia!

Enquanto os soldados me arrastaram para fora dos aposentos no alto do palácio, Cyro relanceou seu olhar sobre mim, e eu vi o temor dentro dele: eu era mais forte, e essa consciência me encheu de decisão. Nunca falaria, e minha vida terminaria sem que a missão se realizasse, por culpa de outro poderoso. Um deles destruíra meu povo e meu país, escravizando-nos por setenta anos, e o outro agora perpetuava essa escravidão, exigindo de mim o que eu não podia dar. Fui arrastado pelos corredores, para baixo, cada vez mais para baixo, já sentindo o cheiro de terra úmida que impregnava os porões do grande palácio. Não importava quantas vezes eu me erguesse, meu caminho constante era para baixo, sempre para baixo, e ele me encontrava sempre mais baixo que na vez anterior.

Algo de diferente havia, no entanto: ao descer para os porões, tomamos um caminho diferente do que eu conhecia, e, em vez de ir para o norte, entramos em um corredor na direção sul, bem iluminado, no qual o ar circulava com uma facilidade que eu não imaginava fosse possível nessa profundidade. Cyro certamente teria feito obras no palácio, abrindo novas masmorras a seu prazer e gosto, onde podia exercer sua crueldade de senhor do mundo de uma maneira totalmente nova, levando as fronteiras da maldade humana a patamares nunca antes percorridos. Minha alma degradada amargava a certeza de minha morte, e quando fui colocado em uma escura e profunda cela, custei a perceber que era limpa, de chão de pedra muito lisa, com as paredes perfeitamente esquadrejadas, iluminada por uma estranha luz que vinha do alto, através de um longo túnel vertical no fim do qual eu podia ver o céu longínquo, o mesmo céu que nunca mais veria em liberdade. Essa luz, no entanto, era forte demais para que viesse de tão longe, chegando à cela difusa e suave, como se refletida por alguma superfície brilhante, recordando-me uma vez em que, ainda menino, brincara com a superfície polida de uma escudela de metal prateado, ficando por longo tempo a lançar uma bola de luz pelas paredes da casa de meu pai. O silêncio era profundo, e de vez em quando o som surdo de uma avalanche soava em meus ouvidos.

Ajeitei-me da melhor maneira possível num canto, olhando a faixa de luz que descia do túnel vertical, onde bailavam as partículas de pó de que o ar estava cheio. As paredes tinham muitas inscrições, certamente ali deixadas pelos pobres infelizes que, como eu, houvessem caído no desagrado do poderoso Cyro: apertando os olhos, pude ver uma série de rabiscos e desenhos, entre eles o de um galo com o bico aberto, como se estivesse cantando. Ao aproximar-me mais, na tentativa de enxergar melhor, meus pés chutaram alguma coisa que rolou algumas braças e parou: olhei em sua direção e, com um frêmito, vi que era um crânio humano, com órbitas vazias e dentes mal ajuntados, sorrindo para mim. Recuei com um susto: aquilo me dava a certeza de que ali só se produzia a morte.

De costas para a parede, fixando os ossos descarnados, fiz um apanhado geral de minha vida, percebendo que, até o surgimento de minha missão, ela de nada valera: eu a vivera movido apenas por impulsos e instintos, sem cogitar que houvesse outra coisa além da satisfação dos prazeres mais imediatos, aqueles que não levam em consideração nem o dia seguinte nem os que de mim estivessem próximos. Perdera todos os companheiros de juventude, de um ou outro modo, e até os que ganhara junto a esta missão irrealizável estavam irremediavelmente perdidos, inclusive o único entre eles que era velho e novo ao mesmo tempo, e que ocupara junto a meu pai o lugar que eu deveria ter ocupado. Sem amigos, sem pai, sem ninguém, sozinho nesse antro de morte, daria qualquer coisa para poder escapar disso que me parecia o final inglório de minha curtíssima vida.

Para minha surpresa, ouvi ao longe um sino de tonalidade muito grave, cujas badaladas se prolongaram como se nunca mais fossem terminar, deixando-me sem movimentos, porque junto a elas comecei a ouvir uma estranhíssima música cantada, cujas palavras não me eram claras, mas que se repetia sem que eu percebesse onde seu início se emendava a seu fim. Confesso que nada me amedrontou mais em toda a minha existência do que ouvir essas vozes masculinas entoando a estranha melodia que eu quase conseguia apreender, mas que me escapava incessantemente, na penumbra difusa de minha cela perfeitamente cúbica. O sino soou novamente, muito longe: eu não compreendia como sua sonoridade podia se multiplicar dessa maneira, chegando até mim de forma tão possante. E então, sem que eu imaginasse por quê, com um estalido muito baixo e um movimento delicado, a porta de minha cela se abriu.

Continuei paralisado: não podia acreditar no que via, sabendo que por trás dessa porta que se abria devia estar qualquer coisa muito mais cruel e destrutiva do que eu pudesse imaginar. O tempo passou, o hino continuou soando, e nada aconteceu. Cheguei até a porta e com muito cuidado olhei por sua fresta para o corredor iluminado por archotes: não havia ninguém à vista em qualquer de suas extremidades. Puxei a porta para que a fresta aumentasse, temendo que a qualquer momento ela girasse violentamente de volta em seus gonzos e me esmagasse: estava tão bem construída, que girou sozinha para fora da cela, escancarando-se sem produzir qualquer ruído, encostando na parede e deixando-me livre.

Hesitei durante um tempo que me pareceu demasiadamente longo, mas não podia me permitir qualquer engano: se a porta se abrira, alguma razão havia, e certamente desejavam que eu seguisse em direção a algum lugar, por minha própria vontade, como se fazia com os ratos famintos nos labirintos das salas de jogo da Grande Baab'el, apostando naqueles que primeiro alcançassem a comida, depois de estraçalhar com seus dentes afiados os companheiros de infortúnio. A diferença é que eu estava só: o cântico continuava sem cessar, vindo da direção em que o corredor permanecia iluminado, exatamente oposta àquela pela qual eu tinha chegado. Era para onde eu deveria seguir, não me restando outra alternativa: ou ficava paralisado em plena masmorra, ou me movia para a frente, mesmo que isso significasse apenas um adiamento de minha morte, para divertir os poderosos que certamente me observavam.

Quando dei o primeiro passo para fora da cela, duas palavras na língua de meu povo explodiram em minha mente: uma com seis letras, *vadaut*, e outra com quatro, *emun*, certeza e confiança, e enquanto eu me indagava por que teria pensado nisso, as chamas negras que formavam as dez letras se fundiram e formaram uma palavra de apenas três letras, que eu já vira em meu vôo dentro do delta dourado, enchendo-me de certeza e confiança no que estava por fazer, como um tônico que me sustentasse na decisão de seguir em frente: *ain, resh, yud*. Qualquer que fosse o resultado, eu iria em frente: era o que se esperava de mim, era a minha missão, seguir em frente, sempre em frente, mesmo que meu coração pedisse outra coisa. O poder das letras de fogo negro me tomava o corpo com sua força inacreditável, e eu dei o primeiro passo na direção do corredor iluminado, que fazia uma curva muito suave para a direita e para cima, parecendo não ter fim. O primeiro passo me trouxe à mente as palavras de meu mestre Feq'qesh, durante uma aula de música: "Yahweh não exige que ninguém faça aquilo que não pode fazer. Se a tarefa for maior que as tuas forças, começa e vai até onde puderes. Yahweh não te pede que a termines, mas sim que não te desobrigues dela."

Eu deveria ir até onde suportasse, porque, quando chegasse a este ponto, aí estaria o fim de minha jornada. Assim pensando, segui o corredor, enquanto as letras de fogo negro dentro de mim bruxuleavam tanto quanto as chamas dos archotes perfeitamente idênticos que iluminavam o caminho.

Capítulo 20

O corredor fazia longa curva para a direita, ascendendo suavemente, sem que nada nas paredes perfeitamente esquadrejadas desse sinais de diferença: os tijolos vidrados se interrompiam a cada seis ou sete braças para criar uma coluna mais grossa em ambas as paredes, feita dos mesmos tijolos colocados de través, formando uma protuberância na qual a ponta inferior dos archotes se apoiava, ficando presa a meio por um anel de metal escuro que se incrustava na parede. Quando percebi essa semelhança contínua, recordei meu treinador Théron, contando como os gregos entendiam a criação do mundo:

— Tudo nasceu do *Kaós*. — E quando lhe perguntei o que queria dizer isso, ele franziu as sombrancelhas, dizendo: — É a platitude infinita, a infinita repetição da igualdade, da qual saiu a nossa infinita variedade e conformação.

Ao recordar disso, voltei rapidamente ao início do corredor, onde a porta de minha cela marcava o limite entre a luz e a escuridão, e daí em diante retomei o caminho, contando archotes e colunas para marcar o momento onde a diferença surgisse para que eu pudesse me nortear, pois tanta similitude me dava a impressão exata de estar caminhando em pleno *Kaós* de Théron. Contei vinte e oito archotes até que surgisse à minha frente uma abertura quadrada, no limite da qual estava um lugar de imensa escuridão, na qual eu nada enxergava: um vento fortíssimo soprava nesse lugar, frio e úmido, e depois, ao longe, eu via que o corredor continuava, exatamente igual ao que eu percorrera até agora. O cântico não se interrompera, trazido pelo vento incessante, vindo de algum lugar ao longo do corredor que eu enxergava do outro lado do abismo. Já entendera: era preciso atravessar essa escuridão para seguir. O problema era um só: o que se ocultaria nessa treva tão absoluta?

Cheguei à beira da abertura e tateei com o pés o chão à minha frente. Nada encontrei. Estendi as mãos para dentro da escuridão, e só o vazio e o vento me tocaram a pele. Recuei, sentando-me no chão e refletindo se alguém me estaria testando. Tinham me levado até esse lugar para que eu provasse ser capaz de superar os obstáculos à minha frente, e o desconhecido trevoso era certamente bem pior do que a realidade, pois minha mente multiplicava por mil o abismo sem fundo nem limites que eu pressentia depois da abertura. Deitei-me ao chão e tateei com a mão direita rente à parede, para tentar alcançar seu fundo, e então percebi uma grossa corda atada a uma grande argola de metal, que se dirigia, pelo que pude perceber, até o outro lado da escuridão. Testei-a com um forte puxão: estava bem firme. Pensei que se me pendurasse nela poderia, mão após mão, levar-me até o outro lado, mas não tinha certeza de que o conseguiria. Ergui-me, numa súbita inspiração, e tateei para cima por dentro do abismo: na mesma posição que a primeira, encontrei outra corda idêntica, tão firme quanto a de baixo, e vi que podia apoiar meus pés na de baixo enquanto me pendurasse na de cima, atravessando o abismo insondável. Em minha alma inepta, as emoções eram turbilhão: o medo avassalador vinha em ondas como as tempestades de areia no deserto, e de cada vez essas ondas eram subjugadas pela certeza e confiança que as três letras de fogo negro me instilavam, ainda que eu não soubesse nem como nem por quê. Depois de alguma hesitação, sem outra saída, segurei a corda superior, colocando a planta do pé descalço na corda de baixo, sentindo a sua resistência por algum tempo antes de dar o primeiro passo para dentro do abismo.

Quando me pendurei na corda de cima, pisando na inferior com o pé esquerdo, a abertura por onde eu saíra se fechou com rapidez: a parede desceu como se estivesse presa por alguma coisa muito frágil que tivesse cedido ao peso dos tijolos. A escuridão era completa, e eu só enxergava ao longe a abertura que marcava o outro corredor iluminado. Não havia mais volta: tremendo, eu tinha que seguir em frente. O vento, logo depois que a abertura se fechou, começou a aumentar sensivelmente, balançando-me como se eu fosse um estandarte no alto de alguma torre. Temendo que a corda se rompesse a qualquer momento, fui-me agüentando como pude, passo a passo, mão a mão, enquanto o vento forte, frio e úmido me empapava as roupas já molhadas com meu próprio suor. Depois de alguns passos, não tinha mais como saber onde estava: perdera a noção do início, e a abertura parecia ficar mais longe a cada passo. Eu temia também que o mesmo poder que me fazia passar por isso decidisse fechar a abertura assim que eu me aproximasse dela, e acelerei meus movimentos.

O vento fortíssimo soprava cada vez mais, assoviando em meus ouvidos, as cordas balançavam cada vez mais, e eu segui seus movimentos, sentindo os músculos distendidos como cordas de lira, lembrando de Théron pelo treinamento que recebera e que me deixara apto a fazer este esforço, que ainda assim me enchia de dores lancinantes. Meu baixo-ventre estava como que anestesiado, mas enquanto eu progredia lateralmente entre as duas cordas, fixando o olhar na abertura, senti o cansaço. Pensei não conseguir dar os últimos passos, e quando ouvi mais uma interminável pancada do sino, temi que marcasse o momento em que a abertura se fecharia, deixando-me pendurado entre a treva e o nada: acelerei meus movimentos, até que, subitamente, meus pés encostaram na parede e atravessei o umbral, caindo extenuado no chão de um corredor em tudo idêntico ao que deixara para trás ao sair de minha cela. O vento soprava menos que antes, e subitamente esta parede também começou a mover-se para baixo, lentamente, encostando de tal forma no chão e com ele se embebendo tanto, que era como se ali nunca tivesse havido qualquer abertura.

Fiquei caído, arquejando, livre do terror que pensei nunca mais tivesse fim. Havia terminado, e concluí que nada poderia haver de pior que o que havia experimentado: meu corpo tremia de cansaço, eu precisava me recuperar. Tinha ficado cinco dias sobre um leito, e não me sentia capaz de dar mais nenhum passo. O estranho cântico prosseguia sem cessar, e eu já o ouvia com mais detalhes, ainda que sua origem estivesse sempre mais longe. Quando meu fôlego retornou, segui o corredor, continuando sua curva para a direita, que descia suavemente. No meio do caminho, comecei a ouvir, junto com o cântico, o ruído de água corrente cada vez mais forte, e especulei se não estaria indo para um dos portões que se abriam para o Eufrates, pelo qual poderia escapar.

Essa idéia me animou, e acelerei meu passo, ouvindo o ruído de água cada vez mais alto, até enxergar outra abertura quadrada na parede à minha frente. Não havia escuridão, mas sim uma penumbra difusa, e ao atravessar essa abertura descobri extasiado que todos os ruídos do mundo se apagavam frente ao caudaloso rio subterrâneo que corria da esquerda para a direita, vindo das trevas e para elas se dirigindo, em flagrante queda. À minha frente, as corredeiras de água barrenta eram fortes e violentas, levantando-se e quebrando com grande ruído e muita espuma amarelada: ergui meus olhos para o enorme teto abobadado, cobrindo uma câmara tão imensa quanto escura. O lugar de onde as águas jorravam era uma abertura bem menor, e o buraco onde caíam, com estrondo, era aparentemente muito profundo, na parte de baixo de um muro de tijolos escuríssimos mofados pela umidade.

Eu não conseguia definir em meu espírito se aquele rio era natural ou artificial: suas águas corriam em velocidade muito maior que as do Eufrates, e a luz difusa o enchia de sombras. Pela cor, eram águas do grande rio, canalizadas para conseguir essa velocidade quase impossível. O lugar onde eu pisava era apenas um pequeno degrau, no qual eu não poderia dar mais que dois passos antes de mergulhar nas escuras águas revoltas, um arremedo de varanda que se debruçava sobre a caudalosa torrente, e quando, depois de mais um toque do sino, a parede às minhas costas começou a se fechar, descendo em direção ao chão, percebi tudo. Teria que enfrentar essa torrente que me arrastaria para o esquecimento da garganta sem fim. Só me restava atravessá-la da melhor maneira possível: abaixei-me e coloquei a mão nas águas, tentando encontrar o fundo. Não havia fundo palpável, mas toquei uma grossa barra de metal firmemente embebida na pedra bruta, e que ia diretamente para a outra margem, por baixo d'água. Poderia usar essa barra como apoio para não ser arrastado, mas não sabia se ainda teria forças para me agüentar em meio nado durante a tarefa. E se a barra se interrompesse no meio da torrente, com vinte côvados de largura, como poderia suportar a força das águas para chegar à outra margem, onde o cântico persistia, cada vez mais definido?

A parede às minhas costas se fechou completamente, deixando-me em precário equilíbrio na estreita platibanda, envolvido pelo ruído das águas violentas. Só me restava entrar na água, e fui afundando lentamente na torrente, apoiando primeiro os pés, depois a barriga, abraçando a grossa barra de metal com as mãos, sentindo sua aspereza. A força das águas era imensa, cobrindo-me com facilidade a cabeça, e por duas vezes me levou para o outro lado da barra, a que me segurei desesperadamente, temendo ser arrastado para o sumidouro. Não sei como meus braços doloridos conseguiram me levar de volta a meu apoio, ao longo do qual me arrastei penosamente, tossindo e cuspindo, sentindo o gosto de lama que a água deixava em minha boca, apoiando o peito e avançando lentamente em direção ao outro lado, onde a abertura exibia mais um corredor idêntico, do qual o cântico saía cada vez mais alto. Pensei em desistir e deixar que esse rio me carregasse para o esquecimento, lavando minha presença da face da terra, livrando-me de mim mesmo. O instinto de sobrevivência, porém, ergueu-me a cabeça acima da espuma escura e enchi os pulmões de ar, e não sei como o lado direito de meu corpo encostou na margem oposta. Estendi o braço, sem largar a barra de metal, e me pendurei na margem mais alta, galgando a parede até o piso onde me atirei, extenuado e ofegante. A cabeça quase explodia com o esforço feito, mas a respiração foi-se acalmando, e me sentei, percebendo o silêncio, abismado ao ver que o rio caudaloso que acabara de atravessar era agora uma superfície calma e serena, ainda que certamente muito profunda, não havendo nenhum sinal de sua violência anterior. Foi essa mudança inexplicável que me deu a certeza de que aquilo era um teste, no qual eu deveria dar provas de minha força física, meu denodo ou minha determinação. Acreditava estar sendo vitorioso, porque, se pretendiam derrotar-me ou matar-me, não o haviam conseguido, ainda. A força das letras de fogo negro ainda corria em minhas veias: sua presença era poderosa, e cada vez que necessitava de alguma coisa que estivesse além de minhas forças ou de minha compreensão, elas surgiam, diversas umas das outras e sempre capazes de arrancar de mim alguma coisa que eu não sabia possuir.

Não me restava mais a fazer: antes que essa próxima abertura se fechasse, teria que atravessá-la, no temor do que viria a meu encontro e também na profunda certeza de que venceria mais essa prova. Bastou que eu atravessasse o umbral entrando em outro corredor idêntico aos anteriores, e um toque do sino soou, marcando a descida lenta e silenciosa da parede. A luz tremulava, e dei o primeiro passo no corredor iluminado por outros vinte e oito archotes, sem atinar com o que ainda estava por vir. Depois de ter passado pelo abismo aéreo e pela torrente de água violenta, o que ainda me faltava enfrentar para escapar dessa cruel masmorra cuidadosamente planejada? O cântico soava cada vez mais perto, e eu já ouvia os sistros e flautas que o acompanhavam: a impressão que tive foi de que a qualquer momento estaria entre os cantores. Ao mesmo tempo, sentia-me como um animal levado ao encontro da morte e destruição, para deleite de meus algozes. Meus sentimentos e emoções estavam à flor da pele, o coração batendo doidamente, a boca seca, enquanto a água enlameada do rio caudaloso secava sobre mim. O lugar desconhecido à minha frente fazia meus passos cada vez mais lentos, como se assim eu pudesse encompridar o corredor, empurrando cada vez mais para o futuro o momento que temia.

Quando enxerguei a abertura no fim do corredor, descortinei do outro lado uma paisagem que nunca havia sonhado ver: céu de entardecer, grandes e altas nuvens, árvores retilíneas de copa regularíssima, uma luminosidade que nunca vira. Dali vinha o cântico, e eu apertei o passo, na ânsia de livrar-me do corredor opressivo e respirar o ar puro do mundo exterior. Assim que dei o primeiro passo, no entanto, o sino soou mais uma vez, e à minha frente ergueu-se uma altíssima parede de fogo vivo, em cujo cimo se apoiavam grandes rolos de fumaça negra, impossível de atravessar: dei dois passos para trás, mas a abertura às minhas costas já se tinha fechado, transformando-se em parede. Através das imensas línguas de fogo, eu vislumbrava a paisagem que vira, e que, cada vez que o fogo diminuía e eu avançava em sua direção, era engolfada pelo aumento das labaredas, variando de acordo com minha atitude: se eu avançasse, aumentavam, se eu recuasse, diminuíam. Eu via meu objetivo do outro lado delas, sem poder alcançá-lo.

A parede de fogo não era muito larga: se eu vencesse o medo natural das chamas, saltando através delas, talvez pudesse chegar incólume ao outro lado. Mas não tinha como recuar para tomar impulso e ganhar velocidade suficiente, encostado na parede às minhas costas, sentindo o calor das chamas afoguear-me a face. Olhei para o chão, tentando descobrir de onde as chamas vinham, vendo que saíam de pequenas aberturas quadradas colocadas em fila, uma ao lado da outra, separadas por distâncias bem pequenas. Em minha frente, uma dessas aberturas demorava mais que as outras a lançar suas chamas para o alto, e notei que, a cada impulso de meu corpo para a frente, era ali que as chamas cresciam menos. Se tivesse ímpeto suficiente para saltar exatamente nesse ponto, com certeza conseguiria chegar ao outro lado sem mais que alguns chamuscos, pois minha roupa, mesmo ainda úmida pela travessia do rio, já estava mais seca do que antes.

Era preciso proteger o rosto: fixei meu olhar no chão de tijolos lisos que ficava do outro lado da barreira e, puxando o manto por sobre a cabeça, atirei-me através das flamas, exatamente no ponto onde elas mais tardavam a crescer. Fazê-lo às cegas encheu-me o coração de um terror indescritível, ainda mais quando senti que uma mão forte e firme me pegava pelo pulso esquerdo, com decisão. Temi que fosse alguém desejoso de ver-me esturricado, tentando puxar-me para o meio das chamas: com um grito e um repelão, avancei para a frente, sem pensar em nada a não ser minha sobrevivência.

O sino tocou, e fez-se um silêncio total no lugar onde eu estava. Arranquei o manto de sobre a cabeça, olhando para a esquerda, querendo ver a quem pertencia a mão que ainda me segurava o pulso. Meu coração deu um salto quando vi a meu lado o próprio Cyro, um sorriso nos lábios, os olhos brilhando de alegria. O grande conquistador do Império da Babilônia me estreitou com emoção contra seu peito e, dando-me o mesmo beijo na face esquerda que eu aprendera a dar em meus irmãos pedreiros, disse-me:

— Reconheço-te como tu me reconheces, Zerub: somos ambos irmãos na pedra!

Nada mais inesperado que isso: o grande senhor de todo o mundo era também um pedreiro, como eu? À nossa volta a sala estava cheia de homens com mantos negros: e só então percebi que a paisagem que vira era a decoração da sala, feita com tal mestria, que se parecia mais com a Natureza que a própria Natureza. Um templo erguido como se fosse o Universo, iluminado por uma luz etérea, com colunas como árvores, encimadas por um céu de beleza inacreditável, onde boiavam corpos celestes de diversos tipos e tamanhos, e um piso de mosaico muito brilhante, organizado em quadrados negros e brancos absolutamente idênticos: no centro, um altar de sacrifícios absolutamente limpo, feito de pedra, com quatro cornos pontiagudos nos ângulos de sua superfície horizontal, e uma brisa perfumada de olíbano, enchendo meu coração de alegria.

A cerimônia continuou, e agora eu era o centro dela: todos os movimentos feitos dentro dos corredores, de espanto em espanto, tomaram sentido, encaixando-se no incompreensível mosaico de minha vida. Cada passo, cada gesto, cada elemento se articulou, ficando claro por que me haviam feito realizá-los. As palavras ditas, os movimentos cuidadosamente executados, os sons, as cores, os perfumes, a presença de Cyro a meu lado como um igual deram-me a compreensão súbita de que o que ali experimentara era uma continuação do que já fizera em outras oportunidades e circunstâncias, mas desta vez livre do medo. Não posso dizer mais que isso, já que um laço de segredo me une a meus irmãos pedreiros: mas, com certeza, a iniciação pela qual eu passara em Jerusalém e estas provas que enfrentara sob o palácio da Grande Baab'el eram uma e a mesma coisa, complementando-se para fixar-se de forma permanente em meu espírito.

Quando a cerimônia terminou e os homens deixaram o recinto, suas vozes se perdendo gradativamente pelos corredores, Cyro me levou até um banco de pedra do lado mais claro da grande sala, apenas um pedaço de pedra mais ou menos lisa, apoiado sobre duas outras pedras menores. Estávamos entre quatro colunas de tamanho idêntico e cores diferentes, nas quais corriam cortinas de pano muito diáfano, quase transparente em seu tom amarelo-dourado, abertas e soltas, uma brisa as fazendo adejar. O grande senhor do mundo me olhava com verdadeira alegria, certamente por estar percebendo meu espanto com o que havia acontecido:

— Ah, Zorobabel, meu irmão, se soubesses o quanto temi por tua vida... em meus aposentos, quando virei as costas para ti, achei que não estavas preparado para a tarefa que te fora dada, e que obedecerias à minha ordem sem sentido. Quando insisti sobre nossa fraternidade, e revelaste ser efetivamente um de nós, tive a certeza de que, por medo, tudo me revelarias. Por isso virei as costas, para não mostrar o que sentia: se tivesses revelado o segredo do Delta Sagrado, eu te mataria ali mesmo, e nada existe que eu tema mais do que ser obrigado a tirar a vida de um irmão.

— Mas como pode ser isso, Grande Cyro? Como pode o senhor de todo o mundo ser um pedreiro?

— Da mesma forma que tu o és, Príncipe Zerub — disse Cyro. — O trabalho na pedra, que dá nome à nossa fraternidade, é apenas o símbolo do trabalho incessante que cada um realiza dentro de si, para ser a cada dia um homem melhor.

— Meu irmão, existe muita diferença entre nós. Tu és o senhor de imensos impérios, enquanto eu sou apenas o príncipe de um povo desgraçado e sem importância.

Cyro gesticulou, batendo-me com familiaridade nas mãos:

— Nossa importância, um dia, será medida pelo que fizermos pelo mundo, não pelo que fazemos por nossa aldeia ou tribo. Aprendi muito cedo que existem coisas maiores que o poder absoluto, e mesmo esse poder não faz sentido se não for utilizado para uma causa nobre. Orgulho-me de nunca ter combatido um rei que não fosse cruel e mesquinho, e até hoje sempre lutei mais para libertar que para escravizar. No calor da batalha, sempre tentei manter inteira a minha humanidade: se o atrito é necessário até mesmo para que aconteça o fogo, também o é para que se produza alguma virtude entre os homens. Num campo de batalha, em meio aos gritos e ao sangue, sempre penso na virtude que existe em cada lutador, apostando nessa virtude ao permitir que os povos vencidos vivam da maneira que melhor entenderem, cultuando o deus que seu coração tiver escolhido, sem lhes tentar impor nem minha crença nem minha maneira de viver.

Era inacreditável: depois de enfrentar torturas e testes, correndo o maior risco de vida possível, estava sentado lado a lado com o homem mais poderoso do mundo, bebendo palavras que nunca esperara ouvir, por serem o oposto exato de tudo o que outros diziam. Cyro não tinha nem um grama da empáfia dos reis que eu conhecera: o poder, que nos outros era apenas exibição do que não possuíam, em Cyro dava a verdadeira noção do poder que ele tinha e a força de que dispunha, nascida da vontade férrea que ele aplicava em primeiro lugar sobre si mesmo. A idéia da liberdade alheia, que ele prezava acima de tudo, era uma novidade tão inesperada, que eu o invejei, desejando ser como ele para distribuir o poder que possuísse. Cyro pareceu ler meus pensamentos, porque sorriu e disse:

— Também tens uma tarefa a realizar, Zorobabel: não te esqueças que o destino te obriga a pôr em prática aquilo de que teu povo precisa, mesmo sem o saber. Também tens a vantagem de não estares sendo movido por nenhum tipo de culpa: o poder que nasce da culpa nunca é bom. As provas pelas quais te fiz passar, as mesmas que também enfrentei quando de minha ascensão, dão sinais evidentes de tua capacidade: posso ver em teus olhos que também és movido por responsabilidade, essa que nem sempre se deseja, mas da qual não se pode escapar facilmente, não é verdade?

— Grande Cyro, dizes exatamente o que está dentro de minha alma, mas não me reconheço capaz para essa tarefa: não a quis, não a desejo, ela não me traz nada a não ser a sensação de que sou a pessoa errada para realizá-la, mas dentro de mim existe tudo aquilo que meu pai me ensinou, e de que não consigo escapar.

— Comigo se dá o mesmo, Zerub — disse Cyro, entristecendo o sorriso. — Meu avô Astyages, com quem vivi desde pequeno, ensinou-me essa noção de dever, tanto pelo que fazia de certo quanto pelos erros que cometia. Percebi muito cedo que isso seria pouco: o que eu realmente queria era espalhar pelo maior território possível aquilo que intuía ser certo, como a fraternidade dos pedreiros me confirmou. Passando pelas mesmas provas que acabaste de enfrentar, fui definitivamente revestido dessa responsabilidade, da qual não posso mais fugir.

Dessa vez, o sorriso triste se espalhou pela minha própria face:

— Eis a diferença entre nós, Grande Cyro: tua alma desejava isso, enquanto a minha deseja outra coisa. O pior de tudo é que também não posso mais rejeitar essa missão. Mas se pudesse, ah, Grande Cyro, se pudesse...

— O que farias, o que serias, Zorobabel, meu irmão?

Contei-lhe rapidamente sobre minha harpa, as aulas que Feq'qesh me dava, como me sentia verdadeiro cedendo aos desejos de minha mente e corpo: a música era uma linguagem natural em mim, e nela eu me refugiava. Cyro me ouviu com grande interesse, comentando:

— Teu antepassado David também foi um músico, arte que aprendeu quando ainda pastor, e que nunca abandonou, nem nos momentos mais difíceis. O que a alma pede nem sempre é o que o corpo deseja, e só a vida nos ensina a diferença entre uma coisa e outra. O homem que não é senhor de seus desejos e vontades acaba se tornando escravo deles. Pensa, Zerub: nós que pretendemos governar o mundo, como podemos ser escravos do que existe de pior dentro de nós?

RECONSTRUINDO O TEMPLO

O sino tocou, causando-me um sobressalto: haveria ainda provas a enfrentar? O sorriso de Cyro me tranqüilizou, e quando ele se ergueu do banco eu o acompanhei. Saímos do grande salão, que foi-se apagando às nossas costas: cheguei a olhar para o lugar onde estivera, e nada enxerguei, como se fosse um outro mundo que existisse apenas para o ritual que se realizara. Seguimos lado a lado pelo corredor curvo, que subia imperceptivelmente, e entramos em uma sala iluminada pelo sol, onde mulheres adornadas à moda persa nos perfumaram e vestiram com trajes de seda, calçando-nos os pés com sandálias abotinadas de couro macio. Tanto eu quanto Cyro tivemos mantos pesados colocados sobre os ombros, e enquanto ele se envolveu com o seu, eu cobri a cabeça com o meu: lado a lado, vestidos com trajes idênticos, encaminhamo-nos para o grande salão do palácio, o mesmo onde eu enfrentara momentos inesquecíveis de minha vida, e que sempre seria para mim o cenário dos grandes acontecimentos.

Ao cruzarmos o umbral desse grande salão, fomos recebidos com gritos de regozijo e saudação, e eu pude ver na audiência não apenas os notáveis que nela estiveram quando de minha ousada apresentação a Cyros, mas também muitos de meus compatriotas judeus, vestidos com os trajes de nosso povo, erguendo as mãos para o céu em agradecimento, ao ver-me com a cabeça coberta. Na parede do fundo, as marcas do primeiro milagre de Yahweh a que eu assistira se destacavam, e as letras sagradas me recordavam todas as letras de fogo negro que eu via dentro de minha mente. Atravessamos o salão, e bem próximo ao imenso trono de pedra estava um escabelo de madeira negra coberto por almofadas forradas de grosso tecido carmesim. Divisei no meio das faces ansiosas os rostos espantados de Heman e Iditum, meus guardiões, e logo atrás deles vi Jael e Yeoshua, tão semelhantes em sua identidade de judeus, mais ainda por serem os únicos amigos que eu tinha na mixórdia da Grande Baab'el. Fiz um movimento em sua direção, mas Cyros me segurou pelo cotovelo e me impulsionou para a frente, murmurando, entre dentes:

— Ainda não, Zorobabel, ainda não: agora é a hora de vivermos a liturgia dos cargos que nos foram impostos. Um pouco de paciência.

Ouvindo isso, lancei um longo e sentido olhar a meus conhecidos, enquanto Cyro me conduzia como um seu igual para o trono, onde me sentei a seu lado, entre as sonoridades dos sinos e das trombetas de guerra. O burburinho era infernal, e interrompeu-se bruscamente quando Cyro, erguendo a mão direita, calou a todos, fazendo sua voz ecoar pelas paredes da grande sala onde o deus de meu povo havia dado provas de sua existência:

— Sou Cyro, rei do Mundo, Grande Rei, Legítimo Rei, filho de Cambyses, neto de Astyages, senhor dos Aquemênidas, chefe dos Busa, dos Partacenos, dos Struchates, dos Anizantes, dos Budos e dos Magos, dominador da Hircânia e da Párcia, conquistador da Dragiana, da Aracosia, da Margiana e da Báctria, vencedor e dominador do Egito e do Império da Babilônia. Minhas leis têm a proteção e o amor de Nebo, Marduq e Ishtar. Quando entrei na Grande Baab'el como amigo, estabeleci meu trono neste palácio sob grande júbilo e regozijo, já que por minha mão todos os santuários de todos os deuses deste e do outro lado do Eufrates e do Tigre continuam sendo respeitados e reconstruídos, e fui brindado com a profecia de um grande entre os grandes, que reconheceu em mim aquele que faria felizes a todos os homens, por reconhecer em cada um deles a imagem do Único e Verdadeiro Deus!

Era outro homem, de poder incalculável, este em que Cyro se transformara: os olhos lançavam chispas, o corpo marcado pelas mazelas da guerra crescia, dizendo coisas inacreditáveis, sendo-nos impossível dele desviar o olhar. Como poderia o Senhor do Mundo reconhecer que um único deus morava dentro de todos? Cada um dos homens que ali estava tinha certeza absoluta de que era a seu deus pessoal que Cyro se referia, sentindo em sua alma o impulso reconhecer todos os outros homens como seus iguais.

Cyro continuou, erguendo novamente a mão para calar o burburinho:

— O Deus Único deu-me todos os reinos da Terra, como na profecia de Jeremias, e o templo que devo recuperar e reconstruir é o da cidade de Jerusalém, em Judah. Ordeno a todos que façam parte desse povo e sejam filhos do Deus Único que dêem um passo à frente!

Um murmúrio de incredulidade tomou o lado esquerdo do salão, onde eu via meus compatriotas com as cabeças cobertas por mantos, paralisados a princípio, mas depois, cada vez mais rápido, dando um passo à frente, destacando-se dos que ali exibiam sua imensa variedade de cabelos, peles, trajes e fisionomias, com os olhos cheios de surpresa e agradecimento:

— Que vosso Deus esteja convosco! Que todos os sobreviventes, escravizados pelos cruéis senhores da Grande Baab'el, onde quer que tenham vivido, sejam auxiliados com prata, ouro, matérias-primas e oferendas dadas de boa vontade para a reconstrução da morada de vosso Deus!

Entre gritos de alegria, Cyro levantou os dois braços para o alto e começou a falar com voz calma e grave, que vibrava em todos os corações que ali estavam:

— Em um sonho, vi três homens, dois deles acorrentados, e por sobre eles o terceiro, como uma águia que os sobrevoava, proferindo o nome do deus dos hebreus: os dois acorrentados eram Nebbuchadrena'zzar e Belshah'zzar, reis da Grande Baab'el, que experimentaram na própria carne a ira do deus dos hebreus. O terceiro, o que lhes sobrevoa as cabeças enquanto profere o nome de seu Criador, está aqui a meu lado: é Zorobabel, a semente da Babilônia, herdeiro do rei David e Príncipe de Israel e Judah! Ei-lo entre nós, para cumprir a profecia depois das dez semanas de anos de cativeiro! Ergue-te, Príncipe Zorobabel, para que vossos súditos vos conheça!

Todos os olhares na sala se voltaram para mim, enquanto Cyro me erguia pelo cotovelo, levantando meu braço direito para o alto, ao que todo o grande salão se pôs a gritar-me o nome. O barulho era indescritível, e eu, os olhos enevoados pelas lágrimas que os enchiam, só via minha própria alma, nela se destacando as letras que um deus havia marcado com Sua própria mão nas paredes da grande sala onde me era dado poder para realizar a obra de minha vida. Os que ali estavam me reconheciam como seu líder, prontos a ser guiados no caminho de volta à nossa terra natal, onde Deus esperava que Lhe reerguêssemos a morada. Acreditei por um instante ter chegado ao fim de minha tarefa, mal sabendo que dela não realizara nem a mais ínfima das menores partes, e que minha alma e corpo ainda teriam muitos caminhos a percorrer antes que o descanso pelo qual ansiava pudesse finalmente ser-me concedido.

Capítulo 21

Como é fácil enganar-se com a aclamação pública, na qual apenas nossas qualidades são exibidas! A emoção que me assomara durante o discurso de Cyro me fizera acreditar ter chegado ao ponto máximo de minha vida, pois a alegria com que o povo judeu da Grande Baab'el se regozijou pela notícia de que finalmente retomaria seu verdadeiro papel pareceu definitiva, absoluta, incontestável. Vi amigos novos e antigos na multidão, e em cada rosto se refletia a alegria pela vitória: devia ter olhado também para o outro lado, onde estavam outros habitantes da Grande Baab'el, a quem a notícia não satisfizera nem um pouco. Havia de tudo, e as opiniões sobre minha existência e missão se tornaram, assim que a notícia ganhou as ruas da cidade, tão numerosas quanto as pessoas que se interessavam por ela: por sorte, não me foram ocultadas, como se costuma fazer com os reis. Era preciso conhecer a verdade, e não fui poupado de nada. Meu hábito de andar pelas ruas, principalmente agora que nada mais tinha a temer, foi importante, porque, se havia quem me saudasse como a um verdadeiro messias, também havia quem virasse a cara à minha passagem, ou me invectivasse com palavras ásperas, por receio da mudança que eu trazia. Meus dois guardiões, Heman e Iditum, que depois do desespero com minha prisão estavam de volta a suas funções oficiais, andavam tontos, tentando impor autoridade sobre os que me ofendiam, o que só fazia com que os mais desrespeitosos recrudescessem. Certas coisas que ouvi me fizeram retornar a meio caminho de meus planos, não chegando nem mesmo ao *tel'aviv*, onde esperava ser recebido como um verdadeiro *mashiach*, ainda que soubesse não sê-lo.

RECONSTRUINDO O TEMPLO

Acompanhado por Yeoshua e Jael, voltei ao grande palácio, onde era hóspede, com o humor bastante prejudicado: não tinha idéia de que minha missão pudesse gerar tanta discórdia. Fora recolher a glória de ser salvador e, em vez disso, só encontrara gente mal-agradecida. Yeoshua percebeu minha amolação e, sem hesitar, disse-me:

— Amigo, o poder tem seu preço, e é o que se paga para conhecer a verdade sobre os que o sofrem e os que o aplicam. Esqueces do que pensávamos quando jovens, quando a Grande Baab'el nos valia mais que uma terra abandonada e esquecida? A maioria dos de Judah que aqui vivem pensa dessa maneira: por que trocar o brilho certo pela escuridão duvidosa, ainda mais quando já se passaram setenta anos e ninguém se recorda do que lá havia?

— Mas como pode ser isso? — Minha mente não compreendia o que estava acontecendo. — Fui trazido até aqui pelo próprio Yahweh, para libertar o povo de meus antepassados. Eles não desejam voltar ao berço de sua verdadeira existência? Afinal, que papel estou eu fazendo nessa tolice que a cada instante se revela mais claramente a meus olhos?

Yeoshua sorriu, e em sua face barbada eu vi o reflexo do rapazola que deixara no cais, proferindo uma bênção sobre minha cabeça, mais amedrontado que qualquer um de nós:

— Querias que tudo te caísse nas mãos como o *manah* dos céus? Impossível, Zerub: mesmo o *manah*, quando aparecia todas as manhãs no deserto para alimentar o povo de Israel, precisava ser recolhido. Não caía diretamente nas bocas de ninguém: as colheitas, mesmo as sagradas, devem ser fruto de esforço, paciência, determinação. Quem te disse que ia ser fácil? O próprio Moisés, depois que conseguiu a permissão do Faraó para tirar nosso povo do Egito, teve que enfrentar a oposição da maior parte deles, acostumados à vida de escravos, preferindo a desgraça que já conheciam à realidade que era totalmente desconhecida de todos. Imaginas que os que moram aqui sejam diferentes desses?

Sacudi a cabeça, com incredulidade: as incertezas voltavam a se acumular, erguendo uma torre tão alta quanto a que eu via pela janela:

— Começo a duvidar da escolha de Yahweh, e não tenho a paciência e a determinação que a tarefa me exige. Cada remoque que ouvi hoje foi um furo no tecido da minha decisão. Minha vontade neste exato momento é deixar tudo como está e esquecer a história toda!

ZOROBABEL

Jael interferiu:

— Zerub, acalma-te: ainda terás muitos momentos como este a enfrentar. Estamos apenas no início da jornada. Uma vez iniciada, será um grande bloco de pedra que rola pela encosta de uma montanha, e que ninguém lhe fique no caminho!

— Temo apenas que este bloco, uma vez posto em movimento, encontre somente a mim na sua frente: no que depender dos judeus da Grande Baab'el, ao que tudo indica, farei a viagem de volta completamente só...

Meu espírito estava verdadeiramente negativo, e nada que meus companheiros dissessem mudava meu humor. Eu não conseguia ver nem objetivo nem vantagem no que estava por fazer, e a sensação de inutilidade se avolumava a cada instante: estava preso no círculo vicioso de meus sentimentos depressivos, a cabeça entre as mãos, dando longos suspiros espaçados, sem enxergar saída para um dilema insolúvel.

Alguém bateu à porta de minha câmara, e um de meus guardiões a abriu. Do lado de fora estava uma mulher morena, vestida de azul-marinho, e a visão de sua figura foi um baque em meu coração, recordando-me Sha'hawaniah, o verdadeiro motivo pelo qual aceitara a coroa real, e de quem inexplicavelmente havia esquecido. Avancei em sua direção, e a mulher se ajoelhou à minha frente, estendendo-me um pequeno tablete de argila onde alguma coisa estava garatujada. Peguei o tablete, e a mulher, erguendo seus olhos sombreados para mim, sussurrou, de forma que apenas eu pudesse ouvir:

— Minha senhora Ishtar te manda lembranças...

Quase saltei para trás, mas me recompus e olhei o tablete, dando-lhe toda a atenção. Estava marcado pelos pequenos sinais em forma de cunha, e eu percebia a leveza com que haviam sido impressos. Trazia apenas uma frase, que fez meu coração saltar doidamente dentro do peito: "Sha'hawaniah saúda a Zerub, Príncipe de Israel, a quem concede uma visita quando lhe for mais conveniente."

Não sei quanto tempo fiquei mirando o tablete, mas, quando Yeoshua se aproximou, ocultei-o sob meu manto, mantendo-o junto a meu corpo, sentindo-o aquecer-se no contato com minha pele, enquanto minha mente fervia com imagens de prazeres sem medida. Ao voltar-me para a mulher, percebi que a porta se fechava sem que eu pudesse dar-lhe a minha resposta. Melhor assim, pensei: deve ter percebido meu pouco à-vontade, deixando por minha conta a decisão sobre o momento dessa visita. Eu teria que fazer o próximo movimento em direção ao desejo enraizado em meu baixo-ventre. Outra batida na porta, que dessa vez se abriu para revelar um soldado de Cyro, informando que seu senhor me aguardava para uma conversa, à qual só nós dois estaríamos presentes. A alegria de meus amigos foi imensa ao saber dessa benesse de Cyro, desviando sua atenção da mensagem que eu recebera antes, e que continuava sendo o centro de minha atenção, ainda que eu fingisse a seriedade de um verdadeiro rei, dizendo que Cyro podia aguardar-me em seus aposentos assim que o sol se pusesse.

O que na Grande Baab'el marcava o fim do dia e o começo de um outro era o momento em que o último raio de sol brilhava sobre a reluzente estátua de Marduq, no alto da grande Torre, tão carregada de lembranças para mim. Desta vez, no entanto, eu estava em outro nível, e quando as trombetas começaram a soar por toda a metrópole uma nota correspondente à aparição de cada uma das estrelas do céu, com a alma cheia de ansiedade me dirigi ao Grande Cyro.

Os aposentos eram os mesmos onde eu havia sido recebido pela primeira vez, convalescendo da tortura, onde Cyro insistira que lhe revelasse o segredo de que ambos éramos depositários. Nesse dia, minha vida tinha tomado mais um rumo inesperado, como acontecia quando um desses momentos de mudança se dava. Os instantes que os antecediam eram sempre muito desagradáveis, mas os resultados traziam prazer suficiente para que eu esquecesse a dor que os gerara, pois estava aprendendo a enfrentar as dificuldades que estão na raiz de toda obra.

Cyro estava sentado à sua mesa, entre mapas e editos, extremamente atento ao que estava lendo: quando percebeu minha chegada, ergueu a mão em minha direção sem tirar os olhos do pergaminho que decifrava, ficando com ela erguida até terminar de ler. Recostou-se para trás, de olhos fechados, digerindo o que havia apreendido, e depois de algum tempo abriu os olhos e me fixou, convidando-me a sentar, enquanto dizia:

— Irmão Zorobabel, aprende: os negócios de estado são infinitos, constantes e avassaladores, a tal ponto que nem mesmo durante o sono um governante tem como livrar-se deles. Passaste bem a noite?

ZOROBABEL

— Magnificamente, irmão Cyro: estou muito feliz. O que me torna menos feliz do que deveria é o que fica fora do palácio: não imaginas o que o povo diz a meu respeito...

Cyro soltou uma sonora gargalhada:

— Não é nada pior do que dizem sobre mim: não existe povo que respeite seu governante, porque todos sempre sabem exatamente como conduzir o governo, e sempre de forma completamente diferente da que o governante aplica. Ainda não viste nada: tua tarefa nem começou. Tens uma missão a cumprir por teu povo, por teus irmãos na pedra e até mesmo por mim, também profetizado como reconstrutor do Templo. É meu dever auxiliar-te nessa tarefa, porque prevejo grandes dificuldades, e devo te preparar para que as enfrentes da melhor maneira possível. Se tiveres paciência, te ajudarei a cumprir teu objetivo, dando notícias das coisas que eu mesmo vivi e experimentei, que já foram vividas por tantos outros antes de nós e que ainda o serão por muitos outros que nos sucederão.

Suspirei, cansado, e lhe disse:

— Nada tenho feito senão aprender, irmão Cyro: desde que fui designado como Reconstrutor do Templo, passo todos os meus dias estudando, aprendendo, sendo corrigido, vivendo por conta dos desejos alheios, de forma tão absurda, que até durante o sono pareço estar recebendo instruções. É insuportável!

— Essa é a vida, Zorobabel: primeiro aprender, depois ensinar. No caso de um governante, a coisa se complica: como tantos dependem de nós, nosso aprendizado é sempre mais intenso. Exigem-nos aprendamos muito mais do que seria humanamente possível, aguardando, às vezes inutilmente, que chegue o momento de ensinar. Poucos têm o privilégio de repassar o que lhes foi ensinado: muitos dos que o fazem, não vendo valor naquele que aprende, tornam-se amargos, negativos, tristes. A verdade é uma só, meu irmão: mais vale o que se aprende que o que nos ensinam. A mim foi ensinada a força das armas, a violência como forma de conquistar poder, a satisfação dos desejos carnais como único uso do poder amealhado. Por que então, eu não uso para isso o poder que tenho?

Fiquei calado: minha pouca experiência dizia que o poder só tem sentido se for usado: mas Cyro era surpreendente, com uma visão totalmente nova do papel do senhor do mundo. Em muitos momentos me lembrava Feq'qesh, ensinando mais que apenas as canções e a maneira de arranhar as cordas da harpa. Em cada frase dita, surgia uma coisa totalmente nova, e Cyro com certeza sabia disso:

— Medos e Persas sempre fomos tribos absolutamente desgarradas umas das outras. Por mais que nos déssemos o pomposo nome de "reinos", éramos apenas um bando de gente desorganizada, vivendo da mão para a boca, lutando hoje contra o aliado de ontem. A tribo dos Pasárgadas, onde nasci, sempre foi a tribo do maior número de chefes dos Medos: minha mãe, Mandane, é filha de Astyages, chefe dos Medos, e meu pai Cambyses, que passou a fazer parte do reinado de meu avô, aceitando que pela primeira vez um Medo governasse os Persas. A união era muito artificial, pois antes de meu nascimento não havia ninguém que fosse ao mesmo tempo Medo e Persa, capaz de unir os dois grupos em um só. Meu avô acreditava estar realizando o desejo divino de união entre os dois reinos.

Cyro ria consigo mesmo, pelas lembranças que o assunto lhe trazia:

— Quando fui levado para conhecer meu avô, espantei-me com a capacidade de chafurdar em luxo e riqueza que os Medos exibiam, pois onde eu nascera a vida era frugal. Foi na soma dessas experiências que notei haver mais coisas ocultas pelo poder do que as que me saltavam aos olhos, e jurei que me tornaria senhor dos dois reinos e nunca os desuniria, e que traria para meu aprisco as ovelhas desgarradas que encontrasse espalhadas, fossem simples indivíduos ou tribos inteiras. Eu desejava mais poder que qualquer outro, porque pensei que, se podia ser senhor de muitas tribos, podia perfeitamente sê-lo de todas, estendendo meu braço em todas as direções e transformando-me em Senhor do Mundo. Encontrei em meu caminho, quando já era senhor dos dois reinos, um grupo de pedreiros viajantes, que me falaram de erguer nas terras de minha tribo uma cidade digna desse nome, aventando a hipótese de que eu um dia me tornasse um deles, para que a obra fizesse sentido. Confesso que achei uma diminuição a idéia de transformar um rei em pedreiro: mas quando vi as obras, percebi que as construções de pedra tinham um objetivo acima e além do que se via. Aceitei tornar-me um deles, a quem unia um laço mais profundo que a simples lida na pedra, e a prova disso é Pasárgada.

Cyro colocou seus profundos olhos nos meus, dizendo, com intensidade:

— O deus que criou este Universo tem diversas facetas, e eu devo encontrar em cada homem a verdadeira faceta divina, para que minha obra possa fazer-se perfeita, sem deslizes. De cada um, quero apenas o melhor que tenha a dar, e nunca o que não possui: não exijo de ninguém que seja mais do que pode ser, mas não aceito que seja menos. Meu irmão me entende?

As coisas custavam a se concretizar em minha mente, levando bastante tempo até que eu as compreendesse. Tenho no entanto a vantagem de manter essa compreensão para sempre, pois ela se torna parte de mim. Com Cyro não foi diferente: o destino sempre me coloca à frente aquilo que devo aprender, e me dá todas as oportunidades para que esse aprendizado se faça. Nessa primeira conversa com Cyro, minha alma só percebia de forma muito tênue o que ele queria dizer, e foi no decorrer de minha vida que o entendimento do que ele disse me tomou. Acenei com a cabeça: Cyro, espreguiçando-se na cadeira de ébano e couro, falou, antes de me dispensar:

— Não desejo te entupir de idéias, meu irmão: mas hás de ser meu homem de confiança em Jerusalém, e somarei meu poder ao teu, se o teu não for suficiente.

Não sei como agradeci a Cyro pela confiança, e, depois de nos beijarmos à moda dos irmãos na pedra, saí em direção a meus aposentos, seguido por meus dois guardiões. Sabia que essa era a primeira das muitas oportunidades em que aprenderia com ele, ao mesmo tempo profundamente orgulhoso de ver por ele reconhecido o meu valor. Eu por certo estava fazendo o que devia fazer: com essa certeza no coração, decidi que a recompensa deveria ser recebida imediatamente, e eu sabia exatamente qual era ela.

Ao entrar em minha câmara, encontrei Yeoshua e Jael, que me aguardavam. Vesti-me com apuro, colocando em meus pulsos os braceletes que antes rejeitara e que Cyro mandara entregar em meu quarto. Perfumei-me e ordenei aos guardas que me levassem imediatamente aos aposentos de Sha'hawaniah. Yeoshua fechou a cara quando ouviu minha ordem ao guarda:

— Não te recomendo o contato com essa mulher, Zerub: ela é uma sacerdotisa de Ishtar, a mesma deusa que causou a queda de teu avô Salomão. Não creio que, em momento como este, pretendas satisfazer teus desejos pessoais...

— E por que não, Yeoshua? — Jael franziu o cenho, com um ar de incompreensão. — O fato de ter uma missão a cumprir o afastará para sempre da vida real? Deverá cessar todas as atividades que o igualem ao comum dos homens? Ele não vai ao encontro dela por nenhum motivo religioso, Yeoshua: suas intenções são rigorosamente outras...

— As de Salomão também foram, Jael: ele queria apenas satisfazer sua necessidade de prazer, e por causa disso rompeu o pacto com Yahweh, mergulhando Jerusalém em quatro séculos de trevas!

— Yeoshua, Salomão teve mais de mil mulheres em seu *harim*! Até parece que pretendes que Zerub se torne um desses profetas que abandonam o corpo, transformando-se em puro espírito! Essa mulher neste instante é apenas a satisfação dos desejos, nada mais! Que mal pode haver em alguns momentos de delicioso contato físico?

— Mas se é exatamente através do físico que elas dominam os reis! — Yeoshua tinha a face vermelha. — O poder dessa abominação está exatamente em seu corpo sensual, em seu conhecimento das maneiras pelas quais se nubla a mente de um homem, para retomar o poder que um dia foi seu! Zerub devia pensar mais como rei do que como homem!

Nesse momento, ficou claro que meus dois amigos estariam sempre opostos um ao outro: nunca houve um momento sequer em que concordassem, quando o assunto fosse minha vida. Yeoshua diria sempre não, Jael diria sempre sim, e eu decidiria com mais facilidade o que fazer, já que as contradições que todo homem tem dentro de si estavam representadas com clareza nesses dois amigos. As vantagens de ser rei são estas: todas as opções nos caem às mãos, mas a escolha é sempre e indiscutivelmente pessoal, intransferível, restando-nos decidir bem, o que nem sempre acontece. Calei a boca dos dois com um gesto:

— Basta, meu amigo, meu irmão: entendo o que me dizeis, mas não posso recusar um encontro com o qual sonho faz mais de um ano. Tu te recordas, Yeoshua, quando ela nos ajudou a fugir? Se não fosse essa infiel, provavelmente estaríamos mortos hoje! Que motivos teria ela para nos ajudar, se nem sabia quem éramos? Foi movida pela bondade natural de seu coração, e também um pouco, é lógico, por seu interesse físico em mim...

Yeoshua ergueu as mãos para o céu, num gesto de desalento que eu ainda o veria fazer muitas vezes, com a cara emburrada. Virei-me para Jael:

— Nem por isso estarei sob o domínio dela, meu irmão: sei o poder que ela tem, mas também sei que não poderá recusar-se a mim, como da outra vez. A situação é bem diferente, e ela já sabe disso: que outro motivo haveria para que me enviasse esse recado? Não nos enganemos, meu irmão, meu amigo: neste encontro, eu dito as regras, e creio que não me sairei mal.

Com essa frase, eu escondia meu temor: deixei meus aposentos com o ar elevado de um poderoso rei, inseguro como uma criança a quem não se diz a verdade. Jael me saudou com um sorriso nos lábios, enquanto Yeoshua cobriu a cabeça com o manto, em mais uma de suas intermináveis orações. Segui o soldado e, depois de algumas braças, me vi em frente à porta dos aposentos de Sha'hawaniah, de onde se evolava o inesquecível perfume que me penetrou, dissipando-me toda decisão e controle. Mesmo antes de vê-la, eu já havia esquecido o último ano de minha vida, tornando-me novamente o adolescente que se encantara com sua dança, seus olhos profundos, suas unhas negras. A porta se abriu e, com um baque, descortinei a mesma câmara em que passara a inesquecível noite antes de minha fuga da Grande Baab'el.

Os acólitos com as faces pintadas de azul se espalhavam pela sala escurecida pelos reposteiros que impediam a entrada da luz do sol, em tal número que as sombras pareciam fervilhar com eles. À minha frente, atrás dos véus de cores variadas, havia um degrau razoavelmente alto, onde pressenti a mulher com a qual sonhava pelo menos uma vez por dia desde que a conhecera. A grande quantidade de pessoas me incomodou, pois em minha fantasia estava seguro de que a encontraria absolutamente só e disponível: mas mesmo assim meus olhos e sentidos se dirigiam a ela, em meu baixo-ventre os sinais de que meu corpo sabia onde estava o prazer pelo qual ansiava. Os olhos de Sha'hawaniah brilhavam entre as sombras que lhe velavam o rosto, e quando ela estendeu um braço moreno terminado pela mão esguia de unhas negras, tive uma vertigem, caindo para a frente sobre um joelho e encostando meus lábios na pele acetinada e doce. Crótalos e sistros soavam mansamente, sem cessar, girando pelo ambiente, e quando Sha'hawaniah me puxou em sua direção, fazendo-me atravessar os véus que me separavam de seu lugar sagrado, esqueci-me de quem era, de onde vinha, do que desejava e principalmente do que sonhara.

Andei de quatro por sobre as almofadas onde ela se recostava, até chegar a dois palmos da face com a qual sonhara durante tantas noites. Quando ela me pôs a mão na testa, como se medisse a minha febre, as lágrimas escorreram de meus olhos, sem que eu entendesse por que isso acontecia. Sha'hawaniah mergulhou a mão em uma tigela de metal cheia de água fria e perfumada e, passando-a sobre meu rosto, disse:

— Príncipe Zerub, recebeste as lembranças que te enviei? Ou te esqueceste de mim?

Em minha mente, a confusão era completa, porque meu corpo estava em plena atividade, meus humores todos acumulados em meu baixo-ventre, onde eu acreditava que o prazer nunca mais aconteceria. Atirei-me para a frente, em direção a meu objetivo, sendo impedido de colar meus lábios aos seus pela mão que ela pôs em meu peito, segurando-me a dois dedos do hálito doce que soprou em minha face:

— Calma, meu príncipe, calma: o que te disse há um ano continua sendo verdade absoluta. Serei tua, completamente tua, assim que fores rei, e nada haverá que nos impeça de consumar o desejo que nos assoma...

A princípio, não compreendi o que ela me dizia, mas depois, lentamente, a estranheza da frase começou a penetrar-me a mente, reforçando a incompreensão das coisas:

— Como assim, quando eu for rei? Já o sou, não soubeste? Fui escolhido como Rei de Jerusalém por ser o último descendente de David: o próprio Grande Cyro assim o reconheceu, em público.

Sha'hawaniah riu, colocando-me os dedos finos sobre a boca, inebriando-me com seu perfume de canela, cravo e mais alguma outra erva que eu não reconhecia:

— Ainda não, meu príncipe, ainda não: enquanto não fores ungido pelos teus sacerdotes e não cavalgares o jumento branco pelas ruas de teu país, não serás rei.

Meu ar de incredulidade deve ter sido imenso, porque o sorriso dela se apagou, dando lugar a um ar de preocupação que eu não sabia dizer se era verdadeiro:

— Não sabias disso, meu príncipe? Não te disseram ser necessário todo um ritual para que teu Deus te reconheça rei? Por Ishtar, eles vêm te enganando todo esse tempo? Tu te deixaste convencer de que já eras rei, sem verdadeiramente sê-lo?

A mão que estava em meu peito empurrou-me com imensa força, fazendo-me cair para trás, boquiaberto pelo que ouvia. Sha'hawaniah recostou-se em suas almofadas macias, exibindo o corpo enlouquecedor, semicerrando os olhos, com uma voz que era o sibilo de uma serpente:

— As exigências de teu deus são muito estritas, meu príncipe: se fosses devoto de Ishtar, como eu, já estaríamos cumprindo o rito do amor entre deusa e rei, e estaríamos para sempre unidos. Mas tu escolheste esse deus ciumento, exclusivista, violento e agressivo, que só pretende reconstruir o mundo para demonstrar poder sobre suas criaturas. É uma pena...

A música cessou, repentinamente, quando Sha'hawaniah bateu palmas, as cortinas se abriram, rompendo a penumbra com a luz dura do sol, mas mesmo assim custei a entender que ela me estava despedindo: afinal, eu era apenas um homem, com desejos comuns a todos os homens, e não concebia que as exigências de deuses diferentes pudessem nos impedir de sermos iguais em desejo e busca de prazer. Vários acólitos se aproximaram, e sua presença, junto ao frio olhar de Sha'hawaniah, afastavam de mim o prêmio cor de carne que já desejara por tantas noites, e que ainda continuaria desejando violentamente. Ergui-me sobre os joelhos, numa súplica:

— Minha deusa, minha rainha, por que me torturar dessa maneira cruel? Somos o que somos, e nosso corpos juntos podem mais que um milhão de deuses separados...

— Não neste caso, Príncipe de Israel. — A voz dela vinha de algum lugar profundo dentro de seu peito, e seus olhos fixos nos meus como que apagavam a realidade à nossa volta. — Meu poder vem da dedicação exclusiva à minha deusa, e não posso abrir mão do que tenho simplesmente porque o desejo que me assoma está mais próximo do que Ela. É melhor que nos separemos, antes que percamos o controle de nossos atos...

RECONSTRUINDO O TEMPLO

Sha'hawaniah bateu palmas mais uma vez, os véus se abriram: eu não conseguia compreender por que estava sendo dispensado dessa maneira, recebendo uma lição para nunca mais esquecer. Mesmo cercado por seus acólitos, relutei, tentando defender o que considerava meu direito absoluto, por ser minha vontade mais forte:

— Assim não, minha senhora! Não neguemos nosso desejo em nome do absurdo controle de nossos atos! Se era para rejeitar-me mais uma vez, então por que chamar-me a teu convívio? Tenho pensado em ti durante todo o ano que se passou, e nada me deu maior alegria do que receber teu chamado! Não entendo ... de alguma maneira te ofendi, ou à tua deusa?

Dois acólitos me seguraram pelos cotovelos, afastando-me de Sha'hawaniah: quando me dei conta, estava com os pés firmemente plantados em pleno chão, tentando segurar-me onde estava, à vista dessa mulher que me enlouquecia, e a quem meu corpo e minha alma desejavam mais do que tudo. Gritei-lhe:

— Mulher! Por que prometer-me as delícias do paraíso e dar-me de beber apenas dessa taça de amargor? O que queres que eu faça? Dize-me, e eu o farei!

Fui arrastado para fora dos aposentos, sendo deixado só do outro lado da porta, que se fechou bruscamente, permitindo-me apenas ver na face inesquecível de Sha'hawaniah um estranho sorriso de vitória, que não compreendi senão muitos anos mais tarde. O soldado que me acompanhara e me ficara aguardando estava tão boquiaberto quanto eu: o inesperado desse acontecimento me fizera perder toda a compostura, e eu esmurrei a porta, aos gritos. Trocaria qualquer coisa, meu papel de rei, meu compromisso, minha vida, por um momento apenas de prazer junto àquele corpo inesquecível, que me tantalizara e me rejeitara.

Em vão: a porta permaneceu fechada, enquanto eu a esmurrava cada vez mais lentamente, deixando que lágrimas de frustração e raiva fluíssem amargas. Naquele instante, percebi que seria capaz das maiores iniquidades apenas para que minha vontade e minha paixão fossem satisfeitas: mas esse prazer eu não teria, porque não dependia apenas de mim. Não havia mais em mim qualquer resquício da meia honra que me era dada, impedindo-me de realizar meus desejos. Se era rei, exigia ser tratado como tal. Se não era, que me deixassem em paz para viver minha própria vida, sem deveres nem sofrimentos inúteis.

Voltei-me para o soldado, bruscamente, enxugando com violência os olhos molhados:

— Vamos! Leva-me de volta a meus aposentos!

Saí pelo corredor pisando duro, caminhando celeremente à frente do soldado, que tinha verdadeiramente que fazer muito esforço para me acompanhar. Estava fulo de ódio, e, nas duas vezes em que errei o caminho, odiei ainda mais o que tinha acontecido. O soldado finalmente desistiu de passar-me à frente, seguindo-me com dificuldade. Houve um momento em que tive que refrear minha intensidade, pois o coração estava disparado e eu sentia o sangue bater nas têmporas como um tambor. Diminuí o passo, mas não a ira: sentia-me enganado pela vida, a rejeição de Sha'hawaniah fazia meu estômago se contorcer como uma serpente ferida, lançando uma bile ácida em minha garganta, que só servia para me irritar mais ainda. Quando finalmente descobri o corredor onde ficavam meus aposentos, avistei meus dois guardiões, os gêmeos que nunca me deixavam, prontos a percorrê-lo em minha procura. Passei por eles, batendo a porta atrás de mim, jogando-me em um escabelo ao centro do quarto.

Yeoshua e Jael me olhavam com espanto: não esperavam que eu retornasse tão cedo. Yeoshua estava com o manto cobrindo a cabeça, e seus lábios, mesmo depois que seus olhos se abriram e me perceberam, não cessaram de articular a oração que proferia. Jael, de pé na varanda da câmara, quando se virou e me viu, teve no rosto um momento de desânimo, logo transformado em preocupação:

— Irmão Zerub, já de volta?

Cuspi-lhe a resposta, sem tirar os olhos de Yeoshua:

— Passei momentos muito interessantes e educativos com a sacerdotisa de Ishtar. É sempre melhor ir buscar a resposta longe de onde somos senhores, não é verdade, Yeoshua?

O ar de incompreensão de Yeoshua não me convenceu nem um instante: ergui-me do escabelo e avancei em sua direção, mantendo-o sentado pelo peso de meu braço:

— Dize-me agora toda a verdade, Yeoshua: sou ou não sou o verdadeiro Rei dos Judeus?

Jael fez cara de espanto:

— Quanto a isso não resta nenhuma dúvida! Sois o descendente de David, a semente da Grande Baab'el, aquele que estava descrito nas profecias! Não te recordas do momento em que os irmãos da pedra te reconhecemos como o homem que reerguerá o templo de Yahweh?

Interrompi-o, rispidamente:

— Que sou vosso jumento de carga, isso não se discute! — Voltei-me para Yeoshua, que permanecia orando. — Vamos, Yeoshua, fala francamente: sou ou não sou o verdadeiro Rei dos Judeus?

Yeoshua ergueu os olhos claros, vazios de qualquer emoção, retornando de algum lugar onde eu não podia tocá-lo: então seus olhos se firmaram em minha face, e ele corou, ficando com o rosto avermelhado, como quando ainda éramos crianças. Essa lembrança amainou o ódio de meu coração, mas ao mesmo tempo me cobriu de uma tristeza mais amarga que a rejeição que sentira. Meu semblante deve ter dado sinais disso, porque os olhos de Yeoshua também se encheram de lágrimas, enquanto ele unia as mãos à frente do rosto:

— Queres a verdade, Zerub? Não, tu não és o Rei dos Judeus. És o primeiro na lista sucessória, mas não o atual possuidor do direito. Nem tu te recordaste disso, mas teu tio Sheshba'zzar, o irmão mais velho de teu pai, continua vivo, e o direito é dele, por mais que te tenham dito ser teu. Sábio foi Yahweh ao não permitir que fosses ungido rei antes de vires à Grande Baab'el, porque, se o tivesses sido, não haveria quem te respeitasse, e te encarariam apenas como um usurpador do trono. Serás o Rei dos Judeus quando teu tio morrer, já que ele não tem nenhum descendente: mas enquanto Sheshba'zzar estiver vivo, o rei é ele.

Enquanto Yeoshua falava, fui recuando, até cair ao chão completamente transtornado: meus sentimentos se sucediam e opunham sem ordem nem sentido, movendo minha alegria e minha tristeza em ondas de força cada vez mais gigantescas, e quando uma delas crescia, imediatamente a sua oposta se erguia, submetendo-a e logo após sendo submetida por uma outra, também oposta e de valor ainda maior. Eu não sabia se ria de alívio ou se chorava pela perda: sem a responsabilidade de governar um povo destruído, podia finalmente perseguir o que desejava, mas só teria o que desejava se fosse rei, e não o era. A perda se misturava à liberdade, tornando-a mais pesada que as correntes de um cativo. Eu me tornara prisioneiro de minha própria indecisão, paralisado, incapacitado, praticamente morto, por não saber em que direção me mover, reconhecendo que qualquer atitude significaria mais perda do que podia suportar. Cobri o rosto com as mãos, esperando que a escuridão me desse alento: e no mesmo instante em que, no silêncio de minha alma ferida, pedi por ajuda, ouvi a porta abrir-se atrás de mim, e uma voz familiar, como a de um pai a quem se recorre para auxílio, determinada e incisiva como a luz numa tempestade de areia:

— Zerub?

Era Feq'qesh, meu mestre, mais uma vez se apresentando em meu socorro, antes que eu me afogasse em meu dilema de degradação e medo.

Capítulo 22

Cair aos pés de Feq'qesh, abraçando-o, era abraçar meu pai, realizando o que a morte me tirara do alcance. A criança abandonada e órfã dentro de mim precisava desse apoio que só a presença física pode dar. Feq'qesh surgiu magicamente em minha presença, deixando boquiabertos Jael e Yeoshua, enquanto eu começava um pranto derramado que não sabia capaz de ter. Minha alma se infantilizava, sem qualquer controle das emoções. Feq'qesh, ainda com as empoeiradas roupas de viagem, colocou ao chão o saco de pano grosso onde guardava sua harpa e tirou o manto de sobre a cabeça e a face, mostrando os olhos vivos e cheios de profunda compaixão:

— Tive a intuição de que precisarias de mim mais do que eu mesmo queria crer, e, assim que pude, segui teus passos. O que te aconteceu, filho?

A voz suave de Feq'qesh, tratando-me com tanto carinho, moveu mais ainda dentro de mim a corda que regulava as emoções, e eu me rojei ao leito com a cara oculta nas almofadas. Mais do que em qualquer outro momento, percebi estar marcado pela divisão: nada em minha vida tinha apenas uma face. Tudo era duplo e contrário ao mesmo tempo, e cada coisa que eu vivia ou desejava trazia em si seu próprio oposto, sendo Bem e Mal, Escuro e Claro, Certo e Errado ao mesmo tempo, fazendo com que nada fosse absoluto e tudo se movesse de um lado para outro, deixando-me paralisado no centro do Universo, sem ação nem direção. Uma estreiteza imensa me oprimia o peito, e quando Feq'qesh, como nunca antes havia feito, colocou sua mão sobre minha cabeça, uma explosão de luz preencheu-me o espaço entre os olhos e o cérebro, fazendo-me ler nas letras de fogo negro com as quais já quase me acostumara as palavras *kibel've'akav*, aceitar e seguir, que imediatamente se transformaram em uma outra palavra que eu não sabia ler, composta das letras *mem, tsadik* e *resh*. Elas me preencheram com uma força inacreditável, e meu pranto cessou instantaneamente. Olhei para Feq'qesh e percebi que ele sabia o que se passava dentro de mim quando eu tinha essa fantástica visão das letras, que nunca revelara a ninguém. Isso me deu novo alento, e sem esperar revelei-lhe tudo o que me ia na alma, fatos, pensamentos, medos, desejos, frustrações. Falei da perda de meu pai, e como por apenas um átimo não lhe pudera ver a vida ainda brilhando nos olhos. Contei como fora vencido e torturado pelo antigo inimigo, Na'zzur, e de como não pudera denunciá-lo a Cyro, como qualquer um teria feito. Narrei o teste pelo qual passara, e que acabara revelando o Senhor do Mundo como mais um de nossos irmãos. Disse-lhe de meu malogro no encontro com Sha'hawaniah, de como através dela descobrira vir sendo enganado todo o tempo em que me faziam acreditar que eu seria o Rei dos Judeus. Quando terminei de falar, mais calmo, arranquei do peito um longo suspiro, e Feq'qesh disse, com voz calma e pausada:

— Cada coisa que viveste é mais uma coisa que aprendeste, Zerub. O Universo de Yahweh é uma escola onde os homens enfrentam os desafios que seu espírito lhes apresenta, simplesmente para instruir-se sobre a vida. Não há nada que aconteça neste Universo que não tenha sido gerado dentro da mente de Yahweh, com objetivos claros e definidos. Os homens, somos todos testados permanentemente, pelo que a vida nos apresenta, e apenas um deus de poder tão imenso poderia articular em uma só realidade os testemunhos de todos os homens como se fossem um só. Somos o pensamento de Yahweh, permanentemente fixo e mutável, em que nada tem apenas um lado, mas quase sempre dois, e de vez em quando até mesmo três.

O sol ia-se deitando sobre o horizonte. Jael se aproximou de nós, sentando-se ao pé do leito, e meu amigo Yeoshua, sem intimidade com esse mestre que chegara tão inesperadamente, foi lentamente aquietando seu coração, dando a cada instante mais mostras de interesse pelo que Feq'qesh dizia:

— A razão pela qual perdeste teu pai depende muito de sabermos por que passaste a precisar dele: se bem me recordo, eras independente, aventureiro, livre de quaisquer laços familiares, sem povo, sem tribo, sem língua própria. Estavas feliz, sendo assim?

Fiquei sem palavras, tentando rever dentro de mim a meu pai, minha mãe, minha família e meu povo, não conseguindo descobrir outro motivo para minha alegada independência que não fosse minha vontade de negar-lhes a importância que tinham. Num susto, perguntei:

— Feq'qesh, será essa perda que sofro exatamente quando dele mais precisava alguma espécie de vingança de Yahweh?

O riso de Feq'qesh foi franco:

— Fala-se muito de Yahweh como um deus de vingança: mas Ele é um deus de amor. Quando pela primeira vez se tentou erguer a Torre da Grande Baab'el, esta mesma que hoje existe na Esagila como templo de Marduq, os homens desejavam alcançar o céu, achando que assim chegariam a ser deuses.

— E Yahweh os castigou pela audácia! — Yeoshua falou em voz alta. — Confundiu-lhes as línguas, obnubilou-lhes as mentes, e espalhou-os pelo mundo, como castigo!

Feq'qesh olhou para Yeoshua, com curiosidade:

— Tens certeza de que foi um castigo? Os homens da Torre da Grande Baab'el, entre os quais estava o neto de Noé, viviam de maneira correta e decente: não eram como os que habitavam o mundo entre-rios antes do dilúvio, e que se tratavam pior do que animais! Os que pretendiam erguer a Torre eram homens de valor, cheios de sonhos e anseios, dando mostras, pela primeira vez na história da Criação, de que podiam ansiar por mais. Não te esqueças, Yeoshua: Yahweh Se basta a Si mesmo, e não precisa temer às Suas criaturas. Ao perceber que algumas delas já podiam querer mais do que Ele lhes havia determinado, viu que estavam prontas para uma nova etapa, e entregou-lhes de presente o mundo inteiro, para que o ocupassem e nele crescessem e se multiplicassem. — Antes que Yeoshua pudesse retrucar, Feq'qesh continuou. — Separou-lhes as línguas, sim, mas exclusivamente para que nunca mais tivessem como voltar a se reunir na pequenez da antiga vida: não foi castigo, mas sim a garantia de que já haviam crescido e não podiam mais voltar atrás.

Feq'qesh me olhou, com grande carinho:

— A morte de teu pai, Zerub, é essa separação forçada: se ele ainda estivesse vivo, estarias sob seu domínio, sem vontade nem poder. Um homem só o é verdadeiramente depois que seu pai morre: quer queiras ou não, tens que seguir em frente como um adulto, livre, caminhando por teus próprios pés, não podendo voltar ao que eras antes. Agora és um homem por inteiro, Zerub, e teu pai continua vivo dentro de ti, porque só morre definitivamente aquele de quem nos esquecemos completamente. Como na Torre antiga, essa separação radical é a tua garantia de crescimento.

— E a tortura pela qual passei, é prova de quê, Feq'qesh? De que esse poder que me dizes que eu tenho não existe verdadeiramente, e que estarei sempre à mercê dos inimigos do passado?

— Só estarás à mercê de teus inimigos se assim o acreditares: eles não são nem por sombra mais poderosos que tu, a não ser que tu lhes dês esse poder, dentro de tua própria mente. Teu verdadeiro inimigo é um só: tu mesmo. Aqueles a quem chamas de inimigos são apenas os que te apontam teus próprios defeitos, dando-te também a oportunidade de corrigi-los. Enfrentaste a tortura nas mãos de Na'zzur? E o que ele conseguiu com isso? Disseste o que ele queria saber, ou provaste ser mais forte que ele, cumprindo o compromisso assumido?

— Mas por que nem mesmo consegui denunciá-lo a Cyro, quando pude? Terei sido um covarde de alma servil, que mesmo depois de livre teme aquele que o escravizou?

— Pelo contrário! — disse Feq'qesh com veemência. — Foste mais bravo que o teu torturador! Não compreendes que venceste a batalha? E mesmo se tivesses morrido, permanecendo em silêncio até que a vida se esgotasse dentro de ti, teu algoz estaria derrotado, como está.

Um momento de pausa, e Feq'qesh continuou, com voz mais suave:

— No dia em que não fores mais teu próprio inimigo, quando o adversário que vive dentro de ti estiver destruído, não haverá mais inimigos à tua volta.

Suspirei, desacorçoado:

— Tu o dizes, eu te ouço, mas não consigo compreender-te. Meu inimigo existe, é de carne e osso, quando caio em suas garras tem poder sobre mim! E não pude aproveitar o momento em que podia denunciá-lo, vencê-lo e destruí-lo!

— Espera, então, que o tempo te dará as provas do que digo. Quando conseguires olhá-lo sem ira nem temor, ele deixará de ser teu inimigo, porque dentro de ti já não existirá mais nenhuma reação a ele. Para vencer um inimigo, é preciso primeiro que tudo vencê-lo dentro de ti mesmo, e poder olhá-lo como se olha a um amigo.

Dessa vez foi Jael quem riu:

— Irmão Feq'qesh, como posso dar minha amizade àquele que me pretende destruir?

— Exatamente assim: amando-o. A mais perfeita maneira de destruir um inimigo não é matando-o, mas tratando-o com bondade até que deixe de ser inimigo. Neste momento teu inimigo estará destruído. Um inimigo derrotado pode se erguer novamente: um inimigo transformado estará verdadeiramente vencido. Mas não falemos mais disso: o que me dizes do que Cyro te fez experimentar, nos labirintos deste palácio?

Fiquei em baldas: estávamos entrando em assunto que não podia ser livremente debatido, porque Yeoshua não era irmão da pedra como nós, e, mesmo sendo o meu mais antigo e dileto amigo, eu não poderia falar francamente como desejava sobre o que me ocorrera nos subterrâneos. Olhei para Feq'qesh, sem ação, e neste exato momento as trombetas que marcavam o último raio de sol e o acendimento da primeira estrela soaram pela Grande Baab'el. Yeoshua se ergueu de onde estava sentado, como que acordando de um sonho:

— É tarde, e eu deveria estar junto a nosso povo, para as orações do final do dia... meu amigo Zerub, entenderás que eu saia tão depressa? Precisamos estar juntos durante as orações, como fazemos todos os dias.

Levei-o até a porta, e ele me disse, em voz baixa:

— Meu amigo, meu príncipe, perdoa-me, mas não podia revelar-te o engano em que estávamos envolvidos, tu e eu. Posso contar com teu perdão?

— Yeoshua, se devemos perdoar os inimigos, por que eu não perdoaria a ti, meu amigo mais antigo?

— Sei que acreditavas ser o Rei dos Judeus, mas não tenho culpa de vosso tio ainda estar vivo: fui apenas o portador de notícias tão más.

— Ou tão boas, Yeoshua, quem sabe? Durmamos sobre o assunto, e assim que tiver decidido o que faremos, direi.

— Se assim queres, meu amigo, aceito, mas espero que saibas que sempre poderás confiar em mim.

Yeoshua estava envergonhado por ter ocultado minha verdadeira situação, e levou algum tempo até que ele fosse em paz, caminhando com passo acelerado. Retornei para os aposentos: Heman e Iditum já acendiam as lâmpadas de cobre cheias de nafta, pendurando-as à volta da sala. Feq'qesh aproveitara o momento em que eu conversava com Yeoshua para tirar o manto empoeirado e lavar o rosto vincado. Percebi que suas sandálias não mostravam o menor sinal de ter pisado os caminhos empoeirados que o haviam trazido até a Grande Baab'el, estando limpas, secas e brilhantes, como novas: cheguei a pensar como pudera aparecer tão longe de casa exatamente no momento em que seria necessário, mas logo ele me fez um sinal e eu voltei a me sentar a seu lado, junto a Jael, pronto a ouvir nosso mestre, e ele disse:

— Então, compreendeste o que se passou contigo nos labirintos?

Tentei dizer que sim, mas a não ser por uma sensação de semelhança entre o que acabara de viver e a segunda parte de minha iniciação na irmandade da pedra, não tinha nenhum entendimento sobre os perigos que enfrentara. Disse isso a Feq'qesh, que foi preciso e claro:

— Zerub, os testes pelos quais passaste são aqueles pelos quais todos os reis devem passar, com risco de sua integridade física. Para ser rei, é preciso morrer e renascer como um homem novo, depois das devidas provas de coragem, audácia, determinação. Os irmãos da pedra, antigamente, também passavam por essas provas, mas, desde que se começou a fazer uso da linguagem simbólica em nossa fraternidade, elas se transformaram em simples rituais, nos quais ninguém verdadeiramente corre qualquer risco. Só os reis precisam disso, porque seu direito de governar não se baseia apenas no que o sangue lhes dá: reis têm que ser homens especiais, e só um teste radical pode indicar quem realmente o é.

Fiquei seriamente assustado com aquilo:

— Feq'qesh, queres dizer então que eu realmente poderia ter morrido ou me ferido gravemente durante minha passagem pelos subterrâneos?

— Sem dúvida. O que te salvou foi a verdade que os testes indicaram: tu és aquele que se esperava como Príncipe da Paz, o profetizado que reerguerá o Templo de Yahweh.

— Irmão Feq'qesh, estávamos enganados — disse Jael, com ar compungido. — O próprio Yeoshua revelou a existência do antecessor de Zerub no direito ao trono, seu tio Sheshba'zzar, irmão mais velho de seu falecido pai. Enquanto esse homem existir, Zerub não é nada.

Feq'qesh o olhou como se já soubesse disto. Depois, colocou seus sorridentes olhos sobre mim, perguntando-me:

— E tu, Zerub, crês no que te dizem as profecias ou no que te revela a realidade?

Eu me embaracei: tudo em mim dizia que a realidade era mais forte que qualquer profecia, mas ao mesmo tempo havia a sensação indelével que me acompanhava, fonte da tristeza que sentira. A maneira como o conhecimento que eu renegara voltara a ser parte de mim, as letras de fogo negro que me enchiam a mente sem que eu tivesse qualquer controle sobre elas, a viagem dentro do triângulo de ouro vendo-as unir-se três a três, cada vez que perdia meu rumo, tudo isso me dava alguma certeza de ser o escolhido. Não desejava, na verdade nem mesmo o queria, mas me havia acostumado com isso, e sua ausência certamente tiraria de minha vida o objetivo que ela nunca tivera.

Feq'qesh percebeu-me o dilema, e tranqüilizou-me:

— Ainda é cedo, Zerub. Segue o caminho que te surge à frente, e as respostas te aparecerão a cada passo. Pensa se sabes verdadeiramente o que significa ser rei, e o que farás com isso quando o fores.

Em minha mente só restava Sha'hawaniah, que me rejeitara, desta vez com escárnio: mas assim que o poder real estivesse em minhas mãos, ela teria que ceder-me o que me prometera, e desta vez sob meu comando e segundo meus desejos. Ergui a cabeça, colocando minhas paixões e minhas vontades sob o controle que vinha aprendendo a exercer. Havia até certo prazer nisso, e eu quase me satisfazia em ser senhor de mim mesmo.

Foi com surpresa que vi meu mestre Feq'qesh estender a mão para sua harpa e, erguendo-se de onde estava sentado, perguntar-me:

— E tua harpa, Zerub, onde está?

Jael se moveu, mas Heman adiantou-se a ele, pegando o saco de pano grosso onde meu instrumento dormia desde que saíramos de Jerusalém, com exceção das três noites que passáramos na hospedaria em Dimashq, antes de enfrentar o Eufrates. Eu a tomei nas mãos, supondo que meu mestre queria dar-me mais uma aula, mas ele se dirigiu à porta e, abrindo-a, falou:

— Tomai vossos mantos: vamos visitar a noite da Grande Baab'el.

Eu e Jael nos entreolhamos, e meu irmão me estendeu o manto debruado de azul, que coloquei sobre a cabeça, como Feq'qesh o fizera, pondo às costas, à bandoleira, o instrumento. Saímos em fila pelo corredor fortemente guardado, com Heman e Iditum, silenciosos e constantes, fechando o grupo, e atravessamos o palácio, descendo até o rés-do-chão, onde o grande portão, à vista do novo protegido de Cyro, abriu-se. Ganhamos a rua da cidade, sob o bafo alternadamente quente e frio da brisa que soprava do rio, do vale e do deserto atrás dele. Descemos a grande avenida da Esagila rumo ao sul, e quando Feq'qesh fez menção de subir a escadaria de uma ponte conhecida, desconfiei e, interrompendo-lhe o passo, perguntei:

— Feq'qesh, aonde vamos?

Ele me olhou com o mesmo olhar em cujo fundo brilhava uma centelha de riso:

— Vamos à mais famosa das tabernas da Grande Baab'el, a Taberna do Boi Gordo.

Empaquei como um animal de carga:

— Feq'qesh, isso não faz sentido! Como posso entrar no lugar onde se reúnem todos os meus inimigos, onde certamente não serei bem-vindo? Eu me recuso!

Feq'qesh me encarou com muita ironia:

— Mas não confias em teu poder pessoal, em tua capacidade de atravessar abismos, entrar em torrentes caudalosas, atravessar paredes de fogo, Zerub? Perto do que passaste, a Taberna do Boi Gordo é uma brincadeira de criança. Ou temes tanto assim o que ali se esconde?

— Não é questão de temor, Feq'qesh, mas de cuidado! — Minhas faces deviam estar mais rubras que as de Yeoshua. — Sabemos que o que ali se esconde é o pior que pode haver nesta grande cidade, e aqueles que me detestam não perderão nenhuma chance de me fazer mal, se puderem pôr as mãos em mim!

— Mas que poder teriam eles sobre ti, Zerub? Temes realmente a essas pessoas ou temes o que dentro de ti é tão igual a elas? A cova de serpentes está dentro de ti, não na Taberna do Boi Gordo: se confiares em teu poder pessoal, nascido da partícula de Yahweh que vive dentro de todas as criaturas, passarás incólume por mais esta prova.

Feq'qesh tinha razão: o que me parecia perigoso era estar de novo em contato com a vida que eu abandonara, e pela qual, para ser honesto, ainda ansiava. Tinha sido minha realidade durante longo tempo, e, mesmo estando separado dela por pouco mais de um ano, lembrava com certa saudade da Taberna do Boi Gordo. Os velhos hábitos acordavam dentro de mim, tentando erguer suas cabeças de fascinante feiúra no caminho de volta à luz. Era isso o que eu temia: as delícias de que essa vida pregressa estava cheia ainda encontravam eco em meu coração.

Jael colocou-me a mão no braço:

— Irmão Zerub, não há o que temer, se estamos todos juntos: além de Feq'qesh, tens a mim e a teus dois guardiões para te proteger, porque este é o nosso dever. Se Feq'qesh diz que deves entrar nesse lugar, por que não fazê-lo?

— Tu não sabes o que ali se esconde, Jael! Não conheces essa taberna nem os hábitos e costumes dos que a freqüentam! Para essas pessoas, só existe respeito pela força, pela violência, pelo desregramento! Temo mais por vós que por mim, pois posso causar-vos problemas que sequer imaginais!

O rosto de Feq'qesh era um primor de ironia, olhando-me sem piscar enquanto eu tentava explicar o inexplicável: a vergonha atropelava minhas palavras de tal maneira, que eu já começava a ficar incoerente. Minha língua foi-se travando junto com minha mente. Fiquei calado, ao pé da escadaria que nos levaria ao lugar que eu temia enfrentar mas de que não podia escapar. Percebendo isso, Feq'qesh voltou-se para os degraus e disse apenas:

— Vamos?

Nós o seguimos escadaria acima, pela ponte estreita, descendo outra escada em caracol e chegando ao beco onde logo em frente estava a porta da Taberna do Boi Gordo, de onde saíam luz, música, altos brados e a mais forte sensação de degradação que eu conhecia. Perguntei-me como pudera passar a maior parte de meu tempo entre aquelas pessoas, e como fizera para sobreviver em lugar tão corrompido. Quando cruzei o umbral, descobri a resposta: eu ali vivera porque gostava do que experimentava, e uma nostalgia imensa do tempo em que eu lá vivera me tomou a alma, quase me sufocando. Entramos sem que ninguém nos desse muita atenção: a visão de Bel'Cherub sentada em seu trono, cercada pela escória da Grande Baab'el, foi um mergulho no passado, pois o momento era tão fielmente idêntico aos que eu já conhecia, que cheguei a pensar se não tinha voltado no tempo para reviver noites que já vivera. Sentamo-nos a um canto do salão, em sujas almofadas de couro cru: não tirei meu manto de sobre a cabeça, abraçando-me à harpa como se ela fosse o escudo contra o que me cercava, ocultando-me para que ninguém me visse.

O que eu temia era ser reconhecido, e que alguém revelasse aos que me cercavam a pessoa que eu tinha sido: ladrão, bêbado, viciado em *tamba'kha*, observador do sexo cruel e violento que era a especialidade desse lugar. Essa idéia me enchia de vergonha, pois eu não tinha nenhum prazer na possibilidade de ver meu passado revelado aos que me respeitavam. Minha alma se retorcia, alojada na boca do estômago, e quando uma das mulheres que serviam as mesas se aproximou de nós, trazendo três jarras de metal, senti o perfume de pão fermentado da *bou'zza*, o cheiro de benjoim do *dzintu'hum* e o forte olor de meimendro do *kikireni'hum*, e minha boca se encheu de água, pois o corpo ainda se recordava de tudo o que a alma pretendia esquecer. Feq'qesh pediu *bou'zza*, jogando sobre a mesa algumas moedas que a mulher recolheu com enorme rapidez, sem sequer olhar-nos as faces, deixando os encardidos púcaros de barro vidrado cheios até a borda. Apenas Jael provou dela, fazendo um esgar e piscando os olhos, e eu me recordei das quantidades inacreditáveis que eu e meus amigos tomávamos a cada noite em que nesse lugar estivéramos.

A lembrança dos amigos encheu-me o coração, a face de Daruj com seu ar de eterna vitória, a de Mitridates com seu braço parecendo a asa de um filhote de passarinho, e até mesmo as de Re'hum e seu eterno escudeiro Sam'sai, com sua cara de roedor submisso, exatamente como éramos pouco mais de um ano atrás, sobrepujaram em minha mente o desagrado de estar nesse lugar que não queria visitar nem mesmo em sonhos. Em meio a esse devaneio, percebi, no grande divã de Bel'Cherub, o mesmo onde uma vez nos sentáramos, três figuras do passado, como se tivessem se materializado tão logo eu pensara neles: Na'zzur, com seu uniforme enodoado e sua cara de perversidade infinita, ladeado por um Re'hum de barbas hirsutas frisadas à moda assíria, usando um manto como o meu, e Sam'sai, enfeitado e pintado à moda dos grandes senhores da Babilônia, olhando para todos os lados, certificando-se de que ninguém ouvia o que sussurravam, planejando mais um de seus trabalhos cheios de prazer, enganos, mentiras, roubos, ferimentos, morte. Ocultei-me ainda mais dentro de meu manto e por trás de minha lira, temendo ser visto, reconhecido e revelado: quando seu olhar passou por mim, o calafrio que me percorreu foi o maior que já sentira.

Bel'Cherub, ainda mais imensa do que quando eu freqüentava seu antro, a face cianosa e lívida perlada de suor, dormitava, em flagrante contraste com a alaúza que a cercava. Sua mão frouxa, na qual os anéis se perdiam em um mar de gordura, mantinha em equilíbrio precário uma taça de metal cravejada, que caiu sobre uma bandeja de cobre e com o ruído a acordou. Ela, num primeiro momento, pareceu não saber onde estava, e seu olhar se encheu de medo: mas logo que reconheceu o ambiente de sempre, sentiu-se segura: quais seriam os temores que habitavam seu corpo gigantesco, raramente afastado de seu território de poder? Ela olhou para todos os lados e gritou:

— Música! Não temos música?

Nesse exato momento, Feq'qesh se ergueu de onde estava, sobraçando sua harpa, que já começava a sair de dentro do saco de pano carmesim, tirando dela uma rápida sucessão de notas aparentemente impossível de ser realizada com apenas uma das mãos, gerando um forte murmúrio de aprovação por parte da audiência. Meu mestre, percebendo a boa vontade dos que ali estavam, voltou-se para mim, estendendo-me a mão e dizendo:

— Vamos, Zerub: chegou o momento em que poderás mostrar em público tudo aquilo que te ensinei.

Fiquei paralisado: como se não bastasse estarmos em meio aos inimigos, meu mestre ainda me colocava em posição de destaque, para que todos me pudessem ver. Não consegui sequer erguer-me, e o aplauso soava como se viesse de muito longe. Feq'qesh, adiantou-se e me tocou o ombro, com a maior naturalidade, fazendo explodir dentro de minha cabeça o universo de luz intensa no qual as letras de fogo negro bruxuleavam, adejando em espiral na minha direção: do meio delas se destacaram novamente *heh*, *zain* e *quf*, e enquanto eu ouvia a voz de meu pai dizendo-me que fosse forte, elas se transformaram em *peh*, *heh* e *lamed*, cobrindo-me com sua luz negra: quando dei acordo de mim, já estava ao lado de Bel'Cherub, ali onde pela primeira vez vira Feq'qesh, com seus asquerosos trajes de mendigo cego, encantando a todos com a beleza de seus cânticos.

Eu e meu mestre sentamos um à frente do outro, e quando ele passou os dedos pelas cordas de sua lira, minha mão direita se recordou do que ele me ensinara e repetiu esse movimento seu, que ele reiterou mais rapidamente e eu imitei, até que subitamente estávamos os dois gerando um ritmo quase que marcial com nossas liras. De súbito, Feq'qesh se pôs a cantar, com voz tonitruante e grande cinismo na interpretação, a ponto de fazer com que a platéia gargalhasse a cada frase, entreolhando-se e reconhecendo-se mutuamente como aquele a quem o cântico se referia:

— "Por que te vanglorias do mal, ó, herói de infâmia, e ficas o dia todo planejando ciladas? Tua língua, essa autora de fraudes, é como a navalha afiada. Preferes o mal ao bem? Preferes a mentira à franqueza? Gostas de palavras corrosivas? Fala, ó, língua fraudulenta!"

Enquanto meu mestre criava o ritmo saltitante dessa música, perfurando os espaços entre suas palavras, percebi que podia colocar por sobre as frases de sua lira uma outra. Timidamente a princípio, e logo vendo que não só essa frase como muitas outras que me vinham à mente se encaixavam perfeitamente no que ele tocava e cantava, fui empilhando-as uma sobre a outra, quase como comentário ao que ele cantava:

— "É por isso que Deus te demolirá, e te destruirá até o fim! Ele irá te arrancar de tua tenda, e te extirpará da terra dos vivos!"

As alucinadas criaturas que estavam na taberna, a um sinal de Feq'qesh, repetiram quatro vezes as frases, como um refrão, batendo palmas e se divertindo muito. À nossa frente, sobre um divã de grandes proporções, que eu me lembrava de ser ocupado apenas pelos mais ricos fregueses de Bel'Cherub, estava um velho muito enfeitado, completamente bêbado, cercado por raparigas de todas as idades e feitios, e que se pôs a jogar anéis de ouro em nossa direção, enquanto apalpava lascivamente as coxas e seios das que lhe estavam mais próximas. Sua boca amolecida e sem nem um dente se abria toda babujada, num sorriso idiota. Pensei com desagrado que, se tivesse continuado a freqüentar a taberna, talvez tivesse o mesmo fim que ele. Feq'qesh, depois de tocar o ritmo alucinante da canção só por alguns instantes, atraindo a atenção da platéia, continuou:

— "Os justos verão e temerão, e como rirão à custa dele, dizendo 'Eis o homem que não colocou a Deus como sua fortaleza, fortificando-se apenas com ciladas e confiando apenas em sua grande riqueza!' Os justos verão e temerão, e como rirão à custa dele!"

Toda a platéia da taberna se voltou para o velho, apontando e rindo, como se finalmente tivesse descoberto a quem Feq'qesh se referia com seu canto: o velho, centro das atenções, ergueu-se cambaleantemente de seu leito e, com inúmeras curvaturas, agradeceu às homenagens que acreditava estar recebendo, atirando anéis de todos os tamanhos e feitios em todas as direções possíveis. A platéia ensandeceu, atirando-se aos anéis, brigando por eles, disputando até mesmo o menor deles, enquanto Feq'qesh ampliava as subdivisões de suas frases rítmicas, atraindo um tocador de adufe e um de sistro, que estavam ao canto do salão e que se incorporaram ao que tocávamos. Quando a disputa por anéis cessou, e a platéia novamente voltou sua atenção para nós, Feq'qesh já era outro: foi diminuindo o volume de seu toque, fazendo-me um sinal para que me mantivesse tocando a frase principal, sem interrupções, levando os tocadores de percussão a também diminuir seu volume e chamando a atenção da platéia para os sons poéticos com que agora envolvia o que antes fora um paroxismo de emoções, e que se transformava em momento de rara beleza:

— "Quanto a mim, igual à verdejante oliveira, plantada na casa de Deus, confio em Teu amor, para sempre, e eternamente! A Ti celebro para sempre, porque agiste em meu favor, e diante de todos celebro Teu nome, porque Teu nome é bom!"

A platéia estava entorpecida pela voz de Feq'qesh, a melodia que ele cantava se tornando gradativamente mais e mais grave, dando todos os sinais de que terminaria com um sussurro: mas, subitamente, Feq'qesh atingiu com violência as cordas da lira, e os percussionistas e eu, entendendo o que ele desejava, novamente aumentamos nossa energia, enquanto Feq'qesh, imediatamente acompanhado por toda a platéia, repetia à exaustão o refrão que tanto a agradara:

— "É por isso que Deus te demolirá, e te destruirá até o fim! Ele irá te arrancar de tua tenda, e te extirpará da terra dos vivos!"

Cada um dos que ali estava, por seus motivos e suas razões, cantava esse refrão como a verdade absoluta. Era impressionante ver o quanto cada homem que existe sempre tem em si a certeza de estar falando do Verdadeiro Deus, não importa em que deus esteja pensando nesse momento. Meus olhos se desviaram do velho babujento para Na'zzur, Re'hum e Sam'sai, hirtos e frios, olhando fixamente em minha direção. Sustentei-lhes o olhar, sem deixar de ferir minha harpa: e um bom tempo se passou, até que eles desviaram seus olhos dos meus, baixando-os, como que envergonhados por me terem reconhecido. Eu sentia, dentro de mim, que os vencera, pelo menos nessa pequena batalha: tinha sido descoberto, mas não havia sido revelado, porque isso não interessava a ninguém. Talvez a Bel'Cherub, que me olhava com ar de escárnio em sua face subitamente afogueada, e pôs seus olhos alternadamente em mim e no velho que ali estava, degradado em meio ao que quer que tivesse consumido. Depois, com um estranho ar de compreensão, recostou-se em seu divã, fechando os olhos, como que me alijando de seu campo de visão.

Algum tempo depois, sem que ninguém nos percebesse ou desse atenção, como eu acreditava, saimos da taberna. Eu me sentia como que premiado por Deus: havia enfrentado meus inimigos cara a cara, e eles haviam se curvado perante meu olhar. Só a atitude de Bel'Cherub me causava espécie: por que teria ela agido dessa maneira? Quando nos preparávamos para subir os degraus da primeira escada, eu, muito cansado, entreguei minha lira a Jael, que a passou para Heman e Iditum, já no alto dos degraus. Eu e Feq'qesh havíamos ficado para trás, e quando eu pus o pé no primeiro degrau ele me segurou pela manga e disse:

— Sabes quem é o velho que jogava anéis de maneira tão perdulária? É o irmão de teu pai, teu tio Sheshba'zzar...

E ante minha cara de completo espanto, Feq'qesh sorriu com enorme sabedoria, como se pudesse ler tudo o que se me passava dentro da cabeça:

— Aquele é o verdadeiro Rei dos Judeus.

Capítulo 23

Estanquei, um pé no primeiro degrau, enquanto a lua flutuava no céu estrelado, formando sombras no chão de lama endurecida. Então aquele decadente velho de maus hábitos era quem tinha direito ao trono de Rei dos Judeus? Era aquele o irmão mais velho de meu pai, a quem as honras que me tinham sido oferecidas deviam ser prestadas? Se eu tivesse continuado na Grande Baab'el, terminaria como ele: o que com meu tio se passara certamente se daria comigo, porque a Grande Baab'el a ninguém perdoava. Era uma prostituta exigente, a Grande Baab'el, ansiando por tudo que tivéssemos, e quando isso acabasse, por tudo o que pudéssemos tomar dos outros, e quando já nem isso houvesse, por nossa carne e sangue e vida, sugando-nos para perpetuar-se como senhora do Universo. Foi aí que entendi não haver ali felicidade possível: os laços que me ligavam a essa cidade eram de matéria imponderável, enchendo-me da nostalgia do que ainda não conhecia, e que seria meu verdadeiro lar, quando o encontrasse.

Feq'qesh mantinha o sorriso misterioso, olhando-me como se se condoesse: mas antes que eu pudesse expressar meu estranhamento, o ruído de passos rápidos se aproximou de nós, na escuridão do beco, e um de meus dois guardiões, não sei se Heman ou Iditum, pressentindo o perigo, saltou do alto da escada para o chão, colocando-se à minha frente, o porrete em riste. Recuei, encostando as espáduas na escada, apertando os olhos para ver quem de nós se aproximava. Como eu previa, mais do que temia, eram Re'hum e Sam'sai, andando em nossa direção com as mãos ocultas sob os mantos. Pouco mais de um ano antes dessa noite, estivéramos exatamente nesse lugar, a uma pedrada da

Taberna do Boi Gordo, agredindo-nos de tal forma, que Daruj levaria para sempre as marcas do embate traiçoeiro enquanto estivesse vivo, se vivo estivesse. Gritei a meus companheiros:

— Cuidado com as mãos deles!

Re'hum, rindo de maneira muito cínica, ergueu os braços para o alto, com as mãos espalmadas, exibindo-as nuas, dando uma cotovelada em Sam'sai, que, por baixo de sua pintura muito carregada, repetiu o gesto, com um esgar, dizendo:

— Nada temas, protegido de Cyro: não somos ladrões nem assassinos... não te recordas de nós, amigo?

O ódio ferveu em mim, e a imagem do caco de vidro ferindo o antebraço de Daruj me veio à lembrança. O cheiro de sangue que eu senti podia ser uma memória desse momento, ou então meu próprio sangue ocupando o lugar de minha razão, esmagada pelo ódio que me embebia:

— Pequeno chacal, o terreno onde pisas bebeu o sangue daquele a quem chamaste de amigo antes de rasgar-lhe o braço, desejando rasgar-lhe a garganta. Como pensas que eu poderia me esquecer de ti? Continuas sendo o porta-voz de teu senhor Re'hum?

Nas sombras atrás deles, pressenti um movimento, ficando certo de que Na'zzur, a mando de Bel'Cherub, havia enviado seus dois prebostes para arrostar-me. Meus dois guardiões, ambos a meu lado, já se haviam adiantado, e um deles olhou com curiosidade para as sombras, apertando os olhos, pronto para atacar quem quer que lá estivesse. Eu o impedi com um movimento da mão, enquanto me dirigia a Re'hum:

— E então, Re'hum, folgo em ver-te com saúde e tão elegante: esse manto te cai muito bem. Onde o roubaste?

Re'hum teve um movimento impulsivo de raiva, que logo arrefeceu, transformando-se num sorriso que era a negação do que seus olhos mostravam:

— Não sou ladrão, Zerub: sou um cidadão importante da Grande Baab'el, um dos trezentos *wasib'kussim* que formam o conselho do Império, e estava na sala do trono quando te declaraste rei de Israel e Judah. Parabéns pelo teu sucesso!

— Quando Cyro te deu aposentos no melhor lugar do palácio, entendemos que estás sob sua proteção imperial. — Sam'sai ainda sibilava, como uma cobra. — É nosso dever dar-te, portanto, as boas-vindas e estender-te a proteção de toda a nossa grande cidade.

— E te pedir que perdoes o excesso de zelo de quem, a serviço da segurança do Império, possa porventura ter-te magoado...

A voz de Re'hum, ao dizer isso era dura e ao mesmo tempo carregada de uma emoção que eu finalmente desvendei: Na'zzur queria garantir seu bem-estar e poder, certificando-se de que eu não faria queixas a Cyro, prejudicando-o. O ódio dentro de mim borbulhava, subindo pela garganta acima, fervendo em minha língua, pronto a explodir em minha boca como um sopro destruidor, quando a mão de Feq'qesh em meu ombro me fez ver as letras *resh*, *heh* e *ain*, que passaram sobre mim como um raio muito forte de luz branca, esvaziando meu íntimo da emoção violenta que estava sentindo, deixando queimadas em minhas retinas as letras, *shin*, *lamed*, *vau* e *mem*, formando *Shalom*, a Paz absoluta. Estes inimigos sem valor nada podiam contra mim, e como ninguém percebera meu mergulho para dentro de mim mesmo, retruquei, amigavelmente:

— Re'hum, cada um de nós tem um papel a cumprir no grande ritual do Universo... prefiro guardar em minha algibeira o nome dos que me desagradam, para usá-lo se e quando o momento chegar. Mantido o respeito mútuo de agora em diante, isso nunca será necessário. Mais alguma coisa?

Feq'qesh riu com alegria, e eu compreendi por quê: minha segurança frente a essa dificuldade era uma vitória inegável. Eu tinha o poder de manter a cabeça funcionando quando tudo em volta me impunha uma reação brutal e contrária, e esse poder de que as letras me vinham dotando estava dentro de mim. Com ou sem o toque físico de Feq'qesh, o poder desses grupos de letras estaria sempre à minha disposição, bastando que eu me permitisse enxergá-los, recebendo deles a energia incomensurável de que me dotavam. A paz que me envolvia não era um desejo de futuro, mas sim uma ferramenta a ser usada diariamente, que poderia se espalhar e converter os impulsos. Meus dois velhos inimigos, e mais o que se ocultava nas sombras, estavam desarmados: eu era senhor da situação, só lhes restando vivê-la de acordo com meu desejo.

Re'hum fechou a cara, mas Sam'sai se aproximou dele, cochichando em seu ouvido, como era seu desagradável costume: e então, com uma risada gutural, deu um passo atrás, curvando-se com excessiva bonomia:

— Pois, boa noite, protegido de Cyro, meu velho amigo Zerub! A Grande Baab'el te saúda e recebe com alegria!

Ao que Sam'sai adicionou, com todo o duplo sentido de que era capaz:

— Ainda nos veremos muitas e muitas vezes, grande Rei Zerub!

Andando de costas, os dois foram mergulhando nas sombras das muralhas que nos cercavam, e eu os saudei com alacridade genuína e sarcástica:

— Boa noite, Re'hum, Sam'sai... boa noite, Na'zzur!

Não houve nenhuma resposta: os dois desapareceram em silêncio na escuridão, sem responder minha saudação. Virei-me para subir a escada, consciente de minha vitória. Não sei, no entanto, se foi o vento que redemoinhava, mas alguma coisa saída das sombras soprou em meus ouvidos, como se estivesse sendo dita pela boca asquerosa de Bel'Cherub:

— Minha senhora Ishtar te manda lembranças...

Hesitei por um instante, sem compreender o que estava acontecendo, e me mantive em silêncio durante todo o caminho até o Grande Palácio, onde meus aposentos me aguardavam para mais uma noite de sono, interrompido pela lembrança do que experimentara e o temor do que ainda me aguardava. Tomei a decisão de não pensar mais em Sha'hawaniah, até que ela estivesse pronta para ser minha sem nenhuma reserva: viveria minha vida desse dia em diante como se ela nunca tivesse existido. Minha mente racional se achava perfeitamente capaz disso: mas meu corpo jovem ainda a desejava mais do que tudo, e só depois que manipulei meu pênis até me esvair em um gozo nervoso e entrecortado, é que conciliei o sono, recordando apenas de ter mergulhado em um profundo abismo, do qual foi muito difícil sair na manhã seguinte.

Assim que o dia nasceu, e os sons dos sacerdotes fazendo as libações no Templo de Marduq encheram o ar que o vento do deserto esquentava e esfriava, dirigi-me aos aposentos de Cyro, buscando a coragem que não tinha para dizer-lhe que havia mentido, involuntariamente, e que não era o Rei dos Judeus. Não sabia como o grande senhor do mundo encararia esse inesperado: pensando bem, nem eu mesmo conseguia encará-lo sem me sentir em um beco sem saída, ainda que não tivesse sido o responsável pela fantasiosa invenção. Cyro, apanhado de surpresa, respirou profundamente, exalando o ar por três vezes, cada uma delas mais lenta que a anterior, até estar novamente em pleno controle de suas emoções e pensamentos. Mirou-me fixamente e disse:

— Meu irmão, todos temos uma tarefa a cumprir, coisas a realizar, influências a exercer, e essas são sempre inegavelmente nossas, porque nenhuma consciência as pode ensinar. Os costumes e hábitos do tempo e lugares em que vivemos não são fortes o suficiente para modificá-las, se estiverem enraizadas em uma decisão firme do dever a cumprir. É esse o teu caso?

Eu ia dizer sim, sem pensar, mas alguma coisa me fez hesitar, e Cyro franziu o cenho, fixando seu olhar; perturbado, falei, com a maior sinceridade de que fui capaz:

— Meu senhor Cyro, a cada dia que passa me reconheço menos preparado para essa tarefa; cada vez que encontro certezas suficientes para continuar, alguma coisa me derruba, demolindo tudo que construí, fazendo-me recomeçar do início, como se tudo ainda estivesse por fazer. Cada vez que isso se dá, percebo ser apenas um joguete na mão do destino, e envelheço dez anos, ficando cada vez mais cansado, porque a tarefa nunca termina...

— Irmão Zorobabel, nenhuma tarefa termina, nem mesmo com a morte do responsável. — Cyro recostou-se, o ar tão cansado quanto o meu. — A responsabilidade sempre anda de mãos dadas com a capacidade e o poder, e esses têm que ser equivalentes a ela, mesmo contra nossos desejos. Todos os que me antecederam nas tentativas de domínio do mundo tinham razões para fazer o que fizeram, mas a grande maioria não era responsável nem por si próprio, quanto mais pelas pessoas e lugares que pretendiam dominar. Por isso, a história do mundo se repete: atrás de um poderoso sempre vem outro, ansioso pelo mesmo poder, só enxergando aquilo que existe de mais aparente, não percebendo o que se oculta por detrás.

— Mas eu não quero nenhum poder, meu senhor!

— Não te enganes, o poder é tudo o que todos querem: o que tu não desejas é a responsabilidade que vem com ele! Pensa, Zorobabel: existe coisa melhor que ser senhor do destino de tudo, sem precisar consultar ninguém a não ser a si mesmo sobre o que fazer, exercendo a vontade sem peias de nenhuma espécie? Não é isso a coisa mais próxima da divindade que existe?

Cyro levantou-se do banco, erguendo a barra da longa camisa que estava vestindo, pisando com seus pés calejados o grosso tapete que cobria o chão, andando de um lado para outro, enquanto falava:

— Quando existe consciência, o poderoso vê que nenhum poder é maior que aquele que tem sobre si mesmo: mas enquanto não se torna senhor de si mesmo, dominando todas as suas paixões e se tornando mestre de todas as suas vontades, não tem poder verdadeiro sobre nada nem ninguém.

Essa comparação tão racional entre poder e responsabilidade soava completamente nova a meus ouvidos, e muitos anos se passariam até que eu pudesse compreendê-la e vivê-la. Cyro, desde a primeira vez em que conversamos, extasiou-me com suas idéias completamente diversas das que existiam nessa época de desejos incontroláveis, tão mais perigosos quanto mais animalescamente gerados. Foi assim nesse dia: Cyro retornou para perto de mim, tomando minhas duas mãos nas suas, calejadas e marcadas por toda uma vida de batalhas:

— Todos os seres, meu irmão, somos filhos de uma mesma verdade. Toda a Criação tem a mesma origem, não importa que deus responsabilizemos por ela: quando o destino dá sofrimentos a um de nós, não existe paz em nenhum dos outros. Um homem que observa sem se perturbar a dor de um semelhante não merece o título de homem, porque cada ferimento e dor e sofrimento e morte de qualquer das criaturas do mundo empobrece a todas.

Cyro fechou os olhos, esfregando a testa como querendo apagar as rugas que a recobriam:

— Foi de tanto ver poderosos que decidi ser senhor do mundo, fazendo minha parte na construção do respeito entre todos os seres. Meu próprio avô foi um desses: quando visitou um oráculo que lhe disse que seu neto o derrubaria do trono, mandou matar-me, para que seu poder nunca fosse ameaçado. Não funcionou: o súdito de meu avô não teve coragem de cumprir a ordem dada, deixando-me longe de onde eu nascera, aos cuidados de um casal de pastores. Quando cresci, sabendo da história, fui até meu avô, que me enfrentou com ira demoníaca, não me deixando outra alternativa senão matá-lo.

Eu senti o tremor da alma de Cyro, porque para ele a vida tinha valor incalculável. Ele esfregou mais uma vez a mão sobre a testa, tentando apagar não as rugas, mas as lembranças doloridas:

— Foi a primeira vez que matei um homem, e jurei não mais fazê-lo ou permitir que alguém o fizesse, a não ser em último caso, quando já não restasse nenhuma outra alternativa.

Uma lágrima escorreu de seu olho esquerdo, e ele a esfregou para fora da face, com brusquidão. Eu estava mudo, recebendo a lição de poder que me seria útil, ainda que contra a vontade dos que me cercavam. Cyro continuou, o maxilar projetado para a frente, em extremo controle de si mesmo:

— Quando meus soldados entraram pacificamente na Grande Baab'el, não permiti que nenhum deles aterrorizasse o povo. Preocupo-me o tempo todo com seus pontos de vista, suas crenças, seus santuários, pois é neles que reside seu bem-estar, e portanto o bem-estar de todo o Império. A consciência é o maior bem que um homem pode almejar, e meu dever é aumentar essa consciência até seu ponto máximo, para que todos sejam livres e alcancem a felicidade em vida. Cada poderoso que me antecedeu diminuiu a felicidade possível: pretendo ser o oposto deles, dando a todos os que estão sob meu comando a oportunidade de ser quem desejem ser, da maneira que pretendam ser, sem que eu lhes imponha nada, a não ser a consciência!

Os olhos de Cyro se abriram, e neles pude ver meu próprio reflexo, como se lá dentro morasse aquele que eu deveria ser. Apertei-lhe as mãos, sufocado de espanto e alegria: aprendera mais nessa curta conversa do que em todo o ano que a antecedera, durante meu treinamento para ser rei. Quando o momento de emoção passou, Cyro voltou a ser o brilhante estrategista de sempre:

— Com que então, existe um antecessor com direito ao trono de Israel, teu tio Sheshba'zzar? E ele sabe disso?

— Irmão Cyro, ele não sabe nem mesmo de sua própria existência: vive bêbado em meio à ralé da Grande Baab'el, buscando o prazer que mais se esgota quanto mais se aproxima dele. O trono não é nem mesmo a última de suas preocupações: eu fui designado para cumprir sua tarefa, e quando a aceito, percebo que nada vale.

— Não é verdade, Zorobabel. — Cyro sorriu, mansamente. — Quem tem uma vontade forte molda o mundo à sua própria imagem, e mais ainda quando molda a si mesmo antes de moldar os outros. É a vontade o que torna uma ação boa ou má, ao agir sobre as idéias e os desejos. Quando age sobre as idéias se torna plano, projeto, caráter, obstinação: quando age sobre os desejos, é apenas paixão. Idéias fixas sempre podem ser positivas, dependendo de como se estabelecem: mas desejos fixos sempre levam à frustração, à loucura, ou a ambas.

A imagem de Sha'hawaniah passou por minha mente: ela era o meu desejo fixo, e eu temia pela loucura a que a frustração sucessiva e constante de minha vontade me estaria levando. Cyro, no entanto, era homem extremamente prático, sem o costume de chafurdar no pântano das indecisões mais que o estritamente necessário:

— O poder de um rei de Israel, nesse momento, é bem pouco: e tu, meu irmão, precisas de todo o poder possível para executar tua missão, que se tornou também a minha, já que surgiu como resposta a um anseio de liberdade que eu não podia satisfazer. Cada homem deve perseguir sua própria crença no deus que melhor lhe aprouver. Eu acabo por crer em todos, porque todos os deuses são apenas aspectos mais ou menos claros do Único Deus, e portanto o templo do teu deus é o templo do meu.

Indo até a porta, Cyro abriu-a e gritou para fora:

— Escriba!

Deixando a porta aberta, Cyro me olhou fixamente, colocando suas ásperas mãos sobre meus ombros:

— Devo viver e agir de acordo comigo, e todos os meus decretos têm que refletir essa verdade. Já determinei a construção de estradas que unam todo o Império, para que os alimentos produzidos possam chegar a todos os lugares: ninguém deve passar fome. A idéia que alguns gregos tiveram de usar moedas como símbolos da riqueza também me pareceu boa, e eu as estou decretando obrigatórias em todos os lugares que governo, mandando cunhar pequenos círculos de ouro, prata e cobre com minha efígie, para que minha riqueza possa chegar até mesmo onde eu não for capaz de ir. Como vês, sou obrigado a fazer o bem, quando mais não seja para equilibrar o mal que porventura tenha causado ou possa vir a causar!

Eu estava sem fala: num mundo em que o poder servia exclusivamente para a satisfação de seu possuidor, um homem como Cyro era um inesperado espantoso. A responsabilidade podia ser exercida de várias maneiras, só dependendo da escolha consciente, e eu queria ser como Cyro, por ser essa a única maneira pela qual um rei se torna digno do título. Se não nos ligasse o fato de sermos irmãos numa mesma fraternidade, estaríamos unidos pela vontade de tratar a todos como iguais, colocando todo nosso poder a serviço dessa idéia.

O escriba entrou pelos aposentos de Cyro, com certa pressa, e Cyro, sentando-se em seu escabelo de batalha, disse-lhe:

— Marca aí em teus tabletes, e que logo após terminado seja gravado em pedra muito dura, para que as palavras nunca se percam: assim fala Cyro, Rei da Pérsia, Imperador do Mundo, dominador de Hircana, Partia, Drangiana, Aracósia, Margiana e Báctria, vencedor de Babilônia e Egito, provedor da paz dos Aquemênidas para todo o mundo sobre o qual reina. Yahweh, o Deus do Céu, entregou-me todos os reinos da terra, e em troca disso encarregou-me de construir-lhe um templo em Jerusalém, na terra de Judah. Todo aquele dentre meus súditos que pertença ao povo de Yahweh, que o Deus do Céu esteja com ele, e que suba a Jerusalém, na terra de Judah, para que lá se construa o Templo de Yahweh, o Deus de Israel, que mora em Jerusalém.

Cyro olhou-me com um ar divertido:

— Aonde quer que eu tenha ido e vencido, mandei traçar este mesmo documento: não há quem eu tenha subjugado que não esteja ocupado erguendo templos a seu deus particular, sob minhas bênçãos e à minha custa... Já o ditei tantas vezes, que meu escriba deve sabê-lo de cor, também: dize, escriba, quantos documentos desses eu já expedi?

— Dezoito, Grande Cyro. — O escriba parecia mais entediado que interessado. — E junto a eles seguem as cartas determinando que todas as despesas sejam debitadas a vosso tesouro.

— E neste caso também, assim que eu e o Príncipe Zerub estabelecermos as necessidades da obra: mas isso fica para depois. Prepara outro documento.

ZOROBABEL

O escriba lançou mão de outro tablete, e Cyro começou a ditar, com voz fria e calculada:

— Por ordem de Yahweh, Deus dos Judeus, reconhecendo-O como o deus que me deu todos os reinos da terra e me encarregou de edificar-lhe um templo, estabeleço meu representante Zerub ben-Salatiel-ha-David, príncipe da Paz e de Jerusalém. Tendo testado sua fidelidade, reconheço-o como irmão na Verdadeira Luz dos Mestres, nomeando-o *tarshatta* de toda a Judéia, para que governe em meu nome e com minha autoridade a satrapia de Jerusalém, e que reerga o Templo de Yahweh com a colaboração de todo o povo da região. Dou-lhe a espada, o anel e a faixa de *tarshatta*, decretando que em sua pessoa eu mesmo seja reconhecido como se ali estivesse, e que se obedeça às suas ordens como se eu mesmo as estivesse dando.

Cyro me dava um poder muito maior do que qualquer sangue real me garantia. Com esse documento, fazia de mim seu representante em Jerusalém, tornando-me essencial à construção do Templo de Yahweh, exatamente como a Irmandade da Pedra havia determinado. Minha alma pequena e sem valor enxergava o Universo de que aquele irmão me dotava, e Cyro, reconhecendo esse momento em minha alma enfraquecida, foi generoso o bastante para não fixar o olhar em mim, permitindo que eu me regozijasse sem ser observado.

O escriba, bufando, terminou de marcar os sinais desse segundo decreto e olhou para Cyro, como que aguardando suas ordens: e então Cyro, inexplicavelmente, lhe disse:

— Preciso que vás imediatamente buscar meu *al'musharif*, para que eu lhe dê as ordens necessárias. Traze-o aqui sem demora.

Não fui o único a estranhar essa ordem: afinal, havia mensageiros para levar ordens e trazer pessoas à presença de Cyro, e no Império cada homem executava sua função, sem exorbitar dela nem se imiscuir nas tarefas alheias. O escriba também franziu a testa, enquanto recolhia seu material, mas Cyro lhe disse:

— Deixa tudo sobre a mesa: quando retornares, hei de precisar de ti para traçar outros documentos. Vai, e traze imediatamente o almoxarife de meus tesouros.

O escriba saiu da sala, curvando-se, e Cyro trancou a porta com o ferrolho, coisa que estranhei muito: mais estranho ainda foi quando Cyro, sentando-se à mesa, começou a marcar uma placa de argila com suas próprias mãos, como nenhum rei se dispunha a fazer. Cyro escrevia com certa dificuldade, pois suas mãos deformadas pelas batalhas não estavam afeitas à escrita, que requer traquejo e talento. Estava profundamente concentrado, com pequenos filetes de suor escorrendo por sua fonte, enquanto, diligentemente, marcava com atenção a superfície da placa, a língua entre os dentes, procurando não errar. O silêncio da sala só era quebrado pelo ruído das pancadas que forçavam o pequeno cinzel na superfície de argila, marcando-a com os pequenos sinais em forma de cunha que eram a língua babilônia, que eu não sabia ser do conhecimento do grande Cyro.

Ao terminar, Cyro depôs o malhete e o cinzel, passou a mão sobre a fonte molhada, bufando, olhando-me com um sorriso cansado:

— Não sei o que exige mais de um homem, se as artes da guerra ou a batalha com as palavras. O que está traçado nesta placa não deve ser do conhecimento de ninguém, a não ser nós dois e os Irmãos da Pedra, em Jerusalém, a quem darás conhecimento do que nela está escrito.

Cyro pegou da placa e leu com voz grave:

— Assim fala Cyro: A meus Irmãos na Pedra, residentes em Jerusalém, onde labutam para reerguer o Templo de Yahweh, destroçado pelos que me antecederam no domínio do mundo: este documento serve como reconhecimento de que, mais que como casa do deus de um povo, esse templo deve reerguer-se como prova da tolerância entre os homens. Os Irmãos da Pedra temos a grandeza da Sabedoria, que gera a Justiça absoluta, e, sendo dessa Fraternidade, somos os únicos que ainda conservamos as tradições da Razão, tão difíceis de defender ante a violência da multidão e os ataques dos que exploram a ignorância alheia. Recordai-vos sempre que, entre os habitantes de vossa cidade, não sois apenas vós que conheceis o Deus Único, diferente de outros deuses que são cheios de cólera, ciúme, injustiça e crueldade. No lugar de onde venho, os sábios também estudam Deus como a Causa Primeira e Única de Todas as Coisas, por isso vos digo que nem todos os Iniciados na Verdadeira Luz residem em Jerusalém. Muitos existem onde se exerce a liberdade de pensamento, e a sabedoria desses homens, igualando-se à dos Irmãos da Pedra, é superior à dos habitantes de vossa cidade. O Deus que reconhecemos é o Pai Comum de Todas as Nações, o Fogo Eterno que anima a todos os homens. Reedificai o templo, não para ser a casa do Deus de apenas um povo, mas sim o Templo da Liberdade para todas as crenças, e principalmente Morada da Tolerância Absoluta, único alicerce da verdadeira Fraternidade...

Cyro pousou o tablete de argila e me mirou, nossos olhos igualmente enevoados pelas lágrimas, os meus pelo fascínio de encontrar naquele conquistador de povos a alma de um Irmão compassivo e justo. Abraçamo-nos e beijamo-nos, como era o hábito em nossa Fraternidade, e depois desse momento Cyro me entregou o tablete:

— Guarda-o com cuidado; os documentos públicos que levarás são essenciais para que executes a obra de tua vida, sendo reconhecido por todos como o depositário de meu poder. Este é aquele que dará a essa obra o fundamento de que ela necessita. Agora, ajuda-me a limpar a mesa, para que meu escriba continue certo de que seu senhor Cyro é incapaz de escrever, e que só graças a seu trabalho é que o Império ainda se move...

Enfiei o tablete em meu manto, deixando-o em contato com minha barriga, enquanto tirávamos de cima da mesa os restos de argila endurecida, e que Cyro jogou dentro de um vaso que enfeitava as grandes janelas que se abriam sobre o Eufrates. Meu poderoso irmão destrancou o ferrolho, e imediatamente alguém bateu à porta. Com o ar de uma criança que foi apanhada em uma travessura, ele sentou-se rapidamente em seu escabelo, engolindo uma risada quase incontrolável, e gritou, com voz séria:

— Que entre!

A porta se abriu: por trás do escriba, que se curvava com sofreguidão, estava uma figura vestida à moda da Grande Baab'el, barbas frisadas e cabelos ocultos sob um barrete enfeitado com lápis-lazúli, que também se curvou, deixando aparecer, pelas dobras do manto, um braço esquerdo mirrado e encolhido, com o formato de uma asa de pássaro. Um grito escapou de minha garganta: ali estava o companheiro de juventude, surgindo inesperadamente à minha frente:

— Mitridates!

RECONSTRUINDO O TEMPLO

Meu velho amigo, como raríssimas vezes eu o vira fazer, sorriu em minha direção, e o sol do mundo, o sol do Grande Cyro, o sol de Yahweh, brilhou dez vezes mais forte sobre minha alma: o reencontro desse a quem eu havia perdido aumentava minha felicidade e diminuía minha tristeza, multiplicando por dez minha alegria e dividindo em pedaços infinitamente pequenos minha miséria.

Capítulo 24

Foi grande a minha felicidade ao rever o amigo que não sabia por onde andava: Mitridates apertou-me estreitamente ao peito, antes de controlar-se e novamente olhar-me com seu semblante impenetrável:

— Ouvi falar de tua volta, Zerub, mas aguardei que os acontecimentos nos pusessem frente a frente.

— Ninguém, nem mesmo Yeoshua, me deu notícias tuas, Mitridates! Com que então, continuaste no almoxarifado do palácio?

— Foi o que se pôde arranjar: quando um homem conhece a ciência dos números e sabe usá-la a serviço de quem dela precisa, torna-se cada dia mais útil, como o Grande Cyro pode atestar.

— Tua utilidade é grande, *al'musharif*. — Cyro se aproximou de nós, sorridente. — Quando percebi que dominavas o cálculo e que, diferentemente dos outros, não tinhas nenhuma vontade de ser dono do que contabilizavas, coloquei-te na posição que agora ocupas. Até este momento não me contradisseste.

— Grande Cyro, é impossível contradizer-te: parece que dominas os cálculos melhor do que eu mesmo. Quando te apresento os resultados de minhas contas, eles só servem para que se confirme o que tua mente já havia descoberto...

Cyro soltou uma gostosa gargalhada: fez a mim e a Mitridates um sinal para que nos sentássemos e continuou:

— Pois nunca foste tão necessário quanto hoje, *al'musharif*: temos que descobrir quanto devemos ao príncipe Zorobabel e como a dívida será paga.

Tanto eu quanto Mitridates olhamos Cyro com grande espanto, e ele mais uma vez irrompeu em saborosa gargalhada:

RECONSTRUINDO O TEMPLO

— Não te darei nada que não te seja devido, Zorobabel: as boas contas fazem os bons amigos, e tenho conseguido manter a amizade dos que estão ligados a mim simplesmente agindo com correção. O que parece ser generosidade não é nada mais que a maneira de recompensar os que hoje domino pelos maus-tratos que meus antecessores lhes deram. Não te esqueças que teu povo foi escravizado, suas propriedades tomadas, suas riquezas incorporadas ao tesouro real de Nebbuchadrena'zzar. Esse rei fez o mesmo com meu povo: se consegui libertar-me, libertando a todos, é justo que as riquezas voltem a seus verdadeiros donos, não te parece?

Mitridates deu um longo suspiro, que fez Cyro gargalhar mais uma vez, falando-me logo após:

— Teu velho amigo sofre muito sempre que pago uma dívida dessas.

— Com razão, meu senhor. — Mitridates mantinha-se isento, expressando sua opinião da maneira mais direta. — Tesouros não são infinitos: cada vez que deles se tira algo, deixam de valer o quanto valiam. Diminuir é perder poder, dividir é elevar essa subtração a um grau assustador: não gostaria de arriscar o futuro de vosso tesouro.

— Meu verdadeiro tesouro não se divide nem diminui, *al'musharif*: está para sempre dentro de mim, e, cada vez que cumpro meu dever, aumenta incomensuravelmente. Os que domino precisam recuperar sua dignidade, voltando a viver de acordo com seus corações, sem ter de se preocupar com as vicissitudes da vida. Não admito que se diga que um súdito do Grande Cyro passa fome ou é infeliz: se isso acontecer, não mereço o título de Grande.

— Enquanto isso, tuas riquezas diminuem a olhos vistos: se não fosse o que entra em teus cofres, estaríamos em situação muito embaraçosa... a sangria que teu jeito de governar impõe ao tesouro é imensa...

— Mas as bênçãos que são dirigidas à minha pessoa as compensam, sem sombra de dúvida. Não tergiversemos: é preciso descobrir onde estão os tesouros de Jerusalém, de que Nebbuchadrena'zzar se apossou.

Mitridates, sem mudar de ares, tirou de dentro de suas vestes um grande rolo de papiro egípcio e desenrolou-o à nossa frente, enquanto dizia:

— Eu já previa teu desejo, Grande Cyro: como te tenho visto fazer o mesmo de cada vez que me chamas com urgência, e sabendo que o famoso Príncipe de Jerusalém estava em tua companhia, trouxe a lista dos tesouros de Israel e Judah que estão nos cofres deste palácio, junto a outros tesouros recolhidos por este ou aquele poderoso assírio ou babilônio nos anos que antecederam ao teu ataque.

Cyro mais uma vez soltou sua sonora gargalhada, e, passando-me o braço pelo ombro com familiaridade desconcertante, pôs-se a examinar a lista de bens que Mitridates apresentava. Fiquei impressionado com o tesouro que se havia acumulado, mesmo em meio a revoltas, secessões e ataques externos: segundo a lista, dormiam nos cofres cinqüenta bacias de ouro e quatrocentas de prata, todas finamente lavradas, acompanhadas dos respectivos jarros de ouro e prata. Havia também inúmeros baldes, imensos pratos sobre os quais se apresentavam as oblações para o sacrifício, milhares de vasos de todos os tamanhos e diversas taças, entre as quais certamente estaria a taça de ouro da qual a mão de Yahweh surgira durante o festim de Belshah'zzar, para traçar-lhe a sentença. O total desses objetos preciosos chegava a cinco mil e quatrocentas peças, intocadas em meio a tantas outras de tantos povos vencidos.

Cyro me apertou os ombros:

— Viste? O impulso de amealhar cada vez mais tesouros salvou a riqueza de teu povo, permitindo-me devolvê-la para maior engrandecimento de meu nome...

— Grande Cyro, é inacreditável! E pensar que os que habitam Jerusalém vivem na miséria extrema, sem saber que o tesouro que lhes pertence dorme intocado em teus cofres! — Eu estava radiante, pensando que finalmente poderia ser valioso ao povo da cidade em ruínas, cuja reconstrução era a missão de minha vida. — Com isto que nos devolverás, poderemos reiniciar nossa vida como povo rico e produtivo!

— Com certeza, não, Zorobabel: essas riquezas são parte do templo que tens que reconstruir, parte dos serviços de devoção, e devem ser usadas exclusivamente com esse fim.

— Mas então, de que vale essa riqueza para o meu povo? Nosso deus e nosso templo serão ricos em meio à miséria das pessoas? Morreremos de fome olhando as riquezas que possuímos?

Cyro me encarou, fixamente:

— Crês realmente que eu seria capaz disso, Zorobabel? O maior inimigo de qualquer conquistador é a fome dos que subjugou, porque, quando a barriga está vazia, nada se sustenta, e os conflitos se sucedem. Em nenhuma parte de meu território há quem reclame de fome e miséria. Por que deixaria que isso acontecesse com teu povo?

Virando-se para Mitridates, Cyro lhe ordenou que anotasse no papiro:

— Fica ordenado que concederemos aos de Jerusalém as mesmas rendas de que seus antecessores gozavam, e que além disso, como compensação, lhes sejam entregues animais, vinho e óleo em quantidade suficiente para um ano de vida digna. Inclua-se aqui também duzentas e cinqüenta mil dracmas durante cinco anos, e para que possam reiniciar sua vida sem que lhes falte pão à mesa, duas mil e quinhentas medidas de trigo, que devem ser recolhidas em nossos celeiros da Samaria, perto o suficiente de Jerusalém para que não haja atrasos. Isso deverá ser coordenado pelo *tarshatta* que acabo de indicar, aquele que governará Jerusalém em meu nome: o Príncipe Zorobabel.

Era o poder para realizar, dado por quem o tinha, pelos motivos mais inesperados: Cyro me auxiliava nesse transe, tornando-me representante de sua força, dividindo-a comigo. Nem por isso ela se tornava menor: como o amor, a felicidade e a paz, o poder também é um atributo que mais aumenta quanto mais se divide. Os documentos foram registrados, o escriba aplicou o selo real, rolando sobre a argila um cilindro de metal marcado em alto-relevo, levando-os para os que perpetuariam em pedra essa decisão de Cyro. Meu irmão, o senhor de todo o mundo conhecido, deu-me o suave e emocionado beijo fraternal e disse:

— Cuida-te, irmão Zorobabel: chegou a hora de fazeres o que deves fazer, com todo o meu apoio. Parto para Fars, onde estou construindo a grande cidade de Pasagard, que deverá ser o centro de meu Império, e depois o percorrerei por inteiro, já que ainda há muito que conquistar para ampliar suas fronteiras até o limite, e mais além. Os Helenos serão os próximos que libertarei de seus tiranos, e para isso devo estar preparado.

— Mas, meu irmão, eu nada sei da arte de governar! Sem teu apoio, certamente meterei os pés pelas mãos, conspurcando teu Império!

Eu estava sinceramente preocupado, e Cyro me tranqüilizou:

— Acalma-te, Zorobabel: contas com amigos fiéis e muito competentes. Entrego-te meu *al'musharif*, para que ele te auxilie na programação das tarefas: é difícil abrir mão de Mitridates, mas tu necessitas dele mais do que eu. Confia nele, porque seus cálculos são perfeitos. Confia também em teus irmãos pedreiros, como eu tenho feito, para que o Templo de Yahweh se erga: esta é nossa tarefa, e deves fazer tua parte. Cerca-te de amigos sinceros que te possam ajudar a ser líder de teu povo: mas, acima de tudo, confia na tua intuição. Ela te revela o tempo todo o que deves fazer e como deves agir: basta apenas que aprendas a atender à voz que fala dentro de tua alma, essa mistura de razão e emoção que todos ouvimos mas a que raramente damos atenção. Sê feliz, meu irmão! Quem sabe se eu não estarei a teu lado quando o Templo estiver novamente de pé?

Saímos dos aposentos do Grande Senhor do Mundo, eu e Mitridates, e a última visão que tive de Cyro foi a de um homem que não se abatia, como um *jâmal* sobre cujas costas fosse posta uma carga cada vez maior, e que mesmo assim não se curvava. Caminhamos pelos corredores em direção a meus aposentos, para depois voltar ao *tel'aviv* e convencer meu povo a retornar a Jerusalém. Encontrei a todos, menos Feq'qesh: seu hábito de surgir e desaparecer sem aviso já não me assustava tanto, mas dessa vez eu sentia muito a sua falta, por não saber como me mover no território que deveria trilhar. Yeoshua estendeu-me um pequeno rolo de papiro:

— Feq'qesh pediu-me que te entregasse este rolo, ordenando que eu nunca te deixasse só.

— E isso te agasta, amigo?

— Pelo contrário, Zerub! — Yeoshua tinha os olhos brilhantes. — O que ele me pede já é o desejo de meu coração.

Desviei os olhos de Yeoshua, envergonhado em minha alma confusa, e abri o rolo, onde, com as pequenas labaredas de fogo negro congeladas na página, cada vez mais vivas em minha alma, pude ler:

"Moisés libertou seu povo e o fez atravessar o deserto: David cantou as canções que elevam o espírito em meio à guerra: Salomão foi amante e poeta enquanto enriquecia seu povo: mas só Zorobabel pode reconstruir o Templo de Yahweh."

Olhei durante longo tempo as palavras de meu mestre, como quem lê a própria sentença de morte: enrolei o pergaminho, olhando as faces dos amigos, onde se refletiam todas as emoções que eu sentia. Era hora de ir em busca de meu destino, que mesmo não sendo a verdade de meu coração, já se tornara parte de mim, como uma faca que se me tivessem enfiado no peito e, sem conseguir matar-me, fosse pouco a pouco se transformando em carne.

    Retornei à casa de meu pai, no *tel'aviv*, lá estabelecendo minha morada e centro da campanha de convencimento de meus compatriotas: a vida cotidiana se me tornara pouco familiar, mas, com a ajuda de meus amigos e do treinamento intenso que havia recebido em Jerusalém, pude lentamente tornar-me um deles. Tive que primeiro estabelecer-me como chefe de minha própria família, ocupando seu comando da melhor forma possível, como tantos faziam, e, segundo a tradição, deixando a casa aos cuidados de minha mãe e irmãs. No final do primeiro mês, já era cumprimentado nas ruas com naturalidade, havendo mesmo quem viesse pedir-me conselhos, certamente para compará-los com os que meu pai daria, em circunstâncias idênticas. Não devo ter-me saído mal dessas provas, pois a cada dia o número de pessoas que me tratava com familiaridade aumentava, e a faixa de *tarshatta* que Cyro mandara entregar-me em casa, depois de ter partido, chamava a atenção de todos. Era uma larga fita verde com as bordas em fio de ouro, para usar atravessada sobre o peito. Na ponta havia uma caixa feita de ouro e esmalte, que eu abri, descobrindo dentro dela a pequena moeda do milagre, com seu brilho baço de cobre gasto, perfeitamente acomodada em uma depressão exatamente de seu tamanho, fundida no ouro do relicário. As apagadas letras e desenhos gregos em sua superfície eram indecifráveis, e pensei mostrá-la a Théron, assim que o encontrasse, para que me revelasse o que significavam.

    Com a faixa e os documentos oficiais, haviam vindo muitas caixas de moedas de ouro e prata, todas gravadas com a face de Cyro, e que eram agora o dinheiro oficial do Império. As pessoas já se acostumavam a usá-las, mas ainda havia quem insistisse nos tradicionais anéis, mais fáceis de carregar e guardar. Tentando tornar-me indispensável a meu povo, comecei a distribuí-las prodigamente, até que Mitridates me chamou a atenção exibindo contas assustadoras que me refrearam o ímpeto e me obrigaram ao exercício diário do planejamento. Era preciso decidir com antecedência a melhor maneira de fazer uso dessa riqueza, não apenas para suprir as necessidades dos menos afortunados, mas principalmente para convencer os do *tel'aviv* a retornar a Jerusalém, para reconstruir a cidade, o país e o povo de Yahweh.

ZOROBABEL

Cinqüenta e seis dias se passaram, e nada avancei nesse caminho: Todos me admiravam muito, os mendigos do *tel'aviv* acorriam em bando à minha passagem, as bênçãos sobre minha cabeça se multiplicavam, mas, cada vez que eu puxava o assunto de Jerusalém, as platéias iam-se esgarçando, esvaziando, minguando até se extinguir, deixando-me sempre com uma última frase solta no ar, junto à sensação de estar sendo cada vez mais inoportuno. Minha casa vivia cheia de gente que pedia ajuda para todos os negócios que envolvessem o Grande Cyro, e eu fiz tudo o que pude para que se realizassem: mas assim que falava em Jerusalém, os olhares se desviavam, as atenções se perdiam, e eu me encontrava tão só quanto antes, e nem um palmo mais próximo de minha meta.

Uma noite, após a última refeição, fiquei sozinho: minha mãe e irmãs em outro cômodo da casa, meu irmão com seus amigos do bairro, meus próprios amigos ocupados com seus afazeres, Heman e Iditum ressonando, as cabeças apoiadas uma na outra. Vislumbrei no canto da sala o volume vermelho-escuro de minha harpa, que não dedilhava desde a noite na Taberna do Boi Gordo. Apanhei-a com cuidado, para não acordar meus guardiões tão cansados: tirando-a dos panos, abracei-a com carinho, como se faz com os amigos de quem só se percebe ter tido saudade quando se os revê. Esfreguei as cordas de tripa, que mesmo dando sinais de ressecamento mantinham a afinação de sempre. Corri os dedos sobre elas: a escala simples de doze sons deu-me um nó na garganta. Eu tinha certeza de que no toque desse instrumento residia minha verdadeira capacidade, e não na canhestra liderança que insistiam em me impor. Minha mente devaneava e meus dedos agitaram as cordas com melodias às quais pouca atenção prestei, tomado pela sensação da inutilidade que minha vida efetivamente era: eu não possuía nada que desejava, e bastava desejar alguma coisa que me estava próxima para vê-la imediatamente fora de meu alcance. As frases fluíam por vontade própria, enquanto minha mente refazia o percurso do último ano: se Mitridates fizesse esses cálculos, certamente encontraria prejuízo, desperdício, e me recomendaria encontrar outra coisa que fazer, porque esta já havia fracassado.

Assustei-me ao perceber à janela uma figura que não distingui bem, e quase larguei a harpa com sua presença súbita, reconhecendo-o logo após: era Ageu, o idiota do *tel'aviv*, sorrindo com a beatitude dos que já perderam toda a ligação com o mundo, pairando em algum lugar entre o chão e o céu, falando de coisas que nem os anjos conheciam nem os homens entendiam. Depois de nos entreolharmos em silêncio, fingi não estar percebendo sua presença e continuei a tocar minha harpa. Era assim que Ageu sempre era tratado, por tradição: sua presença inconstante e mansamente ensandecida tinha lugar garantido dentro do *tel'aviv*, como se fosse invisível, e nunca tomávamos conhecimento de sua presença, seguindo com nossos afazeres como se ele não estivesse ali. Ageu ficou à janela, com sua barba e cabelos hirsutos, balançando o cajado no mesmo ritmo de minha música, e quando me envolvi com as notas a ponto de quase esquecê-lo, começou a trautear de boca fechada, com voz muito grave, uma melodia simples e repetitiva que a princípio me incomodou, mas que com espanto percebi estar de acordo com tudo o que eu tocava. Assim permanecemos, nesse estranho dueto, seus olhos afogueados fixos em mim, enquanto a baba lhe escorria pelo queixo.

 O berro inesperado de Ageu me fez soltar a harpa: imediatamente, Heman e Iditum estavam a meu lado, com suas espadas em riste, apontadas para Ageu, que revirava os olhos para cima como se quisesse enxergar o que lhe acontecia dentro do cérebro, soltando o grito lancinante que se prolongava sem fim. Lembrei de uma série de momentos de minha infância em que esses gritos haviam interrompido o dia-a-dia do bairro, recordando o medo que me haviam instilado.

 A rua imediatamente se encheu de pessoas que saíram de suas casas e ocuparam a frente de minha porta, formando um círculo em volta de Ageu, caído para trás e formando um arco muito tenso com o corpo, tocando o chão com as pontas dos pés e o alto da cabeça, a espinha tão curvada que os ossos de suas costelas pareciam um fole a ponto de rasgar-se, enquanto os gritos lancinantes saíam de sua boca sem cessar. Ninguém dizia nada: minha mãe chegou por trás de mim, dizendo, com voz trêmula:

— Ele vai profetizar, meu filho... faz algum tempo que não profetiza, e ele nunca erra... os anjos falam por sua boca... foi assim com a morte de teu pai...

 Os gritos de Ageu começavam a transformar-se em palavras ditas de maneira muito rápida, entremeadas de respirações tão curtas que ele parecia estar soluçando. Ninguém conseguia tirar os olhos dele, e Yeoshua, à frente de alguns outros homens do bairro, abriu caminho no círculo de assistentes e se ajoelhou ao lado de Ageu, segurando-lhe a cabeça com uma das mãos e colocando-lhe a outra mão no peito. O arco do corpo de Ageu se desfez, e ele segurou com força a mão de Yeoshua, virando bruscamente a face em minha direção. Tomei um choque brutal, pois, na penumbra da rua mal iluminada, os sons que ele proferiu pareciam ser ditos por outrem, já que sua boca não se movia:

— Yahweh está no exílio! Salvemos Yahweh! Nosso deus precisa de ti para reerguer sua casa! Ela está em ruínas! Subi a montanha, trazei madeira e reconstruí minha casa! Eu estou convosco!

E enquanto todos ficavam congelados com suas palavras, Ageu começou a tremer como que tomado de alguma febre dos pântanos, suando em profusão enquanto gritava as frases que mudariam mais uma vez a minha vida:

— Moisés libertou seu povo e o fez atravessar o deserto! David cantou as canções que elevam o espírito em meio à guerra! Salomão foi amante e poeta enquanto enriquecia seu povo! Mas só Zorobabel pode reconstruir o Templo de Yahweh!

As exatas frases que Feq'qesh me endereçara, palavra por palavra, saíram da boca em sombra de Ageu: um arrepio me percorreu o corpo, como se a febre também me quisesse tomar. As pessoas à nossa volta se puseram a gritar, saltar, rojar-se ao solo, orar em altos brados, todos fazendo questão de tocar-me a fímbria do manto. Estávamos eu e Ageu nos focos de uma grande elipse formada pelos transeuntes, que giravam em torno de nós, na dança coreografada por alguma mente insana, e as frases que ele gritara eram repetidas por cada boca, espalhando-se por todo o *tel'aviv* mesmo depois que ele caiu desmaiado e foi carregado para a casa da *mikhvah*. Retornei para dentro, ouvindo as palavras que se repetiam do lado de fora, enquanto as pessoas passavam em longa procissão pela janela, olhando para mim com ar de espanto, como se jamais me tivessem visto antes. Meu irmão Shimei, pela primeira vez desde minha volta, olhava-me com algum orgulho, e do meio dos anciãos de cabeça coberta Yeoshua sorria com ar enlevado, enquanto Jael, acompanhado por Heman e Iditum, organizava do lado de fora a fila de pessoas que passava em frente à janela, encarando-me como se eu fosse alguma relíquia divina.

RECONSTRUINDO O TEMPLO

Na manhã seguinte, quando acordei, a fila era ainda maior, só que desta vez para que cada um entrasse na sala e me tocasse o manto: eu nada entendia, e quando os homens mais ricos do bairro invadiram minha sala acanhada, sorrindo de orelha a orelha, comecei a perceber que a realidade havia mudado radicalmente. O ataque de Ageu, encarado como a mais confiável profecia, fizera-me passar de um incômodo sem valor algum a homem mais importante dos hebreus. A maneira como me tratavam quase me fazia acreditar haver um poder verdadeiro por trás dos acontecimentos, convencendo-me de que eu era um joguete nas mãos do deus que me escolhera para seus próprios e insondáveis objetivos. Tinha que aceitar isso, de qualquer forma: não dominava minha vontade, curvando-me aos desígnios de Yahweh, cuja obra realizaria mesmo que à custa de minha própria vida. Ergui-me do leito para enfrentar a realidade que se apresentava, cercado por uma onda de boa vontade como nunca imaginara, tudo graças aos delírios do idiota do bairro. Os argumentos racionais de que me armara para convencer o povo a retomar seu caminho não tinham funcionado: mas bastou que um louco dissesse três ou quatro palavras mal alinhavadas, e a situação se invertia. Restava-me apenas aproveitar a oportunidade, acreditando mais uma vez que os fins justificam os meios.

Passei as semanas seguintes como fantoche, enquanto os apoios ao retorno a Jerusalém cresciam, tornando-se um movimento intenso e quase incontrolável, a que eu assistia com ar sorridente, ocultando meu tédio. Meus amigos e irmãos também cumpriam sua parte nesse jogo: Yeoshua arrebanhava os antigos crentes, que cultuavam a Yaweh como se nunca tivessem saído da Cidade Sagrada, convencendo-os a todos de que eu era o Príncipe da Paz que a profecia revelava, e que os levaria ao Sião para que retomassem sua glória de povo escolhido. Enquanto Jael ficava o tempo todo debatendo a reconstrução do Templo com os pedreiros que encontrava, Mitridates passava os dias em conversa com os poderosos e ricos do *tel'aviv*, para melhor envolvê-los nos investimentos necessários à renovação de Jerusalém, mostrando-lhes como isso seria vantajoso caso a comunidade contribuísse. Eu fazia minha tarefa, mantendo a cabeça erguida de Poderoso Príncipe da Paz e *tarshatta* de Jerusalém, tornando-me, para os que viviam no *tel'aviv*, a figura mais importante da Grande Baab'el.

ZOROBABEL

Numa dessas manhãs, Mitridates veio apanhar-me logo cedo, levando-me para o meu primeiro dia no Parlatório Real, um velho celeiro reformado, repintado e coberto com panos de Dimasha e tapeçarias da Pérsia, que não apagavam do ar o cheiro polvorento dos grãos que ali haviam dormido. Ao entrar, vi dois tronos de pedra, um menor que o outro: a dúvida sobre qual deles deveria ocupar foi dissipada quando meu tio Sheshba'zzar, bêbado como sempre, adentrou o salão, amparado por seis de suas jovens acompanhantes, que o arrastaram até o maior dos tronos, onde se deixou cair, ressonando. Enquanto ele estivesse vivo, eu seria apenas uma espécie de *ve'zzur*, pois, mesmo com toda a autoridade que Cyro me punha à disposição, nada seria feito com meu povo sem a anuência formal do verdadeiro rei. Éramos apenas figuras decorativas: enquanto Sheshba'zzar ressonava, eu mantinha o ar de autoridade que todos esperavam de mim, meu pensamento voando cada vez mais longe, e por diversas vezes me assustei quando alguém me trazia documentos onde o selo de *tarshatta* deveria ser firmado. Era o que me restava fazer: meu entendimento dos negócios de estado era mínimo, e meus amigos insistiam em me poupar deles, deixando-me livre para sonhar acordado.

De todos os negócios, o que mais me magoou foi o dos contratos de casamento, urdido por Yeoshua e Mitridates com grande requinte, e que me tornaram de um dia para o outro o ser humano mais cobiçado da região. Os homens mais importantes de nossa terra subitamente perceberam que com a simples doação de uma de suas filhas poderiam tornar-se não apenas genros do *tarshatta*, mas também avós de um futuro Rei de Israel. Essa idéia tomou o *tel'aviv* como fogo na palha, e quando eu seguia em direção ao Parlatório, sentia-me como um carneiro premiado, de quem se espera que emprenhe as melhores fêmeas, garantindo uma progênie excelsa. Os risos de alegria e os preitos de submissão que me acompanhavam eram facas em minha carne dolorida: eu queria, precisava amar, e sabia a quem amar, mas o que o destino me punha nas mãos era apenas a mentira piedosa sobre meu poder, impondo-me seus desejos como se eles um dia pudessem ser os meus. A princípio, tive nojo do que estava fazendo, mas acabei por compreender a necessidade disso: assim que se espalhou a notícia de que o Príncipe da Paz estava buscando esposas para seu *harim* na Jerusalém reerguida, o apoio ao retorno se ampliou como que por milagre, começando a haver grande interesse em participar do empreendimento, com diversas listas de adesão correndo pelo *tel'aviv* e até mesmo bairros e aldeias próximos, onde habitavam outras tribos. A idéia de voltar a Jerusalém começava a se tornar não apenas palatável, mas saborosa.

Primeiro conheci meus sogros, os avós dos príncipes que eu produziria em suas filhas. A forma como me tratavam, movidos por orgulho e superioridade, era de dar engulhos: mas Yeoshua e Mitridates, cada vez mais alegres com os resultados, faziam-me aceitar as homenagens interesseiras que me prestavam, enquanto entregavam os dotes correspondentes. Eu me tornava cada vez mais rico, e quanto mais isso acontecia, mais chefes de famílias tradicionais da Grande Baab'el vinham a meu encontro oferecer a flor de suas casas em holocausto à minha realeza.

Quando as moças finalmente começaram a ser trazidas à minha presença, o constrangimento que senti foi insuportável, mas nem um pouco menor que o delas, é verdade: eu já não sabia mais com quantas havia me casado, quantas ainda precisava conhecer, e como faria para ter com elas a intimidade que meu coração sonhava em dar a apenas uma, de quem nunca mais ouvira falar nem tivera notícias. Ficava calado em meio aos que riam e me bajulavam, enquanto outros oravam ungidamente a Yahweh, para que o próximo rei fosse de sua carne e sangue, quando eu conseguisse realizar esse milagre em suas próprias filhas, antes de fazê-lo nas dos outros. De cada lado do salão se amontoavam, a cada dia, as mais diversas meninas e mulheres, dos mais variados talhes, cores e alturas, tons de pele que iam do terroso escuro ao leite luminoso, cabelos de texturas variadas e cores sem par, infinitas mãos, pés, bocas. A grande maioria delas, com exceção de algumas mais atiradas e sensuais, mostrava-se tão infinitamente sem jeito quanto eu: éramos todos crianças jogadas numa rinha de adultos, para uma luta que não compreendíamos nem dominávamos. Mesmo tendo alguma noção do que isso significava em termos de prazer e poder, eu a cada dia me fechava mais e mais em mim mesmo, querendo estar longe de toda essa mixórdia que me desagradava e diminuía.

Graças a meu espírito curioso, isso não durou muito: comecei a observar melhor os detalhes das meninas que me eram apresentadas, e se algumas não tinham mais que onze ou doze anos de idade, com suas formas ainda infantis, outras havia que, por vontade própria ou bem treinadas pelos parentes, já exibiam facetas que me chamaram a atenção. Num universo de quase trezentas moças, entre filhas das famílias oriundas das cidades de Judah e Israel e as descendentes dos *kohanim*, levitas, cantores, porteiros, doados e outros, tive meus olhos despertados por algumas, que me deixaram uma impressão mais duradoura no espírito, e de quem eu fiz questão de saber imediatamente o nome: alguma coisa em meu baixo-ventre dera sinal de vida quando surgiram à minha frente. Pedi a Yeoshua que me informasse sobre elas, o que ele fez com grande preocupação:

— Zerub, cuidado: um Príncipe de Jerusalém não pode dar sinais de preferência por esta ou aquela de suas esposas prometidas, pelo menos enquanto não estivermos estabelecidos em nossa terra e elas efetivamente já sejam tua propriedade! Não vês que qualquer predileção nesse momento pode soar como ofensa aos pais de todas as outras? É um risco muito grande!

— Yeoshua, acalma-te: quero apenas reconhecer algumas delas como gente igual a mim, para favorecê-las quando o momento certo chegar... não tenho nenhuma pressa... pelo menos, não tanta pressa assim...

Yeoshua riu, e eu também: meu espírito estava bem diferente. Eu já começava a vislumbrar alguma vantagem em minha posição de marido desejado, e a imagem de Sha'hawaniah, se não se apagara de minha mente, tornara-se pelo menos mais tênue, porque eu me sentia cada vez mais cobiçado pelos que me cercavam, jurando que, quando fosse Rei de Israel, seria ela que viria a meu encontro, pedindo os meus favores, e eu a faria sofrer muito antes de tomar-lhe o que me negara. Essa idéia me avivou o humor e eu comecei a gostar de ser quem era. Quando chegou o momento em que nos consideramos prontos para enfrentar a grande jornada dos judeus de volta à nossa cidade natal, passei a ansiar pelas noites no deserto quente, onde experimentaria uma a uma as benesses que o destino me oferecia, comparando-as entre si para ter a certeza de que nada delas me escaparia, e com as quais geraria grande descendência, povoando o mundo conhecido e deixando para sempre a minha marca na sociedade dos homens de poder.

RECONSTRUINDO O TEMPLO

As paixões e os desejos, como duas cordas que formam uma corda mais grossa, misturam-se mutuamente, enrolando-se inextricavelmente à volta do coração, produzindo o Bem e a Alegria, quando moderadamente usufruídas, e gerando Miséria e Destruição, sempre que se tornam incontroláveis. Eu ainda não sabia disso, mas as lições que se tem a receber chegam inevitavelmente a cada um de nós: se, quando pequenas, não as percebemos e nada aprendemos, elas retornam maiores de cada vez, até que delas não possamos dizer que as desconhecemos, pois somos fatalmente obrigados a enfrentá-las como realmente são, sentindo sem perdão todos os seus efeitos.

Capítulo 25

Nunca imaginei que as exigências fossem como foram: levar meu povo de volta a nosso país certamente daria imenso trabalho, mas quando as listas dos que se dispunham a fazer o trajeto de volta a Jerusalém foram somadas, a face de Mitridates ficou branca como a cal. Quando assim o vimos, calamo-nos, e Jael perguntou:

— *Al'musharif*, que mal te aflige?

Mitridates ergueu seu rosto assustado em nossa direção, mostrando uma tabuinha de argila onde havia somado os números dos que estavam dispostos à viagem: Jael, olhando os rabiscos de Mitridates, abriu a boca num susto, olhando-me com a mesma face vazia. Eu não vi o resultado da soma, e quando a tabuinha me foi estendida, o que estava anotado nas cinco colunas de sinais específicos demorou um tempo até cair como uma bomba sobre mim:

— Quarenta e duas mil, trezentas e sessenta pessoas?

Yeoshua, cada dia mais e mais o devoto crente, ergueu os olhos e as mãos para o céu:

— Bendito é o Senhor! Somos vitoriosos!

Também tive um momento de orgulho, mas as faces de Jael e Mitridates, repletas de preocupação, interromperam-me a alegria. Meu amigo pôs as mãos na cabeça, e pela primeira vez na vida o vi dar sinais de desespero. Jael olhava com incredulidade as listas, como se a atenção que lhes dava pudesse modificá-las, enquanto Yeoshua proferia bênçãos sobre o Senhor Deus de Israel. Não era possível permanecer sem entender, por isso eu disse:

— Mas o que significa isso? Por que o resultado alcançado vos deixa tão desesperados, amigos? Não foi para isso que lutamos o tempo todo?

— Meu irmão Zerub, a situação é bem diferente do que aparenta ser. — Jael buscava a melhor forma de me dizer o que lhe ia na mente, e eu quase podia ver seus pensamentos revoluteando por detrás dos olhos. — Estamos num desses casos em que o maior sucesso é a causa do maior fracasso.

— Tolice! — Yeoshua estava em seu momento de triunfo. — Vencemos com a ajuda de Yahweh, Jerusalém será novamente o centro do mundo! Basta que a ocupemos com essas quarenta e duas mil pessoas, e o poder de Yahweh estará restabelecido na região!

Mitridates arregalava cada vez mais os olhos:

— Sim, quarenta e duas mil, trezentas e sessenta pessoas... mas, a menos que Yahweh seja capaz de transportá-las por milagre da Babilônia a Jerusalém em um átimo de segundo, não há maneira de levá-las até lá! Como faremos o caminho? Como transportaremos nossos bens, nossos corpos, nossas riquezas? Como levaremos o que devemos comer e beber?

— Quantas milhas pode uma caravana desse imenso tamanho andar por dia? — Jael também se desesperava. — Se bem percebo, acabaremos por morrer de inanição no meio do deserto, porque um homem não pode levar consigo mais do que lhe é possível carregar! Quanto mais formos, mais lentos seremos, e quanto mais lentos formos, de mais precisaremos, e de quanto mais precisarmos, mais teremos que carregar, o que nos tornará ainda mais lentos... Impossível!

Yeoshua continuava cada vez mais exultante:

— O Senhor proverá! Somos o povo escolhido!

Mitridates voltou-se para Yeoshua:

— Estás delirando, Yeoshua! Não vês que é impossível? Se sairmos da Grande Baab'el em direção a Jerusalém com uma caravana de quarenta e duas mil pessoas, não conseguiremos chegar nem à metade do caminho! Quantos anos levaremos para percorrer a distância que nos separa? Não sobreviveremos, e se o conseguirmos, certamente será para ver os ossos de nossos pais e filhos branqueando ao sol do deserto, antes que Jerusalém seja alcançada! É impossível!

— Nada é impossível para o Senhor Yahweh! Já atravessamos o imenso deserto do Faraó durante quarenta anos, e quando alcançamos a Terra Prometida, estávamos mais fortes do que nunca! Não temais! O Senhor proverá! O *manah* cairá dos céus, e as colunas de fogo e fumaça nos ocultarão dos inimigos e nos guiarão a nosso destino!

A cada instante, o sangue se me congelava mais dentro das veias: eu começava a compreender o temor de Mitridates e Jael. Havíamos iniciado um movimento irrecusável, que seria a nossa derrota. Eu tremia com o que Jael e Mitridates diziam: quantos mais fôssemos, maior seria a possibilidade de nos destruirmos em plena travessia do deserto, só que agora não podíamos mais recuar. O movimento de triunfo em direção a Jerusalém tomara a Grande Baab'el com imensa força, e qualquer recuo no que prometêramos seria a desgraça de um povo, que exigia a liberdade de fazer seu próprio destino. Seriam capazes de enfrentar a morte em pleno deserto, pelo menos enquanto a crença em Jerusalém os movesse: mas quando a morte começasse a nos rondar em meio às areias causticantes, eu seria o único culpado pela destruição de quem acreditara em nós. A responsabilidade era insuportável, porque de qualquer lado que olhasse o resultado era sempre o mesmo: morte e destruição de mais de quarenta mil pessoas. Yeoshua perorava:

— Somos quarenta mil apenas por enquanto! Quando nossa jornada se iniciar conseguiremos libertar todos os judeus que aqui habitam!

— Por todos os deuses, desta e de outra cidade, Yeoshua, tudo menos isso! — Jael brandia a tabuinha de argila. — Os filhos de Judah que habitam a Grande Baab'el são mais de cento e cinqüenta mil almas, três vezes mais do que estes quarenta e dois mil, que já são encrenca suficiente! Não estás satisfeito com o problema que Yahweh nos causou?

A face de Yeoshua tornou-se quase roxa: ofendidíssimo, começou a gritar com Jael, que gritou de volta, enquanto Mitridates tentava provar matematicamente aos dois a absoluta impossibilidade de qualquer ação com aquele número de pessoas. Eu estava em baldas: a tarefa a cada momento se tornava mais assustadora, e foi com muito medo no coração que voltei os pensamentos para Yahweh, esperando que ele me tirasse da armadilha em que me tinha colocado. Fechei os olhos, colocando a cabeça entre as mãos, ornado para que o deus que me manipulava indicasse a direção em que deveria olhar para encontrar a solução de meus problemas.

No fundo de minhas pálpebras, quase como acontecera na parede da cela quando um grande tubo dourado me enchera da força necessária para suportar as torturas de Na'zzur, uma mancha de luz começou a surgir, e a grande espiral de letras que formava o Universo surgiu à minha frente, em movimento muito lento e imensamente rápido. A diferença, desta vez, é que eu continuava consciente do mundo à minha volta, ouvindo cada palavra e grito da discussão entre meus três amigos, ao mesmo tempo em que estava longe dela, observando a beleza da Criação, aguardando a resposta que as letras certamente me dariam, como era costume. Quatro delas se destacaram da grande espiral, formando a palavra *gvul*, mostrando-me claramente que minha condição humana me impunha um limite que eu não sabia superar. Repentinamente, de dentro da espiral surgiram três grandes letras feitas com as familiares labaredas de fogo negro, *nun*, *lamed* e *khaf*, esta última com um formato diferente, como um cajado que se fincasse no espaço. Quando as três letras desse novo Nome de Deus atravessaram a palavra *gvul*, esta se transformou em *gavar*, e eu senti minha alma se enchendo da força necessária para superar o limite que separa os seres humanos dos que querem ser mais que apenas isso. Numa torrente que se derramava dos céus, as letras foram-se transformando em diversas somas de cem, e de centena em centena se organizando em fila, umas atrás das outras, plenamente integradas ao ritmo natural da espiral do Universo, fazendo uma longa curva pela beira verdejante de um grande rio, longe das areias escaldantes do deserto que eu mesmo já havia atravessado e cuja lembrança me atemorizava. À frente delas, as letras maiores se erguiam, e se transformaram no nome de Abrão, que se transformou em Abraão, e depois em Moisés, e depois em Zerub, meu próprio nome, enquanto eu escutava claramente a voz de Feq'qesh dizer em meus ouvidos:

— Moisés libertou seu povo e o fez atravessar o deserto! Mas só Zorobabel pode reconstruir o Templo de Yahweh!

Abri os olhos com um grito, enquanto minhas mãos batiam com força sobre os braços do trono de pedra. Meus três amigos, quase a ponto de engalfinhar-se, olharam-me com espanto, e eu me ergui em meus próprios pés, gritando:

— Um mapa! Quero um mapa do Império!

Houve um instante de hesitação entre eles, mas a decisão com que proferi as palavras deve ter sido suficiente para impulsioná-los, pois, quando gritei pelo mapa uma segunda vez, Mitridates já o estendera em minha direção, e eu o joguei ao chão, ajoelhando-me a seu lado, com a mão sobre a superfície rugosa do couro onde as linhas que indicavam os caminhos do Império de Cyro estavam traçadas, acompanhando com o dedo uma grande curva que inúmeras aldeias marcavam à beira do Eufrates, sempre para noroeste, até o lugar onde eu havia tomado o barco que me depositara na Grande Baab'el exatamente no instante em que meu pai morria. Minha mão esquerda substituiu a direita, traçando uma curva para oeste na direção de Dimashq onde uma linha vermelha e dourada indicava o Caminho do Rei, que Cyro construíra para facilitar o percurso de seus mensageiros, de lá descendo para o sul até o ponto onde um grande círculo negro indicava a cidade de Jerusalém. Não havia nenhuma mancha de desolação no arco que eu traçara: as aldeias e cidades se multiplicavam nesse trajeto, muito usado por todos os tipos de caravanas e negociantes: percebi que um caminho mais longo poderia ser percorrido com sucesso, pois, mesmo aumentando enormemente o tempo de viagem, garantia nossa sobrevivência, sendo povoado e cheio de fontes de água, alimento e vida. Meu povo necessitava experimentar mais uma vez suas raízes nômades antes de poder estabelecer-se na terra de seus antepassados. Não haveria deserto nessa travessia entre escravidão e liberdade: estaríamos dentro do mundo habitado, cercados pelos que nele viviam, e por maior que fosse o tempo de nossa viagem, isso seria um simples atraso em nossos planos. Jerusalém seria nossa assim que a ela chegássemos: como ninguém a queria, não tínhamos qualquer motivo para temer que se tornasse o objeto do desejo de quem quer que fosse. Era assim que víamos a ruína que queríamos salvar, sem perceber que o verdadeiro valor das coisas está no interesse que elas despertam, e que esse interesse é tão mutável quanto a alma dos homens.

A princípio, meus três amigos ficaram atônitos com minha proposta do caminho quatro vezes mais longo, e antes que saíssem de seus espanto e começassem a acumular argumentos contra minha proposta, pus-me a defendê-la com a sofreguidão de um faminto. As palavras saíam de minha boca sem que as pudesse conter, como se eu fosse um canal pelo qual fluíssem como uma torrente. Isso nunca me havia acontecido antes: palavras não eram meu território preferido, e eu sempre preferia calar ao invés de expressar meus pensamentos. Desta vez, não havia como conter as idéias que me surgiam da mente, explodindo para fora de minha boca. Jael e Mitridates tentavam interpor uma ou duas palavras em meu discurso, Yeoshua se mantinha de boca aberta, como que assistindo a um inesperado milagre, e, vagarosamente a possibilidade real de execução de minha idéia, com suas características e vantagens específicas, foi-se tornando mais sólida e coerente, mais palpável e possível, e finalmente mais exeqüível que qualquer outra. Mitridates veio até meu lado e, olhando o mapa, caminhou sobre ele com os dedos, ligando as aldeias que ali estavam marcadas, percebendo que entre elas não havia nenhuma distância superior a quatro milhas:

— Tua idéia é estranha, Zerub, mas nos permite pensar em sobreviver ao caminho, mesmo que por um tempo enormemente aumentado.

— Isso é o que me incomoda, Zerub! — disse Jael, sem muito empenho. — Perdermos um tempo enorme de nossas vidas, dando praticamente a volta ao mundo... quando lá chegarmos, provavelmente nem nos lembraremos mais do que lá fomos fazer.

— Sem exageros, Jael! Para quem esperou setenta anos, o que são sete meses?

Mitridates já tinha feito uma conta rápida, de cabeça, e os sete meses que mencionou me deixaram com o peito apertado: eu pensava em menos do que isso, mas ele se explicou:

— Esse percurso que traçaste, cruzando campos férteis e atravessando pequenos trechos de deserto exatamente onde correm os rios mais poderosos, tem por volta de seiscentos milhas. Seremos uma cidade que anda, não te esqueças, e a maior parte do tempo de um dia passaremos acampados, alimentando-nos e descansando. Uma caravana comum pode percorrer cinco a seis milhas por dia, mas uma como essa que estamos armando dificilmente vencerá mais do que três, devido a suas características tão especiais. Portanto, três milhas ao dia, durante seis dias por semana...

— Seis dias? Onde aprendeste isso, Mitridates? A semana tem sete dias, uma fase da lua completa!

— É uma caravana de judeus, Jael: esqueceste que o dia de descanso é sagrado?

Yeoshua riu, deliciado, debruçando-se sobre o mapa, olhando para o território ali traçado. Mitridates continuou, com os olhos semicerrados:

— Três milhas ao dia, durante seis dias, são dezoito milhas por semana: para percorrer quase seiscentos milhas de território desconhecido, com folga, precisaremos de trinta a trinta e três semanas, não mais do que isso. Não aposto em mais que trinta e uma semanas, exatamente sete meses lunares, mais a correção do adicional de Adar necessária. Garanto que, mantidas as condições desejadas, se sairmos daqui no início do mês de Nisan, dentro de quatro meses estaremos em Jerusalém no início da quarta semana de Kislev, em onze meses justos.

— Deveríamos sair imediatamente! — Yeoshua, visionário, animara-se todo. — Basta que ponhamos os pés no caminho, e ele se fará suave e limpo, com as bênçãos de Yahweh...

Eu via minha idéia surtir efeito entre meus companheiros: mas nem por isso me permitiria perder a noção das coisas possíveis e sua diferença das coisas apenas desejáveis:

— Yeoshua, não triunfemos antes da hora: o simples trabalho de organizar a caravana não tomará menos que um mês, e pelo menos mais um será gasto por cada viajante na arrumação de seus negócios. Há compras e vendas a ser ali feitas, equipamentos a serem arrumados e construídos, animais a criar, tratados de colaboração com todas as aldeias do caminho, que devem se preparar para receber um contingente de mais de quarenta mil pessoas, gafanhotos que invadirão seu território e provavelmente comerão tudo de que dispõem em seus celeiros. Ninguém deve prejudicar-se por nossa causa, por isso devemos levar o máximo de alimento possível, sem que isso nos atrase ou paralise. Também deveremos estar dispostos a gastar algum dinheiro nessas aldeias, comprando o que tiverem para vender, de forma a tornar nossa passagem o mais agradável possível, para que nos dêem suas bênçãos e não o ódio que sempre gera maldições.

— Mas, Zerub, isso será uma coisa inédita! Um povo inteiro viajar de um lado a outro do mundo sem causar nenhum desagrado por onde passar, trazendo apenas alegria e bons negócios? Inacreditável!

RECONSTRUINDO O TEMPLO

Jael duvidava da possibilidade que eu apresentava, mas Mitridates e Yeoshua já a tinham assumido como possível e viável, um pelo seu aspecto eminentemente técnico e matemático, o outro pelos detalhes que lhe garantiam que a obra de Yahweh seria realizada a qualquer custo. Se os números davam a Mitridates a certeza de que tudo era possível, porque os números assim o diziam, Yeoshua tinha certeza absoluta, porque Yahweh assim o queria. Só me faltava convencer Jael de meu plano, para que ele batalhasse por ele com o mesmo empenho com que batalharia por um que fosse seu. Pus-lhe as mãos sobre os ombros, como Cyro havia feito comigo, olhando-o profundamente nos olhos:

— Meu irmão, acredita que podemos! Se nos organizarmos em pequenos grupos, de feição mais ou menos parecida, com um número equilibrado de pessoas, animais e carga, poderemos aproveitar melhor a força de cada grupo e estender nossa caravana entre a Babilônia e Jerusalém como se não tivéssemos feito outra coisa em toda a nossa vida! As cidades e aldeias pelas quais passarmos acabarão por saudar nossa presença, porque lhes traremos negócios, sem ser invasivos. É melhor sermos lentos e seguros em nosso trajeto, movendo-nos poucas milhas por dia: com paciência, atravessaremos o caminho mais fácil, de aldeia em aldeia, de rio em rio, de acampamento em acampamento, e com tal tranqüilidade, que a partir de certo instante ninguém sequer se recordará de estar em viagem!

Jael, ainda com dúvidas em seu coração, acabou por abrir um sorriso, convencido por minha argumentação poderosa, nascida não sei de onde. Minhas palavras eram mais fortes que quaisquer outras que eu já tivesse dito, quentes como as labaredas com que se formavam dentro de mim, nascendo do alto de meu peito, escorregando por minha língua e saindo de minha boca como *phelah*, o sopro da própria Criação. Abracei meus três companheiros com verdadeira alegria, sentindo-me pela primeira vez senhor não apenas de meu próprio destino, mas também dos destinos de meu povo, a quem levaria para a Terra eternamente Prometida.

Yeoshua, sorridente, disse:

— Zerub, fizeste-me recordar nossa infância, e o amigo que sempre nos empurrava para a frente, convencendo-nos a fazer o que quer que fosse preciso, com seu entusiasmo contagiante. Tu te lembras dele?

— É impossível esquecê-lo, Yeoshua. Não existe dia em que a lembrança de Daruj não me venha à mente, por este ou aquele motivo: mas não creio que algum dia voltemos a vê-lo. A volúpia do abismo que lhe enchia o coração certamente foi causadora de sua destruição...

— É pena — disse Mitridates, arrebanhando seus papéis. — Se aqui estivesse, certamente já teríamos partido, sem nem um segundo de hesitação, sozinhos, se preciso fosse...

— E certamente já estaríamos mortos sob o sol do deserto inclemente! — ajuntou Yeoshua, com as mãos erguidas sobre a cabeça. — Daruj era incapaz de pensar antes de agir! Prefiro a ousadia calculada de Zerub ao impulso sem controle de Daruj!

Yeoshua tentou manter-se íntegro, mas seus olhos se encheram de lágrimas:

— Mesmo assim, sinto muita falta dele, muita falta...

Meus olhos também se enevoaram: a saudade do amigo que nunca mais se vai rever é uma das mais fortes emoções que tomam a alma. Em mim, não era diferente: meu amigo Daruj teria sido extremamente útil na tarefa que requeria um grande comandante, e eu tentava ser como ele, recordando sua maneira de agir, tentando pensar como ele pensaria, de alguma maneira buscando em minha memória a sua presença. Como dissera Feq'qesh, "aqueles de quem não se esquece continuam vivos dentro de nós". Daruj não estava mais em nosso meio, mas continuava vivo dentro de mim, amparando-me com sua experiência de guerreiro, alimentada pela falta que me fazia.

Foi assim que comecei a cuidar da grande viagem de volta a Jerusalém, cheio de um novo e borbulhante fervor, que me levava a acordar cada vez mais cedo para inventar os meios de fazê-la acontecer. Havia mil e uma coisas de que devia me ocupar: precisava estabelecer um sistema de alimentação para mais de quarenta mil pessoas, decidir como transportá-las e abrigá-las, construir e comprar as carroças e animais que nos transportariam, e principalmente definir em termos políticos os níveis hierárquicos dos viajantes e a forma como seriam tratados durante a viagem e na vida em Jerusalém, depois que lá chegássemos. Os homens grados da comunidade judaica da Grande Baab'el, quase todos no conselho de notáveis do *ve'zzur* Darius, insistiam nisso, e até mesmo a ordem com que entravam no Parlatório para falar comigo levava em conta essa hierarquia, baseada em suas posses e riquezas, e também naquilo que cada um acreditava valer a mais que os outros.

Não me restou senão jogar com essas crenças e expectativas: tratava cada um desses senhores como se ele fosse mais importante do que eu mesmo, arrancando dele o que quer que fosse necessário para a viagem. Fui tão feliz nessa manipulação benfazeja dos que me cercavam, que em menos de uma semana já havia na comunidade uma disputa acirrada pelo lugar de primeiro homem de Jerusalém. Acostumados à exibição de bens materiais como prova de sua importância, os homens ricos do *tel'aviv* se puseram a dar de suas fortunas para a viagem e a reconstrução de nossa sociedade futura, buscando o reconhecimento público de seu prestígio junto ao futuro rei e a Yahweh. Com isso, a preparação da viagem se acelerou muito, e os carpinteiros da Grande Baab'el se viram às voltas com a construção de inúmeras carroças de quatro rodas, que seriam puxadas por até doze bois, como no caso das que transportariam o tesouro sagrado que Cyro havia devolvido. Mitridates calculou que cinco carroças seriam suficientes para essa riqueza sagrada, e enquanto elas eram construídas, os grandes homens do *tel'aviv* começaram a exigir carroças idênticas para si mesmos, tendo um deles, de nome Belsã, vencido a todos em sua necessidade de mostrar-se importante quando conseguiu que, em vez de apenas dez bois, o máximo que se poderia usar para não superar nem afrontar as carroças de Yahweh, lhe fizessem uma que seria puxada por onze, destacando-se dos outros com esse artifício.

Eu me mantinha sério e compenetrado durante as audiências que dava a esses homens, nas quais o futuro de minha missão se concretizava, e depois que me recolhia a meus aposentos, na solidão do quarto em casa de minha mãe, ria a bandeiras despregadas da vaidade desses homens: só pelo exemplo se aprende, e eu ia aprendendo diariamente, pelo exemplo de ridículo a que esses homens se expunham. A vaidade, diferentemente de outras paixões, mantém-nos perpetuamente em movimento, para satisfazer-se, pois não tem nem descanso nem interrupção: eu, de cada vez que encontrava o flagrante exercício da vaidade alheia, tornava-me extremamente crítico de minha própria.

A cada dia que passava, mais e mais moças de todos os feitios eram trazidas à minha presença, porque seus pais também queriam ser sogros do futuro Rei de Israel, como tantos outros já se orgulhavam de ser. Isso aumentava em muito o tesouro de que dispúnhamos, pois Mitridates era estrito na exigência de dote, deixando bem claro que, quanto maior a fortuna que cada um desse ao Príncipe da Paz, maior seria a chance de que sua filha fosse a primeira a ser coberta e emprenhada por mim. Senhores de terras, chefes de tribos e aldeias próximas, sabendo haver um rei disponível para casamento, chegavam à Grande Baab'el diariamente, trazendo riquíssimos presentes, com os quais apresentavam suas filhas para consumo do rei, garantindo o acordo de cooperação. Mitridates a todos analisava, erguendo um imenso harém, o maior sinal de poder que o Príncipe da Paz poderia ter. Os homens ricos apostavam no poder que eu teria assim que assumisse o trono de Jerusalém: cada um deles seria parente próximo do Rei de Israel, e, dependendo da vontade dos deuses em que acreditavam, avô do próximo soberano, que era o que verdadeiramente lhes interessava. Mitridates, sabiamente, usava esse desejo quase insano para aumentar o tesouro de que dispúnhamos para viajar e iniciar nossa vida lá onde nos fixaríamos definitivamente: eu exerceria o poder real, acompanhado por mais de trezentas esposas, como um verdadeiro senhor do mundo.

Nosso trabalho não cessou, cada um de nós cuidou de sua parte, sem perder a noção de tudo o que deveria ser feito, acordando e dormindo a cada dia com a naturalidade do que já se tornara hábito, reiniciando na manhã seguinte a tarefa necessária, como se nada mais importasse a não ser sua realização. Passou-se o mês de Kislev, veio o mês de Tebet com as chuvas de primavera, o mês de Shebat trouxe os figos, o mês de Adar trouxe o linho, e uma manhã, assim que o mês de Nisan se iniciou e a colheita da cevada se fez, Jael e Mitridates me acordaram, dizendo:

— Tudo pronto, Zerub, nada do que falta ser feito nos tomará mais que alguns dias. Quando ordenares, podemos partir.

Meu coração deu um salto: então era verdade! Tudo o que havíamos planejado, plantado, incentivado, começava agora a dar frutos, concretizando-se na realidade da grande marcha que faríamos de volta a nosso país. Meu projeto da viagem mais longa, que pela lógica deveria ser recebido com escárnio, tranqüilizara a todos, pois nossa vida aparentemente não seria abalada com a série de pequenas jornadas, quase passeios, que não tomariam mais de algumas horas por dia. Regozijei-me pela inspiração, pois eu a usara com sabedoria e a fizera concretizar-se: tudo o que as letras me mostraram poderia ter-se perdido se eu não tivesse insistido em fazer o que elas me indicavam, e que certamente era bom, por vir do lugar desconhecido onde residem as boas coisas da Criação.

Mitridates me rodeava, com uma série de papiros nas mãos, enquanto eu andava pelo *tel'aviv*, dando minha aprovação de Príncipe da Paz a todas as pequenas e grandes coisas que me eram trazidas à apreciação: desde que Ageu, o delirante, dera-me seu aval divino, meu papel se tornara mais definido, ganhara importância, e crescera mais ainda quando, percebendo o acerto de meu planejamento, todos se uniram em prol de sua realização, contando com minha aprovação em tudo. No caminho de volta para o Parlatório, Mitridates se pôs a meu lado, e enquanto caminhávamos, eu lhe perguntei:

— Diz, *al'musharif*, o que te abala?

Mitridates suava em bicas, e, apoiando os papiros na curva de seu braço mirrado, falou, em voz baixa:

— As contas, Zerub, os números exatos: o sucesso de nosso empreendimento depende de nossa precisão nas contas e nos números. Queres ver o que me assusta? Olha esta relação de posses dos poderosos da Grande Baab'el, a lista completa de todas as coisas que levarão consigo por não saber nem pretender abrir mão delas...

Na poeira do caminho, com gente de todos os matizes me tratando como se eu fosse um *mashiach* de suas relações, movimentando-me com alguma pressa, meus olhos tinham dificuldade em fixar-se nos rabiscos que Mitridates me exibia:

— Amigo, é melhor que me reveles o resultado de tuas contas: hoje não tenho cabeça para números...

Mitridates continuou caminhando a meu lado, e eu curvava cada vez mais a minha cabeça para ouvi-lo, pois a cada instante sua voz parecia ficar mais baixa:

— Somos ao todo quarenta e duas mil, trezentas e sessenta pessoas dispostas à viagem, entre homens, mulheres e crianças. Suas posses deverão ser levadas ao lombo de setecentos e trinta e seis cavalos e duzentas e quarenta e cinco mulas, além do que seguirá dentro das carroças que mandamos construir e que já são quase mil, cada uma delas puxada por uma média de cinco juntas de bois, num total de aproximadamente dez mil animais. Há ainda quatrocentos e trinta e cinco camelos e seis mil, setecentos e vinte jumentos de todas as idades, além do rebanho de carneiros e cabras, com mais de dezessete mil animais.

Eu não percebia aonde Mitridates queria chegar, e apressei-o com a mão, enquanto olhava o caminho à frente, cheio de gente na azáfama dos momentos que antecediam a viagem. Meu amigo suspirou fundo e continuou:

— Além dessas posses animais que caminham por si mesmas e das posses materiais que irão em seus lombos ou nas grandes carroças, eles ainda relacionam sete mil, trezentos e trinta e sete escravos, isso sem mencionar os duzentos e quarenta e cinco cantores e cantoras do templo, que são defensores e zeladores do tesouro de Yahweh.

Eu não conseguia atinar com o que Mitridates me dizia, e ele me segurou pela manga da túnica, enquanto à nossa volta as pessoas gritavam e falavam sem cessar, criando uma balbúrdia tal que quase não me deixava pensar: meu amigo aproximou-se de minha orelha e gritou, fazendo-me estancar:

— Não vês? O que os senhores da Grande Baab'el relacionam como suas posses são gente, são pessoas, mais de sete mil delas, que mesmo sendo escravos precisam se alimentar! Com mais os cantores e cantoras, formaremos uma caravana de quarenta e nove mil, oitocentas e noventa e sete pessoas, quase cinqüenta mil pessoas que precisam comer duas refeições por dia, durante sete meses, atravessando mais de seiscentas milhas de território! Eu tenho que refazer todos os cálculos das necessidades da caravana, porque essas sete mil e tantas pessoas com quem não contava acabam de desfazer toda a precisão deles!

Eu estanquei, olhando para Mitridates com tal preocupação que até mesmo ele, que me conhecia tão bem, temeu por meus sentimentos. Minha voz estava rouca quando eu disse:

— Isso não muda nada, meu amigo: já estamos em pleno movimento e não podemos mais parar. Recalcule o que for preciso, veja a fortuna de que dispomos, redivida o trigo que Cyro nos prometeu, garanta a capacidade de produção das cidades que atravessaremos, e coloquemos o pé no caminho. Não há mais como recuar: o destino foi posto em movimento e ninguém pode rejeitá-lo sem correr riscos incalculáveis.

Mitridates me observou com os olhos semicerrados por causa da poeira e do sol:

— Recalcular não é problema, Zerub: o problema é a realidade que os números indicam, e que nem sempre pode ser corrigida pela vontade de um rei.

Eu ri, e amarfanhei o pano que ele trazia sobre a cabeça, como fazíamos quando jovens:

— Não te preocupes, Mitridates: não percebeste que eu sou apenas o executor da vontade de Yahweh? Ageu disse, do alto de toda a sua loucura, que o próprio Yahweh assim o quer: por que nós, suas criaturas, deveríamos desobedecer a suas ordens? Como disse Yeoshua, o que nos faltar certamente será provido por Yahweh, pessoalmente, derramando o *manah* dos céus sobre nossas cabeças...

Mitridates sorriu, e me acompanhou pelo resto do caminho, em silêncio, calculando mentalmente as necessidades que esses novos números nos traziam. Eu, senhor do destino de cinqüenta mil pessoas, sem sê-lo do meu próprio, fiava-me na vontade e no poder divinos, sem reparar que os objetivos de um deus raramente são os de suas criaturas, e que aquilo que me parecia certo na pequenez de meu dia-a-dia tinha grande chance de ser um imenso erro na escala infinita do Universo, onde eu era apenas a mais ínfima das coisas criadas, que, na ânsia de realizar a vontade de Deus, em nenhum instante atentara em discutir Seus planos para isso, ou mesmo se seriam para minha felicidade ou meu desespero.

Capítulo 26

O dia de nossa partida foi quente e abafado, sem nenhuma aragem que refrescasse nosso afogueamento. Vivíamos uma situação inesperada: o projeto da viagem longa e lenta transformara a própria jornada em objetivo, e percorrer o longo caminho se tornara mais importante que chegara onde queríamos. Isso, de certa maneira, simplificava muito nosso esforço. Os problemas de movimentação tão grande foram relegados a um plano longínquo: as cinqüenta mil pessoas que partiriam emitiam um misto de nervoso e excitação, e esses sentimentos se transferiam para os animais, deixando o ambiente tão áspero como o ar que antecede as tempestades de raios.

O grande problema parecia ser a ordem em que a caravana seguiria: havia os que desejavam estar à frente dela e os que insistiam em ficar à sua retaguarda, assim como os que pensavam ser lugar de destaque o que estivesse mais próximo ao tesouro de Yahweh, e outros que insistiam em cercar as carroças onde eu e meu tio Shesba'zzar seguiríamos. Como não existe possibilidade de dois corpos ocuparem um mesmo lugar na ordem geral das caravanas, só nos restava exortar competidores a trilhar o caminho lado a lado: isso não os agradou muito, e eventualmente foram se afastando e tomando as posições que a conveniência da viagem lhes permitia.

A Esagila, pela primeira vez na história da Grande Baab'el, ficou vazia: mais de um quarto da população se preparava para deixá-la, e os outros três quartos precisavam marcar presença, não havendo ninguém que não estivesse mobilizado por nossa partida, aplaudindo, vociferando, rindo ou chorando, ao norte da cidade, na grande praça em frente ao Palácio, junto à Porta de Ishtar. A Grande Baab'el, com seus imensos prédios e estranhos hábitos, era verdadeiramente uma cidade de escravos hebreus: os cinqüenta mil que partiríamos na caravana estávamos cercados pelo dobro de nossos compatriotas, exibindo as mais diversas reações, algumas delas muito violentas, a maioria apenas melancólica, pois negócios, amizades e laços familiares ali se desfaziam. Um em cada três hebreus da cidade queria estar de volta à sua terra natal, idéia que os outros dois abominavam, por puro comodismo. Havia mesmo quem dissesse que, se as coisas dessem certo, poderiam até voltar a Jerusalém, mas que sem garantia de sucesso não abandonariam a vida que já conheciam e que, má ou boa, era a única de que dispunham. A ousadia necessária para enfrentar o que essa viagem prometia não era atributo geral: a maioria de meus compatriotas não possuía bravura maior que a necessária para enfrentar um inseto de tamanho razoável, ocultando a cabeça sob o manto sempre que alguma coisa mais perigosa se avizinhava. A busca pelo prazer era a marca da vida na Grande Baab'el, e de tal forma se acostumaram com ele, que o consideravam o maior dos bens sobre a face da terra, e a dor como o maior dos males. Como eu já percebera, meus compatriotas em grupo eram infinitamente mais covardes e mesquinhos que solitariamente, até mesmo quando faziam o que era necessário à sua sobrevivência.

Além do auxílio inestimável de Mitridates, a viagem só se realizou graças a meus dois outros amigos, Jael e Yeoshua. O primeiro, natural de uma aldeia entre a Grande Baab'el e a cidade de Qornah, integrara-se de tal forma à vida do *tel'aviv* que parecia ter sempre morado ali: mas seu trabalho como meu secretário íntimo se ampliara, para buscar entre os habitantes do bairro aqueles que, por suas características pessoais, pudessem ser membros da fraternidade de pedreiros de que fazíamos parte, convencendo-os a fazer a viagem conosco e prometendo-lhes a revelação de mistérios em que nunca haviam pensado. Eram todos mais ou menos jovens, ficando conhecidos como "os de Jael", por segui-lo constantemente pela cidade, realizando alguma tarefa que ele lhes tivesse dado. Ele, além disso, fizera chegar ao conhecimento dos pedreiros de Qornah a notícia de que Jerusalém seria reconstruída, e irmãos pedreiros de todas as redondezas se uniram à caravana, desejando reerguer o Templo que antigos irmãos haviam construído para maior glória de nossa fraternidade. Eram quase trezentos pedreiros, carpinteiros, tecelões, tapeceiros, gente de vários ofícios, que se uniu a nós, dispondo-se ao serviço pela paga mais ínfima, certos de que a tarefa a realizar seria sua verdadeira recompensa.

Yeoshua, por outro lado, havia se tornado o verdadeiro líder religioso da comunidade, reunindo todos que estivessem dispostos a conservar vivas as tradições mantidas com esforço durante a escravidão na Babilônia. Não fossem esses que insistiam em manter a vida anterior ao cativeiro, haveria entre nós apenas babilônios, movidos exclusivamente pela possibilidade de mais poder e riqueza. Os que cercavam a Yeoshua, cheios de fogo e paixão, pareciam-se com os que me haviam ensinado a ser rei, durante meu período de treinamento: tinham no entanto alguma coisa a mais, achando-se capazes de fazer o tempo não apenas cessar seu percurso inexorável, mas também retornar aos tempos de esplendor, quando Salomão fizera sua cidade o centro do mundo.

Eu estava cercado pelos melhores e pelos piores, esperando que os melhores dessem o melhor de si, e que os piores, decididos a mudar, agissem da melhor maneira que pudessem, abandonando costumes que só nos prejudicariam. Não era fácil, mas com o apoio intempestivo das palavras de Ageu, dando-me o aval sagrado, eu faria o que devia ser feito.

Quando as trombetas de chifre de carneiro tocaram, assim que a última estrela se apagou dos céus, seu toque foi repetido como eco por toda a imensa extensão da caravana, que se espalhava pela borda da Esagila, tomando o espaço à beira do canal nos fundos do Templo de Ishtar, a frente ocupada por uma série de cavalos e jumentos ajaezados de azul e branco, e logo após eles as carroças gigantescas que os fedorentos bois puxariam. Havia uma carroça para mim, logo à frente da que levava o Tesouro de Yahweh, mas eu preferi a liberdade de um *jâmal*. Mesmo deixando claro que o lugar para onde íamos era uma ruína que teríamos que reconstruir, a visão da terra de leite e mel que os sacerdotes impunham ao povo se tornara o sonho coletivo desse novo êxodo. Era melhor assim: a ilusão da Jerusalém de benesses e delícias serviria aos objetivos da viagem. Eu só temia que, uma vez terminada, a realidade de penúria e destruição fosse dura demais para os que dela dependiam.

Yeoshua, à frente dos sacerdotes, usando um manto que havia sido preservado durante setenta anos, fazia as orações: era impressionante vê-lo oculto sob uma pátina de respeitabilidade, que levava até mesmo os mais velhos a ceder-lhe o lugar de destaque. Ele o ocupava com voz vibrante, recitando o que Moisés dissera quando o povo de Israel vira o mar milagrosamente aberto fechar-se sobre as cabeças dos soldados do Faraó:

— Cantarei a Yahweh, porque se vestiu de glória, lançando ao mar o cavalo e o cavaleiro. Yahweh é minha força e meu canto, a Ele devo a salvação. É meu Deus e eu O glorifico, é Deus de meu pai e eu O exalto. Yahweh é um guerreiro, Yahweh é Seu Nome!

Um frêmito de excitação agitou a caravana, como se ela fosse um trigal soprado pelo vento, e subitamente era para mim que todos olhavam, esperando ordens. Era meu o direito de comandar o povo em direção ao futuro sonhado, e essa não era uma vantagem trazida pela Natureza, mas sim fruto de meus esforços. Por um instante, tremi, pensando no que seria de todos se eu estivesse equivocado: mas esse momento logo passou, porque em frente a meus olhos surgiram as letras *vau*, *shin* e *resh*, removendo como que por encanto toda a negatividade de meus pensamentos, enchendo-me de uma coragem que eu não sabia ter, mesmo tendo pago por ela o maior de todos os preços. Ergui o braço, mantendo-o suspenso no ar por um tempo quase infinito, até ficar repleto do poder que as três letras me davam: quando elas finalmente se apagaram de minha vista, lancei o braço para a frente, espicaçando minha montaria e dando o primeiro passo no caminho sem volta, sentindo que atrás de mim todos se moviam. A imensa caravana se pôs a caminho, enquanto as vozes de Yeoshua e dos sacerdotes soavam:

— Tu os conduzirás e plantarás sobre a montanha a Tua herança, Yahweh, no lugar onde fizeste a Tua residência, no santuário que Tuas mãos prepararam. E aí reinarás para sempre e eternamente!

Como um rio represado que se houvesse finalmente libertado de seus diques, abandonamos a Grande Baab'el, atravessando o Portão de Ishtar, seguindo rumo noroeste pela margem esquerda do Eufrates, buscando um vau onde pudéssemos atravessar para a outra margem, por onde seguiríamos em terreno mais suave. Na passagem pelo *tel'aviv*, muitas portas e janelas se fecharam, quando alguns dos que haviam decidido ficar se recusaram a ver nossa partida, virando o rosto para o outro lado, deixando-nos por nossa própria conta e risco no caminho desconhecido. Muitos parentes, no entanto, vieram dar adeus a seus entes queridos, e alguns deles, intempestivamente, aprestaram alguma bagagem, movidos por impulso incontrolável, e se uniram a nós, apertando o passo de suas montarias para alcançar o grosso da caravana: eram em sua maioria rapazes muito jovens, como eu mesmo havia sido, que rompiam seus laços familiares e se atiravam ao desconhecido junto conosco. Os gritos de suas mães e pais encheram o ar de tensão, mas esta logo passou, à medida que a caravana foi deixando para trás o *tel'aviv*, se aventurando lentamente pelo primeiro dia de viagem. Minha montaria balançava, estabelecendo-se no passo lento que seria o ritmo constante da jornada, e gradativamente o silêncio foi-se instalando entre todos, cada um ocupado com seus próprios afazeres e pensamentos.

Minha cabeça clareava com o ar puro do dia, úmido pela proximidade com o Eufrates, que logo atravessaríamos, no território onde se havia construído um dique, na terra pantanosa. Logo abaixo desse dique, que de vez em quando era sangrado para que a cheia não inundasse demasiadamente as terras férteis rio acima, a caravana virou à esquerda, atravessando o terreno enlameado com cuidado. Eu me pus ao lado do caminho, sentado sobre meu camelo, aguardando que a imensa caravana chegasse à outra margem, pensando se seria possível alcançarmos a pequena aldeia de Hindyah, ou se seria melhor acamparmos do outro lado do Eufrates, seguindo caminho apenas na manhã seguinte. O sol se apressava no céu, e quando se colocou a pino, olhei para o final da caravana, que se perdia na distância. Era melhor começarmos a nos preparar para passar ali nossa primeira noite: dei essa ordem a Jael e Mitridates, que não a discutiram, saindo a espalhar a notícia entre os que já haviam atravessado o terreno encharcado, pondo-os a acampar imediatamente, onde quer que estivessem. A margem oposta foi-se enchendo de pessoas, animais, carros, cargas, tendas começaram a se erguer, e logo a fumaça das fogueiras e fogões subiu para o ar, enchendo-o com os mais interessantes odores. Yeoshua saltou de sua carroça e se postou a meu lado, fazendo-me descer da montaria para conversar com ele, sendo quase que imediatamente acompanhado pela presença ubíqua de Ageu, que saltitava pelo caminho, dando cabriolas sobre as pedras molhadas, nunca se afastando de nós mais que algumas braças. À nossa frente passava a caravana, e tive uma súbita surpresa ao ver em uma carroça de bois finamente ajaezados, cobertos por mantas de vermelho vivo, as figuras de Re'hum e Sam'sai, que nos saudaram com seus sorrisos gélidos e seus olhos de cobra. Virei-me para Yeoshua, boquiaberto, sem entender, e meu amigo, com um suspiro desencantado, disse:

— Sim, são eles: na última hora, decidiram participar da reconstrução de Jerusalém, formando um grupo de quase duzentos samaritanos, trazendo muitas riquezas e tesouros.

— Mas o que fazem entre nós, Yeoshua, se não são descendentes dos escravos de Judah e não crêem em Yahweh? Por que seguem conosco para Jerusalém?

Yeoshua deu um profundo suspiro:

— Zerub, se fizéssemos a exigência de crença em Yahweh, não seríamos nem cinco mil nesta viagem. Tu sabes que mesmo dentro do *tel'aviv* há quem culte a Marduq e a Ishtar, tentando ser mais babilônios que os próprios babilônios. Nosso povo perdeu a crença em seu deus original, Zerub, e o que move a maioria dos que seguem nesta viagem é a possibilidade de reiniciar suas vidas por cima, estabelecendo-se como poderosos na terra de onde seus avós saíram como escravos.

— Inacreditável: quando me dizes isso, penso se não estamos equivocados em nosso esforço. Reconstruir a terra de Yahweh sem que os construtores creiam n'Ele parece tarefa fadada ao insucesso.

— Nem tanto. — Yeoshua tinha o ar cansado. — Quando entrarmos em Jerusalém, cumprindo a profecia, e iniciarmos a reconstrução do Templo, o poder do único e verdadeiro deus tomará a terra, as plantas, e a todos os seres que ali estiverem pisando. Tranqüiliza-te: já me acostumei a essa idéia, e esperarei até que estejamos em terra santa. Não posso exigir que sejam aquilo que ainda não sabem que serão: até lá, aceito o que me é dado, fazendo o melhor que posso.

Não era um mau conselho: afinal de contas, se era Yahweh quem de tudo nos provia, esta também era uma de suas benesses, e deveríamos fazer dela o melhor que pudéssemos. Aceitaríamos o que havia por trás da vida e agiríamos a favor dela, mesmo que a princípio nos parecesse estranha. A caravana continuava, vadeando o Eufrates: só quando o sol já se punha, os últimos viajantes cruzaram o rio. Subi em minha montaria e entrei no acampamento, uma verdadeira cidade de madeira e pano, atulhada de gente de todas as cores e feitios. A sonoridade de suas vozes ásperas e alegres, excitadas pela novidade da primeira noite fora de casa, enchia o ar, cobrindo o ruído do Eufrates. Atravessei os espaços entre as tendas, sentindo odores de comida e bebida, ouvindo choros de crianças e gritos de animais, vozes agudas de mulheres e risadas e imprecações de homens, cada pequeno grupo preocupado única e exclusivamente com suas próprias necessidades e desejos. Nesse sentido, éramos todos iguais: viajantes com um destino muito remoto, teríamos que viver a vida um dia de cada vez, uma noite após a outra, deixando o futuro para depois, sem tentar determiná-lo além de nossas forças.

Minha tenda ficava no centro do acampamento, ao lado das carroças dos *kohanim* e dos levitas, e já estava montada, porque os irmãos pedreiros se haviam organizado para ajudar qualquer viajante que precisasse, colocando as necessidades alheias à frente até mesmo das suas próprias: circulavam por todo o acampamento, cuidando de tudo o que precisava ser cuidado, numa azáfama incessante e com um desprendimento quase inacreditável. A diferença entre esses homens e os outros era tão acentuada quanto a que separava os *kohanim* e levitas do resto das pessoas. No caso dos pedreiros, era uma diferença natural, geradora de respeito, nascido do reconhecimento imediato de suas qualidades inesperadas. Os levitas e os *kohanim* não tinham essas qualidades, e sempre exigiam o respeito que consideravam merecer, sem perceber que o respeito não se pede nem se dá, mas tão-somente se conquista.

Jael, meu irmão e secretário íntimo, ganhara esse respeito como líder dos pedreiros da caravana: minha mãe e irmãs, desde que eu voltara a ocupar a casa de minha família no *tel'aviv*, tratavam-no como da família, e ele retribuía esse carinho e atenção com mais atenção e carinho, fazendo o meu papel em reuniões familiares das quais eu me afastava, envolvido com o negócio de ser rei. Mesmo meu irmão Shimei, rompendo a adolescência, preferia conversar com Jael a conversar comigo, perpetuando a distância que eu mesmo lhe impusera ao abandonar o círculo familiar. Agora que eu era senhor dos destinos de todo um povo, essa distância se cristalizava cada vez mais em formalismo e silêncio mútuos, como se fosse a relação entre mim e meu pai. A idéia de família me era pouco cara, eu sempre fora um solitário. O pouco que aprendera em matéria de viver em grupo, fizera-o entre os pedreiros, experimentando uma saudável diluição de minha personalidade dentro da personalidade do grupo. A única família que eu podia me orgulhar de ter era a fraternidade da pedra, na qual entrara inadvertidamente e da qual emergira com muito mais do que algum dia imaginara ter. Nela, eu encontrara um rumo, um objetivo e uma maneira de perseguir esse objetivo e esse rumo.

Assim que o acampamento começou a funcionar, chegaram vários homens da aldeia de Hyndiah, que ficava mais à frente, colocando-se à nossa disposição para o que quer que necessitássemos, pois o Grande Cyro havia dado ordens a todas as aldeias pelas quais passaríamos para que a caravana liderada pelo *tarshatta* de Jerusalém tivesse todas as suas necessidades satisfeitas, à custa do tesouro do Império, sem que isso representasse nenhuma despesa adicional para nós. Fiz minha aparição formal, e o chefe desses homens insistiu antes de tudo em olhar-me a fita verde e dourada, na ponta da qual estava o relicário com o timbre do Império, só então curvando-se respeitosamente, como se eu fosse o próprio Cyro. O imperador do mundo, dando-nos esse presente, demonstrava sua atenção inesperada. Deixei por conta de Mitridates as negociações sobre nossas necessidades, garantidas da melhor forma possível, sem prejudicar a vida dos lugares por onde passaríamos: tudo de que precisássemos, e que estivesse além do ordenado por Cyro, seria honestamente pago com as riquezas de que dispúnhamos. As trombetas soavam marcando o fim do dia, e eu me dirigi para minha tenda, ladeada pelos abrigos de minha família e de meu tio Sheshba'zzar. Quando entrei no espaço iluminado, ele estava ocupado por um grande grupo de mulheres, que ao me ver fizeram uma parede com seus corpos, ocultando alguém que eu não sabia quem fosse. Fiquei sem ação, até que Jael, às minhas costas, sussurrou, com bom humor:

— É uma de tuas mulheres, a primeira com quem deves deitar, meu rei. Esqueceste de vossa tarefa?

Assustei-me, pois não esperava por isso tão cedo, mas, sendo a organização de minha vida cada dia mais e mais feita pelos outros, meu tempo e minha vontade acabavam sendo tratados como se fossem seus:

— Não nos basta estar em viagem, Jael, e ainda tenho que agir como um garanhão que deva impregnar a todas as fêmeas que me apresentem?

— Meu rei, os teus súditos têm pressa: precisam que tua descendência se estabeleça o mais rápido possível, pois precisam ser avós do próximo Rei de Israel e Judah. Essa será a tua obrigação diária, e não me parece tão desagradável assim: afinal, ser obrigado ao prazer ...

O perfume de murta envolveu-me toda a cabeça, esvaziando-a de qualquer outro pensamento. Evolava de um incensário colocado no ponto mais alto da tenda, sobre nossas cabeças, e eu já estava francamente pronto para o que deveria fazer, quando a parede de mulheres se abriu e, à frente das almofadas de meu leito, pude ver minha companhia para aquela noite, vestida com uma túnica simples de pano claro, macio e diáfano, que ia de seu colo a seus pés. A cabeça estava coberta por um manto do mesmo tecido, mas assim que ela ergueu o queixo e fixou seus olhos em mim, as mulheres que lhe estavam mais próximas puxaram o véu de sobre sua cabeça, revelando cabelos cacheados cor de castanha, e os olhos de um verde muito claro na face rosada, talvez pelo constrangimento, o mesmo que eu sentia, pois em todos havia uma pequena dose de malícia, dirigida a mim e a essa mulher tão jovem quanto eu.

Quando ficamos frente a frente, depois que as mulheres tiraram a parte mais pesada de minhas vestes, deixando-me apenas de túnica e passando panos úmidos em minha pele para refrescá-la do suor da viagem, alguma coisa aconteceu entre nós. Meu ventre se transformou em um nó, e ela deve ter percebido isso, porque sua pele se ruborizou ainda mais, tornando ainda mais encantador o seu sorriso. Quando percebi, estávamos sozinhos na tenda, os reposteiros fechados a nossas costas, e me dirigi para a borda do leito de almofadas, chamando-a para sentar-se a meu lado. Ela o fez, e eu lhe perguntei o nome, que ela disse graciosamente:

— Haddasah, meu senhor, filha do sacerdote Jedaías.

Coloquei-lhe a mão sobre os lábios:

— Aqui não sou teu senhor, apenas teu marido. Tens o nome desse perfume que nos envolve... já tinhas percebido isso?

Ela tomou minha face entre ambas as mãos e me beijou os lábios, de forma a princípio suave, mas que logo nos encheu de fogo, fazendo com que arrancássemos nossas roupas e nos envolvêssemos um no outro, com um prazer tão grande que eu pensei que nunca se repetiria, mesmo tendo alguma dificuldade em romper-lhe a barreira natural. Repetiu-se, no entanto, logo após, e de maneira mais fácil, calma e tranqüila, e quando ela se recostou nas almofadas, eu me recordei de minha harpa, indo buscá-la e sentando-me junto a ela para cantar-lhe uma das canções de Salomão que Feq'qesh me ensinara, e que falava de um jardim em que se colhia a murta com especiarias, sorviam-se os favos de mel, bebia-se o vinho com leite. Devo tê-la agradado, pois ela me puxou contra si e me acariciou até que eu me esvaí de prazer entre seus dedos. Quando me ajeitei nas almofadas para dormir, ela chegou a boca perto de meu ouvido e disse, suavemente:

— Minha senhora Ishtar te manda lembranças...

Num salto, tomei-lhe o pulso, subitamente desperto, fixando seu rosto assustado. Ela havia dito a frase terrível que me recordava os fracassos de minha vontade, e a ira que cresceu dentro de mim quase se derramou sobre ela. Foi então que, movido por súbita inspiração vinda não sei de onde, afrouxei meu aperto sobre seu braço e lhe disse, sem deixar de fitá-la:

— Que Yahweh te cubra com Sua Luz.

Ela arregalou os olhos e, de um salto, arrebanhou o manto caído ao solo e saiu da tenda, deixando-me infinitamente mais poderoso. Compreendi nesse instante que o poder que Sha'hawaniah tinha sobre mim era única e exclusivamente aquele que eu lhe permitia ter: por artes da deusa Ishtar, tantas mulheres em minha vida repetiam a frase que ela me havia dito, e que tinha a capacidade de esgotar-me a vontade própria, deixando-me à mercê de quem a dissesse. Eu descobrira um antídoto poderoso para o veneno dessas palavras: o nome do deus de meu povo e a menção à Sua infinita luz. Deitado no leito que agora era exclusivamente meu, cerrei os olhos, vendo bailar nas pálpebras as quatro letras do nome sagrado de Yahweh, *yod, he, vau, he*, pela primeira vez formadas por labaredas de fogo branco, que me encheram de alegria. Na manhã seguinte, a primeira pessoa que observei no caminho foi o sacerdote Jedaías, pavoneando-se entre os outros *kohanim*, que o saudavam com tapinhas nas costas, a que ele respondia com um sublime ar de orgulho e auto-importância, já se sentindo avô de um Rei de Israel.

Sorri intimamente: se ele soubesse que sua filha era uma das ferramentas de Ishtar, não estaria assim tão orgulhoso.

Os próximos dias foram todos iguais: partíamos cedo, e nem bem a caravana estava se movendo de forma constante, já era hora de parar, e os da frente começavam a estabelecer seus pousos e tendas, enquanto os últimos mal haviam se acostumado a caminhar. Horas se passavam até que estes estivessem acampados, dando a impressão de que o movimento de erguer e desmontar o acampamento nunca cessava. Eu fazia de tudo para dar atenção a toda a caravana, mas isto era coisa quase impossível: ainda assim, eu tentava pelo menos ser visto pelo maior número de pessoas, para que nunca pensassem que seu rei não experimentava as mesmas vicissitudes, os mesmos cansaços, o mesmo calor. Quando as trombetas soavam marcando o início da manhã, eu me dirigia à praça central do acampamento, para reunir-me com os homens mais importantes da caravana e decidir as pequenas disputas e problemas que surgiam, sumamente importantes para os que neles estivessem envolvidos, ainda que extremamente tolas e sem sentido. Era no entanto preciso dar-lhes atenção, para que não crescessem além da conta e se transformassem em monstros invencíveis, ao mesmo tempo detectando as verdadeiras complicações que nos podiam atrasar ou deter, destruindo nosso ímpeto.

Andar as três milhas diárias não era fácil, e várias vezes ficamos bem abaixo dessa cota. Caravanas custam a mover-se, uma vez paradas, e nossa imensa multidão levava tanto tempo para estabelecer impulso constante, que chegava a dar pena ter que acampar, interrompendo o progresso. Era maravilhoso, no entanto, ver as ordens benfazejas de Cyro amparando nosso esforço: aonde quer que chegássemos, lá estava um grupo de moradores desta ou daquela aldeia, prontos para nos ajudar na satisfação de nossas necessidades, até o dia seguinte, quando nossa cidade em movimento mais uma vez se estendesse em direção noroeste, margeando o Eufrates. Quando as trombetas soavam marcando o final de um dia e o início de outro, ao surgir das primeiras estrelas, lá ia eu para minha tenda, ladeado pelos silenciosos Heman e Iditum, acompanhado na maioria das vezes por Mitridates, Jael e Yeoshua, além do ubíquo Ageu, cuja voz eu não mais ouvira desde o dia em que construíra o apoio de que eu precisava. Chegando à tenda de minha mãe, simples e frugal como todas, recebia o alimento que me havia sido reservado, tomava uma taça de vinho e seguia para minha própria tenda, onde mais uma esposa prometida me esperava, tudo metodicamente organizado para que eu tivesse uma nova mulher a cada noite.

Depois de algum tempo, separei-as em três grupos, baseado exclusivamente nas sensações que me causavam. A maioria era de meninas e moças colocadas em minhas mãos simplesmente como parte de um negócio, usadas por seus pais como mercadoria de troca e possibilidade de ganho, todas absolutamente desgraciosas e sem energia, a tal ponto que eu cumpria a minha obrigação de marido com a maior rapidez possível, dispensando-as imediatamente, para poder tocar minha harpa, que, com tantos estudos contínuos e aplicados, começou a ser verdadeiramente bem executada. Tive a proteção da juventude, que não me permitiu falhar com nenhuma delas, mas com nenhuma delas tive qualquer vontade de repetir o ato, correndo para a harpa imediatamente, pois já estava com meus olhos voltados para ela assim que percebia que nada de fascinante resultaria daquela noite.

O segundo grupo, bem menor, era o de mulheres absolutamente deliciosas, e tão capacitadas a dar e receber prazer, que me faziam esquecer completamente a existência da música: nessas noites, minha harpa ficava abandonada a um canto da tenda, enquanto eu me refestelava e satisfazia não uma, mas várias vezes, obtendo grande prazer na junção estreita de meu corpo com as maravilhosas e variadas peles e cabelos e perfumes e sabores que cada uma delas tinha, tão interessantes que fiz uma lista de seus nomes, para que, uma vez terminada a tarefa, pudesse a elas retornar em busca de mais um pouco desse prazer intensamente físico.

O terceiro grupo, no entanto, era especial, formado por pouquíssimas mulheres, menos que meia dúzia, com as quais tive a fenomenal experiência de satisfação do corpo, da mente e do espírito ao mesmo tempo. Estas foram a tal ponto singulares, que entre um e outro momento de prazer eu fazia questão de mostrar-lhes minha outra arte, a da música, dedicando-lhes o melhor que tinha, deixando que a emoção de meu prazer fluísse de meus dedos e de minha garganta. A exibição de meus talentos artísticos era sempre recompensada por mais prazer, passando ambos a noite em claro, envolvidos por música e amor. Seus nomes não precisaram ser anotados, ficando indelevelmente gravados em minha mente: Haddasah, a filha de Jedaías, com quem eu revelara meu poder sobre a deusa de que era devota oculta; Lia, filha de Naamani, um rico comerciante que estava entre o grupo liderado por Re'hum; Eliá, filha de Selum, com seus olhos amendoados e sua pele escura, capaz de movimentos inacreditáveis ao dançar enquanto se livrava das roupas; Noemi, filha de Mardoqueu, uma mulher alguns anos mais velha que eu e que teve a particularidade de molhar-me todo o corpo com os líquidos de seu ventre quando alcançamos o orgasmo juntos: e finalmente Rhese, filha de Belsan, um dos anciãos do *tel'aviv*, seguidor de meu pai, a quem prometera a filha como nora quando ainda éramos crianças de colo, de todas aquela por quem tive o maior amor e por quem passei pelos maiores sofrimentos.

A todas tratei sempre com o máximo carinho que minha natureza permitia, mas já no segundo dia, antes que qualquer uma delas dissesse alguma coisa, fiz questão de proferir as palavras com que havia sido inspirado quando de meu encontro com *Haddasah*. Muitas se espantaram com minhas palavras, porque certamente esperavam dar-me as lembranças de Ishtar, mas quando eu dizia as palavras sobre a Luz de Yahweh, perdiam o pé da situação. Foi assim que a frase "Que Yahweh te cubra com Sua Luz" tornou-se a saudação de todos os momentos de minha vida, principalmente aqueles em que algum desconhecido se aproximava, sem que eu soubesse qual era seu objetivo.

Andamos mais de cento e sessenta dias, descansando um em cada sete, como ditavam as tradições de nosso povo: esse sétimo dia era usado para um descanso ampliado, durante o qual recuperávamos as forças para mais seis dias de caminhada contínua. Nossa imensa cidade ambulante foi ganhando terreno em direção à grande curva ao norte do Eufrates, onde alcançaríamos metade de nossa jornada, finalmente entrando na Estrada do Rei, que Cyro construíra na maior parte de seu Império, para unir os povos e facilitar o comércio e os transportes. Desse ponto em diante, a viagem certamente seria mais fácil, não só por causa dessa estrada tão ampla, mas também porque ela já não atravessaria apenas aldeias, vilas e poços, como tinha sido comum em toda a margem direita do Eufrates. A região sob a influência da grande cidade de Tadmur, início da grande estrada que levava a Dimashq, havia sido centro do poder assírio, que depois de dominado por babilônios fora reduzido à sua verdadeira importância, sendo mesmo assim a região mais rica do Império. Seus habitantes agiam com a mesma empáfia de quando tinham sido senhores de um império menor que o de Cyro, mas não menos importante.

O grupo de samaritanos liderados por Re'hum e o sibilante Sam'sai não se envolvia com a caravana mais que o estritamente necessário: caminhavam em bloco isolado, todos juntos, formando uma espécie de bairro separado dentro da cidade semovente, mantendo-se sempre afastados das decisões que tomávamos, recusando-se a dar opinião ou apoiar qualquer das decisões possíveis. Não tomavam partido, não se aliavam a ninguém, sempre aos cochichos nas raras vezes em que compareciam a alguma reunião, como se seu destino não estivesse ligado ao dos outros. O olhar de ódio contido que Re'hum sempre me dirigia era incomodativo ao extremo, mas nunca pude chegar perto dele o suficiente para dizer-lhe as palavras sobre a luz de Yahweh, que certamente o desarmariam. Isso me preocupava, como disse a meus amigos mais chegados, quando alcançamos a grande aldeia de Abu-Kâmal, logo acima do poço de AlQâim e das aldeias de Ankah e Husaibah:

— Não me sinto à vontade com os seguidores de Re'hum em nosso meio. Tenho certeza de que preparam alguma manobra insensata para nos prejudicar. Se assim não fosse, por que se comportariam dessa maneira isolacionista, mantendo-se afastados de todos?

— Não se sentem bem entre nós, isso é claro — disse Jael. — Mas não podem nos prejudicar; que poder teriam duzentos homens contra uma caravana de mais de cinqüenta mil pessoas?

Mitridates comentou:

— Notei que seu grupo cada vez se coloca mais para o fim da caravana. Em breve, serão os últimos, certamente para nos abandonar na primeira oportunidade. Isso, aliás, nos aliviaria muito: não estão conosco a não ser na hora de usufruir da comida, e são tremendamente vorazes, passando na frente de todos para pegar sua parte, que cozinham e comem afastados de todos, como se nunca tivessem sido parte de nós. Se nos deixassem, seria muito melhor.

Eu pensava o mesmo: mas com tão pouco tempo de viagem, e uma série de problemas muito maiores, não fazia sentido dedicar minha preocupação aos samaritanos. Três dias depois dessa conversa, já dentro do antigo território assírio, quando nos preparávamos para atravessar a larga ponte de pedra que ficava sobre o arroio perene de Gabbarah, construída com a grandiosidade que os Dinastas impunham a todas as suas obras, tivemos uma ingrata surpresa: do outro lado da ponte, espalhando-se quase que até seu centro, estava um imenso batalhão de homens escuros e barbudos, trazendo em suas roupas de combate as marcas do velho Império Assírio, e que nos receberam com gritos ferozes e grandes pancadas das armas nos escudos que traziam. A caravana quase atropela a si mesma, pois uma parada inesperada costuma desorganizar todo o seu movimento. Sem compreender os motivos da confusão, espicacei meu *jâmal* e atravessei as fileiras de carroças e animais, percebendo ao longe a animosidade dos que nos barravam o caminho, o que me fez reduzir a marcha enquanto pensava no que aquilo podia significar.

Um dos chefes do batalhão, homem marcado por imensas cicatrizes, berrou:

— Escravos dos babilônios! Aqui ninguém passa se não pagar o tributo! Podeis pagá-lo com ouro ou com sangue! Se nos déreis ouro, talvez deixemos que o sangue continue dentro de vossas veias, mas se insistirdes em nos combater, derramaremos esse sangue no leito do Gabbarah, e depois que estiverdes todos mortos, tomaremos o ouro! Onde está vosso chefe?

Era comigo que desejavam falar. Eu, responsável pelas vidas de mais de cinqüenta mil pessoas, não tinha a quem recorrer, a não ser a Yahweh. Arrumei a faixa verde e dourada de *tarshatta* na diagonal do peito, sentindo o relicário de ouro bater-me no quadril: era meu símbolo de autoridade, o que me colocava na linha de frente do enfrentamento, por mais que minha vontade fosse exatamente o oposto disso. Do fundo de minha mente, nenhuma letra de fogo surgiu. Estava só, à frente de meu povo, tendo que liderá-lo na mais terrível de todas as atividades humanas, a guerra, e teria que enfrentar a guerra contra meu povo, comandando cinqüenta mil escravos covardes, desarmados e sem preparo. Meu nariz sentiu o cheiro do medo, que eu já conhecia de outras ocasiões, e que nunca estivera tão forte à minha volta: quando ergui a cabeça e prestei atenção ao claro sol que doloridamente iluminava a paisagem à nossa volta, descobri que esse terrível fedor era todo meu.

Capítulo 27

O medo me paralisou, enquanto os assírios gritavam cada vez mais, fazendo tremer as almas da multidão covarde que se escudava atrás de mim, o mais covarde de todos. Alguns entre nós, principalmente meu irmão Shimei e seus amigos, adolescentes ainda, cheios do fogo de experimentar o combate pela primeira vez em suas vidas, chegaram por trás de mim, gritando impropérios em altos brados na direção dos assírios: eram apenas uma gota d'água num mar de homens cheios de vontade de matar: mas sua coragem inconsciente ofendia minha fenomenal covardia, que me fazia suar, os olhos arregalados, sem que um músculo sequer de meu corpo desse sinal de vida.

Só me vinha à mente Daruj, meu amigo desaparecido, em tudo e por tudo mais adequado ao combate que eu: sua capacidade de enfrentar o próprio medo, transformando-o em coragem, eu nunca tivera, e certamente precisava dela nesse instante. Meu espírito sempre soube que essa tarefa de comandante e guerreiro um dia me seria exigida, porque a sobrevivência de meu povo dependeria dela, mas eu não era o líder mais indicado, porque minha única vontade era fugir. Não o fiz: a vergonha que senti por minha covardia era bem mais poderosa que ela. Engoli em seco, cutuquei a barriga de meu *jâmal*, que se projetou para a frente, e ergui a mão direita, fazendo com que os assírios se calassem, interessados em saber o que tinha a dizer o imbecil que os enfrentava de peito aberto e com um sorriso suave no rosto. Eu tentava imitar Daruj, como dele me recordava, sua inesperada tranqüilidade frente a qualquer perigo, sua capacidade de impor coragem a quem estivesse a seu lado, e principalmente sua frieza quase inumana ao enfrentar situações como esta.

RECONSTRUINDO O TEMPLO

O comandante assírio deu dois passos à frente, bruscamente, esticando uma grossa lança em minha direção. Fui o único que não recuou, meu sorriso congelado pela paralisia do medo, e ele me olhou com as sobrancelhas fechadas, sem entender por que alguém não se desmanchava em urina e fezes simplesmente ao vê-lo. Atrás de mim, já começavam a se juntar os menos covardes da caravana, dispostos a tudo para preservar seu patrimônio e suas vidas, erguendo velhas espadas, pedaços de pau e pedras, sabendo que a vontade de vencer não era garantia de vitória. Meus eternos guardiões Heman e Iditum, a quem eu quase nem percebia mais, por sua silenciosa e constante presença, colocaram-se um de cada lado de meu *jâmal*, e atrás deles os homens e rapazes da caravana se aglutinaram, dispostos a tudo. Se em número não éramos menos do que os assírios, em organização não havia comparação entre nós e eles: ao nos ver juntos e prontos para o que desse e viesse, um único grito do comandante fez com que os assírios se colocassem em ordem unida, protegidos por seus escudos redondos de couro e bronze, pelas frestas dos quais se projetavam espadas de lâmina larga, feitas de ferro, tornando-se um só animal de metal e ódio, pronto para nos esmagar a todos.

Eu não entendia por que não nos haviam atacado de surpresa, garantindo a vitória: homens como esses, que fazem da violência e crueldade o seu meio de vida, sempre preferem humilhar suas vítimas, fazendo-as sentir por antecipação o sofrimento a que estão condenadas, porque isso parece adicionar à sua existência uma altíssima dose de diversão. Na caravana, não havia nem prazer nem diversão: estávamos tensos, sentindo o cheiro da morte vencendo o cheiro do medo, e apenas uma minoria se dispunha a esse enfrentamento. Eu era a exceção, porque minha vontade de enfrentar a luta não existia. No entanto, eu teria que enfrentá-la, pois vinha junto com a maldita missão que eu nunca deveria ter aceitado!

O comandante se pôs a gritar:

— Ordena teus caravaneiros a nos entregar o ouro que desejamos, antes que comecemos a destroçá-los um por um!

Bati no peito por sobre a faixa de *tarshatta*, para chamar a atenção dos soldados para ela, na vã esperança de que, reconhecendo uma autoridade maior que a sua, desistissem de seu intento sanguinário:

— Não sei a que ouro te referes. Somos a caravana dos hebreus da Babilônia, a caminho de Jerusalém, e viajamos sob a proteção do senhor Cyro, o Grande!

Nem bem eu disse isto, e o comandante riu:

— Grande aqui, só eu, porque estou à tua frente e sou mais forte que tu!! Não te enganes, escravo! Sei muito bem da fortuna em ouro que está guardada na maior carroça de todas, cercada pelos devotos de teu deus, e é essa que queremos! Claro que também vamos ficar com tudo o que nos agradar, mas essa é a que queremos antes de tudo!

Um de seus lugar-tenentes gritou:

— Se nos derem o que está dentro dessa carroça, pode ser que deixemos que se vão sem muito sofrimento!

A turba armada gargalhou ao ouvir essa frase, enquanto nós tremíamos: mais atrás, com seus ouvidos atentos, os *kohanim* e levitas, desesperados, já tinham começado a urrar de desespero, sentindo a ameaça ao tesouro sagrado. Os assírios, vendo a nossa débil disposição ao combate, enchiam o ar com seus urros e gargalhadas, dando-me certeza de meu engano, minha culpa e minha morte. Enquanto meus seguidores se aproximavam cada vez mais, escorreguei de cima da montaria, e Jael de mim se aproximou, a face branca como o leite, os olhos arregalados:

— Não podemos dar-lhes o que querem: o fundamento de nossa viagem está dentro da carroça. Precisamos defendê-la a qualquer custo.

— Jael, somos poucos, somos despreparados, e nem mesmo a maior das bravuras pode salvar-nos o ouro e a pele. Será um massacre!

Eu estava à beira do desespero, ainda que falasse baixo para que ninguém o percebesse: minhas mãos tremiam, e tanto, que tive que cruzar os braços, afivelando no rosto uma expressão fechada. Imagens de prisões, torturas, sofrimentos, lembranças difusas de dores quase esquecidas cercavam-me como uma névoa, e tudo o que desejava era não estar ali, nunca ter saído da Grande Baab'el, talvez nem mesmo ter nascido. O burburinho do pequeno exército à nossa frente recrudesceu quando alguém me pôs nas mãos uma espada de lâmina larga, muito parecida com as que eu usara em Jerusalém durante meu treinamento com Théron. Quando me viram tomar da espada, os assírios tiveram certeza de que desejávamos dar-lhes combate, e a excitação que sentiam era palpável sobre o chão que ficava entre nós. As pedras dessa ponte em breve se manchariam de sangue, assim que todos retornássemos ao estado animalesco em que havíamos deixado de viver quando nos tornáramos homens, e nos destroçaríamos uns aos outros como feras incontroláveis. Ergui a espada, sopesando-a na mão esquerda, enquanto pensava se não havia uma maneira de escapar disso sem sofrimento.

Não havia: inúmeras setas partiram do fundo do batalhão assírio, cortando o ar com seu sibilo aterrorizante, atingindo alguns de nós, e os gritos dos feridos fizeram com que algumas pedras, as menores delas atiradas por fundas de couro, passassem por sobre minha cabeça em direção à cabeça dos inimigos. Isso de nada adiantou, pois os assírios, mais treinados que nós, protegiam-se de maneira quase que perfeita por detrás de seus escudos, que resistiam muito bem ao ataque desorganizado que lhes tentávamos fazer. As braças de chão de pedra que nos separavam, cada grupo de um lado do calmo Rio Gabbarah, foram diminuindo, porque o exército inimigo avançava passo a passo, com lentidão enervante, enquanto nós, barrados pela massa dos que estavam atrás de nós, não tínhamos como recuar. O encontro dos corpos era inevitável, e os feridos de nosso lado iam sendo arrastados para trás enquanto nos fixávamos onde estávamos, condenados a ser destruídos pelas circunstâncias.

Quando a primeira linha de soldados assírios avançou, suas espadas de metal escuro erguidas sobre a cabeça, um arquejo de terror escapou de todas as gargantas da caravana, pois certamente cortariam caminho através de nós, até chegar à carroça dos tesouros de Yahweh, que seus condutores tentavam levar para o fundo da caravana. Heman e Iditum, como se fossem um só, colocaram-se à minha frente, defendendo meus dois flancos, e vi por cima de seus fortes ombros, com a precisão de detalhes que o terror concede, a aproximação da própria morte. As faces congestionadas dos assírios, suas bocas escancaradas, as veias de seus rostos e pescoços brutalmente saltadas, e a ensurdecedora gritaria que enchia o ar da manhã eram um pesadelo de que eu não conseguia acordar por vontade própria, paralisado em vigília interminável. Ergui o braço da espada automaticamente quando senti que alguém me atirava alguma coisa: era um dardo pequeno, que eu afastei por impulso com a lâmina, sem saber direito o que fazia, enquanto os dois gêmeos abriam um semicírculo de defesa à minha frente. À nossa volta, os hebreus gritavam de ódio e de desespero, defendendo-se como podiam, avançando atabalhoadamente do fundo da caravana para a frente, assim que os que haviam chegado primeiro ao combate caíam ao solo ou recuavam feridos e em sofrimento. O exército organizado avançava lenta mas seguramente, tão firme quanto seu objetivo único, enquanto nós, despreparados e apanhados de surpresa, tínhamos tanto a defender que não nos era possível discernir o que fazer, ficando perdidos entre nossa incapacidade bélica e nosso desejo de sobrevivência.

    O cheiro do sangue derramado na terra seca subia até minhas narinas, quase superando o fedor de medo que eu mesmo exsudava, suando profusamente, a ponto de o sal de meu suor me fazer arder os olhos, e eu os esfreguei com força, para mantê-los abertos. Houve um momento em que, não suportando o ardor, abaixei a cabeça, passando a mão pela testa numa tentativa de tirar o suor que me escorria pelas faces abaixo. Isto foi minha salvação, pois uma maça de madeira escura, manejada por um gigantesco assírio barbudo, passou a centímetros de minha face, fazendo-me sentir o vento de seu movimento. O assírio foi imediatamente atacado por Heman e Iditum, mas, desgraçadamente, uma outra volta de sua maça acertou Heman na testa, fazendo-o cair ao solo com o crânio rachado, em convulsões. Iditum, cuja voz ouvi nesse momento pela primeira e última vez, berrou e avançou para o assírio com a espada erguida, sem medir o que fazia, sendo alcançado em pleno ventre pela maça impulsionada na horizontal, curvando-se apenas para receber um golpe mortal na parte de baixo do rosto, o que lhe rompeu o maxilar com ruído tão alto, que era como se o meu próprio maxilar estivesse sendo quebrado. Iditum caiu ao solo por sobre o corpo do irmão, que ainda tremia, enquanto lhe escorriam o sangue quase negro e a matéria que tinha dentro da cabeça. O assírio, vendo-os caídos, olhou em minha direção, mas, depois de três golpes tão violentos, seus músculos já não tinham a mesma força de antes, e foi com enorme lentidão que ergueu a maça sobre a cabeça, intentando achatar-me ao solo. Avancei meio abaixado, sem pensar, colocando o joelho da perna direita no solo, e enfiei-lhe a espada na barriga, atravessando-lhe o ventre, sentindo quando a lâmina roçou em sua espinha dorsal, ao sair pelas costas.

RECONSTRUINDO O TEMPLO

Foi o primeiro homem que matei em minha vida, e confesso que naquele instante o animal que mora dentro de mim se regozijou: o sangue fedorento do ventre do assírio espirrou em meu braço, empapando-o, e se não recuo, sentando no chão, seu cadáver teria caído sobre mim, de olhos abertos, a boca ainda escancarada em um último grito mudo, mantendo-me preso sob seu peso morto. Arranquei com esforço a espada de seu ventre, sustentando-o antes que caísse de borco no chão, e avancei para o próximo, enfiando-lhe a espada no flanco direito e misturando seu sangue ao sangue do primeiro com minha lâmina. Eu agora era meu próprio defensor, e cada um de nós se tornara responsável por si mesmo, atacando como podia, dando o máximo de si para escapar dos golpes assírios, tentando infligir-lhes danos que os impedissem de consumar seu intento.

Éramos, no entanto, apenas mutucas sobre o lombo de um boi: bastava que o grande animal tremesse para que dezenas de nós caíssemos ao solo, destroçados. Enfiei-me pelo meio da luta, batendo a espada em todas as direções, acertando a quem estivesse em meu caminho. Já não sabia mais onde ficavam os amigos ou o inimigo, o sol girava em volta do campo de batalha, ofuscando-me a vista, e de repente fiquei cego para o mundo em que caminhava, enxergando apenas as letras de fogo negro sobre o fundo luminoso do Universo de Yahweh. Gritei de terror, pois a qualquer instante um golpe mortal que eu não veria me tiraria a vida, e meu grito fez com que três dessas letras se destacassem do fundo luminoso: *nun*, *iod* e *tav*, afastando a morte e dando-me a certeza de que ainda não seria desta vez que minha alma abandonaria meu corpo. Isso não me bastava: eu precisava fazer com que essa certeza de sobrevivência se tornasse realidade para todos os que ali lutávamos contra os assírios. Repentinamente, enquanto a visão da realidade brutal e sangrenta voltava a aparecer à minha frente, um impulso incontrolável de violência e destruição fez com que minha boca se abrisse e de minha garganta escapasse um grito altíssimo, longo, maior até mesmo que minha própria vontade:

— *Z'az-M'avet!!!!*

Os que estavam a meu lado, após um instante, por imitação, começaram também a gritar essas palavras, exigindo que a Morte se afastasse, e quando nossas vozes, em meio ao fragor da batalha, começaram a ser mais altas que o ruído de armas se entrechocando e os rugidos e uivos dos lutadores, por trás dos assírios se ergueu o som de cavalos e trombetas de chifre soando interminavelmente, cada vez mais próximos. Ergui meus olhos, para ver, no meio da poeira amarela, um imenso batalhão de homens com peitorais de metal prateado, aos pares, sobre carros de combate muito ágeis e leves, com espadas e arcos e longas lanças, aproximando-se dos assírios pela retaguarda. Quando o primeiro deles ergueu seu braço para defender-se de um retardatário assírio, o capacete lhe caiu e vi o rosto amigo de Théron, meu instrutor grego, surgindo inesperadamente na estrada que levava a Dimashq, como resposta ao desejo de que a Morte se afastasse. Era um batalhão de soldados de Jerusalém, meu instrutor à frente, atacando os assírios e dividindo-lhes a atenção, forçando-os a um movimento essencial de defesa para o qual não se haviam preparado, atacados pela frente e por trás.

O rumo da batalha se inverteu: agora os assírios se transformavam em vítimas, e os que haviam chegado sob o comando de Théron os pisoteavam com seus cavalos e as rodas de seus carros, muitos deles sendo atirados pela borda da ponte, caindo nas águas do Gabbarah, que logo se tingiram de sangue. Imprensados por duas forças, começaram a cair sob os golpes cada vez mais seguros e destrutivos de nossas armas, pois a Morte mudara de lado neste jogo de que nem ela conhecia o resultado final. Avançamos por sobre o inimigo desacorçoado, e até mesmo os mais covardes dentre nós, antes ocultos sob seus mantos ou dentro de suas carroças, ao perceberem que o inimigo estava em desatino, caíram sobre ele com paus e pedras e panelas e porretes. Alguns se dedicaram a destruir os que já estavam caídos, dando vazão a toda a sua fúria, esmagando cabeças e ossos, transformando ventres e membros em pastas sanguinolentas, e refestelando-se nos despojos que recolhiam até mesmo dos que ainda se moviam.

Pouco tempo depois, eu e Théron já podíamos olhar um nos olhos do outro, porque a linha de assírios que nos separava era cada vez mais tênue: ele avançou e eu me permiti recuar, coberto de pó e sangue, até que ele parou em frente a mim e curvou a cabeça, saudando-me, ambos alheios ao fragor da batalha à nossa volta:

— Tua coragem vai se tornar lenda, meu rei. Lideraste teu povo na guerra e venceste: o que mais se pode esperar de um rei?

— Neste momento, nada, meu mestre: se não fossem tuas aulas, meu corpo certamente estaria agora rojado ao solo, reduzido a nada.

Continuamos lutando, lado a lado, e nossos esforços combinados atiraram muitos assírios pela borda da ponte, tornando-se quase um jogo vê-los espatifar-se na água escura, já repleta de corpos destroçados. Alguns dentre os assírios fizeram um último esforço para escapar, e, certamente por benesse de vencedor, as hostes de Théron abriram caminho para que escapulissem, tomando bordoadas e pontapés enquanto tropeçaram para fora de nosso alcance, ao som de nossos gritos de vitória cada vez mais altos. Quando desapareceram, e já não havia nada entre nós, os judeus e os soldados comandados por Théron ergueram suas armas para o céu e, gritando, saudaram-se e abraçaram-se como irmãos que se tivessem perdido uns dos outros. Havia entre eles, pelo que minha memória mostrava, muitos irmãos-pedreiros de Jerusalém, dispostos a tudo em nome de seu ideal, sendo a maioria composta de desconhecidos de todas as cores e matizes. Quando questionei Théron, ele me disse:

— São mercenários, esses que dormitam debaixo de cada pedra do Império: basta sacudir algumas moedas no ar e imediatamente surgem como insetos, dispostos a tudo em nome da batalha e do butim...

— Desta vez se enganaram: não existe nenhum butim, a não ser nossas próprias vidas...

— Engano teu, meu rei: a maioria deles tem grande orgulho de ser parte do exército de Israel e Judah, do Príncipe de Jerusalém, sob cujo comando se tornarão senhores do mundo...

Não pude deixar de rir:

— Eu? Não faz nenhum sentido: se não fossem eles, eu agora certamente seria novamente parte da natureza, reduzido à minha expressão mais simples, e os vermes já estariam se refestelando em minhas carnes...

— Certo, meu rei: tu sabes disso, eu sei disso, e alguns poucos outros também sabem, mas a maioria crê piamente que só alcançou a vitória porque lutou a teu lado, e que as benesses que lhes estenderás serão imensas, exatamente de acordo com o valor que te dão.

Fomos caminhando em direção ao grosso da caravana, onde os festejos de vitória já começavam a se tornar intensos. Minha mente aliviada pelo final da batalha se regozijava com a presença de Théron, e enquanto nos dirigíamos para o centro da caravana em festa, perguntei-lhe:

— Que milagre foi esse que colocou a salvação em nosso caminho através de teus soldados, meu irmão, meu amigo?

Théron, muito feliz, manteve o ar respeitoso que nunca abandonava:

— Nenhum milagre, meu rei: partimos de Jerusalém faz quase três meses, dirigindo-nos a Dimashq para encontrar-te no meio do caminho e auxiliar-te na tarefa do êxodo.

Eu estranhei:

— Como assim encontrar-nos, Théron? Quem dentre vós sabia de nossa viagem, se não trocamos mensagens nem emissários com as notícias de nossa partida?

— O assunto surgiu em uma reunião da fraternidade da pedra, em Jerusalém: foi lá que decidimos pela organização deste exército, ainda que naquele instante não soubéssemos verdadeiramente os motivos pelos quais Feq'qesh o considerava tão útil...

Feq'qesh! Mais uma vez o estranho poder de meu mestre se fazia sentir, como em tantas outras ocasiões anteriores, nas quais ele surgia como mensageiro de deus para solucionar o que, sem seu concurso, seria apenas fonte de fracasso, destruição e morte. Théron continuou:

— Ele insistiu muito para que saíssemos num dia determinado, nem antes nem depois. Foi mesmo uma milagrosa coincidência que nos encontrássemos exatamente hoje e aqui, onde fomos úteis na salvação da caravana.

Eu não compreendia o poder de antecipação que Feq'qesh exibia de quando em vez: era como se o tempo lhe fosse totalmente transparente, e sua mente tivesse acesso direto ao futuro antes mesmo que este ocorresse, vendo-o tão facilmente como se passado fosse. Eu não compreendia, mas aceitava esse insólito como parte da vida. A mão de Yahweh sempre a preenchia de sentido, direcionando-a para um objetivo que ainda me era desconhecido.

Ao penetrar no âmago da caravana, percebi que o que me parecera comemoração era exatamente o seu oposto: famílias choravam seus mortos na batalha, e subitamente me recordei de Heman e Iditum, caídos ao solo em defesa de minha integridade, destruídos para que eu vivesse mais um dia. Estanquei: meu espírito se confrangeu ao perceber que suas presenças constantes, das quais eu já nem mais me dava conta, haviam deixado de existir. Meus passos eram sempre acompanhados por eles, eternamente presentes, como as colunas de fogo e de nuvens que haviam acompanhado os escravos em sua saída do Egito, protegendo-os dos inimigos. Cobri o rosto com as mãos, livre da tensão da batalha, vendo que as batalhas são um instrumento muito pouco adequado para a correção do mal, porque, em vez de extingui-lo, apenas o multiplicam. Nossa salvação representou não apenas a destruição do inimigo, mas também a morte de tantos dos nossos que haviam entregado suas vidas em holocausto à necessidade de defendê-las, ficando sem nada do que tinham tentado preservar. Os dois tinham sido bem-sucedidos em preservar minha vida, protegendo-a em troca de suas próprias, por ser este o seu dever. Ergui a cabeça, enxugando as lágrimas que me corriam dos olhos: se eles podiam dar suas vidas pelo dever, era meu dever também fazê-lo, justificando suas mortes com a minha, se assim fosse necessário. O povo chorava, mas ao mesmo tempo me aplaudia e se regozijava com a vitória que havíamos tido.

Meus companheiros mais próximos se aproximavam, e eu ordenei a Jael:

— Manda que recolham do campo de batalha os corpos de Heman e Iditum, e que sejam cuidados e tratados para que nenhuma mancha lhes desfigure o corpo: ordeno que sejam reconduzidos ao estado de perfeição física que sempre tiveram, para que sejam enterrados, junto com todos os mortos nessa batalha, do outro lado do Gabbarah, que só atravessamos graças a seus esforços.

Uma súbita inspiração me fez interromper o movimento de Jael:

— Espera: quero que Heman e Iditum sejam os primeiros a ser enterrados no terreno que vamos atravessar, ficando um de cada lado da ponte, como as colunas protetoras que eram, e que, após eles, todos os mortos ladeiem o caminho que trilharemos, marcando para sempre a nossa passagem com o alto preço que pagamos. Que essas covas sejam marcadas, para que de hoje em diante todos que aqui passem saibam estar atravessando terreno sagrado para o povo judeu, já aqui plantamos nossa liberdade. Montemos acampamento para que as cerimônias de homenagem a nossos mortos sejam feitas com o máximo de correção, e daqui só sairemos quando nossas devoções estiverem completas.

Jael saiu silenciosamente para executar minhas ordens, e eu coloquei a mão no ombro de Théron, muito espantado com a segurança que eu exibia e que nem eu mesmo sabia possuir:

— Théron, meu amigo, trouxeste contigo as ferramentas de pedreiro que usas para esculpir a pedra?

Théron assentiu, e eu continuei:

— Pega-as, então, e prepara-te para esculpir na pedra assíria dessa ponte a frase Liberdade de Passar, como marca indelével do que aqui conquistamos. Que todos que por aqui passem leiam as palavras e se recordem do que conquistamos.

O povo à minha volta me olhava com admiração: eu estava sendo seu rei, meu poder estava enraizado em seus corações. Os murmúrios de aprovação por minhas ordens tomou todo o campo, acalmando os ânimos dos que tinham parentes e amigos por quem chorar, recolocando nossa vida diária na trilha costumeira, porque a vida sempre seguiria em frente, mesmo depois que todos estivéssemos reduzidos a pó. Meu coração entristecido pela perda de meus guardiães também entendeu que nada existe no mundo que não tenha sua utilidade, e que nada permanece nele quando essa utilidade termina, deixando-me pronto para encarar minha própria destruição quando minha utilidade sobre o mundo estivesse terminada.

Os sete dias seguintes passamos nessa planície árida à beira do Gabbarah, enterrando nossos mortos, fazendo nossas orações por suas almas, pensando nossas feridas, e ao fim de tudo retomando o rumo de nossas vidas. Limpamos o rio de seus cadáveres assírios, erguendo uma imensa pira onde os queimamos: mas nossos próprios mortos foram todos limpos e envolvidos em seus mantos, enterrados lado a lado em grande parte do caminho que ficava do outro lado da ponte, que só atravessaríamos quando a piedosa tarefa estivesse concluída. A vida foi lentamente retomando seu processo normal, e já se notava em toda a caravana a excitação pela continuação da viagem, porque o povo de certa maneira tinha recuperado suas raízes nômades, não pretendendo fixar-se em nenhum outro lugar que não fosse a Jerusalém de seus sonhos.

O primeiro *Shabbath* depois da batalha marcou nosso último dia nesse lugar ao qual nunca mais voltaríamos, uma passagem no caminho em direção a nosso destino: o preço pago por ele estava enterrado no solo, como sementes no campo arado, regadas pelo sangue e prontas a florescer em sucesso nas almas dos sobreviventes. Quando as trombetas soaram marcando o reinício da jornada, mais um dia de lento movimento em direção a nosso sonho, a caravana se atirou para a frente, renovada, numa excitação em tudo semelhante à do primeiro dia, e eu me coloquei ao lado da ponte, aguardando que todos passassem, enquanto conversava com meus companheiros mais próximos, entre eles Théron, calmo como sempre. O acampamento das tropas ficava pouco mais à frente, onde a Estrada do Rei já havia fixado suas imensas lajes de pedra, marcando o caminho para Sukhnah, uma aldeia de bom tamanho, provavelmente o lugar de onde os assírios tinham vindo nos atacar. Nossos inimigos deviam estar nos esperando havia algum tempo, e em minha mente permanecia uma dúvida: como haviam sido informados de nossa viagem e dos tesouros que carregávamos conosco? Essa dúvida se desvaneceu como fumaça quando o grupo de samaritanos liderados por Re'hum, que eu não vira desde antes do ataque assírio, atravessou a ponte, passando por mim em completo silêncio, e eu li em seus olhos o ressentimento que nunca antes tinha sido tão pronunciado. O que eu até esse dia só vira nas faces de Re'hum e de sua serpente de estimação, o untuoso Sam'sai, estava em cada olhar de cada membro de seu pequeno grupo, e não foram poucos os que, olhando em minha direção, cuspiram ao chão, como se eu fosse a escória do mundo. Jael também viu isso, e disse:

— Meu rei, está mais do que na hora de nos livrarmos desses inimigos disfarçados. Por que alimentar serpentes em nosso meio?

Théron, com a mão no punho da espada, rogou-me:

— Por favor, meu rei, permita que eu e meus soldados destroçemos esses desrespeitosos: seu sangue pode purgar a traição que certamente cometeram.

— Penso da mesma forma! — disse Yeoshua, a barba rala cada vez mais longa em seu queixo outrora arredondado. — Tenho certeza absoluta de que foram eles que avisaram os assírios sobre o tesouro que carregamos. São verdadeiramente o que existe de pior entre nós: falsos crentes em Yahweh, ladrões de deuses e de templos, cuja ausência nunca será sentida!

Nas carroças, as crianças samaritanas também olhavam em minha direção, tentando com muita dificuldade imitar o ódio de seus pais: seus olhares me confrangeram o coração, e eu me voltei para Mitridates, que os olhava friamente:

— E então, meu *al-musharif*, o que faremos com eles e com os filhos deles?

— Todos têm tanto direito à vida, a Jerusalém e a Yahweh quanto nós: quem sabe os filhos um dia não enxergarão a verdade com mais facilidade que os pais?

Era o que eu precisava ouvir. Sorri para as crianças, que foram imediatamente levadas para dentro de suas carroças, não fossem se enternecer com a amizade desse falso rei que deviam odiar. O tempo me daria razão: talvez seus descendentes conseguissem vencer dentro de seus espíritos a animosidade inexplicável que nos desunia. Meus outros companheiros não ficaram felizes, mas minha decisão de deixar os samaritanos viverem era soberana, e eu a mantive.

A caravana foi passando, a caminho de Sukhnah, e já era meio da tarde quando seus últimos membros pisaram o chão de pedra da imensa ponte. Eu estava sozinho com Jael e Théron, certificando-me de que ninguém havia ficado para trás, e quando finalmente os últimos animais atravessaram a ponte, espicacei meu *jâmal* para seguir viagem. Olhei o arco de pedra que sustentava o pilar do lado direito da ponte, e nele vi a escultura de Théron, as belas letras hebraicas enredadas umas nas outras como labaredas congeladas em pedra, lembrança eterna de nossa batalha e travessia. Chegando mais perto, no entanto, notei um engano: eu havia ordenado que as palavras *chofesh've'ma'avar* fossem marcadas na pedra, mas o que ali estava não era Liberdade de Passar, como eu queria. Questionei Théron, com dureza:

— O que aconteceu? Que é isso que esculpiste aqui? Foi isso que mandei que fizeste?

Os olhos de Théron se encheram de lágrimas:

— Meu rei, não compreendo tua irritação: o que fiz de errado, se cumpri exatamente vossas ordens? Não te agrada o meu trabalho?

Saltei do *jâmal*, possesso, e fui até o pilar, passando a mão com desagrado pelas marcas traçadas pelo cinzel de Théron. Eram belas, mas estavam erradas: minhas ordens estritas haviam sido mal realizadas, e eu não podia admitir isso, sob pena de perder minha autoridade e meu poder. Fui mais duro ainda:

— Não compreendo que dificuldade pudeste ter para realizar o que te ordenei, se o que te disse foi claro como água! É tão difícil assim fazer o que se ordena? Por que nunca sou obedecido?

Minha irritação era maior que o simples fato de não ver esculpida no pilar a frase que ordenara: eu estava aproveitando esse instante para, sem nenhum motivo maior, descarregar todo o veneno que me ia na alma, nascido dos desacertos e desagrados de toda uma vida, configurados nesse simples engano como se nele residissem todos os enganos do Universo. Fui ríspido, gritando violentamente, a tal ponto que as faces dos que me cercavam ficaram rubras de vergonha. Derramei-lhes o fel de minha ira sem sentido, e empurrei o pilar com força, como se desejasse derrubá-lo, colocando por terra aquela prova de desobediência:

— Como se pode ser tão inepto? Em vez de Liberdade de Passar, como ordenei, tu esculpiste Liberdade de Pensar, que é coisa completamente diferente!

Assim que disse isso, fiquei em súbito silêncio, percebendo o que ainda não vira. Tentei manter minha aparência de poder, mas já sem nem um décimo da violência de antes, quando perguntei a Théron:

— Quem te informou sobre as letras?

Théron me indicou com a mão esquerda um pedaço de chão, logo atrás do pilar, onde alguém escrevera as letras que ele diligentemente copiara. Lá estavam traçadas no chão, quase apagadas, as letras da frase *chofesh've'machshavah*, Liberdade de Pensar, quase igual à que eu ordenara, mas sutilmente diferente. Theron, envergonhado e sem nada compreender, disse:

— Um velho me informou, e ele mesmo traçou as letras, que eu copiei uma a uma antes de aplicar o cinzel à pedra. Podes ver que são idênticas ao que ele traçou, e mantive até mesmo a proporção entre elas, para que meu desconhecimento dessa língua que apenas falo não prejudicasse o trabalho.

Calei-me, olhando as garatujas no solo seco, apagando-se pela ação do tempo. O velho que escrevera para Théron a frase que eu pedira, por motivos insondáveis, ouvira uma palavra diferente, e a liberdade de passagem que experimentáramos se transformara na liberdade de pensamento que eu agora divisava. Olhando as letras belamente cortadas na pedra antiga da ponte, tive a súbita compreensão de que, de alguma maneira misteriosa, o Universo acrescentara sua vontade à minha, modificando-a e enriquecendo meu desejo de futuro com a sabedoria inesgotável que reside dentro de todos nós. O acaso havia acrescentado à minha ordem um valor insuspeito, e o velho, talvez num acesso de surdez, dera-me o presente de seu engano, transformando em acerto ainda maior aquilo que eu ordenara como certo.

É sempre assim: na vida, é preciso aprender a aceitar o acaso como parte de um projeto desconhecido, que de alguma maneira sempre nos acrescenta, mesmo quando parece equivocado. Não existem enganos, a não ser para quem pretenda ser senhor de tudo e de tudo estar no controle. Isso é impossível, porque é sempre preciso nos deixarmos levar pelo movimento ininterrupto da Criação, sendo parte integrante dela. Meu silêncio foi longo: eu tinha que encontrar dentro de mim a melhor maneira de dizer o que devia dizer. Finalmente, percebendo que não existia outra maneira senão a única possível, olhei para Théron e falei:

— Perdão, meu amigo: quem se enganou fui eu: tu fizeste mais ainda do que eu te pedi, e me deste a melhor lição de todas. Isso já me havia sido mostrado, mas só hoje, e graças a ti, é que o pude compreender. Nem o sangue, nem a vitória, nem o regozijo de meu povo valem o que essas letras me deram. Graças a ti, hoje sei que só a liberdade de pensamento faz com que possamos atravessar a ponte de nossa existência.

Abracei meu general, ambos chorando, e a planície à nossa frente subitamente se cobriu de nova luz, novas cores, tornando-se o mais belo lugar de todo o Universo, pois era lá que, pelo menos nesse momento, morava a Verdade.

Capítulo 28

A travessia das trezentas milhas que ainda nos separavam de Jerusalém consumiu quase noventa dias de viagem, descontando-se cada *Shabbath* que comemoramos em meio à Natureza. Os soldados que Théron comandava nos protegiam, e fomos sempre recebidos pelas populações que nos observavam passar, hieraticamente organizados, levando o tesouro de Yahweh, o poderoso deus a quem o Grande Cyro devolvera o poder e o território. As notícias de Cyro eram variadas: ele continuava o processo de conquista que aumentava cada vez mais seu império. Quando chegamos a Dimashq, a cidade mais antiga do mundo, uma imensa construção urbana inúmeras vezes erguida por sobre as ruínas de outra Dimashq mais antiga, um mensageiro de Cyro nos esperava. Uma placa de argila com seu selo pessoal, escrita por suas próprias mãos, como eu reconheci, dava notícias de suas conquistas na Báctria, sua decisão de espalhar o império mais para o leste, avançando sobre o planalto Índico, e da construção cada vez mais acelerada de sua cidade ideal, Pasargad, exatamente no lugar onde sua tribo original se havia fixado. Meu irmão Cyro fazia grandes préstimos de estima e consideração, pondo-se à disposição para o que quer que fosse necessário, pedindo-me apenas um obséquio: era preciso que eu, sem que ninguém o soubesse, reconstruísse uma Jerusalém forte e inexpugnável que servisse como tampão entre seu Império e o reino do Faraó Khnemibre, atual Senhor do Egito, única nação ainda forte o suficiente para ameaçar-lhe a unidade territorial que havia conquistado.

Cyro não me tratava como um de seus *tarshatin*, mas sim como um de seus irmãos na pedra, recordando-me de quando atravessáramos juntos a barreira de fogo nos subterrâneos, certificando-se de que eu estaria à sua disposição como garantia de segurança na fronteira. Eu não tinha como negar-lhe isso, pela proteção que me concedera durante toda a viagem. Tomei de um papiro quando entramos em nosso acampamento, e com muita dificuldade e lentidão narrei-lhe os acontecimentos de nossa viagem até esse ponto, fazendo pouca monta das desgraças, principalmente do encontro inesperado com os assírios de Sukhnah, a quem havíamos vencido sem grandes perdas. Falei-lhe francamente do remorso que sentia ao recordar os homens a quem havia matado nessa batalha, por não ter outra alternativa, e no geral pus-me à sua disposição para o que quer que ele de mim precisasse, garantindo-lhe que faria de minha cidade uma fortaleza em defesa de sua fronteira ao sul, sem que ninguém soubesse o verdadeiro motivo das obras. O muro que um dia protegera Jerusalém de seus inimigos externos seria reerguido em toda a volta da cidade, ou talvez mais longe ainda, impedindo que exércitos inimigos entrassem em Judah e Israel, os reinos separados que eu deveria reunir em um só reino, como havia sido na época de meus avós David e Salomão.

Estava quase terminando de escrever minha missiva para Cyro, quando pela porta de minha tenda vi a figura doentia de Ageu, havia muito silencioso. Como sempre, não lhe dei nenhuma atenção: ele detestava quando se o olhava nos olhos, e a melhor maneira de mantê-lo calmo era agir como se ele não estivesse ali. Buscando o relicário que estava na fita de *tarshatta* que Cyro me havia concedido, estendi a mão para o flanco direito e nada encontrei: olhei para o peito, e não vi a fita verde e dourada. Ergui-me bruscamente, procurando-a à minha volta, e depois comecei a revirar a tenda onde havia dormido, na esperança de que estivesse perdida entre as roupas da cama. Nada encontrei: a fita havia desaparecido, e com ela a moeda que já tanto fizera por mim. Gritei por Jael, que imediatamente entrou na tenda:

— Meu rei, o que se passa?

— A fita de *tarshatta*, Jael, onde a colocamos? Quando a viste comigo pela última vez?

A face de Jael era uma interrogação só, enquanto ele pensava e depois me dizia:

— Só me recordo dela em teu peito antes da batalha contra os assírios, meu rei... ou a terei visto depois disso? Não, não a vi: durante o enterro de nossos entes queridos e a reorganização da caravana, não me recordo dessa fita em teu peito! Só na batalha...

Um frêmito de terror nos sacudiu a ambos: a fita certamente fora perdida no calor da batalha, e ninguém se lembrara de sua existência, até esse momento em que eu dela necessitava. Esfreguei os cabelos, em desespero:

— Não posso tê-la perdido, Jael, não posso! É a prova de minha autoridade! Corre por todo o acampamento e pergunta por ela a todos os que estavam perto de nós... não! melhor não fazer isso, pois ninguém deve saber que a fita não está mais em meu poder! Chama por Théron, quero que alguns soldados dele voltem à ponte de Gabbarah para procurar por essa fita...

Jael tinha um ar triste:

— Meu rei, será um trabalho perdido: não te recordas que limpamos o campo de batalha de todos os sinais de sangue e destruição, tornando-o terreno sagrado para receber nossos mortos? Se a fita lá estivesse alguém a teria encontrado. Se meu rei deseja, enviarei imediatamente alguns homens para procurá-la em Gabbarah, e também por todo o caminho de lá até aqui! Fica tranqüilo, meu rei, havemos de encontrá-la!

Uma gargalhada ensandecida de Ageu nos calou, e quando o olhamos ele estava caído ao chão com a espinha torcida, como havia feito da primeira vez que profetizara a meu favor, os olhos tão revirados que deles só se via o branco, a boca escancarada, apoiado nas pontas dos pés e na parte superior da cabeça, e sua face invertida parecia a de uma aranha venenosa que me viesse atacar, gritando:

— Busca segurança, não poder, busca respeito, não temor, busca verdade, não engano! David lutou contra os amonitas que se tornaram odiosos a seus olhos! Salomão lutou contra seu irmão que se tornou odioso a seus olhos! Zerubbabel lutará contra todos os que o cercam porque se tornará odioso aos olhos de todos eles!

Caí sentado ao solo, numa síncope: se este era o futuro que me estava reservado, era como se eu já estivesse morto. Jael me amparou em meu desatino enquanto Ageu, babando uma espuma sanguinolenta, caiu ao solo, tremendo. A tapeçaria da entrada da tenda se abriu, e por ela entrou Théron, com sua espada desembainhada. Do lado de fora estavam muitas pessoas que, atraídas pelos gritos de Ageu, tinham vindo ver o que se passava. Gritei, desvairado:

— Fechem a tenda! Não quero que ninguém entre!

Théron, colocando a mão esquerda para trás, segurou as abas da tapeçaria, mantendo fechada a abertura da tenda. Ageu cessou todo o movimento de seu corpo e se aquietou, ficando deitado no solo como se dormisse, e eu cobri os olhos com as mãos, desesperado:

— Preciso da fita, preciso da moeda, não posso abrir mão de nada! Théron, por Yahweh, pega o cavalo mais rápido que tivermos e volta à Ponte de Gabbarah, procura a fita de *tarshatta* que Cyro me deu como sinal do poder em mim investido! Cava a terra, se for preciso, exuma cada cadáver, revira as cinzas dos assírios, mas encontra meu símbolo de poder!

Jael me abraçou, e eu tremi entre seus braços, mais aterrorizado que qualquer outra vez em minha vida. A perda da fita e da moeda não eram nada perto do que Ageu me dissera, antes de ficar ao solo como morto, a baba espumante escorrendo lentamente pelos cantos da boca. Eu podia suportar tudo, as perdas, as dores, a morte, mas não pretendia ser odiado por ninguém: o ódio que me devotassem certamente me corroeria a carne e os ossos, e me mataria, e eu não pretendia ser a vítima dessa destruição sem sentido. Se Yahweh me dera uma missão, por que não concedia junto com ela a proteção infinita de que só Ele era capaz, permitindo que eu a realizasse sem dificuldades?

Nessa noite, não quis ter contato com nenhuma das esposas que ainda me faltava conhecer: a promessa de ódio coletivo que Ageu fizera esgotara em mim toda e qualquer capacidade de prazer no contato humano. Enrodilhei-me em minhas almofadas, ouvindo durante toda a noite os ruídos da caravana que se aquietava e rearrumava em seu descanso, percebendo todo e cada pequeno ruído que os outros faziam, imersos no sono. Ansiei durante toda a noite e madrugada por este estado, dentro do qual poderia ser mais do que realmente era: em mim, o desligar do corpo era sempre o despertar da alma, apagando a lógica e libertando a razão, fazendo com que as fantasias de meu sonho não estivessem de acordo com o mundo real, satisfazendo-me tanto por serem quanto por não serem verdadeiras. Em vão: a madrugada veio, inclemente, e esta foi a primeira de uma longa série de noites insones que se tornaram novamente o meu natural, a tal ponto que daí em diante eu não sabia mais distinguir o que era real e o que não era, imerso num estado que não era nem dormir nem despertar, e que me impunha ora um sono desperto, ora um despertar delirante.

Seguimos para Jerusalém, e eu ordenei que os encontros que tínhamos com os chefes das aldeias, que me receberiam como ao próprio Cyro, fossem cancelados, alegando febre contagiosa, pedindo que lhes fosse exibida a placa de argila que trazia o decreto com o sinete imperial, para que nos fizessem a entrega do cereal como havia sido ordenado. Alguns, ofendidos com minha ausência, recusaram-se a isso, e não houve jeito de fazê-los cumprir sua obrigação: mas a maioria, temerosa do poder que eu possuía, fazia o que devia ser feito, dando-nos o alimento de que necessitávamos, parte como doação, parte como negócio. Théron voltou de Gabbarah desolado, pois obviamente nada encontrara. Eu me conformei em ter perdido para sempre não apenas o sinal de minha autoridade imperial, mas principalmente a moeda que era o fulcro de minha vida. Meu mutismo por sobre o *jâmal* era total, não me interessando nada que não fossem meus próprios problemas: acabei por pedir, alegando mal-estar, que à minha volta fosse erguida uma tenda de viagem, para que eu andasse sobre a montaria completamente separado dos olhares de meu povo. Um cesteiro e um tapeceiro da fraternidade dos pedreiros fizeram o serviço, e o trecho final da viagem passei cercado por listras azuis, amarelas e brancas, sentindo apenas meu próprio odor e o balanço de minha montaria, da qual descia exatamente ao lado de minha tenda já armada, para comer mal e mal o que se me punha à frente, cobrir por obrigação as esposas que se sucediam em meu leito, e na manhã seguinte, depois de mais uma noite insone, erguer-me até a sela e repetir tudo da mesma maneira, por dias sem fim, em progressão infinita.

Meus amigos e companheiros, mesmo os que nada sabiam de meus temores, libertaram-me das atividades necessárias, por reconhecer que eu não tinha como exercê-las. No fundo, foi um alívio: eu não tinha estofo para comandar nem a mim mesmo, quanto mais a um povo inteiro. Deixei que cuidassem dos negócios, dando-lhes apoio absoluto para que fizessem o necessário, colocando-me na mesma posição de meu tio Sheshba'zzar, cada um em sua tenda, imersos em nossas próprias vidas, ele anestesiado pelo vinho e a velhice, e eu depauperado pela juventude e o terror.

As esposas se sucediam idênticas como os dias da viagem, e eu as impregnava com minha seiva real: nenhuma ainda havia dado sinais de gravidez, e seus pais só aguardavam que a primeira dentre elas surgisse com sinais inequívocos de prenhez para colocar-se imediatamente no papel de avô do futuro Rei, exercendo o poder que essa autoridade lhe daria. As esposas acabaram por ser todas experimentadas, e eu já começara a pensar em escolher as que poderiam dar-me o prazer que eu desejava e não conseguia alcançar: mesmo que algumas delas me levassem a um patamar superior ao de outras, meu ensimesmamento fazia com que eu novamente sonhasse com Sha'hawaniah e os prazeres que não conhecera, na certeza de que seriam infinitamente maiores. O poder que essa mulher tinha sobre mim era inversamente proporcional à minha segurança: quanto mais inseguro eu estivesse, ou triste, ou preocupado, ou insatisfeito, mais intensamente sua imagem se fixava em meu espírito, e mais fraco eu me tornava, sofrendo o efeito das armas que ela usava na guerra que sua deusa e meu deus travavam pela posse de minha vontade.

Numa determinada manhã, Jael e Yeoshua entraram em minha tenda, eu ainda enrodilhado sobre as almofadas do leito, olhando para o nada. Yeoshua pôs as mãos sobre mim e me sacudiu, nada gentilmente:

— Acorda, Zerub!

— Não estou dormindo, Yeoshua — disse eu, com tal cansaço na voz que espantei até a mim mesmo. — Nunca estou dormindo.

— Pois parece que sim: anda, levanta, e vem cuidar de teus deveres. Os samaritanos liderados por Re'hum estão abandonando a caravana.

— Como assim? Vão deixar de caminhar conosco e ficar para sempre no meio do deserto? De que viverão?

Jael riu, mansamente:

— Meu rei, já saímos do deserto faz muito tempo: estamos em território gaaladita, e os samaritanos insistem em atravessar o Jordão perto de Sartã, em vez de, como pretendíamos, fazê-lo no vau tradicional entre Bet'haram e Bet'Jesimot. Disseram que não nos preocupemos com isso: não pretendem mais seguir viagem conosco, porque vão se estabelecer na terra de seus antepassados, a Samaria, do outro lado do monte Ebal.

— Deixá-los, pois: nenhuma falta nos farão, e se morrerem todos, pelo menos estarão longe de nós o suficiente para que não sintamos seu fedor...

Yeoshua me sacudiu mais violentamente, cheio de compostura sacerdotal:

— Acorda, Zerub! Não percebes que nada é assim tão fácil? Eles insistem em ter o que chamam de "sua parte" no tesouro que Cyro nos legou, e és tu quem tem que ordenar que nada levarão... ou pretendes dividir o que temos com esses traidores?

Passei a mão no rosto, com força, tentando esfregar para fora de mim o sono, pensando como poderia me livrar daquela tarefa sem sentido. Por que isso caberia a mim? Não tinha mais nenhuma autoridade, fosse a que meu sangue me dava, fosse a que Cyro me concedera, e não me sentia apto a enfrentar a multidão que certamente já se reunia do lado de fora, para exibir-lhes minha falta de preparo.

A insistência de Yeoshua, equilibrada pela presença firme de Jael, fizeram com que eu me erguesse e ataviasse, colocando na fonte a pequena coroa pontuda de esmalte azul com estrelas de ouro, cobrindo-me o mais possível com o grosso manto de tecido suave, tentando esconder a ausência da faixa de *tarshatta*. Quando cheguei à porta da tenda, e Yeoshua se colocou à minha esquerda, demos alguns passos e Ageu se pôs atrás de nós, exatamente entre um e outro, e foi formando esse triângulo que nos encaminhamos para os seguidores de Re'hum.

Temia pelo destino de nossa caravana, ainda mais com a presença do incontrolável Ageu: temia que ele dissesse algo controverso, ampliando o conflito que já tomava os participantes. Não havia o que eu pudesse fazer nesse sentido: enchi o peito de ar, apertei os punhos e acelerei o passo em direção ao ajuntamento à minha frente. Se era preciso enfrentar essa dificuldade, eu pretendia livrar-me dela o mais rapidamente possível, e se para isso tivesse que conceder aos partidários de Re'hum uma parte de nossos fundos, eu o faria. Cyro me ensinara o valor absolutamente igual de todos os homens, e eu não tinha motivo nenhum para tratá-los diferentemente, apenas por não gostar deles ou não partilhar de suas opiniões e crenças. Esta era a minha opinião como homem: como comandante dos hebreus, no entanto, teria que seguir-lhes os desígnios, tentando equilibrar as vontades da maioria com as da minoria, que nem por isto deve ser desconsiderada.

Sobre a carroça dos samaritanos, de pé sobre o assento do condutor, Re'hum estava explodindo, a face púrpura de raiva. Atrás dele, meio escondido por seu corpo, ficava o indefectível Sam'sai, cochichando em seu ouvido: quando me percebeu chegando, sacudiu a manga de seu chefe, que voltou os olhos injetados em minha direção:

— O Rei dos Judeus se digna a comparecer a essa assembléia, certamente para nos tratar pior do que já estamos sendo tratados!

Seu grupo resmungou alto, gerando gritos dos que os cercavam, em muito maior número: a situação estava verdadeiramente incontrolável, porque em ambos os grupos já havia gente sopesando porretes e com as espadas meio desembainhadas. Um conflito naquele lugar apertado traria prejuízos a todos: eu tinha que resolver o assunto da melhor maneira possível. Afivelei ao rosto, com muita dificuldade, o sorriso de sempre, e ergui a mão direita, conseguindo silêncio suficiente para ser ouvido:

— Re'hum, se queres ir embora com os teus, esse direito é teu. Os samaritanos são poucos, e não farão qualquer diferença em nosso número. Se desejais ir, tendes a minha bênção, e meus votos de felicidade no lugar que escolherdes para viver.

Sam'sai cutucou Re'hum, que, sem tirar os olhos de mim, curvou-se para ouvi-lo, e imediatamente voltou a gritar:

— Não desejamos tuas bênçãos, porque elas de nada nos servirão! O que queremos é a nossa parte no tesouro da Grande Baab'el, porque fomos todos roubados pelos babilônios quando eles nos venceram e escravizaram, e é nosso direito indiscutível recuperar o que nos pertence!

— O tesouro foi devolvido aos hebreus para reconstruir Jerusalém, capital de Judah e Israel! — gritou Yeoshua. — Nada além disso! Samaritanos nunca foram hebreus, nunca viveram em Jerusalém! Por que motivo deveríamos agora dividir com eles o que não lhes pertence?

Um velho samaritano saltou à frente:

— Somos mais dignos que qualquer um! Entre nós se encontram mais devotos de Yahweh que no resto dos escravos da Grande Baab'el! Nenhum de nós rende homenagens a Baal nem a Ishtar nem a nenhum desses deuses pagãos! O tesouro do templo também é nosso, porque o deus desse templo é mais nosso que do resto de vós!

RECONSTRUINDO O TEMPLO

Os gritos cresceram, os ânimos se acirraram, a qualquer instante o sangue poderia começar a espirrar para fora dos corpos. Ergui a mão novamente, e só depois de algum tempo o silêncio se fez, carregado de ódio, enquanto eu dizia:

— Na verdade, estamos confundindo as coisas: o tesouro que estava no Templo erguido por Salomão a ele retornará, assim que estiver reerguido, pois lá é seu verdadeiro lugar, onde serão bem-vindos todos os que desejarem demonstrar sua devoção a Yahweh. O tesouro que pertence a todos, e não apenas a Yahweh, é o que Cyro nos deu, a fortuna que amealhamos para nos locomover da Grande Baab'el até aqui e da qual não sobra muito, presumo. Essa pequena fortuna pode e deve ser dividida entre todos, porque cada um de nós tem direito indiscutível a uma parte dela. Estamos de acordo?

A cobiça anuviou a mente dos que deblateravam, e os samaritanos tornaram-se satisfeitos e ávidos, porque o rei inimigo se mostrava propenso a dar-lhes o que desejavam, enquanto os hebreus se mostraram avaros e cheios de desagrado, ao ver seu rei disposto a abrir mão de uma fortuna em benefício do inimigo. Yeoshua me olhava com franco desagrado, mas não lhe dei atenção: essa situação me era extremamente vantajosa, e eu não queria perder território conquistado:

— Encontremos dentre vós quem seja de confiança para, junto com meu *al'musharif*, fazer a contabilidade do tesouro e da parte que cabe a cada samaritano, para que ambos cheguem a um resultado justo e perfeito!

— Isso não será necessário, Príncipe de Jerusalém! — sibilou Sam'sai, com o pérfido sorriso de sempre no rosto. — Vosso *al'mushariff* é um de nós!

Olhei para o lado, com espanto, dando-me conta de que Mitridates, amigo de infância e juventude também havia vindo da Samaria, alguns anos antes de nos conhecermos em plena Grande Baab'el. Procurei-o entre os que me cercavam, e o vi, segurando suas anotações entre o corpo e o braço mirrado, o olhar frio de sempre, dentro do qual nenhuma emoção sobrenadava. Chamei-o com um gesto, e ele se aproximou de mim, com um aceno de cabeça: seus olhos traziam imensas olheiras, pois também ele sofria com a falta de sono, ainda que não pelos mesmos motivos que eu. Pus-lhe a mão no ombro, pedindo-lhe:

— *Al'mushariff*, temos um problema que deve ser calculado, e só tu podes fazê-lo.

Mitridates, sem hesitar, olhou-me tristemente:

— Meu rei, o cálculo já está feito: temos apenas que reconhecer-lhe a existência. Somos um número finito de pessoas, e o tesouro de que falamos também é uma quantidade finita. Basta dividir uma pela outra, anotar quanto caberia a cada membro da caravana e multiplicar essa quantia pelo número de samaritanos que vão partir.

A gritaria foi infernal: não só os hebreus se sentiam roubados no que ainda não sabiam quanto seria, mas os samaritanos se ofendiam com a idéia de que a divisão fosse justa. Tinham o hábito de exigir vantagens para si em detrimento do bem-estar alheio, e uma oportunidade como essa não poderia ser perdida. Tive que erguer minha voz com violência, para que se calassem:

— Não existe motivo para não ser dessa maneira: somos todos iguais!

Um esgar de espanto se fez ouvir, principalmente dos seguidores de Yeoshua, que dentre eles me parecia o mais assustado. Eu, sabendo bem o que significava seu espanto, aproveitei o silêncio e determinei:

— É minha ordem, como Príncipe da Paz e chefe desta caravana: que os cálculos sejam feitos, e a parte de cada um distribuída entre os que se vão.

— Já estão feitos, meu rei. — Mitridates me olhava com firmeza. — Somos cinqüenta mil, menos os escravos, que somam sete mil. Portanto, quarenta e três mil homens livres. Nosso tesouro disponível, depois de todos os gastos e ganhos feitos durante quase seis meses de viagem, é agora de trezentas e trinta e duas mil dracmas de ouro e sete mil minas de prata. Divididas pelos quarenta e três mil que somos, resultam em quase oito dracmas e pouco mais de um décimo de mina por pessoa. Os samaritanos somam cento e noventa e sete pessoas, portanto a parte que deve ser dada aos que aqui deixam a caravana é de mil quinhentas e vinte dracmas de ouro e trinta e uma minas de prata.

Urros, gargalhadas, recusas, abalos, ninguém tinha clareza do que aquilo significava: uns achavam bom, uns achavam mau, alguns queriam mais do que isto, outros achavam que os samaritanos nada deveriam levar, e a situação se complicaria mais ainda, levando os dois grupos às vias de fato, se não fosse a palavra de Jael, meu secretário íntimo:

RECONSTRUINDO O TEMPLO

— Falo em nome dos membros da fraternidade dos pedreiros, também incluídos na conta de homens livres, e como tal com direito à mesma parte que todos. Somos trezentas e doze pessoas, e neste momento abrimos mão de nossa parte em benefício dos samaritanos, para que tenham certeza da boa vontade de Zerubabel!

Achei aquilo muito acertado, e disse:

— Como também sou membro dessa fraternidade, podem aí incluir a minha parte.

— Já está incluída, meu rei. — Jael me olhava com um sorriso. — Vossa parte foi a primeira que coloquei disponível.

Não havia como manter ânimos exaltados depois dessa exibição de justiça: mesmo com o sobrecenho fechado, ambas as partes tiveram que aceitar o resultado que se apresentava, e que eu arredondei para quatro mil dracmas de ouro e sessenta e seis minas de prata, que Mitridates imediatamente pôs à disposição de seus compatriotas. Ao ver o que lhes seria dado, a maioria dos samaritanos se acalmou, pondo-se imediatamente a contar a riqueza recebida, calculando o melhor uso que lhe dariam. Os únicos que não fizeram isso foram Re'hum e Sam'sai, ainda com o ar de eterna insatisfação no rosto:

— Continuamos nos sentindo roubados, Príncipe de Jerusalém! Deveríamos pôr as mãos em vasos de ouro e prata suficientes para podermos em nossa própria cidade cultuar Yahweh!

— Nunca! — Yeoshua estava possesso, em meio aos velhos que o cercavam. — Se desejam cultuar e homenagear a Yahweh, que o façam em Seu templo único, que reergueremos em Jerusalém, Seu território sagrado! Já estais levando mais do que seria honesto! Não queirais transformar Yahweh em matéria de ganho!

Aquilo precisava terminar, e eu, submetendo minha própria vontade, pus as mãos sobre os ombros de meus inimigos, que nada compreenderam, tornando-se paralisados pelo inesperado. Eu estava firmemente disposto a encerrar a disputa, sem perceber que ela ainda daria frutos mais amargos nos anos que se seguiriam:

— Podeis ter certeza disso, Re'hum. O Templo de Yahweh, quando estiver novamente de pé, abrigará as orações de todos os que nele se dispuserem a entrar com o coração limpo. Sendo este o vosso caso, sereis eternamente bem-vindos em Jerusalém.

Dito isto, virei as costas ao grupo, sentindo em minha nuca a verruma de seus olhares malfazejos. A visão das crianças samaritanas, no colo de suas mães, olhando-me como se eu fosse um Moloch capaz de esmagá-las entre os maxilares, apertou-me o coração a tal ponto que tive que apressar o passo, ocultando minha emoção. Passei pelo grupo de Yeoshua, lendo em seus olhares a mesma raiva insensata dos seguidores de Re'hum, sentindo um tremor no espírito. Não pretendia ser objeto do ódio de ninguém, mas nesse dia vi como é fácil ser odiado, principalmente quando se tem a responsabilidade de decidir e impor a decisão tomada. A profecia de Ageu, que permanecera calado durante toda a disputa, girava em minha cabeça, e sofri mais um momento de tristeza quando Mitridates, vindo por trás de mim, tocou-me a manga com a mão, interrompendo minha caminhada:

— Meu rei, devo dizer-te adeus.

O choque foi brutal, trazendo de volta o dia em que meus amigos me haviam deixado à beira do Eufrates, esgarçando o tecido de nossas vidas em comum. Era a repetição da caminhada em direção ao abismo de mim mesmo, à beira do qual eu me mantinha em permanente equilíbrio instável, joguete dos deuses numa guerra da qual não sabia o motivo, apesar de perfeitamente consciente de que dela era território e butim:

— Meu amigo, isso não faz sentido. O fato de seres samaritano não te obriga a seguir teu povo: não sabes que ainda tens muito a fazer por mim?

— Não, meu rei: só sei que sendo responsável pela divisão do tesouro entre vós e meu povo, devo assumir a verdade de meus cálculos da mesma maneira que meu rei o fez. Ao numerar os samaritanos para calcular a fração do tesouro que deveria ser-lhes dada, incluí a mim próprio nesse número. Tenho grande respeito pelos cálculos, meu rei, e não posso abrir mão dos que eu mesmo executei. Se me pus entre eles, com eles devo seguir.

— Mas, Mitridates, ouve: sabes que quem comanda teus compatriotas deseja antes de tudo ameaçar Jerusalém. Por que pretendes ir em companhia deles, deixando-me sem tua amizade?

Mitridates tinha o olhar baixo como a voz, quase um fio:

— Minha amizade é tua para sempre, meu rei, e eu devo fazer o que deve ser feito. Meu povo há de precisar de mim: na pior das hipóteses, serei a única voz racional entre eles, defendendo sem emoções o cálculo que mantém em funcionamento o Universo. Podes ter a certeza de que eu serei entre os samaritanos tudo aquilo que meu rei precisar que eu seja: e mesmo quando isso não acontecer, crê que estarei sempre a teu dispor, para tudo que for necessário.

Mitridates, subitamente, abraçou-me e beijou-me a face esquerda, virando-se rapidamente, fugindo para além de meu alcance. Tentei segui-lo, mas os muxoxos dos seguidores de Yeoshua à minha volta, resmungando como se eu fosse um traidor do povo, fizeram-me estacar. Olhei para Yeoshua, esperando dele algum reconhecimento da emoção que eu sentia, mas só vi em seus olhos a dureza do fanatismo religioso, que, desejando unir todos os homens a Yahweh, acaba apenas afastando-O deles. Baixei a cabeça, sentindo-me mais só do que nunca, recordando o abandono que meu pai me impusera desde a infância, a perda de Daruj para o deserto do Faraó, a ausência de Sha'hawaniah em meu prazer, entendendo que perdera os dois únicos amigos de infância que me restavam. Olhei para os lados buscando o apoio de meus guardiões Heman e Iditum, recordando num tranco que já estavam mortos, seus ossos branqueando em uma cova perto da ponte de Gabbarah, silenciosos como sempre. Avancei cabisbaixo pelo caminho, sentindo o sol de Yahweh queimar-me a pele, desejando ser outra pessoa ou estar em outro lugar, mais absolutamente abandonado que nunca.

Chegando à porta de minha tenda, uma surpresa: Jael, meu secretário íntimo, lá estava, acompanhado de todos os irmãos na pedra que faziam parte da caravana. Ao ver-me, esses irmãos me cercaram, abraçando-me estreitamente, e foi dentro desse círculo de fraternidade que me envolvia que pude chorar copiosamente, expulsando de mim dores muito antigas que nunca até esse momento tinham sido purgadas. Meus irmãos me protegiam dos olhares do mundo, suportando minha tristeza e dando-me o benefício de seu apoio físico, uma qualidade indescritível que eu raras vezes havia percebido no mundo tão cruel em que vivia.

Experimentei muitos dos confortos que a vida pode dar, do espírito e do corpo, e a nenhum deles considero menos ou mais importante que os outros. E ainda assim devo confessar não conhecer nenhum que me seja tão caro, que tão completamente satisfaça os desejos de minha mente e espírito, que tão perfeitamente reviva, refine e eleve minha natureza, quanto o que recebi de meus irmãos na pedra. Esses sempre foram meu refúgio e conforto absoluto, com sua infinita capacidade de perceber a dor de qualquer de seus irmãos e, dividindo-a entre si, torná-la menor e mais fácil de suportar, sem que jamais seja preciso pedir-lhes auxílio. Conhecem como ninguém a alma de cada irmão em sofrimento, a ele se dirigindo com todo o amor que têm em seu coração, de maneira tão natural que sua amizade se multiplica por cem. Somos sempre exatamente aquilo de que cada um necessita, e nesse momento em que minha vida novamente parecia estar em franco descenso, foram meus irmãos que sustentaram meu espírito. Quando finalmente entrei em Jerusalém, sendo recebido por sua triste e faminta população, eram eles que estavam a meu lado, impassíveis, irremovíveis, incapazes de dar-me menos que seu carinho e amizade, e quando pela primeira vez me deitei para descansar na terra onde minha missão se daria, foi a sombra de sua presença e seus cânticos do lado de fora de meu palácio que me permitiram, pela primeira vez em muitos meses, mergulhar num sono profundo e sem sonhos, do qual eu acordaria para enfrentar aquilo que deveria ser feito.

Capítulo 29

Iniciei, depois da volta a Jerusalém, o período mais estranho e controverso de minha vida, do qual saí sem nenhuma das certezas que tinha, minha existência virada e logo após desvirada não sei quantas vezes. Os acontecimentos se sucediam uns após os outros, substituindo-se com tal rapidez, que na maior parte do tempo eu sequer pude percebê-los, tomando conhecimento deles apenas muito mais tarde, e sempre tarde demais para revertê-los. A atividade diária como Príncipe de Jerusalém e *tarshatta* do Grande Cyro não deixava nenhum tempo livre para mim mesmo: os "negócios de estado", assim chamados pelos que me cercavam, exigiriam atenção ininterrupta de minha parte, já que Jerusalém, a cidade sagrada, precisava urgentemente reerguer-se de suas ruínas, estabelecer-se como a cidade mais importante da região, tornando a ser o centro de poder e riqueza que fora quando Salomão era vivo e reinava sobre os que aí viviam suas vidas.

A cidade original era terra estranha aos recém-chegados: eu já conhecia o céu plúmbeo que nunca deixava ver o sol, e o peso incalculável das nuvens sobre nossas cabeças. Ao atravessarmos as últimas montanhas, a cidade em ruínas surgida no horizonte era baça, escura e *tão* desagradável à vista, que o ritmo da caravana se tornou sensivelmente mais lento, como se os cinqüenta mil judeus que a compunham estivessem começando a se arrepender de tê-la desejado. Eu nunca tinha observado a cidade desse ponto de vista privilegiado, sobre as montanhas entre Gabá e Anatot: era muito feia, suja, sem atrativos. O peso do céu doentio ampliava esse sentimento de rejeição dos que aguardavam a visão das benesses prometidas, e que teriam que ser arrancadas de dentro da terra, com trabalho, suor e dedicação extremados.

Fomos recebidos à Porta das Águas pela comitiva dos habitantes mais grados da cidade, entre eles Ananias e Ragel. Ananias, com sua voz grave, ergueu os braços em minha direção quando apeei de meu *jâmal*, saudando-me à moda dos pedreiros, com um beijo na face esquerda, repetido por todos os que o cercavam e que, como eu, eram também irmãos da pedra. As rugas de cansaço e penúria se multiplicavam na face grave de Ananias, e ao virar-me para a caravana, para não ver sua degradação física, percebi Yeoshua de pé sobre a carroça dos sacerdotes, em pose idêntica à de Re'hum, olhando-me como quem olha um inimigo. Fiquei completamente sem ação ao entender que meu amigo mais querido tinha contra mim alguma coisa mais forte que nossa antiga amizade. Baixei os olhos para o chão, esquecendo por um instante meu papel de responsável pela viagem e ocupação da velha cidade. Quem me ergueu a cabeça foi Ragel, os olhos mais apertados que nunca, o nariz erguido no ar, tentando enxergar-me pelo cheiro, como sempre fazia:

— O que tens, Zerub? O que te abala o espírito?

Abracei-me a ele, ocultando a face em seu ombro, sentindo o cheiro da poeira no tecido. Se pudesse, não ergueria nunca mais a face: tinha duros tempos a enfrentar, e a cada dia me percebia mais isolado. A missão a que Yahweh me obrigava me dava a certeza de que terminaria a vida sozinho, sem um amigo sequer. Ragel ergueu-me mais uma vez o queixo, e, com voz ríspida, admoestou-me:

— Domina-te! És o chefe desses homens e mulheres, que em ti confiam e de ti dependem! Não podes de maneira nenhuma dar qualquer sinal de emoção! Apruma-te!

O som da voz de Ragel fez algum ânimo me encher o coração: ergui os olhos, e a carroça dos *kohanim*, rolando em direção ao terreno do Templo, já havia passado por mim, como tudo sempre passa, deixando marcas somente nas emoções. O povo tinha os olhos arregalados, e ninguém estava muito satisfeito, a não ser as crianças, que nunca temem as novidades, e que imediatamente se puseram a explorar as ruínas, dentro das quais viviam os habitantes da cidade. Fiquei ao lado de Ragel e Ananias, vendo passar a caravana da Babilônia, todos sujos, cansados e desesperançados pela visão da Jerusalém que nunca haviam imaginado tão degradada. As trombetas do fim do dia tocaram, e a caravana ainda não estava toda dentro da cidade: subi as ruas poeirentas com Ragel e Ananias a meu lado, sua presença silenciosa me recordando Heman e Iditum, enquanto nos dirigíamos para o terreno da *Mishneh*, onde havia um grande espaço aberto no qual pela última vez a caravana ergueria suas tendas, antes de morar dentro da cidade. Passeei entre as tendas, e se em algumas fui saudado com respeito e amizade, na maioria recebi muxoxos e esgares de insatisfação: afinal, a terra de leite e mel para a qual eu os havia trazido era tudo menos isso, e, em suas mentes e corações deprimidos, a responsabilidade já era toda minha.

A noite ia a meio quando finalmente me dirigi a meu pobre palácio, como sempre exageradamente iluminado, logo atrás da Porta das Águas: ao chegar à escadaria, olhei para a direita, vendo as sombras da Necrópole Real, um mar de tumbas de pedra que me chamaram a atenção, como um presságio. Baixei a cabeça e subi os degraus gastos, sem olhar para nada, a não ser para dentro de mim mesmo, perguntando-me sem cessar o que estava fazendo aqui...

Cruzei o portal do palácio e pisei o assoalho de madeira, indo em direção a meu salão, o mesmo onde fora instruído e aceitara a missão que me violentava, pois, mesmo que me forçasse a executá-la segundo os desígnios de Yahweh, não conseguia compreendê-los. O trono de pedra lá estava, suas formas familiares quase um alento. Sentei-me nele, sentindo a superfície fria nas coxas, costas e braços, recostando a cabeça para trás e fechando os olhos. Meu corpo cansado não era mais a morada perfeita para minha alma jovem, e talvez por isso ela viesse envelhecendo celeremente, fazendo-me perder o viço. Tudo o que amava não possuía, e nada do que possuía me era caro ao coração. Eu era certamente o homem mais infeliz do mundo, como se Yahweh impusesse a infelicidade aos que escolhe para realizar Sua tarefa. As lágrimas me brotaram pelas perdas que havia sofrido graças a essa missão, pois de nada que me fora tomado desejara abrir mão. Cada passo no caminho de realizar o que me fora imposto tinha preço mais alto que o anterior, e haveria de chegar o dia em que eu não poderia mais pagar esse preço.

Sozinho no acanhado salão real, ouvi, trazido pelo vento que circulava pelos corredores, o toque familiar de uma harpa babilônia, e quanto mais essa música se aproximava de mim, mais meu coração se desanuviava, até que as cortinas do outro lado se abriram e a figura sorridente de Feq'qesh atravessou o umbral, executando uma saltitante melodia com seus dedos cada vez mais ágeis. Ergui-me com alegria, pretendendo abraçá-lo, mas ele se curvou à minha frente, sem deixar de tocar sua canção, sentando-se ao chão com as pernas cruzadas, enquanto Jael, que o seguia sobraçando a minha própria *kinn'or*, atirou-a de seu invólucro de pano rubro e a entregou em minhas mãos. Meus dedos hirtos e endurecidos não sabiam o que fazer com ela: desde que descobrira ter perdido a fita de *tarshatta*, abandonara completamente o instrumento, tornando-me escravo de minha própria depressão. A melodia que Feq'qesh tirava de sua harpa era contagiante, e meus dedos, quase como por vontade própria, se puseram a acariciar as cordas de minha harpa, timidamente a princípio, mas logo após com cada vez mais vigor e segurança: cruzei as pernas sobre o trono de pedra, apoiando a harpa na curva do joelho esquerdo, e deixei que meu espírito, falando através de meus dedos, dialogasse com a música de Feq'qesh, fazendo-a também ser minha.

Não sei quanto tempo tocamos: mas me recordo que a última das canções era uma que eu nunca tinha ouvido, e que, apesar de sua forma em tudo similar à de um salmo religioso, certamente não o era, pois tinha alguma coisa a mais, e os versos que Feq'qesh entoava com voz poderosa e suave me caíam no espírito como um bálsamo:

— Profeta não é o conhecedor de tudo que se dará, mas sim o poeta que nos mostra um dos muitos futuros possíveis...

Em meio à estranha melodia que sustentava esses versos, percebi com um susto serem eles o bálsamo de que meu coração ferido necessitava: a mágoa que Ageu me havia plantado na alma, com sua promessa de ódio absoluto por parte de meu povo, desvanecia-se lentamente, à medida que a compreensão do verdadeiro papel do profeta a substituía dentro de mim. O que Feq'qesh me dizia, através de sua música, era que Ageu não tinha a última palavra sobre o meu futuro, mas me alertava para a possibilidade de que ele acontecesse, e que estava em meu poder aceitá-lo ou modificá-lo. Finalmente eu compreendia o livro de infinitas páginas onde residiam infinitas histórias, que eu uma vez imaginara: se uma das histórias que nele estavam escritas não me fosse agradável ou satisfatória, eu poderia perfeitamente saltar para outra, escolhendo em meio a tudo o que já estava escrito o que me seria melhor e mais adequado. Ergui minha voz, juntando-a à de Feq'qesh, e quando terminamos a canção com um floreio, minha alma estava em paz. Pelo menos naquela noite, a música me havia feito compreender que, para que a vontade de Yahweh se realize, basta que desejemos o mesmo que Ele, pois todas as vontades são a Vontade de Yahweh.

Feq'qesh falou muito pouco, enquanto eu, movido por extrema e inesperada lucidez, narrei o que acontecera desde a última vez que nos víramos, tirando por mim mesmo as conclusões sobre tudo o que se passara. Cada vez que eu questionava meu mestre sobre uma dessas conclusões, era recebido apenas por seu estranho sorriso, que me levava a revê-la e reorganizá-la no território de meu interior, transformando-a em mais uma conclusão sólida, organizando-as todas umas sobre as outras, como se fossem as paredes de um templo que se erguesse dentro de mim, do qual todas as conclusões e certezas fossem pedras essenciais, e algumas delas as pedras de canto, fundamentais para seu erguimento perfeito.

A boca de Feq'qesh só emitiu palavras quando, ao ouvirmos as trombetas que indicavam o início da manhã, vimos que eu passara a noite inteira dando-lhe notícias de mim, sem que o sono me tivesse coberto com seu manto, e mesmo assim me sentindo leve e descansado como desde muito antes não me sentia. Meu mestre pôs a mão sobre meu braço e disse:

— Teu talento como músico cresce a cada dia, e quanto mais tu te compreendes, maior ele se torna.

— Me compreendo tão pouco, meu mestre: nunca, antes desta noite, havia perscrutado de tal maneira o que me forma o espírito. Hoje, vejo que se o que tenho em minha vida não me agrada, também já não me enoja...

Feq'qesh riu mais ainda, erguendo-se do chão sem nenhum cansaço:

— Fizemos algum progresso, portanto: recordo-me de um tempo em que nada do que vivias te dava prazer ou alegria. Essa tua satisfação é muito nova, e muito interessante.

Suspirei, resignado:

— É o que me resta ser, meu mestre: se não encontrar nenhuma satisfação no que tenho, de que maneira viverei? Se minha vida se limitar a ser um embate infinito entre o que tenho e o que desejo, nada farei, porque se não desejo tudo o que tenho, a verdade é que não tenho nada do que desejo.

— Mas isso não deve ser verdade: o que desejas tanto assim que não podes ter?

Pensei em mudar de assunto, mas não pude: sempre que minha alma se confrangia, a figura de Sha'hawaniah nela se instalava, enfraquecendo-me com suas promessas nunca realizadas, preenchendo-me do mais alucinante vazio, que me impedia até mesmo de fruir o que me era dado. E por não suportar mais isso, abri meu coração para Feq'qesh, dizendo-lhe do poder que essa mulher tinha sobre mim, e de como esse poder aumentava cada vez que eu me encontrava enfraquecido. Meu mestre me ouviu com extrema atenção e, depois de uma pausa, disse:

— Ela sobrevive da tua fraqueza, pois é dessa fraqueza que se alimenta. Portanto, quando estás forte ela se enfraquece, e és tu que dela te alimentas. O que tu sentes ela também sente, pois sois opostos e complementares, Sol e Lua a perseguir-se eternamente pelo Universo, sem nunca tocar-se. A Lua depende do Sol, pois é dele que vem a sua luz, mas o Sol, sem a Lua, não tem em quem refletir-se. Pensa nisso.

Feq'qesh se ergueu, deixando-me atônito: não havia compreendido nada de Sol e Lua refletindo-se um no outro, mas percebia muito bem o que meu mestre queria dizer ao me mostrar que eu e Sha'hawaniah talvez fôssemos sempre caça e caçador, e que nosso encontro talvez estivesse determinado a nunca ocorrer. Feq'qesh pegou minha harpa, guardando-a em seu invólucro de pano vermelho, colocando-a ao lado de Jael, que dormia a sono solto sobre um tapete: havia ficado a nos ouvir, e quando o sono o assomara, entregara-se a ele, embalado por nossa música, que me fizera esquecer sua existência. Parei ao lado dele, olhando-o, e Feq'qesh me disse:

— Os amigos que perdeste te farão muita falta, é verdade, mas outros surgirão que ocuparão seu lugar, para que não lhes sinta tanto assim a ausência. Acredita em teus irmãos da pedra: o que te dão é a coisa mais próxima da amizade. E mesmo quando essa amizade estiver parecendo destruída, lembra-te que acima dela existe a fraternidade dos que trabalham na pedra, que está acima de tudo, e não se confunde com os pedreiros que dela fazem parte.

RECONSTRUINDO O TEMPLO

Tocou no ombro de Jael, que se moveu em seu sono, exibindo a marca triangular de nascença em sua coxa, enquanto espreguiçava e se erguia, estremunhado. Feq'qesh sorriu e entregou-lhe a harpa, para que a carregasse, enquanto me dizia:

— Aproveita todos os momentos de solidão para trabalhar tua música: ela por vezes te será o único alento, e não te faltará nem mesmo quando te sentires abandonado por teus irmãos. E se mesmo assim ela for incapaz de te aplacar a alma, lembra-te de Yahweh e daquilo que Ele te deu para que faças o que deves fazer.

As palavras de Feq'qesh nunca tinham sido tão categóricas: parecia uma lição diferente das que sempre dera. Por trás de seu eterno sorriso de mofa, havia um brilho triste, refletido em seus olhos. Jael se ergueu e abriu os reposteiros de minha câmara pessoal, por trás do trono, onde os trajes que eu deveria usar nessa manhã já me esperavam, dobrados sobre um escabelo, encimados pela coroa de ouro e esmalte. Entrei, e a jarra de água fresca que ali estava serviu para que eu matasse a imensa sede que sentia, além de encher a bacia na qual lavei as mãos e o rosto, refrescando-me para enfrentar meu primeiro dia como senhor da Jerusalém reocupada. Vesti-me, ouvindo por trás das pesadas cortinas, que antes eram permanentemente marcadas pelas sombras protetoras de Heman e Iditum, o burburinho dos que entravam na sala do trono para ter comigo uma audiência.

Esse primeiro dia foi um desastre: ao atravessar os reposteiros, fui recebido por uma alaúza imensa, gritos e imprecações, punhos erguidos, já que todos consideravam seus próprios problemas mais importantes que os dos outros, exigindo que eu lhes desse toda a minha atenção antes de ouvir a quem quer que fosse. A meu lado, um Yeoshua carrancudo, sentado no trono que deveria ser meu, já que eu ocuparia o de meu tio Sheshba'zzar, sequer me dirigia o olhar: cercado por seus acólitos mais conservadores, mantinha um ar de impenetrabilidade irritada, e a cada palavra minha ouvia o que seus seguidores lhe diziam ao ouvido, provavelmente fundamentando suas palavras numa antiga lei que ninguém conhecia mais que eles. Atrás de nós, acocorado e girando o cajado entre os dedos, estava Ageu, a quem ninguém dava atenção direta, mesmo que de sua boca saísse a palavra divina que solucionaria todas as questões. Éramos rei, sacerdote e profeta, o triângulo de poder que comandaria o reerguimento de Jerusalém, ainda que eu soubesse de antemão ser isso impossível.

Meu sogro Jedaías, descendo do patamar onde estava, ao lado de Yeoshua, vociferou:

— Como sacerdote de Yahweh e sogro do Príncipe da Paz, exijo ser atendido imediatamente!

— Pois eu morava na mesma rua que a mãe do *tarshatta*, na Grande Baab'el, e nossas famílias eram muito amigas! — Uma mulher muito gorda enfrentou Jedaías, com a voz esganiçada. — Não te reconheço nenhum direito maior que o meu! Onde estavas quando eu e a mãe dele freqüentamos juntas a *mikhvah* do *tel'aviv?*

Jedaías ia responder, mas um velho de longas barbas e vestes babilônias ergueu sua voz cansada:

— Não tenho onde morar! Desocupados invadiram a casa de minha família e se recusam a sair!

— Dobre a língua ao chamar-nos de desocupados! — Dois labregos de cabelos hirsutos saltaram à frente do velho, e o maior deles ergueu um punho à frente de seu rosto. — Nossos avós já viveram naquela casa, e depois nossos pais, e nós também, e agora nossos filhos! Se foste para a Grande Baab'el e abandonaste tua casa, o problema não é nosso!

— Exijo que seja respeitado o antigo direito de propriedade! Tenho testemunhas de que ainda no tempo de Salomão a casa era nossa!

Jedaías fez um ruído de menosprezo:

— Isso não tem a menor importância! Se a casa é tua, entra nela! E deixa que assuntos mais importantes possam ser tratados!

— As terras de minha família foram tomadas por gente que nem sequer conhecemos, meu príncipe! — Uma família de plantadores abriu caminho à força, a mulher com dois filhos pequenos, um em cada anca, e o marido tinha o rosto picadinho de bexiga. — Eram terras de qualidade, onde vicejavam figueiras e amendoeiras...

— Meu pai sempre falava dessas terras, e dizia que, no dia em que retornássemos a Jerusalém, elas estariam nos esperando!

Essa frase do irmão mais jovem do plantador foi recebida com escárnio por alguns homens que carregavam cajados, principalmente um muito suado e de olhos arregalados:

— As figueiras e amendoeiras secaram todas! Tivemos que plantar oliveiras e videiras, que não precisam de terra úmida! Foi o melhor que pudemos fazer com aquela terra amaldiçoada onde nada nascia!

— Terra amaldiçoada? É assim que tratas o campo de minha família? Não sei onde estou que não te amaldiçôo com meu cajado em tua cabeça dura...

Avançaram uns para os outros, e toda a assembléia tomou partido, enquanto outros esganiçavam seus pedidos de novas casas, novas terras, dinheiro, mais comida, roupas novas, expulsão de inimigos, em suma, uma confusão sem fim, onde cada um exigia apenas o que considerava ser seu direito indiscutível, sem pensar no que seria o direito alheio.

Foi difícil organizá-los: tive que mandar separar homens de mulheres, depois pedi que cada família trouxesse apenas um representante, capaz de defender seu caso frente a seu rei, e que os outros ficassem do lado de fora da esplanada, aguardando pacientemente que eu fizesse a distribuição da justiça. Essa idéia foi muito mal recebida, mas a presença de Théron e de seus soldados armados, que organizadamente se colocaram entre mim e a assembléia descontrolada, acabou por tirar do salão aqueles que eram supérfluos e serviam apenas para complicar ainda mais uma situação que já era suficientemente confusa. Quando conseguimos algum silêncio, eu lhes disse:

— Povo de Jerusalém, é preciso calma e muita paciência. Cada vez que tentarmos apressar a solução de um problema sem que ele tenha sido completamente entendido, estaremos correndo o risco de dar-lhe um fim inglório, pela pressa.

Yeoshua gritou, de seu lugar:

— A solução de todos os problemas está em Yahweh! Basta ouvir o que Ele tem a dizer, e imediatamente todos os problemas estarão resolvidos!

Um gosto amargo de inadequação me assomou a alma: meu velho amigo parecia colocar-se contra mim, advogando uma posição de respeito submisso àquilo que ele chamava de "Vontade de Yahweh", sem que nada garantisse a verdade dessa afirmativa. Passei a mão na testa, emoções intensas girando em meu coração: perdera não só a amizade que tanto prezava, mas também o apoio oficial dos mais velhos entre os mais velhos, que só estariam a meu lado se eu lhes fosse submisso e obediente. Decidi fazer exatamente o que deveria fazer, da maneira mais racional possível, e lhe disse:

— Yeoshua, a vontade de Yahweh está em todos nós: basta ouvi-la com os ouvidos do coração, se estiver limpo de preconceitos, Como posso julgar sem conhecer cada caso? Só depois de ouvir todas as partes, posso permitir que Yahweh fale através de minha boca: não desejo correr o risco de ser injusto por desconhecimento.

Yeoshua mordeu os lábios, olhando-me com frieza, enquanto a assembléia, na sua maioria, aplaudia minhas palavras. E eu, durante todo o dia, fiquei sentado ao trono, ouvindo um lado e outro de inúmeras questiúnculas, todas envolvendo valores materiais, posses de terra, direito de compra e venda sobre animais e colheitas, a mixórdia de sempre. De uma coisa no entanto tive certeza absoluta: pelo menos metade dos que vieram à minha frente ficaram satisfeitos, porque os que não foram aquinhoados com a realização de sua vontade saíam pisando duro e vociferando contra mim. Creio até que nem mesmo a metade, porque vários casos houve em que nenhuma das partes se mostrou satisfeita com minha decisão: mas isso teve um lado positivo, porque imediatamente, à minha frente, uniram-se contra mim, saindo a deblaterar contra minha pessoa, depreciando minha capacidade de dar-lhes julgamento justo, sem perceber que, ao unir-se contra mim, estavam mais unidos que nunca uns aos outros. Todas as vezes em que isso acontecia, eu olhava para Ageu, que não tirava os olhos de mim, e sua profecia me bailava na memória: eu a parecia estar realizando a cada instante, e com precisão, ao me fazer odiar pelos que me passavam à frente.

O coração se me foi amargando no peito, e quando as trombetas do final do dia soaram, a sala ainda cheia foi esvaziada, restando para o dia seguinte os inúmeros casos que eu não tivera tempo de analisar e julgar. Quando se fez silêncio, coloquei o rosto entre as mãos, sacudindo a cabeça com violência, e ouvi a voz de Yeoshua:

— Se me ouvisses, certamente sofrerias menos: aprende que os devotos de Yahweh merecem ser tratados com mais consideração que os outros.

Olhei meu amigo, uma face quase que completamente desconhecida, graças às palavras que me dizia:

— Yeoshua, isso não é verdade: somos todos criaturas de Yahweh, e ele não faz nenhuma distinção entre nós...

— Isso é o que tu pensas: nós que o glorificamos a cada momento merecemos ser tratados de acordo. Como podemos ser confundidos com esses que só se recordam de Yahweh para exigir-lhe a realização de seus desejos mesquinhos, sem sequer recordar-se de agradecer-lhe as benesses com que Ele os cobre?

Suspirei, subitamente seguro de mim: a distância entre mim e Yeoshua multiplicava-se gradativamente, e eu já me sentia a milhas dele, mais longe do que quando o vira ficar para trás, ao descer o Eufrates pela primeira vez, fugindo da Grande Baab'el. Não havia como encurtar essa distância, por mais que eu o desejasse, e era preciso que ali, naquele momento e lugar, ficasse definido de uma vez por todas o papel que cada um de nós exerceria desse dia em diante:

— Pior que o preconceito, Yeoshua, é o privilégio que nasce dele: se somos todos iguais, segundo as leis de Yahweh, tens que aceitar que eu, como governante de Jerusalém, preciso procurar o equilíbrio dessa igualdade entre todos os que de mim se aproximam.

— Errado, Zerub, totalmente errado! Os melhores devem sempre estar colocados acima dos piores... assim tem sido o mundo, desde seu início!

— Tens certeza disso, Yeoshua? — Minha voz era um fio, de cansaço. — Crês verdadeiramente que existam diferenças entre as criaturas, aos olhos de nosso Criador?

Yeoshua abriu a boca para responder-me, mas o que viu em meus olhos o calou, e o que restava de nossa cada vez mais tênue amizade o encheu de pena de nós ambos: ele também sofrera por não ser um dos mais capazes, e agora se via na posição de algoz dos que também não o eram. Envergonhado, cobrindo a cabeça com o manto, desceu os degraus do trono e saiu da sala, acompanhado por um Ageu sem pressa nenhuma, que cabriolou atrás de seu grupo, esticando o cajado em sua direção como se fossem um rebanho de ovelhas que se devia cuidar muito atentamente, porque a cada dia se mostravam mais incapazes de agir como delas se esperava. Eu fiquei imerso em meus pensamentos tristes, e a sensação de estar colocado no lugar errado voltou a perfurar-me a mente. Minha decisão de enfrentar a missão que me havia sido imposta permanecia dentro de mim: mas eu compreendia cada vez menos a razão pela qual eu, um inadequado, um incompetente, um incapaz, havia sido posto por Yahweh numa posição em que poderia causar mais dano que progresso. Se algo desse errado, a responsabilidade seria toda minha, e essa idéia me esmagava o peito e me fazia suar de terror.

Eu não estava sozinho, contudo: ao longo das paredes, em silêncio total, restaram meus irmãos pedreiros, olhando-me fixamente, como que desejando livrar-me das dúvidas que se estampavam em minha face. Ananias, com sua voz grave, deu dois passos à frente. Olhei para ele e fiz-lhe um sinal para que se sentasse à minha direita, o que ele fez, sem hesitar. Quando me virei para falar-lhe, percebi que entre nós, sem que eu o visse, colocara-se Feq'qesh, que nos pôs as mãos sobre os ombros, dizendo:

— Irmãos pedreiros de Jerusalém, unamo-nos na realização da tarefa para a qual fomos destacados.

Todos os pedreiros da sala deram-se as mãos, e eu pude ver-lhes as faces iluminadas pelos archotes do salão, e não apenas pela sua luz. De dentro de cada um deles brotava um brilho inefável, e quando se deram as mãos, esse brilho aumentou consideravelmente. Os que estavam à minha esquerda se moveram para mais perto de mim, assim como os que estavam à direita de Ananias, e quando nos demos as mãos, foi como se uma corrente de energia nos atravessasse, acalmando meus temores, fazendo-me esquecer de minha insegurança e mais uma vez, ainda que momentaneamente, enchendo-me o coração de paz.

As coisas que aconteceram enquanto nossas mãos estavam dadas são indescritíveis, principalmente porque cada um de nós, certamente as percebe de uma maneira pessoal e indescritível. Palavras foram ditas, saudações foram trocadas, e quando nos sentimos repletos da alegria de estar entre irmãos pedreiros, Feq'qesh disse, com voz pausada:

— Vamos, irmãos pedreiros de Jerusalém: o lugar sagrado onde outrora se ergueu o Templo de Yahweh nos aguarda.

RECONSTRUINDO O TEMPLO

Feq'qesh deu-me um impulso às costas, que me fez levantar, e eu, tendo-o atrás de mim junto a Ananias, atravessei o salão do palácio saindo para o exterior, seguido por todos os irmãos pedreiros que estavam no salão, sem sentir meus pés pisando o solo. Descemos as escadarias do palácio, entrando na esplanada deserta em frente a ele, cobertos pelo manto escuro do céu fechado, vendo à nossa esquerda os archotes que marcavam a Porta do Vale, para a qual nos dirigimos. Do outro lado dela estavam Théron e seus soldados, todos também irmãos pedreiros, que nos lideraram por todo o caminho ascendente e estranhamente deserto entre o palácio e a esplanada do Templo.

Enquanto andávamos, recordei que esse caminho era o mesmo que eu havia pisado em outra noite como esta, seguindo uma procissão à luz de archotes exatamente igual a esta de que agora fazia parte. O caminho em espiral cada vez mais estreito se repetia, e por um instante senti-me revivendo meu passado. Se soubesse o que estaria por me ocorrer, da primeira vez, certamente teria voltado para a tenda e tomado todo o vinho batizado com narcóticos, como fizera meu amigo Daruj. Desejei ardentemente, enquanto dava os passos que me levavam ao local do Templo, estar de volta àquela outra noite, e dela recuar infinitamente para longe dali, longe de Jerusalém, longe da caravana de pedreiros, longe do mundo, cada vez mais mergulhado em meu próprio ser, cada vez mais afastado de meus semelhantes, a quem não podia ajudar, por ser incapaz disso. O Templo, que se desejava reerguer, era obra acima e além das forças de qualquer um, e se havia quem necessitasse dessa ilusão para encontrar um objetivo em sua vida mais ou menos vazia, eu não era um desses, pois sabia que nada podia fazer nesse sentido. Se dependesse de mim, o Templo de Yahweh permaneceria destruído e espalhado pelo solo: eu não podia erguê-lo, era o mais impotente dos impotentes, e a consciência disso me enchia de uma tristeza mansa, dolorida. Mais uma vez, o homem errado no lugar errado: Yahweh se equivocara totalmente ao me escolher para essa tarefa impossível de ser realizada.

Quando pisamos no terreno sagrado, logo após atravessar a Porta da *Mishneh*, algumas braças depois das ruínas de um muro, viramos à esquerda, deixando atrás de nós as ruínas do que fora o suntuoso palácio de Salomão e ladeando a parte traseira do terreno do Templo propriamente dito. Caminhando lenta e hieraticamente, viramos mais uma vez à direita, e outra, e outra vez, ficando de frente para o oeste, olhando o mar de pedras espalhadas, como se uma criança birrenta houvesse erguido um brinquedo e depois, entediada, o houvesse derrubado com um golpe de sua mão. Ali se erguera o Templo de Yahweh, e nosso silêncio era eco no imenso silêncio da Jerusalém reocupada, estranhamente adormecida nessa noite. Eu sentia os olhares de todos os meus irmãos pedreiros, ao mesmo tempo uma cobrança e uma sustentação. Não sabia o que esperavam de mim, e fiquei aguardando que alguma coisa acontecesse e me indicasse o que fazer.

À minha frente, um enxame de vaga-lumes subiu de um buraco no solo, bem no centro das ruínas do Templo, e voou em nossa direção. Eu os conhecia da Grande Baab'el, e muitas vezes quando criança os prendera em sacos de fino pano egípcio, para me divertir com seu brilho esverdeado. Mas estes que agora via eram diferentes: não piscavam como os da Babilônia, e sua luz era branca, e cada vez mais forte, à medida que se aproximavam de mim. Quando chegaram mais perto, meu coração disparou: não eram vaga-lumes, mas sim as letras do alfabeto hebraico, feitas de luz branca, voando em minha direção, subitamente me envolvendo com seu brilho, circulando à minha volta em espiral infinita. Ergui os olhos para o céu sobre a cabeça: a espiral se projetava para cima, sem fim. Eu esquecera das letras e de que através delas tantas coisas em minha vida tinham sido realizadas. Já me haviam revelado o Universo composto por elas, todas as coisas reduzidas a suas partes mais simples, e todas essas partes sendo letras como as que eu via, não de fogo negro, como antes, mas luminosas e brilhantes como pequenas janelas que desvendassem a Luz de Yahweh. Olhei para minhas mãos, banhadas pelas letras, enxergando em cada uma delas as outras letras que as formavam, umas sobre as outras, e o sangue que corria em minhas veias, também feito desse fogo divino, espalhava-se do centro de meu peito para todas as minhas extremidades.

Feq'qesh, atrás de mim, iniciou um cântico grave, imediatamente repetido por todos os pedreiros que ali estavam, e o ritmo desse cântico se articulou com o movimento das letras que a tudo cobriam e tudo formavam, numa espiral de beleza infinita. Levei as mãos à face, coberta de lágrimas e luz, e quando novamente olhei o mundo, as letras retornavam para o centro do terreno, pairando por sobre as ruínas do Templo e lentamente, uma a uma, caindo por sobre as pedras, traçando no ar linhas retas de luz, desenhando na escuridão da noite o Templo de Salomão como ele tinha sido, quando se erguia em toda a sua glória e beleza. O fantasma luminoso do esplendor do Templo me mostrava o que ele fora e o que deveria voltar a ser, e eu dei dois passos à frente, para enxergar melhor o espetáculo divino que me era dado de presente nessa noite.

Havia no buraco ao centro das ruínas um grande bloco de pedra, e era dele que a luz se projetava, como uma fonte de onde as letras de fogo fluíssem. A pedra brilhava como que iluminada por dentro, e eu vi em seu interior, ao mesmo tempo sólido e transparente, a seiva de luz percorrendo-o exatamente como percorria a mim. De repente, como algo que se rompesse, as letras se espalharam em todas as direções, molhando de fogo vivo as pedras cúbicas desordenadamente jogadas ao solo, e em cada uma de suas arestas uma letra se colocou, indicando perfeitamente o que era alto e baixo, Norte e Sul, Leste e Oeste, ao mesmo tempo que em cada uma das seis faces de cada pedra uma outra letra se inscrevia, maior e mais brilhante. Fiquei olhando as letras de luz sobre as pedras, notando haver letras iguais sobre faces iguais, como marcações que se repetissem.

Um grito escapou de meus lábios, interrompendo o cântico de meus irmãos: eu finalmente compreendia meu papel no reerguimento desse Templo. Eu era aquele que sabia qual pedra iria sobre qual pedra, e em que lugar, e em que posição e orientação, para que o Templo que um dia estivera de pé pudesse ser remontado exatamente da mesma maneira, reintegrando a obra divina que um dia se estilhaçara pela crueldade dos homens. Avancei, fixando meu olhar em uma pedra que estava separada das outras, lendo as marcas de fogo que as letras nela deixaram. Olhei em volta: num monte próximo, vislumbrei, pulsando em luz mais forte que as outras, outra pedra com as mesmas marcas. Com esforço, fui até ela, apanhando-a com as mãos e rolando-a até a primeira. Girei-a com dificuldade, até que encontrei sua posição certa, e, com uma explosão muscular de que não me sabia capaz, coloquei-a por sobre a primeira, vendo que as duas se amolgavam exatamente uma na outra, tal a perfeição de suas faces e o polimento de suas arestas, tornando-se uma só.

Era isso o que se esperava de mim: cada pedra tinha seu lugar exato nessa obra, cada uma deveria ser recolocada nele, e eu era capaz de enxergar isso. Olhei em volta: laços de luz ligavam as pedras a outras pedras, mostrando como elas deveriam unir-se, numa trama que formava uma cúpula trançada por sobre nossas cabeças com tal beleza, que caí ajoelhado ao solo, tomado de uma emoção que jamais *tinha experimentado*. Eu descobrira minha função no plano geral das coisas, finalmente, e o Universo que considerava inimigo estava agora mostrando-se igual a mim, todas as coisas uma coisa só, eu definitivamente integrado a elas e elas a mim, tudo conhecendo seu lugar no Universo, como eu conhecia o lugar de cada pedra da reconstrução. O pranto corria livre e solto, enevoando minha visão, mas isso não fazia nenhuma diferença: mesmo de olhos fechados, eu ainda via a trama de luz que me cercava e da qual era parte integrante.

Feq'qesh falou mansamente atrás de mim:

— É preciso encontrar a primeira pedra, aquela que fica no canto noroeste, pela qual a obra deve se reiniciar.

Girei a cabeça, procurando, e algumas braças à minha frente uma pedra pulsava mais forte que as outras. Fui até ela, colocando-lhe a mão na face superior, sentindo o calor e vida que corriam por dentro dela, percebendo que essa vida estava tanto nela quanto em mim. Esta pedra também tinha sido esquadrejada por um homem, em quem o poder de Yahweh se manifestara como agora se manifestava em mim: éramos, eu e esse homem, apenas agentes de Yahweh. Pus-me de pé, virando-me para meus irmãos, dizendo:

— É esta a pedra do canto.

Quatro irmãos se aproximaram, e eu os fiz girar a pedra até que estivesse na posição correta, perfeitamente apoiada numa depressão do solo que tinha exatamente as suas medidas. Olhei para o lado e pude ver exatamente que pedras a ela se uniriam e que pedras sobre ela deveriam ser colocadas: bastava apenas remontar o plano original, e todo o Templo seria como que uma pedra só, nunca separado em partes, renascido em glória e beleza.

Quem teria sido esse homem, esse irmão de quem me sentia tão próximo nesse instante quase insuportável? Ajoelhei-me novamente, com a garganta apertada pela emoção, e li as letras que esse irmão havia traçado na pedra ao terminar seu trabalho sobre ela, assinando seu nome: Johaben.

Nesse instante, o Universo tornou-se integralmente um só comigo e com Johaben e com todos os irmãos pedreiros desse lugar, desse tempo, do passado e do futuro, porque a pedra é sempre uma, mesmo que desunida em suas partes, e os pedreiros, não importa o que nos aconteça, também somos todos um só.

Capítulo 30

Como qualquer outro homem, saí dessa noite de indescritíveis emoções certo de que a partir desse instante tudo estaria justo e perfeito, que nada interromperia o caminho de sabedoria, força e beleza pelo qual eu ansiava, e que agora seria feliz para sempre. Como qualquer outro homem, eu estava totalmente equivocado: esse desejo intenso era apenas isso, um desejo. A felicidade é como o *manah* do deserto, existindo apenas em pequenas quantidades, na medida exata para ser usufruída a cada dia, porque não se conserva nem pode ser acumulada. É preciso lutar por ela a cada dia, praticando-a como se praticam os exercícios físicos ou as escalas em uma harpa, com decisão e firmeza. Se em algum dia esse exercício não é praticado, aquele dia é como um dia sem *manah*, pois não colhemos a felicidade que deveria cair do céu sobre nossas cabeças.

Acordei em estado de graça, depois de retornar ao palácio iluminado para dormir o raro sono dos justos: a manhã me encontrou com o espírito tão alegre, que nada pôde deteriorar-me o humor. Os julgamentos que tive de proferir, ridículos em sua pequenez humana, pouco me afetaram: minha mente estava ainda nas imagens de luz que as pedras me haviam exibido, mostrando-me como o Templo deveria ser reerguido, e qualquer coisa era menos interessante que isso. Uma ou duas vezes, precisei ser chamado de volta ao mundo real, porque minha mente divagava, enxergando com os olhos da memória as letras nas arestas das pedras cúbicas, sabendo, sem estar consciente disso, que aquela é a maneira como tudo se organiza no Espaço e Tempo do Universo de Yahweh. À noite, quando entrei em meus aposentos, pedi a Jael que me trouxesse pergaminho e tinta egípcia, e diligentemente tracei, exatamente como via em minha mente, um cubo transparente com as letras em suas doze arestas, para garantir que as pedras do Templo estariam em suas posições corretas. A maneira de descobrir quais pedras ficariam ao lado ou em cima de outras era diferente: os conjuntos de duas, três ou mais letras eram essenciais para que pudéssemos fazer a remontagem perfeita, pedra após pedra, reerguendo as paredes com precisão.

O encontro das seis direções, alto, baixo, Norte, Sul, Leste, Oeste, formava as doze arestas de cada pedra cúbica, e eram sempre as mesmas, tendo em cada uma delas as mesmas doze letras: mas as faces tinham sempre uma letra *beth* inscrita, dando-me a certeza de que tudo sempre se iniciava com *beth*. A pedra de canto, onde eu encontrara inscrito o nome de Johaben, fulgurava com um imenso *beth* em cada uma de suas faces, dentro do qual eu pudera ver outras letras de tamanho menor, mas, mais do que isto, era a vibração desta pedra que me indicava ser ela a primeira entre todas.

Jael ficou observando meu traçado, com a atenção que sempre tinha para com meus negócios, e me perguntou:

— Quem teria sido esse Johaben, filho de ninguém, que marcou a pedra de canto que meu rei encontrou?

— Não sei, Jael: se não houver registro entre os irmãos da pedra sobre esse pedreiro, certamente o encontraremos na história e memória de meu avô Salomão. Precisamos descobrir quem foi esse irmão, cuja pedra de canto foi escolhida por sua perfeição para ser a primeira entre todas as pedras do Templo.

Espreguicei, enquanto Jael recolhia meus pergaminhos e me perguntava:

— Meu rei está pronto para receber uma de suas esposas?

Ri, aliviado: havia esquecido que a vida de rei tem tanto prazeres quanto desprazeres, e já não era sem tempo que eu retomasse minha vida saudável, emprenhando minhas mulheres e gerando uma forte casa real para Jerusalém, seguindo o exemplo de meus avós David e Salomão. Ergui-me de meu escabelo e disse a Jael:

— Acompanha-me à sala do *harim*: hoje pretendo eu mesmo escolher aquela que me fará companhia.

Seguido de perto por Jael, também de bom humor, atravessei os fundos de meus aposentos, seguindo pelo corredor recém-erguido que levava a uma nova ala, construída especificamente para que nela morassem as esposas do rei. Um outro corredor à esquerda levava aos aposentos de meu tio Sheshba'zzar, o eterno ausente, perdido nas brumas de sua idade e seus desregramentos: mas o vestíbulo que atravessamos estava cheio dos ruídos e sons de muitas mulheres juntas, rindo, conversando, gritando e choramingando. Quando cheguei à porta, os dois guardas do *harim*, percebendo minha presença, puseram-se de prontidão, e um deles gritou para dentro da sala, abrindo as portas de par em par:

— O Príncipe da Paz, *tarshatta* de Jerusalém, Zerub, ben-Salatiel, ha-David!

A gritaria dentro da sala foi imensa, e os ruídos de passos apressados era quase um tropel de cavalos nervosos: esperei alguns instantes e afastei os reposteiros, entrando em meu *harim*. A confusão entre as quase trezentas mulheres que ali estavam, a maioria acompanhada de suas servas, fazia com que o *harim* parecesse mais uma feira que um dormitório. As cores dos panos coloridos que as envolviam e a seus pertences, tudo iluminado por centenas de pequenos candeeiros de cerâmica cheios de óleo, davam ao lugar um ar tão excitante, que me senti o homem mais poderoso do mundo, a ponto de poder escolher entre as melhores aquela a quem daria o prazer de minha companhia. Fui atravessando a sala, e elas, cada uma à sua maneira, buscaram atrair minha atenção, com olhares, meneios de quadril, gestos de pudor e de luxúria, movimentos de dedos e línguas que me fizeram nascer fogo no baixo-ventre. Atravessei o salão, indo até o seu término, e retornei, tendo marcado onde estavam as que poderiam vir a me interessar. Das cinco que havia definido como favoritas, apenas uma não vi, e foi a esta exatamente que procurei, da segunda vez que passei por elas. Virei-me para Jael, que estava no umbral, e perguntei:

— Como se chama a filha de Belsan, o amigo de meu pai?

— Rhese, meu rei.

— Onde está ela? Não a vejo...

Jael gritou o nome de Rhese, gerando nas outras mulheres um muxoxo de desprazer, fazendo-as abrir alas e retornar a seus afazeres interrompidos por minha visita. Em uma janela ao fundo do grande salão, absorta nos cuidados de uma planta mirrada que estava em um vaso, estava a pequena Rhese, de quem agora me recordava, por tê-la visto várias vezes quando ainda éramos crianças e seu pai a havia prometido ao meu, como minha futura esposa. Dirigi-me a ela, com um falso ar de seriedade no rosto:

— Ocupada demais para me dar um pouco de atenção, Rhese?

Ela corou, mas curvou a cabeça, ocultando a face com o véu, por ver que Jael, sem passar da porta, a olhava. Depois falou, em voz baixa:

— Tú és meu e eu sou tua, meu senhor. Nada neste mundo pode prender-me a atenção se estiveres presente...

As outras mulheres reagiram, com um muxoxo surdo: virei a cabeça ligeiramente por sobre o ombro, olhando-as de soslaio, e o silêncio que se fez foi imediato. Voltei os olhos para Rhese, que ainda mantinha a cabeça baixa, mas com os olhos firmemente fixos em mim, e avancei na direção dela:

— Que planta é essa que te prendia a atenção como se fosse eu mesmo?

Num vaso de argila, decorado com pequenos sinais feitos de linhas retas e curvas, estava uma planta mirrada, da qual despontavam três folhinhas de verde muito escuro. Era uma muda de vinha, com seu caule retorcido e pequenas espirais de verde mais claro, e Rhese trazia em sua mão direita um pequeno púcaro de água, com a qual regava parcimoniosamente os pedriscos em que a vinha estava plantada:

— É uma estaca do vinhedo que ficava ao fundo de nossa casa, no *tel'aviv* da Grande Baab'el. Foi plantada no dia em que nasci, e não pude me separar dela: por isso, trouxe uma muda, para plantar assim que encontrar lugar adequado.

— Tolice! As vinhas não resistem a uma viagem como a que fizemos! — Era Haddasah, a filha de Jedaías, a primeira que eu havia conhecido, olhando-me com as mãos na cintura e o ventre projetado para a frente, lábios úmidos e sobrancelhas erguidas. Percebi que ela articulava uma disputa, sentindo-me orgulhoso por ser o objeto desta, até notar que Rhese estava mais preocupada com sua muda de vinhedo que comigo. Noemi, a filha de Mardoqueu, mais velha que todas as outras, ergueu a voz de sua experiência:

— Nem sempre: sabe-se de galhos de vinha que ficaram secos durante anos e que, uma vez enfiados no solo e tratados de acordo, vieram a dar frutos de sabor indescritível...

Lia, filha do samaritano Naamani, fez um ruído de desprezo com os lábios, dizendo:

— Alguém te perguntou alguma coisa?

E Eliá, a morena filha do comerciante mais rico da Grande Baab'el, secundou-a:

— Galhos de vinha podem dar frutos mesmo depois de velhos. Mulheres velhas, nunca!

Haddasah deu uma risada esganiçada, e Noemi, irada, avançou em sua direção, as unhas como garras:

— Ishtar te amaldiçoe, cadela!

A confusão das mulheres à minha volta era imensa, porque todas tomavam partido na briga, enchendo o ar de alarido sem tamanho. Senti-me entre elas exatamente como no dia anterior em meu salão, enfrentando adversários que exigiam que eu tomasse partido em seu benefício. Neste caso, enquanto minhas mulheres se ofendiam e quase digladiavam, só tive olhos para Rhese, que, absorta, voltara a cuidar de sua pequena planta. Jael gritava, os dois guardas do *harim* também, e enquanto isso se dava, eu e Rhese observamos a beleza das tenras folhas de uva, como se nada houvesse no Universo mais importante que elas, ou mesmo como se nelas estivesse todo o Universo.

Os gritos e maldições, por fim, encheram-me as medidas, e eu soltei um grito:

— Basta! É meu direito escolher com quem desejo passar a noite, e já fiz minha escolha! Rhese, acompanha-me.

Rhese, o cenho franzido, disse-me:

— Hoje não, meu senhor: é meu primeiro dia de *vehsset*...

Um silêncio imenso tomou a sala: se Rhese estava menstruada, uma outra teria que ser a escolhida, e subitamente todas ficaram novamente em paz, suaves, doces, agradáveis, o retrato exato das mulheres perfeitas, cada uma aguardando que eu fizesse minha escolha, usando de todos os artifícios possíveis para ser a escolhida. Haddasah, com seu perfume de mirta, foi mais efetiva, e, ainda que penalizado, despedi-me de Rhese com um beijo, fazendo um sinal para Haddasah, que, sorriso triunfante nos lábios, seguiu em minha companhia pelo corredor até meus aposentos, à porta dos quais Jael se despediu, deixando que usufruíssemos do prazer que nos aguardava.

Era de se esperar que dois seres tão violentamente sensuais como eu e Haddasah passássemos a noite em franco conúbio: mas tão logo eu alcancei o gozo, a imagem de Rhese me veio à mente, e eu despedi Haddasah, pedindo que ela voltasse a seus aposentos, pois queria dormir só. Ela não gostou da idéia, e saiu de minha alcova com um comentário que me deixou extremamente preocupado:

— Dorme bem, meu senhor: vejamos se finalmente plantaste em meu ventre o futuro rei de Israel...

Olhei-a fixamente, e sei que ela pensou em saudar-me em nome de sua deusa, mas minha seriedade lhe deu a certeza de que isso não era uma boa idéia, e que certamente eu retrucaria com uma menção à poderosa luz de Yahweh, coisa que certamente não lhe agradava. Quando se foi, deitei em minhas almofadas, olhando o teto, pensamentos revoluteando dentro da cabeça, como acontecia de cada vez que meu sono era substituído pela insônia, minha companheira mais constante.

Por que, depois de tanto tempo, eu ainda não havia emprenhado nenhuma de minhas mulheres? Não era velho, estava em pleno vigor de minha segunda dezena de anos, não sofria de fastio pelos jogos do amor, sendo deles um adepto mais do que simplesmente adequado, tinha semente em quantidade mais do que suficiente, e várias vezes por dia, se fosse necessário, não sendo portanto possível que pelo menos uma, entre trezentas mulheres completamente diferentes umas das outras, não pudesse engravidar de mim. Quase seis meses já se haviam passado desde que saíramos da Babilônia, e, com poucas exceções, eu as havia encontrado para os jogos do amor pelo menos uma vez: as probabilidades de falha por parte delas beirava o impossível. Se nenhuma delas tivesse qualquer impossibilidade física, o problema certamente deveria ser meu. Suei frio. Era preciso que eu cumprisse o compromisso assumido com os pais dessas mulheres, que as haviam entregado junto com seus dotes para que eu as transformasse em rainhas de Jerusalém, abençoando-as com filhos que me pudessem suceder no trono. Era este o acordo comercial que Mitridates e Yeoshua haviam feito em meu nome, tornando possível o amealhar de riquezas e o êxodo em direção à Jerusalém que pretendíamos reerguer das ruínas. Se não emprenhasse pelo menos uma delas, descumpriria o acordo e estaria em maus lençóis.

A vida é assim: fatos se sucedem a fatos, cada um deles com suas próprias particularidades, e só depois de tudo acontecido e definitivamente colocado no passado é que podemos decidir se foram bons ou ruins. Minha preocupação se ampliou nas semanas seguintes, enquanto as disputas por propriedades na cidade e nos terrenos vizinhos caíam a níveis suportáveis, por haver coisas mais importantes que disputas, a sobrevivência na cidade que lentamente se reorganizava sendo uma delas. Enquanto eu solucionava os problemas legais, observado por Ageu e criticado por Yeoshua e seus seguidores, para quem a justiça nunca era uma questão de equilíbrio, meus pensamentos estavam no não-emprenhamento de minhas mulheres. Mesmo quando eu passava as tardes em companhia de meus irmãos da pedra, colocando os blocos cúbicos em posição e marcando-os com calcário branco, na posição exata para reerguer as paredes do Templo, o fundo de minha alma ficava preenchido por esta preocupação insidiosa, que eu não dividia com ninguém.

O trabalho de seleção e classificação das pedras era intenso: sendo eu o único que sabia reconhecê-las, em alguns casos podia sentir nelas até mesmo a mão de quem as havia trabalhado e polido. Os irmãos que me seguiam as colocavam perfeitamente alinhadas no terreno, em filas que posteriormente seriam acumuladas umas sobre as outras, subindo parede após parede. Só consegui encontrar no terreno três das quatro pedras de canto fundamentais: a quarta, exatamente a do canto sudeste, não estava em lugar nenhum. Um certo dia em que deixei meu palácio para uma reunião na taberna dos pedreiros, passei por uma casa que estava sendo reformada e percebi um estranho brilho em uma parede. Aproximei-me e lá estava a pedra sudeste: eu vi as letras luminosas brilhando em suas arestas. Sustentava um muro, invertida, sua face superior voltada para a rua. Pensei em corrigir esse uso equivocado da pedra que andava procurando, mas quando me dirigi ao dono da casa, que comandava a obra, fui recebido sem nenhum respeito, porque ele não se dispunha a derrubar a parede erguida só por causa de uma pedra que encontrara e que a estava sustentando. Não houve maneira de fazê-lo entender o valor da pedra para o Templo que se reergueria: e quando eu lhe disse que para ele tanto fazia, que as pedras eram todas iguais, ele retrucou:

— Se são todas iguais, o *tarshatta* bem pode mandar fazer uma outra igual a esta, não pode? Eu certamente não posso: me faltam tempo, dinheiro e poder...

Por um instante, senti o sangue toldar-me a vista, e uma imensa vontade de obrigar o mal-educado a pôr abaixo a parede para devolver a pedra a seu devido lugar. Respirei fundo: eu era rei de meu povo, e não ia me dar ao luxo de bater boca com um egoísta renitente. Virei as costas, deixando-o por conta de seus negócios, disposto a traçar imediatamente um edito que obrigasse todos os habitantes de Jerusalém a devolver as pedras que tivessem tirado da esplanada do Templo, retornando em passo acelerado para o palácio. Théron, a meu lado, me disse:

— Meu rei, será difícil reerguer o Templo apenas com as pedras que antes o formavam. Várias devem ter-se perdido ou quebrado, e será preciso substituí-las. Não seria melhor reabrir as pedreiras de vosso avô, para de lá extrairmos aquilo de que necessitarmos?

Isso não me interessava: eu queria que tudo fosse feito exatamente como eu queria, porque era assim que devia ser:

— Seria a maior prova de nossa incapacidade, Théron! Se as pedras existem, basta termos paciência para reorganizá-las em sua ordem original. Por que eu as substituiria por pedras novas?

— Porque não há outro jeito, meu rei. As coisas mudam, e até mesmo as pedras vivem vidas diversas, e morrem mortes definitivas, se lhes for dado tempo suficiente para isso. Nesse ponto, as pedras e os homens somos todos iguais.

Um relâmpago atravessou minha mente: se pedras e homens mudam, tendo até mesmo eu mudado tanto em tão pouco tempo, a reconstrução do Templo poderia incluir pedras novas, porque a vida continua, sempre, inapelavelmente.

Tomei uma decisão, talvez a mais acertada em face dos acontecimentos: procuraríamos entre os milhares de pedras espalhadas na esplanada do Templo as que seriam recolocadas em seu devido lugar. Se alguma delas não estivesse disponível, ou mesmo não existisse mais, seria substituída por uma de mesmo tamanho e qualidade, que Théron, junto com os irmãos especializados no trabalho de esquadrejá-las, produziriam dentro das pedreiras de Salomão, que mandei reabrir imediatamente. Dinheiro para isso havia, como garantiu Jael, meu secretário, que agora fazia também o papel de tesoureiro, já que Mitridates, meu *al'musharif*, ficara ao norte de onde estávamos, junto com seus compatriotas samaritanos, de quem não tínhamos mais tido notícias. As outras tribos em volta de nós, gente misturada e tão sem consciência de suas raízes quanto nós um dia fôramos, sentiram o sopro de renovação que a recuperação de Jerusalém significaria, e muitos dos que moravam ao norte, nos territórios que haviam sido denominados Judah depois que a guerra nos transformara em dois países, demonstraram querer reatar laços políticos e comerciais conosco, o que deu novo alento aos negócios, fazendo com que a vida lentamente fosse entrando nos eixos.

Só quem não entrava nos eixos era eu. Entre manhãs de justiça e tardes de trabalho na classificação das pedras, restava-me pouco tempo para mim mesmo, e esse tempo era sempre desperdiçado, até mesmo quando eu o estendia, insone, andando como um fantasma pelos corredores de meu palácio. Se durante as manhãs era necessário que eu fosse puramente racional, não permitindo nenhum resquício de meus sentimentos nos julgamentos que deveria fazer, as tardes eram feitas de pura entrega às imagens das letras de fogo, através das quais eu determinava quais pedras iriam juntar-se a quais pedras, já que apenas eu conseguia enxergar-lhes a estrutura interna, marcada pelas letras que se desenhavam em suas faces e suas arestas. Com exceção das que nunca voltariam a seu devido lugar, substituídas pelas que Théron e meus irmãos pedreiros produziam por encomenda, mais da metade do material disponível já estava alinhado em posição correta, bastando que se iniciassem as obras para que todas as paredes se erguessem continuamente, configurando o Templo de Yahweh em seu lugar original. A harpa jazia no canto, acumulando poeira, e eu temia que quando voltasse a empunhá-la ela me rejeitasse, ficando em silêncio absoluto sob meus dedos. Até mesmo o prazer físico de que dispunha para aliviar-me estava prejudicado, pois lia nas faces de cada uma de minhas mulheres a poderosa dúvida sobre a infertilidade da Casa de David, de que eu era o último representante. Meu irmão Shimei, ainda jovem, levaria alguns anos para estar em idade núbil, e nosso reino não tinha mais como aguardar com paciência que eu finalmente começasse a fertilizar as trezentas mulheres que possuía, isso sem contar as novas, que chegavam em ritmo acelerado a cada acordo feito com cada tribo de que éramos vizinhos, acompanhando o dote que nos fazia tanto bem.

Fui franco com Jael, que me questionou o ar de preocupação:

— Meu irmão, temo que a incapacidade de produzir filhos seja minha. Não vejo nenhum motivo para isso, mas, depois de tanto tempo, não é possível que pelo menos uma delas não esteja grávida...

— Por que não te consultas com Ragel? — Jael não hesitou em me dizer isso. — Seu talento de médico certamente te ajudará a descobrir o que está acontecendo, e quem sabe ele não terá a solução para teu caso?

— E como farei isso? Se mandar chamá-lo ao palácio, isso criará tal comoção, que certamente gerará inúmeros boatos sobre a doença incurável do rei... e como posso sair pelas ruas e entrar em sua oficina de médico sem com isso chamar a atenção de todos?

Estávamos andando pelas ruas entre a esplanada do Templo e meu palácio, e Jael, subitamente, pôs a mão na cabeça e um joelho ao solo, como se estivesse com vertigem. Segurei-lhe o braço e ele disse, alto o bastante para que os que nos acompanhavam pudessem ouvir:

— Não me sinto bem, meu irmão. Leva-me ao médico...

Por um instante hesitei, mas, ao ver o olhar falsamente sofredor de Jael, entendi tudo: ele, com esse fingimento tão tosco, me permitiria ir até Ragel sem perturbar demasiadamente os que nos cercavam. Amparei-o com os braços, eu mesmo fazendo cara de preocupado, e gritei:

— Onde fica a oficina de Ragel, o médico? Vamos! Meu irmão Jael está passando mal!

Em pouco tempo, atravessamos os quarteirões que nos separavam de Ragel, chegando a uma casa ampla perto da antiga Porta das Águas, à beira da fonte de Gion. Quando lá entramos, depois de dispensar nossos acompanhantes, vimos Ragel cuidando de uma ferida com cheiro enjoativo na perna de um velho, mas ele logo ergueu a cabeça encanecida, os olhinhos apertados, cheirando o ar que nos separava e dizendo:

— Meu rei e meu irmão! A que devo a honra desta visita?

Ragel estava cada vez mais magro e curvado para a frente, e seus olhos, quando os abria, mostravam-se cobertos de uma película esbranquiçada, através da qual ele certamente tinha extrema dificuldade de enxergar. Seu nariz abençoado, no entanto, substituía a visão, e, depois que nos beijamos na face esquerda, ele me apalpou a face, detendo-se em alguns pontos dos zigomas e da fronte. O velho que lá estava, com a perna finalmente enrolada, fez uma reverência e saiu manquitolando, deixando sobre a mesa de trabalho de Ragel um saquinho que devia conter as moedas com a efígie de Cyro, que usávamos agora. Ragel indicou dois escabelos, onde eu e Jael nos sentamos, para ouvi-lo dizer:

— O homem que saiu tem uma ferida que não se fecha na perna que mediquei. Seu cheiro enjoativo me dá a certeza de que alguma coisa em seu sangue vai mal, por estar doce, gorduroso e grosso demais. Se ele não mudar de pasto, certamente vai perder a perna. Mas velhos como eu e ele somos muito teimosos, com extrema dificuldade de deixar de ser quem somos.... principalmente depois que nos acostumamos com a dor.

— Ragel, meu irmão, ninguém se acostuma com a dor... — Jael riu, e Ragel ergueu as mãos em sua direção:

— Engano teu, irmão: quando se tem medo de mudar, a dor conhecida é uma bênção, porque é sempre mais familiar que a dor nova, essa que só sentimos quando deixamos de ser quem somos e passamos a ser outra pessoa.

Um instante de silêncio nos cobriu, mas Ragel logo o interrompeu, dizendo:

— Fala, meu rei: o que posso fazer por ti?

Fiquei mudo, envergonhado, sem saber como começar. O assunto era difícil, e foi apenas por estar entre irmãos que finalmente abri meu coração e expus meus temores a Ragel. Meu irmão manteve os olhos fechados o tempo todo: a luz o incomodava, e ele, sem sombra de dúvida, percebia melhor a realidade quando não a via. Meu relato foi feito a medo, envergonhadamente, por meus temores imensos: era preciso que eu, Rei de Israel e Judah, Príncipe da Paz e *tarshatta* de Jerusalém, deixasse extensa descendência, garantindo a permanência da Casa de David no poder. Ragel esperou que minha narrativa terminasse e disse, suavemente:

— É tudo que me tens a contar? Não me omitiste nada, nem exageraste ou modificaste algum fato de tua história?

— Não, Ragel: o que te disse é tudo que sei.

RECONSTRUINDO O TEMPLO

Ragel ergueu-se, pegou de sobre a mesa um pequeno prato de escuro vidro egípcio, lavou-o cuidadosamente com água de um cântaro, cheirou-o longamente e depois o estendeu em minha direção:

— Tenho que examinar-te a semente. Preciso que te masturbes sobre este prato.

Jael soltou um ruído abafado, e eu mesmo fiquei profundamente envergonhado: desde muito pequeno, sabia que a masturbação era um crime contra Yahweh, e os tempos que passara dando-me alívio dessa maneira em nada me ajudavam. Ragel, mesmo sem ver-me as faces coradas, percebeu minha vergonha, dizendo-me, com suavidade:

— Tenho que saber em que estado está a tua semente, e se por acaso ela está defeituosa a ponto de não conseguir florescer dentro do ventre de tuas mulheres.

Dizendo isso, segurou-me pelo cotovelo e me impulsionou para a alcova escura atrás de sua mesa, escondida por um reposteiro vermelho vivo. Quando atravessei esse umbral, a alcova estava em penumbra, mal revelando os contornos de minha própria mão. Mesmo levando-a ao membro, nada consegui: a preocupação era intensa, e durante um bom tempo fiquei desesperado, tentando encontrar em minha memória alguém que servisse para excitar-me a ponto de cumprir esse vergonhoso dever. Só a imagem quase perdida de Sha'hawaniah operou o prodígio necessário: meu membro ficou teso, e com poucos movimentos, menos ainda do que de costume, ejaculei uma grande quantidade de esperma, com um prazer muito intenso que logo se desvaneceu. Respirei fundo e, erguendo a cortina, voltei à sala, onde Ragel me aguardava, sentado ao lado de Jael. Quando lhe estendi o pratinho, ele avançou a mão em minha direção, errando por várias polegadas: eu percebi que sua cegueira estava mais profunda do que alguma vez já fora, mas nada disse, e coloquei-lhe o pratinho nas mãos. Ele o ergueu até o nariz, aspirando profundamente o odor acre de minha semente, franzindo o cenho: tocou o material com os dedos, esfregando-os, como para testar-lhe a viscosidade. Cheirou novamente o material, virando o rosto em minha direção e dizendo:

— Aqui certamente há alguma coisa errada: o odor, apesar de fresco, não é como devia ser, e me parece rala demais, apesar da quantidade, ou até mesmo por causa disso.

Novamente cheirou o esperma, e virou a face em minha direção, o sobrecenho mais franzido que nunca:

— O cheiro não está certo: parece que aqui falta algo. Tiveste algum problema no membro, dificuldade de urinar, algum golpe violento nos testículos?

Caiu sobre mim a lembrança que se apagara totalmente de minha memória: Na'zzur e seus dois torturadores auxiliares enfiando-me o arame incandescente no canal do pênis, a dor lancinante que sentira, o providencial desmaio, e depois a difícil recuperação, que só se dera graças ao médico particular de Cyro. Meu rosto deve ter ficado sem uma pinga de sangue, porque Jael se ergueu, pressuroso, e veio até mim. Eu o afastei e me atirei sobre o escabelo, a cabeça entre as mãos, na certeza absoluta de estar para sempre desgraçado.

Foi com muita dificuldade que contei o que se passara comigo, a dor, o metal incandescente em minha uretra: sem reconhecer dentro de mim os verdadeiros motivos para isso, preferira esconder esse acontecimento no mesmo lugar onde guardava meus segredos de infância, minhas pequenas e grandes covardias, o estupro de Daruj, que poderia ter sido o meu, a insegurança que Sha'hawaniah me causava, e até mesmo o nojo que sentira quando matara pela primeira vez. Abrir a tampa dessa arca maldita e enxergar a verdade sobre meu lado escuro não foi nada agradável, mas permiti que essa sombra asquerosa saltasse à nossa frente, sentindo-me vítima dos acontecimentos, o que aliviava em parte a minha vergonha.

Jael estava com os olhos rasos d'água, Ragel mantinha o sobrecenho franzido, ouvindo sem nada dizer. Quando terminei minha narrativa, um imenso silêncio desceu sobre nós, e eu me senti o último dos homens, a quem de nada adiantava ser rei ou poderoso. Ragel ergueu-se e me disse:

— Tranqüiliza-te, Zerub: isso pode ser um mal passageiro. O corpo humano tem capacidades inacreditáveis de recuperar-se dos males que lhe foram infligidos, tornando-se novamente são e perfeito, porque somos todos filhos perfeitos de Yahweh. Vou recomendar-te um tratamento à base de emplastros e banhos, mudar toda a tua alimentação e regular-te os horários. Se o dano não tiver sido permanente, creio que em breve poderás fazer filhos.

— E se não puder, Ragel? E se esta capacidade me tiver sido extirpada?

Eu já estava mansamente desconsolado, e Jael me passou o braço pelos ombros, enquanto as lágrimas me corriam pelas faces abaixo. Ragel se pôs à minha frente, dizendo:

— Acalma-te, Zerub: não sabemos se tua incapacidade em procriar foi causada pelo dano físico que te impuseram ou se já eras infértil de nascença. Há muitos assim, e só o tempo nos dirá a verdade. Preciso examinar-te todo, não só teu corpo, as linhas de tua mão e os traços de teu rosto, mas também teu espírito, tua carta natal, a maneira como teu destino está traçado. Por ora, tranqüiliza-te: farei tudo que for possível para que a casa de David não feneça em ti. Vais seguir uma dieta específica, e dentro de no máximo sete dias nos encontraremos para outra consulta, na qual te examinarei mais detidamente.

Percebi que Ragel estava tão preocupado quanto eu, ou talvez mais: saímos de sua oficina e ele nem nos saudou, voltando a examinar minha semente sobre o prato de vidro escuro. Caminhei pelas ruas de Jerusalém como uma sombra de mim mesmo, e nenhuma tentativa feita por Jael para que eu abandonasse meu mutismo deu resultado. Subimos as ruas estreitas e empoeiradas: quando avistamos a esplanada de meu palácio, ela estava repleta de homens, samaritanos, em trajes de festa, liderados por Re'hum e Sam'sai, falando em altos brados com Yeoshua e seus acólitos, que também lhes respondiam com gritos violentos, só não chegando às vias de fato graças ao batalhão de soldados de Théron, que os mantinha separados uns dos outros. Aproximei-me deles com um aperto no coração: não era possível que à má notícia de minha possível infertilidade se juntasse um enfrentamento com nossos vizinhos menos queridos.

Quando Théron me viu, fez um sinal a seus soldados, e um pequeno grupo deles imediatamente me cercou, protegendo-me degraus acima até o pátio de pedras em frente aos portões fechados do palácio. Me vi cercado por contendores irritadíssimos, alguns quase apopléticos, liderados pelos amigos do passado, exigindo-me uma tomada de posição. Eu deveria tomá-la por ser, ali onde estávamos, o distribuidor da justiça, mesmo que com isso viesse a me indispor com ambos os lados, como invariavelmente acontecia desde que eu fora guindado a esta posição. Feq'esh me dissera que a justiça perfeita é o maior atributo divino dentro de nós, e que exercê-la com o máximo de nossas habilidades é a maior glória a que um homem pode aspirar. Nesse momento, no entanto, eu desejava apenas estar longe dali, considerando-me incapaz de espalhar uma justiça que não florescia dentro de mim. A verdadeira justiça deve sempre descartar crenças, amizades, opiniões e até mesmo laços de sangue, e eu, com toda a sinceridade, nunca estivera menos preparado para isso: sentia-me o último dos homens, dominado pela vontade incompreensível de um deus incontrolável.

As faces iradas de Re'hum e Sam'sai dançavam em frente aos meus olhos. Qualquer encontro com samaritanos ou seguidores de Yeoshua, guindado à posição de sumo-sacerdote pelos fatos políticos, me era profundamente desagradável. O mormaço constante, as preocupações, o cansaço físico, tudo me deixava ainda mais irritado.

Re'hum esbravejava:

— Somos devotos de Yahweh! Temos o direito de participar da reconstrução de Seu Templo!

— Não sois verdadeiros devotos de Yahweh! — Yeoshua estava bem preparado. — Nascestes assírios e só vos tornastes devotos de Yahweh por medo dos leões que infestavam a Samaria, onde os conquistadores vos obrigaram a viver! Se Yahweh vos livrou dos leões, isso não vos torna verdadeiros filhos d'Ele!

— Então agora a antigüidade é o que define um verdadeiro devoto? — Sam'sai tinha os lábios apertados, enrugados na face lisa. — Quantos de vós passaram mais de cem anos adorando a outros deuses, colocando-se agora na posição de únicos e verdadeiros adoradores de Yahweh?

— É nosso sangue quem nos declara filhos verdadeiros de Yahweh! Descendemos das doze tribos, em nossas veias corre o sangue de José e seus irmãos, filhos de Jacó, filhos de Isaac, filhos de nosso Pai Abraão!

Um velho samaritano saltou à frente:

— Também somos descendentes de Abraão! Somos filhos de seu filho Ismael!

Yeoshua franziu os lábios, num muxoxo:

— O filho da escrava? Isso não vale nada!

A gritaria recrudesceu, ofensas encheram o ar, e eu me sentia um peixe fora d'água. Cyro me ensinara que todos os homens eram iguais, não importa de onde viessem ou quem fossem seus antepassados, e a experiência entre os irmãos da pedra, entre os quais havia de tudo, até mesmo samaritanos, só reforçava a minha crença nessa igualdade, pois ela se faz homem a homem, sem que qualquer outro fator tenha importância. O preconceito que envenenava os dois lados dessa questão sem solução era confortável, no entanto, porque os desobrigava de analisar os fatos, deixando-os impor suas idéias da maneira que podiam, sempre a mais destrutiva possível.

Olhei meus irmãos na pedra, espalhados entre a multidão, sentindo que o laço que nos unia era mais forte até mesmo que os laços de sangue de que Re'hum e Yeoshua se vangloriavam, e vendo que nisto residia nossa força e também nossa fraqueza. Sempre acima das questões religiosas e políticas, havíamos assumido a reconstrução do Templo, e, na disputa entre meu povo e os samaritanos, eu não podia defender a clara igualdade entre todos os homens. A união que praticávamos era estranha aos que não eram pedreiros: se os que agora eram inimigos se unissem contra nós, estaríamos perdidos, pois o questionamento sobre a participação de pedreiros livres na reconstrução do Templo de Yahweh faria com que os dois lados se unissem contra nós, deixando-nos entre duas forças que tudo fariam para nos destruir, por sermos a prova viva de que as diferenças entre os homens não têm nenhum valor.

Ergui os olhos e dei de cara com Feq'qesh, a quem não havia visto aproximar-se, e que me olhava com seu sorriso de sempre. Encaramo-nos por um tempo, e ele acenou afirmativamente com a cabeça, como se pudesse ler o que me ia na mente e concordasse com o que lá estava. Pela primeira vez desde que fora guindado à posição de governante, eu tinha que tomar uma decisão política que ia contra tudo em que acreditava, e faria isso em nome de alguma coisa maior: a reconstrução do Templo de Yahweh e a sobrevivência da fraternidade da pedra.

Sam'sai guinchava:

— Ismael é filho de Abraão, irmão de Isaac, é o primogênito e o primeiro a ser circuncidado como prova da aliança entre Yahweh e seu povo escolhido! Somos descendentes das doze tribos que Ismael fundou no deserto com a semente de seus doze filhos!

— Nosso pai Abraão vos rejeitou, porque Ismael era filho da escrava e não de sua verdadeira mulher! O deserto é vosso lugar!

Yeoshua estava quase apoplético: eu já não reconhecia nele o amigo que tivera na infância, vendo em suas palavras a ira preconceituosa que o tornava a cada instante mais semelhante a Re'hum. Igualados pelo ódio, estariam para sempre separados um do outro, e a mim só restava ser o artífice dessa separação eterna. Havia aprendido que os deuses a que os homens adoram são apenas aspectos diversos da divindade de Yahweh, mas, nesse momento de tristeza e crueldade infinitas, um desses aspectos teria que sobrepor-se ao outro, pois seus partidários só conseguiam entendê-los como deuses separados, inimigos divinos, comandantes da batalha violenta por sobre os corpos e vontades das criaturas.

Ergui a mão, esperando que a discussão se interrompesse, e proferi as palavras que saíam de minha mente e não de meu coração:

— Da reconstrução do Templo de Yahweh só podem participar os que somos descendentes dos nascidos em Jerusalém, porque foi a nós que Yahweh escolheu como seu povo. Agradecemos muito a oferta de nossos vizinhos samaritanos, mas é assim que será.

Gritos encheram o ar, de alegria por um lado e de ódio por outro. Nenhum dos lados sabia os motivos pelos quais eu havia tomado essa decisão, nenhum deles conhecia a verdade. Meu único objetivo era salvar a fraternidade dos pedreiros, para que o Templo de Yahweh, ponto central de nossa existência, pudesse ser reerguido em Ordem e Beleza. Os samaritanos, cercados pelos soldados de Théron, tentaram reagir, mas foram afastados de nós: quando estavam a uma distância segura, voltaram a gritar e atirar-nos tudo o que encontravam no caminho, e antes de ir embora por onde tinham vindo, Re'hum ergueu seu punho para o céu e nos amaldiçoou, reagindo aos acontecimentos que não compreendia:

— Pois se não podemos ser parte do Templo, ninguém o será! Podeis ter certeza, no que depender de nós, que ele permanecerá para sempre no chão! Este é o dever dos samaritanos, de hoje em diante: impedir que os de Jerusalém ergam o Templo de seu Deus! Tudo o que pudermos fazer para isso, faremos, e nem o sangue, a dor, os ferimentos, nem mesmo Yahweh ou a morte nos afastarão de nosso objetivo! Se não pudermos erguer convosco o Templo de Yahweh, esse Templo nunca se reerguerá!

RECONSTRUINDO O TEMPLO

Enquanto a embaixada samaritana retornava a seu lar, para preparar a guerra contra Jerusalém, e os acólitos de Yeoshua me saudavam como seu verdadeiro rei, por havê-los reconhecido como verdadeiros devotos de Yahweh, eu chorei. Para salvar o indispensável trabalho de minha fraternidade, eu havia garantido um futuro de guerra e destruição, e o Templo de Yahweh se reergueria sobre escombros e sangue de combatentes, sem essa Paz de que eu havia sido declarado Príncipe. O sangue seria a argamassa que uniria as pedras do Templo, e eu, o eterno responsável por seu derramamento. A profecia de Ageu era verdadeira: estava próximo o dia em que todos me odiariam.

Capítulo 31

O julgamento que proferi na esplanada do palácio teve efeitos inesperados. Durante algum tempo, o povo de Jerusalém, unido em torno da mais importante de todas as questões, passou a apoiar ferrenhamente a reconstrução do Templo, por causa dos samaritanos que eu havia reduzido a pó. Por alguns dias, fui o melhor rei do mundo, saudado com alegria até por quem antes me tratava como se eu fosse apenas mais um entre eles. Apesar de não ser o desejo de meu coração, acreditei na correção de minha atitude: graças a esse súbito amor de meu povo, era tratado como *mélech*, e se ainda não era rei efetivamente, na prática e de fato estava sendo reconhecido como tal, recebendo um respeito sem medida. Era tão grande o empenho do povo que, na primeira tarde de trabalho depois que a embaixada samaritana partira, a esplanada do Templo se tornou foco de interesse dos habitantes do lugar, um grande número deles se misturando a meus irmãos pedreiros, simplificando o trabalho que exigia grande esforço. Era belo ver pedreiros e povo unidos em um mesmo mister, como se entre eles não houvesse nenhuma diferença, e cheguei a sonhar com o dia em que não haveria mais diferença entre nós, quando todos que ali estávamos fôssemos irmãos na pedra.

Isso durou apenas uma semana. No oitavo dia de vida laboriosa, fomos surpreendidos por um ataque samaritano a uma caravana que se dirigia a Jerusalém, na travessia entre os montes Ebal e Garizim, perto de Siquém. Os componentes da caravana chegaram a Jerusalém em petição de miséria, sem nada de seu, atravessando a pé trinta milhas entre o lugar onde haviam sido atacados e uma Jerusalém desarvorada pelo inesperado da agressão. Alguns ameaçaram tomar satisfações com os samaritanos, mas Théron, o menos belicoso dos estrategistas, desaconselhou-os a isso. Os atacantes eram gente violenta e profundamente irritada, e os motivos eram claros: haviam feito questão de repetir às suas vítimas, como um aviso, que o Templo de Yahweh nunca se reergueria. Eu pretendia dar tempo ao tempo, para que nossos inimigos encontrassem um novo objetivo em suas vidas. Defendi a idéia de não haver revide, pois a melhor maneira de acabar com uma disputa é ceder, fazendo a disputa deixar de existir. Mas dentro de mim eu sabia que não seria assim, e que breve chegaríamos a um estado de guerra aberta com nossos vizinhos.

Dito e feito: a cada dia, os ataques se multiplicaram, aproximando-se mais e mais de nossas fronteiras, lavradores e pastores atacados em seus campos, casas de fazenda queimadas, plantações e celeiros destruídos e saqueados, para confirmar que o Templo de Yahweh não se reergueria, porque os samaritanos não o permitiriam. Em reunião com meus irmãos, liderados por Ananias, o assunto foi discutido. A sala da velha taberna dos pedreiros estava coalhada de gente, com pedreiros de todas as procedências, inclusive meia dúzia de samaritanos, que se isolaram em um lado da sala, conversando em voz baixa. Aproximei-me deles, que se ergueram à minha chegada, e lhes disse:

— Para que isso, meus irmãos?

— É o sinal de respeito a ti, Rei Zerub...

— Não falo de vosso respeito a mim, mas de vosso respeito a vós mesmos... — Sentei-me a seu lado, enquanto olhavam para todos os lados. — Por que vos mantendes afastados de vossos irmãos? Tendes alguma doença contagiosa, ou sois de alguma maneira diferentes dos irmãos da pedra que aqui nos encontramos?

Um deles, o mais jovem, que depois vim a saber chamar-se Hazael, ficou rubro de vergonha:

— Não se trata disso, Rei Zerub...

— Irmão Zerub, não te esqueças. — Corrigi-o, ainda sorridente. — Aqui não há nem reis nem súditos, apenas irmãos.

— Irmão Zerub, perdão, mas sendo nós samaritanos, e estando nosso povo em guerra contra o vosso, ficamos pouco à vontade entre os habitantes de Jerusalém.

Ananias se aproximou de nós e, ouvindo a última frase de Hazael, retrucou-lhe:

— Algum de vossos irmãos pedreiros vos maltratou, de alguma maneira?

Hazael estava envergonhadíssimo, como suas faces vermelhas mostravam:

— Nem por sombra, mestre Ananias! Entre nós não há nada que não seja fraternidade e respeito.

— Pois se assim é da parte dos outros, assim deve ser também de vossa parte: por que tratar-nos como se fôssemos diferentes de ti, se não te tratamos como se fosses diferente de nós?

Hazael sorriu, mostrando que a vida entre os pedreiros era um ideal que todos poderiam almejar: bastava abandonar a forma imediata e corriqueira de pensar, e logo surgia a verdade por trás dela, simples, direta, mais fácil e muito mais honesta. As verdades irracionais parecem sempre mais poderosas que os enganos racionalizados: estes podem ser corrigidos, mas os frutos da irracionalidade são amargos, perenes e irrecusáveis.

Entre os pedreiros, portanto, não havia isto ou aquilo: éramos todos iguais, e eu me sentia muito mais feliz entre meus irmãos, nem abaixo nem acima das expectativas de ninguém, do que entre meu povo, que a cada acontecimento mudava sua maneira de me encarar, como se eu fosse o responsável último por tudo que a eles ocorresse. Estávamos na esplanada, numa dessas tardes, quando não muito longe de nós um grito soou. Avancei para o local, e quando a poeira baixou, vi um corpo caído ao chão e um homem que se debatia nas mãos de alguns irmãos, enquanto outros urravam de ódio, tentando subjugá-lo: já estava bem machucado, e quando perguntei o que acontecera, disseram:

— É um samaritano que se infiltrou entre nós para nos atacar!

— Vê, Rei Zerub! Ele matou a um de nós!

O corpo emborcado na poeira estava imóvel: virei-o de frente e vi a face de Hazael, exatamente o irmão de origem samaritana que conhecera na taberna e agora ali jazia, os olhos baços fitando o nada. Com o coração estraçalhado, virei-me para o assassino, outro jovem samaritano vestido como nós: no chão, perto dele, estava a faca de metal escuro, suja do sangue de Hazael, que escorria de um buraco em seu ventre morto, empapando a terra. O jovem estava aterrorizado, mas em seus olhos havia alguma coisa além disso. Dirigi-me a ele, com o peso de minha autoridade:

— Por que fizeste isso?

A resposta veio imediata, sem hesitação:

— O Templo de Yahweh nunca será reerguido!

Um urro de ódio saiu da garganta da multidão que nos cercava: o samaritano se disfarçara como um de nós e desgraçadamente havia matado um de seus próprios compatriotas, pensando estar destruindo um inimigo. Quando lhe revelei essa ironia, ele deu um arranco das mãos de seus captores e, pulando sobre a faca que estava no chão, enfiou-a na própria garganta, debaixo do queixo, gorgolejando e morrendo. A ira da turba à nossa volta foi maior ainda: como vingar-se do assassino que já estava morto? Alguns o chutaram, outros jogaram pedras e cuspiram no cadáver, até que eu fiz com que os soldados que se haviam aproximado organizassem dois grupos para transportar os corpos até outro lugar, afastando a multidão.

A cidade fervia quando a atravessei: em todas as casas, lojas, tabernas, oficinas, só se falava que samaritanos estavam invadindo a cidade, que um batalhão de assassinos havia matado mais de cinqüenta judeus, que havia mulheres e crianças sendo estupradas pelos que invadiam a cidade, que era preciso organizar-se e atacar a Samaria imediatamente. Em suma, a eterna mixórdia nascida do boato e do exagero, distorcendo a verdade, empanando-a com a lama de seu desespero, até que se parecesse mais com a mentira que com qualquer outra coisa.

Não ficou só nisso: os samaritanos, quando lhes devolvemos o corpo de seu assassino, recrudesceram em seus esforços contra nós, e o sítio onde o Templo deveria reerguer-se começou a ser foco de ataques cada vez mais fortes e insuportáveis. A qualquer instante podíamos sofrer o assalto inesperado de inimigos vestidos como nós, às vezes vivendo entre nós durante semanas, até realizar sua missão maldita, matando o maior número de habitantes de Jerusalém que pudessem, e suicidando-se logo após, deixando apenas cadáveres em nossas mãos. Durante certo tempo, devolvemos os corpos dos suicidas, deixando-os em um vale entre Shiloh e Akrabi: mas quando os cadáveres começaram a ser violados e desrespeitados, de parte a parte, proibi as devoluções: enterrávamos os nossos em terreno abençoado pelo Sumo-Sacerdote Yeoshua, e queimávamos os cadáveres samaritanos em um campo infértil à beira do Deserto de Judah.

Como éramos todos muito parecidos, não havendo senão diferenças muito sutis entre nós que falávamos a mesma língua, não havia como saber quem era quem num primeiro olhar. Um samaritano se vestia como habitante de Jerusalém, imediatamente tornando-se um de nós, até o instante em que se revelasse como inimigo. Se não sabíamos quem o era, qualquer um podia sê-lo, e, por princípio, qualquer desconhecido se tornava uma ameaça. No caso do Templo, era ainda pior, porque os pedreiros nada tínhamos que nos classificasse como pedreiros, a não ser o avental, as ferramentas de ofício e os segredos que nos uniam: quando um pequeno batalhão de samaritanos disfarçados de trabalhadores atacou as pedreiras, matando três dos nossos, percebemos que o Templo que reerguíamos estava sob constante ameaça. A única solução seria retomar o sistema de segurança da fraternidade, reduzindo os trabalhadores do Templo apenas aos irmãos da pedra, constantemente identificados através dos sinais, toques e palavras de nosso costume.

A decisão sobre esses sinais, toques e palavras ficou a meu cargo, e, com a ajuda de Ananias e Ragel, ordenei a Jael que anotasse as senhas e apertos de mão que identificariam os pedreiros e sua função na reconstrução. Os irmãos que trabalhavam nas pedreiras, a cargo de quem ficavam vários voluntários de Jerusalém dispostos a isso, também ganharam um sistema próprio de sinais e palavras, que nos ajudaram a separar, por assim dizer, o joio do trigo.

Enfrentamos alguma reação desmedida por parte de samaritanos infiltrados, imediatamente expulsos da cidade: um ou dois dentre eles agiram com violência e foram mortos, mesmo depois de meu pedido expresso para que se lhes mantivesse a integridade física, como prova de nossas boas intenções. Nem sempre era possível controlar o impulso de quem se sentia ameaçado, e como a postura dos samaritanos era a de constante ameaça, acabávamos por devolver-lhes esse impulso na mesma moeda. A maior rejeição, no entanto, não foi a de nossos inimigos declarados, mas de Yeoshua, a quem, pela distância cada vez maior que se interpunha entre nós, eu não sabia se ainda podia considerar amigo. Uma vez, chegando a meu salão pela manhã, depois de mais uma insuportável noite insone, encontrei o trono cercado por seus acólitos, formando uma barreira entre mim e os irmãos pedreiros, silenciosos e atentos, aguardando o desenrolar dos acontecimentos. Yeoshua, sentado no trono pequeno ao lado do meu, me olhava com frieza extrema, enquanto atrás de nós adejava a ominosa sombra de Ageu, o profeta louco de quem nada se podia prever. Sentei-me em meu lugar, enquanto os acólitos de Yeoshua, dando-se os braços, formaram sólida parede à frente dos degraus, impedindo que os habitantes de Jerusalém pudessem chamar-me a atenção. Olhei para Yeoshua: a dureza de seus traços lhe impunha uma idade que ainda não tinha. Éramos ambos jovens, e a barba que ele deixara crescer hirsuta, como de hábito entre os religiosos, era bem mais rala que a minha. Ele manteve o olhar sobre o meu, e me disse, com o tom de um mestre a quem eu devesse obediência:

— Yahweh não está nada satisfeito com o rumo das obras do Templo.

Tive vontade de perguntar-lhe se o próprio Yahweh havia dito isso, mas me contive: respirei fundo e, com perfeita inocência, questionei:

— Estamos atrasados?

Yeoshua gritou:

— Tu sabes bem do que falo, Zerub! Os devotos de Yahweh estão proibidos de aproximar-se do terreno sagrado, enquanto pedreiros mestiços e sem crença definida por lá andam como se fosse sua própria taberna!

Seus seguidores murmuraram em aprovação, e ouvi na audiência outros murmúrios de concordância, como de costume. Sorri, fazendo-me de aliviado:

— Ah, mas isso não é problema: se houver entre os devotos de Yahweh quem esteja capacitado ao trabalho na pedra, estamos prontos a aceitá-lo entre nós...

— Nós não vamos nos misturar com pedreiros! Não são puros nem crêem em Yahweh, como homens decentes! É preciso higienizar o canteiro de obras e só permitir que sirva a Yahweh quem d'Ele for verdadeiramente devoto!

— Yeoshua, se essa é a tua exigência, faríamos melhor em deixar que os samaritanos tomassem conta da obra, já que se declaram mais devotos que nós, sendo inclusive capazes de matar e morrer por Yahweh, como todos sabemos... existe entre vós quem esteja disposto a isso?

O grito por parte dos seguidores de Yeoshua foi imenso, todos vociferando em altos brados, garantindo que sim, eram todos capazes de entregar suas vidas ao reerguimento do Templo de Yahweh, e que os pedreiros não só eram desnecessários, como completamente inaptos para a função. Isso sempre acontece: a turba é por natureza descontrolada e crente em seu poder absoluto, mas entre eles sempre há quem consiga pensar de maneira coerente, e foram exatamente esses os que hesitaram, quando falei:

— Então, estamos combinados: amanhã mesmo, aguardo vossa presença no sítio do Templo, e, assim que estiver provado vosso valor e capacidade, dispensarei imediatamente todos os pedreiros. Também acho melhor que uma obra dessas se faça com devoção, desde que acompanhada da capacidade de trabalho e do conhecimento da matéria.

Os seguidores mais espertos de Yeoshua se entreolharam, percebendo a camisa de onze varas em que eu os tinha metido, enquanto a maioria se regozijava com a solução que eu apresentara. Yeoshua percebeu minha manobra, enchendo-se de ira, mas nada pôde dizer, porque, publicamente, eu fizera exatamente o que ele exigia, concordara com todas as suas alegações, dando a seus seguidores aquilo que desejavam. Na manhã seguinte, nem sequer um deles apareceu no terreno da obra, e o assunto nunca mais voltou a ser debatido. A má vontade de Yeoshua cresceu assustadoramente depois disso: eu havia exposto suas fraquezas. Nunca mais falamos um com o outro sem a presença de outras pessoas, e a intimidade que um dia partilháramos, a da antiga e verdadeira amizade, esgarçou-se e rompeu-se, deixando de existir. O abismo entre nós se ampliou dia a dia, mas isso era parte do preço a pagar para que minha missão se cumprisse.

Feq'qesh me saudou com seu sorriso, quando nos encontramos nessa noite para tocar juntos, logo após o jantar:

— Aprendes rápido, Zerub: nada melhor do que fazer com que mordam as próprias línguas. Sempre que alguém te exigir uma oportunidade de mostrar-se melhor do que realmente é, deves dá-la, e imediatamente verás o acerto de tua decisão.

— Notei que assim seria: Yeoshua e seus baluartes da tradição costumam pavonear-se, como se fossem o supra-sumo da Criação, mas quando chega o momento de concretizar suas alegações, sempre recuam para o silêncio ofendido. Juro, meu mestre, que isso começa a cansar-me: não tenho paciência para ser o que precisam que eu seja.

— Pelo contrário: tens sido excepcionalmente coerente em tuas ações. Desde que retornaste a Jerusalém sua postura é verdadeiramente a de um rei, e como tal tens agido, não para a tua glória pessoal, mas sempre em benefício de tua missão.

Atirei a coroa sobre meu leito, com certa fúria, livrando minhas têmporas de seu aperto:

— Esta missão já me encheu as medidas, Feq'qesh: não há nada que eu deseje mais do que vê-la cumprida, para livrar-me dela e ir cuidar de minha própria vida.

Feq'qesh tocou uma frase jocosa em sua lira, e comentou:

— Estás melhor do que antes: quando te encontrei pela primeira vez no papel que hoje ocupas, não desejavas esta tarefa de jeito nenhum... hoje pelo menos já a aceitas. O que mais se pode desejar?

— Desejaria estar livre, meu mestre: o papel de rei é infinitamente mais árduo que o de qualquer escravo.

— Aprendeste mais do que eu imaginava, Zerub: mas pensa que tens sido feliz em tua tarefa. A maioria dos reis vive cercada de aduladores que os seduzem, de ambições que os depravam e de desejos que os corrompem, e tu, por obra e graça de Yahweh, estás livre de tudo isso. Às vezes, creio que todos os reis deviam viver como tu, em meio ao povo, para que, uma vez guindados ao poder, soubessem claramente o que suas ações causam. Mas logo depois reconheço que se o caráter não for bom, nada os impede de ser os piores reis que puderem. Toma tua lira e toquemos: lava teu espírito na música.

Tocamos sem trocar palavra, meus dedos seguindo os de Feq'qesh, enquanto meu coração tentava equilibrar nos pratos de sua balança aquilo que era certo e errado, bom e mau, vida e morte. Cada fato em minha vida costumava ser tudo: os flagrantemente bons ou declaradamente maus em pouco tempo se transformavam em seus opostos, e eu nunca sabia, quando alguma coisa me acontecia, se o que ela significava naquele momento permaneceria, nem por quanto tempo. A música terminou, e com ela uma idéia se enraizou dentro de mim: só a atenção perfeita me faria reconhecer o momento em que as coisas se transformassem, deixando de ser o que eram, e qualquer desatenção seria sempre geradora de muita mágoa, incompreensão e tristeza.

Depois que Feq'qesh saiu de meus aposentos, mandei que um dos guardas do *harim* chamasse Rhese, a filha de Belsan, para fazer-me companhia: desde a noite em que entrara no *harim* pela última vez, e a vira tão entretida com sua videira mirrada, meu coração pedia a sua presença. Pouco tempo depois, ela entrou na sala, e meu coração se regozijou ao vê-la. Fora dela que eu sentira falta, durante todos os momentos em que não a vira, e sua face morena e compenetrada me dizia mais do que qualquer uma das que prometiam um universo de prazeres. Impressionante como eram opostos os sentimentos que ela e a lembrança de Sha'hawaniah me causavam: se só conseguia querê-la quando estava inseguro, infeliz, descontente com o rumo de minha vida, era sempre o espírito positivo e alegre de Rhese o que me fazia desejá-la a meu lado. Nessa noite não foi diferente: eu me permiti dizer-lhe o que nunca havia dito a ninguém, entregando-lhe meu coração e com ela ficando deitado, depois do amor. Era tudo verdade, ainda que o fosse apenas naquele momento.

Acordei sobressaltado, a cabeça de Rhese pesando sobre meu antebraço: meus olhos estavam perfeitamente abertos, o sono se desvanecera completamente, e na fímbria do horizonte nem uma risca de luz prenunciava a passagem do tempo. Como sempre, a insônia me dominava, alguns instantes após eu ter adormecido, pois meu espírito, mesmo momentaneamente vitorioso, sobressaltava-se com o que eu não atinava, roubando-me o descanso noturno, sugando-me as energias. Tentei de tudo, em vão: nada era capaz de limpar-me a mente dos pensamentos desordenados que se sucediam, todos de igual importância e valor, como se efetivamente valessem todos a mesma coisa. O futuro de meu reino e o descosido na bainha de uma cortina se tornavam problemas do mesmo jaez, ambos igualmente capazes de destruir-me a vida e tão enormemente prejudiciais à minha integridade mental quanto os outros que os acompanhavam, em desfile grotesco e sem fim dentro de minha cabeça. Ergui-me e pus-me a caminhar pelos corredores do palácio, indo da porta da frente, que a essa hora ficava fechada, até o fundo, fazendo a meia-volta na porta do *harim*, repetindo esse percurso imutável vezes sem conta. Um problema se mostrava maior que todos os outros: minha incapacidade de fertilizar uma de minhas mulheres. Orei para que nessa noite, graças ao amor de que fora capaz, eu tivesse emprenhado Rhese, com quem verdadeiramente desejava gerar descendência, por sabê-la fruto de um amor verdadeiro, que era o que eu sentia por ela, desejando que ela também o sentisse por mim. As outras eram agora quase trezentas e cinqüenta, pois às que me haviam sido dadas na Grande Baab'el haviam se juntado muitas outras, filhas de chefes tribais e reis das regiões da Síria e da Fenícia, e mais moabitas, amonitas, filistéias e até mesmo uma ou duas etíopes, com suas peles mais escuras e seus rostos marcados pelas cicatrizes de beleza que eram o costume de seu povo. Todas estavam em meu poder especificamente para que através delas eu gerasse prole tão grande e poderosa quanto a de meu avô Salomão: só os filhos consolidariam os laços verdadeiros entre Jerusalém, capital de Israel, e os outros povos cujas filhas aguardavam que minha semente se plantasse vigorosa em seu ventre. Eu não conseguia nada: a dieta e tratamentos que Ragel me fazia seguir não davam o menor resultado, e eu até já perdera o impulso de deitar-me com todas, por considerar a tarefa impossível. Era preciso, segundo Ragel, que eu determinasse as mais promissoras, num primeiro momento, insistindo com elas, deixando um espaço de dois ou três dias entre cada uma para que minha semente se acumulasse e tivesse mais força. Fiz isso: nenhuma de minhas mulheres teve regras interrompidas nem deu sinais de prenhez. A cada instante eu tinha mais certeza de que a infertilidade era minha, e que por minha incapacidade a casa de David se extinguiria, extinguindo definitivamente sua linhagem. Restava-me a esperança de meu irmão Shimei, agora um jovem e alegre adolescente, membro de um bando de rapazes que faziam das ruas de Jerusalém o território de suas brincadeiras e diversões sem sentido, tão semelhantes ao que eu e meus amigos tínhamos sido na Grande Baab'el, que, em várias ocasiões, tendo que tomar medidas efetivas contra seus desmandos, o fiz com muita filosofia. Tendo sido e agido como ele, compreendia perfeitamente o que levava os jovens a reagir contra a sociedade em que viviam, para se formar como indivíduos. Eu pedia que quem pudesse o protegesse, não por ser ele meu irmão, mas por estar nele minha última esperança de continuidade da Casa de David, caso eu fosse incapaz dessa tarefa.

ZOROBABEL

A manhã se aproximou: estava prometida para esse dia a chegada de uma caravana da Grande Baab'el, trazendo outros de nossa comunidade que finalmente decidiram integrar-se a seu país de origem, trabalhando pela cidade de seus antepassados. Lavei-me com muita água fria da Fonte de Gion, usando várias jarras para esfregar o corpo e a face com força e rapidez, acordando do sono que não havia tido, e mandei chamar meu secretário Jael, que chegou estremunhado; eu, que nada dormira, estava mais animado para enfrentar o dia que ele. Era compreensível: o dia real, no mundo real, iluminado pela claridade do sol, cheio de tarefas a serem cumpridas, era sensivelmente mais agradável que as horas de solidão dentro de mim mesmo, em que meus pensamentos me dominavam e não havia como escapar de seu poder maldito. Jael ajudou a vestir-me, e ambos comemos os frutos frescos que a cada dia se mostravam mais doces e melhores ao toque, como se a terra seca à nossa volta, sendo trabalhada mais e mais a cada dia, começasse novamente a ser fértil, mesmo coberta pelas eternas nuvens cor de cinza.

Dirigimo-nos ao salão de audiências, mais vazio que cheio: poucos homens tinham questões a me apresentar, e eu as decidi com rapidez, pois minha experiência já era suficiente para perceber o que fazer em cada um desses casos, sempre me baseando no bom senso. Quando os negócios de estado entram nos eixos porque o povo tem um objetivo claro a realizar, a vida sempre fica mais fácil: pensei se já não seria hora de iniciar a construção do muro que Cyro me havia requisitado erguer, para defender o limite sul de seu Império. Eu precisava encontrar o momento certo e o pretexto indiscutível para esta obra.

Feq'qesh, durante nossos encontros, continuava a ensinar-me coisas essenciais para o cumprimento de minha missão:

— Toma muito cuidado com o que pedes a Yahweh, pois Ele tem o costume de conceder a suas criaturas exatamente aquilo que desejam, mesmo se as conseqüências de seus pedidos forem exatamente o oposto do que anseiam.

Foi o que aconteceu nesse dia: eu tentava visualizar novamente as letras de fogo negro, que haviam sido substituídas pelas letras de fogo branco nas arestas das pedras, mostrando em seu interior a seiva de luz vital que a tudo percorria. As letras de fogo negro, contudo, que me haviam dado ciência de tantas coisas ocultas, nunca mais me vieram à mente: era como se tivessem sido substituídas definitivamente pelas letras de fogo branco. Eu preferia a primeira fase: o conhecimento do Universo que se misturava com o conhecimento de mim mesmo era fascinante, e me fazia muita falta. Quem sabe não seriam elas que me preencheriam do poder de procriar, ou de vencer os inimigos, ou de levar a termo a missão que me havia sido imposta? Enquanto dois homens se digladiavam por uma questiúncula que envolvia um jumento vendido e depois retomado, cerrei os olhos, tentando enxergar na superfície interna de minhas pálpebras o mundo luminoso e profundo que vislumbrara tantas vezes. Uma visão poderia dar-me o pretexto de que necessitava para erguer o muro tal como combinara com meu irmão Cyro, levando meu povo a redescobrir seu orgulho pessoal ao ocupar-se com outra obra meritória. Concentrei-me em Yahweh, como nunca antes havia feito, pedindo-lhe que me desse aquilo de que necessitava para realizar o que me era exigido.

Um burburinho do lado de fora da sala de audiências, mais forte e urgente que os que já experimentara, cresceu, e de repente, como um trovão inesperado, irrompeu na sala um grupo de soldados e de seguidores de Yeoshua, carregando corpos ensangüentados. Atrás deles se acotovelava a turba descontrolada: os olhares de ódio em minha direção eram imensos, enquanto mães, pais e parentes dos mortos me apostrofavam. Ergui-me do trono com autoridade, mas isso de nada valeu:

— Vê, Rei Zerub! Os samaritanos atacaram a caravana que vinha da Grande Baab'el e quase a dizimaram! Mataram até mesmo alguns de nós que tinham ido recebê-la!

Era meu sogro Jedaías quem assim falava, seu braço apontando para os corpos estraçalhados que começavam a empapar de sangue as tapeçarias e o chão. Meu olhar percorreu os mortos e seus corpos vil e cruelmente mutilados, vendo entre eles um corpo conhecido, ao mesmo tempo em que ouvia à porta da sala o grito lancinante de minha mãe. A meus pés jazia meu irmão Shimei, jovem como eu um dia fora, sua vida rompida abruptamente pelos atos insensatos a que a disputa pela posse exclusiva de um deus nos levavam. Minha mãe urrava de dor e sofrimento, e eu dela me aproximei, abraçando-a como nunca antes havia feito, tentando tardiamente dar-lhe o consolo da perda que nunca se repararia. Todas as mortes que eu presenciara em minha curta vida, até as que eu havia causado com minhas próprias mãos, voltaram de cambulhada à minha mente: mesmo imerso nesse festival de recordações fúnebres, eu estava vazio, calmo, sem emoções. Tornara-me um desses que raramente se permitem uma explosão emocional, e as poucas que tivera sempre foram mais externas do que internas. Dentro de mim havia agora um ser de frieza incalculável, que a tudo observava criticamente, considerando todas as minhas reações profundamente ridículas. O medo do ridículo era mais poderoso que qualquer outra coisa, e em muitos momentos tinha sido exatamente esse medo o que me movera.

Minha mente fervia, sem saber como agir a partir desses fatos. Repentinamente, recordei o pedido de Cyro: era preciso que Judah e Israel, novamente reunidos, se tornassem defesa segura contra qualquer tentativa egípcia de invasão do Império. Ergui a voz, abraçando minha mãe sobre o cadáver de Shimei, e proferi o que a muitos soou como rompante emocional, mas que era simplesmente o uso político dos fatos para alcançar um fim determinado:

— Devemos urgentemente erguer um muro que nos separe de nossos inimigos! Temos que cercar nosso reino para que nunca o invadam! E quanto mais amplo for o território que cercarmos, maior será nosso poder sobre a Terra Prometida!

O grito de adesão a essa idéia foi imenso, e a palavra real logo se espalhou pela cidade e pelas vizinhanças, mais uma vez unindo o povo em torno de uma idéia que lhes daria motivo suficiente para continuar vivos, tornando-me mais uma vez o melhor rei do mundo. A cada instante mais imerso em dúvidas e mais afastado do comando de minha própria vida, eu passara a agir mecânica e racionalmente, exercendo papel e funções que me haviam sido dadas, sem que meu coração estivesse envolvido nelas. A continuidade da Casa de David dependia agora única e exclusivamente de mim: meu irmão, enterrado depois de três dias de pompas fúnebres, como se rei fosse, não poderia mais perpetuar seu sangue em nenhuma criança, e eu, que o devia fazer, não o conseguia.

Três homens de mais idade haviam retornado a Jerusalém na caravana fatídica: eram os três auxiliares de Daniel — Shedrach, Mezzech e Abdnego —, que eu conhecera no palácio de Belshah'zzar. Apesar de mais velhos que os que normalmente se dedicavam ao trabalho de pedreiro no sítio do Templo, nas pedreiras ou nos alicerces do grande muro, haviam se apresentado na taberna, identificando-se como irmãos e se colocando a serviço do Templo. Estive com eles em uma de nossas reuniões semanais, onde aprendizes recebiam instruções através dos rituais muito antigos que nossa fraternidade ainda preserva. Os três, movendo-se como se fossem um só, puxaram de um antigo pergaminho, aparentemente feito de finíssima folha de cobre, que se desenrolava e enrolava como papiro, no qual estavam traçadas as informações que nos dariam. Abdnego nos disse:

— Neste rolo está o segredo do subterrâneo do Templo, no qual estão guardados tesouros que não podemos abandonar. É preciso que lá entremos e o busquemos.

— Como faremos isso? — A voz grave de Ananias soou no salão escuro e empoeirado. — Se os seguidores de Yeoshua perceberem que estamos procurando um tesouro, certamente voltarão a nos acusar de estar desrespeitando os desígnios de Yahweh...

Ananias, como tantos outros dos mais velhos pedreiros, andava triste e cabisbaixo com os maus-tratos que nossa fraternidade vinha recebendo da população de Jerusalém, que seguia sem discutir as ordens de Yeoshua e seus acólitos. Esse *sanhedrim* já não comparecia mais às reuniões no palácio real, só vindo até ele quando o assunto pudesse ser transformado em sua forma exclusiva de vida: nos últimos dias, haviam concordado com tudo que eu ordenara, porque era uma maneira de separar nosso povo de todos os outros, sendo este o mais intenso desejo do Sumo-Sacerdote. Todas as vezes em que tentei uma ação que reconhecesse o valor igual de todos os homens sobre a terra, como me ensinara Cyro, reagiram violentamente, aumentando suas diatribes contra mim.

Sedrach, com o auxílio de Mezzech, abriu o rolo sobre a mesa de refeições dos pedreiros, onde todos tomavam seu alimento depois de nossos trabalhos. Estava escrito em linguagem estranha, e o formato dos rabiscos no papel imediatamente me trouxe à memória as letras de fogo negro que haviam desaparecido de minha vida assim que eu começara a ver as letras luminosas nas arestas das pedras do Templo. Era uma visão petrificada do que se passava por trás de minhas retinas, fixada na superfície maleável de cobre: até mesmo o formato em espiral das colunas de letras me recordava a grande espiral dupla que vira descendo do céu à terra, inundando de palavras e números o mundo onde vivíamos. Toquei a superfície do rolo e ele me transmitiu com um choque o seu poder, em um relâmpago de luz insuportável dentro de minha cabeça, que se apagou quando afastei a mão, mas que não retornou quando novamente o toquei.

Podia haver nesse subterrâneo muito mais que a riqueza que a tantos encantava. A leitura que Abdnego fazia dos textos descrevia um caminho que eu conhecia e já trilhara, ainda que apenas em minha imaginação. Esperei que a certeza se avolumasse dentro de mim, e quando se tornou quase insuportável, ergui a mão, interrompendo a leitura:

— Fica decretado que na primeira oportunidade os pedreiros descerão a esse subterrâneo que o manuscrito descreve, dando apenas a mim as notícias do que lá encontrarem. Quem se dispõe a fazer essa expedição?

Uma infinidade de mãos se ergueu, menos as dos três recém-chegados. Questionei-os:

— Não pretendem descer ao subterrâneo?

Sedrach sorriu, brandamente, e me disse:

— Irmão, essa descida ao subterrâneo oculto é obrigação nossa: foi para isso que viemos da Grande Baab'el até aqui, enfrentando as vicissitudes da viagem. Não é preciso que nenhum outro irmão se arrisque: somos experientes o suficiente para o que quer que se nos apresente. Foi para isso que nosso mestre Daniel nos instruiu, durante toda a nossa vida.

— Nossa crença em Yahweh é profunda, irmão Zerub. — Abdnego enrolou o manuscrito. — Por ele, enfrentamos a fogueira dos cruéis senhores da Babilônia, escapando dela incólumes. O risco que há nesta tarefa apenas nós podemos correr, porque não o tememos. Permite que cumpramos a missão de nossa vida tal como ela deve ser cumprida!

Compreendi o que ele dizia: as missões que Deus nos impõe são não apenas obrigações a ser cumpridas, mas uma espécie de escravidão voluntária cuja aceitação e realização nos traz estranha alegria, impossível de ser dividida com aqueles a quem não tenha sido imposta. Eu também vivia cheio de obrigações a cumprir, missões a realizar, deveres a observar, devia reinar sobre meu povo e reerguer-lhe o Templo e o orgulho, espalhando pelo mundo a minha semente, enriquecendo a Casa de David com inúmeros rebentos. Eu não devia a Deus apenas a vida, mas também a manutenção da vida daqueles por quem me tornara responsável. Recoloquei a coroa, tornando a ser o Príncipe de Jerusalém, e lhes disse:

— Descei sozinhos ao subterrâneo: que Yahweh vos permita retornar incólumes, para dar-nos ciência de tudo o que lá for encontrado. Nós vos aguardaremos na superfície, prontos a vos auxiliar assim que essa necessidade se apresentar.

Os três baixaram suas cabeças, emocionados: era como se eu os tivesse livrado de um peso, para que pudessem enfrentar um peso ainda maior: Aproximaram-se de mim e nos beijamos na face esquerda, à antiga maneira dos pedreiros, a melhor forma de não nos esquecermos de que somos irmãos na pedra e que é dessa pedra, em cujo profundo ventre entrariam, que nascem nossa força e nossa verdade.

Capítulo 32

Enquanto meus irmãos foram em busca de seu descanso, eu e Jael caminhamos por uma Jerusalém adormecida em direção ao palácio, ambos com a mão no copo da espada que agora todos trazíamos à cinta, para o caso de algum encontro fortuito. A cidade estava cada vez mais cheia, pois as obras do Templo haviam novamente despertado o interesse do mundo, e quando começáramos a erguer os muros que eu ordenara, pretendendo-os gigantescos, muitos quiseram ficar do lado de dentro desses muros, na certeza de que se tornariam donos de uma parte das riquezas a ser protegidas. Os cobiçosos sempre são maioria, formada por tolos que vivem apenas para si mesmos, em perpétua escravidão, medo, suspeita, descontentamento, com mais fel que mel em seus prazeres: é impossível transformar qualquer um deles em coisa diferente, se esta não for sua vontade verdadeira, nascida da necessidade de mudança ou como resultado dos choques que a existência nos impõe. Gente desse tipo pode tornar-se ladra e assassina sem consciência disso, e eu os temia mais que aos inimigos declarados: dos inimigos, podemos conhecer motivos e perceber-lhes no olhar o momento em que esses motivos se tornam mais fortes que sua racionalidade. Dos cobiçosos, não.

Meu mutismo, com a noite, recrudescia: eu odiava as horas noturnas de que minha insônia era fiel companheira, e a simples lembrança de que ia enfrentá-la era extremamente dolorida. Sentia-me como na Grande Baab'el, quando nosso grupo de aventureiros começava a traçar o caminho de volta para casa e cada um se ensimesmava e emudecia, até desaparecer silenciosamente dentro de sua família. Eu nem isso tinha: depois do contato quase forçado com uma de minhas trezentas e cinqüenta mulheres, erguia-me do leito e traçava o caminho solitário que ia da porta de meu palácio à porta de meu *harim*, atravessando cortinados, encontrando sentinelas caladas, indo e voltando até que o cansaço sem peias me derrubasse sobre o leito, para um sono difícil, entrecortado, que se interrompia com as primeiras luzes baças da manhã atravessando-me as pálpebras cada vez mais finas, sem dar conta das almofadas que colocava sobre a cabeça, tentando barrá-las. Isso me incrementava o mau humor, e dessas noites mal amanhadas resultava um estado de nervos quase que constante durante o resto do dia.

Jael tentava me animar, mas nessa noite em especial, por causa dos acontecimentos, eu não estava muito positivo. Mesmo assim, ele insistiu:

— Meu irmão, meu rei, por que tão amargo?

— Jael, minha vida a cada dia que passa oferece menos atrativos: são apenas embates, problemas, e cada pequena alegria que surge traz em sua esteira uma imensa tristeza, decuplicada.

— A vida de um rei é mais cheia de atribulações que de benesses, irmão, e tu o sabias.

— Não, Jael, não me sinto enganado por ninguém. É apenas o reconhecimento de que não possuo o estofo necessário para ser rei.

Jael pôs-me a mão no ombro, enquanto dávamos a volta ao Ofel, vendo ao longe as luzes bruxuleantes de meu palácio:

— Zerub, posso falar-te francamente?

— É teu privilégio, Jael, senão como secretário íntimo, pelo menos como irmão e amigo.

— Creio que não sabes valorizar o que tens de bom, e que dás um peso exagerado a tudo que acontece diferente do que desejavas...

Sentei-me em uma pedra, na esquina de uma rua, ouvindo os sons de dentro das casas:

— Talvez tenhas razão, meu irmão, mas a verdade é que venho perdendo tudo o que é bom, sendo aliviado de tudo que desejo, sem poder fazer o que me agradaria. Imagino a mim mesmo dentro de alguns anos, velho, cansado, solitário e abandonado.

— Isso é de um exagero, meu rei! — Jael saltou à minha frente. — És dono do maior e mais belo *harim* da terra, e nenhum poderoso tem sequer uma parte das oportunidades de prazer que teu *harim* dá! Além disso, tens amigos, irmãos, um povo que te ama...

Gargalhei tristemente:

— Meu povo me ama apenas quando lhe dou o que quer, mas, como isso não acontece sempre, acaba por me desprezar e odiar a maior parte do tempo. Meus amigos, tenho-os perdido a todos, pelos mais variados motivos. Só posso mesmo contar com meus irmãos, e mesmo assim os da pedra, porque o único irmão de sangue que tinha....

Minha voz se embargou, e eu esfreguei os olhos com força. Jael sentou-se a meu lado, dizendo:

— Não sei o que fazer para te animar, irmão Zerub: mas crê que eu seria capaz de tudo para que tu tivesses a felicidade que te falta...

— Nada há que me possas dar, irmão: meu reino há de se esvair em solidão e abandono, e dia virá em que algum de nossos inimigos, vendo-me velho e cansado, ousará tomar-me o trono, já que eu não terei nenhum filho a quem chamar de meu, para me defender...

Jael permaneceu em silêncio absoluto, por alguns instantes, e subitamente se ergueu, puxando-me pelo braço:

— Vamos, meu rei: estais cansado como se essa velhice já tivesse chegado, e com certeza uma boa noite de sono te acalmará. Queres que te faça companhia até que durmas?

— Tu, Jael, que tens o sono mais fácil do mundo? Quantas vezes te deitaste e antes de dizer boa noite já estavas dormindo profundamente? Queria ser como tu, meu irmão: mas em minha cabeça gira um universo que não cabe dentro dela. Vamos: estou preparado para mais uma noite de insônia. É o meu natural, pois não?

Dentro do palácio, mandei que arrumassem um aposento para Jael, não muito longe dos meus: desse dia em diante, em vez de retornar todas as noites para a taberna dos pedreiros, ele passaria a dormir dentro do palácio, ao alcance de minha voz. Mandei também chamar Rhese, a única dentre minhas mulheres com quem me sentia tranqüilo, e tanto que por diversas vezes a mantivera a meu lado durante reuniões onde assuntos que não requeressem nenhum segredo estivessem sendo discutidos. Ela e Jael, a cada dia mais meu único amigo verdadeiro, tinham maneiras semelhantes de enxergar a vida: eram otimistas ao extremo, sempre muito preocupados com meu bem-estar, agindo de comum acordo para que, durante minhas horas de descanso, nada viesse interromper-me o lento, raro e difícil mergulho na inconsciência. Eu também tinha grande interesse nela, que de todas me parecia a mais inteligente. Suas companheiras eram todas fúteis, voltadas exclusivamente para a própria satisfação, nunca me deixando à vontade quando de mim se aproximavam: eu sempre tinha a sensação de estar sendo usado por elas para objetivos inconfessáveis, dentre os quais o menos perigoso era sempre o meu domínio por sua senhora Ishtar. Rhese nunca me dava essa sensação, e junto dela a figura de Sha'hawaniah se eclipsava de meu espírito como que por encanto. Além disso, era trabalhadora e ágil: em vez de passar o dia refestelada em almofadas, comendo e dormindo, como faziam as outras, havia começado a cultivar uma parreira a partir da pequena muda de que cuidara com tanto empenho, e que agora começava a se enroscar no caramanchão que me pedira para erguer em um canto mais seco do terreno. Eu, sempre que podia, ia visitá-la, e ficava sentado perto dela, vendo-a cuidar das uvas, podar folhas e direcionar gavinhas. Com o tempo, esse canto se tranformou em uma pequena horta, onde ela plantou árvores frutíferas e pequenas moitas de temperos, que de vez em quando fazia chegar à cozinha do palácio, enchendo minha comida de perfumes inesperados. Eram curtos, no entanto, esses momentos: logo surgia alguém com este ou aquele negócio de estado que precisava ser resolvido com a máxima urgência, e eu tinha que abandonar a vida serena junto a Rhese.

Recebi, dias depois, meus sogros, alguns deles preocupados com a construção do imenso muro que eu mandara erguer, e que vinha crescendo lenta mas seguramente, delimitando uma Jerusalém muito maior do que originalmente fora. A maioria deles não se interessava em ficar do lado de fora desse muro, mas alguns, que por razões puramente geográficas não tinham como estar dentro dele, exigiam que sua construção se interrompesse imediatamente, sentindo que quando ela se completasse estariam para sempre fora daquilo que vinha lenta e novamente sendo chamado de Terra Prometida. Minha desculpa, como sempre, foi a existência de nossos inimigos, os samaritanos, que não deixavam de nos atacar sempre que podiam:

— Não podemos nos permitir ser invadidos por quem pretende nos destruir: se depender desses homens sem devoção, o Templo de Yahweh nunca será reerguido.

Os acólitos de Yeoshua, presentes à reunião, fizeram muxoxos de aprovação, e eu percebi a um canto da sala a figura cada vez mais animalesca de Ageu, o profeta ensandecido, ultimamente bastante calado. Seus olhos rútilos, no entanto, não abandonavam minha face, e eu os sentia como se me estivessem queimando.

Joanã, um rei-pastor da vila de Jeblaam, ao norte do Mar de Arabá, que havia comparecido ele mesmo à reunião, ergueu a escura face, mostrando rugas adicionais de preocupação:

— Se Zerub não pretende destruí-los, dando-lhes um fim definitivo, nenhum muro será capaz de mantê-los à distância. Meu caso é pior: apesar de sogro do Rei de Israel e Judah, estou mais próximo dos samaritanos que de Jerusalém, e nossa vida diária me obriga a ser aliado deles. Se decidirem impor sua vontade sobre os aliados de Zerub, a quem meu genro acha que atacarão primeiro? A essa Jerusalém defendida pela imensa muralha que se está erguendo, ou ao pobre Joanã, que só tem de seu os seus rebanhos?

A maioria dos emissários expressou ruidosa concordância com essa idéia, ao mesmo tempo em que os acólitos de Yeoshua reagiam violentamente a ela. O emissário de meu sogro Naamani, que nos havia abandonado quando a caravana se dividira, tentava mostrar-se neutro em todas as questões entre mim e seus chefes, mas não pôde se furtar a um comentário ácido:

— Se estivéssemos todos juntos participando do esforço de reconstrução do Templo de nosso deus Yahweh, nada disso seria necessário...

A grita na sala foi imensa, e eu percebi que a maioria de meus aliados eventuais também se sentia alijada do que lhes parecia grande oportunidade de comércio e lucro. O emissário de Naamani, cuja aldeia ficava bem ao norte da Samaria, perto de Dor, continuou:

— Sentimo-nos desonrados, Rei Zerub, quando tu mandaste buscar madeiras das florestas da Fenícia sem que disso fôssemos informados: poderíamos ter sido intermediários nesse negócio, e sem dúvida isso estreitaria nossos laços de amizade muito mais que a esperança desse herdeiro que nunca chega...

RECONSTRUINDO O TEMPLO

Era tudo, como sempre, uma questão de riqueza e poder, e os gritos veementes dos presentes mostravam que os problemas causados por minha infertilidade se avolumavam. Houve mesmo alguns risos e cochichos entre eles, como se eu não fosse o homem que deveria ser. Minhas faces ficaram coradas até a raiz dos cabelos. Outro de meus sogros, Selum, o pai de Eliá, disse:

— O rei podia aplicar-se mais nesse intento. Agora que o reerguimento do Templo está completamente preparado, bem que poderia dedicar-se mais a seus compromissos com seus aliados e parentes. Há alguma previsão de quando poderemos começar a regozijar-nos pela existência de nossos netos?

Todos os olhares caíram sobre mim, em silêncio profundo, inquisitivo, perfurante. Cofiei a barba, com ar preocupado, pensando no que diria e que desculpas daria, e quando pigarreei, ainda sem ter o que dizer, tentando ganhar mais alguns instantes antes que minha vergonha se tornasse pública, um grito violento surgiu por trás de mim. Ageu, completamente transtornado, com seu corpo retorcido como as oliveiras dos campos, caiu ao chão, babujando. Um círculo se abriu em torno dele, pois ninguém desejava ser tocado pela profecia deste que se acreditava estar em contato com o próprio Yahweh, de cujo poder divino vinham as verdades inegáveis que a boca babujava. Ele caiu ao chão, tremendo convulsivamente, e de repente, de seus lábios imóveis saíram as palavras que todos temíamos, porque nunca sabíamos a quem estariam dirigidas:

— Com as primeiras chuvas se semeia o trigo! No fim do mês de Marsheshvan, haverá um ventre cheio no *harim*! E quando os figos de inverno estiverem sendo comidos, a criança nascerá! Trigo e chuva por princípio, figos e neve por fim, uvas pisadas aos pés!

A alegria tomou toda a audiência, e puseram a abraçar-se: muitos deles, vendo-me ao trono, impassível, vieram a mim com a familiaridade dos parentes próximos, saudando-me como seu rei e genro, subitamente felizes, ainda que sem nenhum motivo real. As questões políticas e comerciais foram completamente esquecidas, e até *o emissário de* meu sogro samaritano comportava-se como uma criança a quem tivesse sido dado um novo brinquedo.

A profecia tomou a cidade, e em meio ao regozijo de meu povo, apenas eu percebia a armadilha em que o insensato profeta me havia metido. Se dentro dos vinte e oito dias do mês de Marsheshvan que se iniciara, eu não pudesse apresentar uma barriga prenhe, minha vida não valeria um grão de sésamo. De minha parte, estava disposto a fazer o que fosse necessário para cumprir a profecia de Ageu, pois sua não-concretização significava para mim a mais profunda vergonha.

No mesmo dia, fui até Ragel, cada dia mais cego, e ainda assim, ou talvez por causa disso, cada vez mais capaz de exercer a medicina. Ele me examinou novamente o esperma, não de uma, mas de duas emissões em prazo relativamente próximo, e balançou a cabeça em desalento:

— Para mim, a tua capacidade de procriar não existe, meu rei: mas posso estar enganado. Recomendo que sigas o regime de banhos e comidas que te indiquei, e que tentes da melhor forma possível, com o máximo de tranqüilidade, levar a tua vida. Se te desobrigares da tarefa, aí dentro de teu coração, é bem possível que teu corpo se permita exercer a função de procriar. Eu penso que não tens em tua semente os filhos que plantarás no vaso de nenhuma mulher, mas o poder de Yahweh é grande. Tenhamos esperança.

Dentro de mim só havia esperança: novamente um ser ao sabor dos acontecimentos, empurrado pelo destino ou pela mão sinistra de Deus para fazer o que Ele desejava, eu só podia esperar que tudo se encaminhasse para o melhor, e que o melhor de Yahweh fosse também o melhor para mim.

Minhas mulheres, sabedoras da profecia, começaram a competir com novo alento para que eu plantasse nelas a semente de um filho, que fermentariam e assariam no forno de seu ventre até que chegasse o momento em que saísse para fora dele, tomando seu lugar no mundo. Não fosse a ponta da preocupação com o fim do mês que fatalmente chegaria, eu teria aproveitado mais dos prazeres que me concederam, e que não eram poucos. A ansiedade, no entanto, era maior que o prazer, cortando-o ao meio, deixando na boca o travo amargo que esse corte dessorava. Jael, tão ansioso quanto eu, não sabia o que fazer para me ajudar a enfrentar o transe, e sempre me recordava das palavras de Ragel, dizendo-me que me tranqüilizasse e esperasse pelo melhor. Eu, sem nenhuma paciência, disse-lhe:

— Não preciso nem mesmo desse prazer físico que a cópula me dá, meu irmão: se houvesse um jeito de emprenhá-las a todas sem me aproximar delas, juro-te que o usaria. Aliás, é o que tenho feito, eximindo-me delas sempre que posso, por absoluto fastio.

— Não queres bem a nenhuma de tuas mulheres, meu rei? Não creio nisso...

Tive que sorrir:

— Como sempre, eu exagero, Jael: se tivesse que escolher uma e só uma com quem desejasse ter um filho, esta seria Rhese, a única que nunca me cobrou nada, nem atitudes, nem palavras, nem engrandecimento. Esta sim seria a mãe ideal para um príncipe de Israel, pois tem tudo para ser a primeira esposa do rei.

Jael me olhou seriamente, durante longo tempo, e depois, erguendo-se e beijando-me na face, disse-me:

— Aguarda com esperança então, meu rei: quem sabe se não será efetivamente dela a criança que Ageu prometeu? E dedica-lhe o melhor de teu coração da próxima vez que estiveres com ela: Yahweh há de te ajudar.

No dia seguinte, logo de manhã, recebi a notícia, dada em segredo, de que Shedrach, Mezzech e Abdnego estavam se preparando para descer ao subterrâneo, tendo encontrado sua abertura depois de muitos dias de pesquisa. Fui até o local, a noroeste das fundações do antigo Templo, suas pedras agora postas em ordem sobre o solo, na posição exata para serem reerguidas umas sobre as outras segundo as marcas que eu nelas fizera, seguindo as letras de fogo branco que via em suas arestas. Reencontrá-las, depois de algum tempo sem ir ao sítio da reconstrução, era um prazer inacreditável. Essas pedras me recordavam das letras de fogo negro, que me haviam abandonado, inexplicavelmente e sem aviso, sendo substituídas pela capacidade de enxergar a pedra como se fosse transparente, percebendo-lhe os veios e a estrutura interna, além das marcas que indicavam a posição em que cada uma estaria nas paredes do Templo a ser reerguido. Mas tão logo esse trabalho terminara, nada mais percebi, e nenhum fogo divino me foi aparente aos olhos, a não ser a seiva dourada que fluía por dentro de algumas rochas.

Quando me aproximei, vi uma espécie de muralha provisória erguida com as pedras daquele local, e compreendi que esse monte de pedras servia de anteparo emergencial, para que ninguém visse que três homens desceriam por uma abertura no solo, buscando um subterrâneo de cuja existência ninguém deveria saber. Atrás dela estava uma tenda de trabalho, das que se usavam corriqueiramente para proteger os mestres pedreiros do sol, enquanto faziam seus cálculos, e que agora abrigava grandes rolos de corda de cânhamo, sendo lentamente desenrolados e presos em uma armação de madeira acima de um buraco no solo.

Havia apenas homens mais velhos nesse sítio, e quando me aproximei, saindo do sol e tentando ver na penumbra, tive a impressão de que Feq'qesh ali estava. Logo percebi que não era verdade, pois Feq'qesh andava muito sumido, preocupado com tarefas que nunca sabíamos quais fossem, surgindo inopinadamente sempre que dele se necessitava. Já estávamos acostumados com isso: ele desaparecia a reaparecia com a maior tranqüilidade, comportando-se como se nunca tivesse se afastado, e sempre que surgia era para, de alguma maneira, instruir-nos sobre algum ponto importante daquilo com que estávamos lidando.

Os Três Irmãos da Grande Baab'el, como Shedrach, Mezzech e Abdnego tinham passado a ser conhecidos, estavam com as cabeças unidas, cobertas por seus mantos, orando a Yahweh para pedir-lhe apoio na tarefa. A impressão que eu tinha, ao olhá-los assim, era a de que formavam um só corpo, um só homem, na verdade três facetas de um mesmo ser que se tivesse dividido em partes iguais, sem que nenhuma delas perdesse as características que tinha. Os irmãos que ali estávamos, movidos por impulso incontrolável, nos demos as mãos, formando um círculo à volta dos três, que lentamente desencostaram uns dos outros e começaram a preparar-se para descer pelo buraco que se abria a seus pés, tirando os mantos e desnudando seus corpos.

Quando um archote foi aceso e trazido à boca da abertura, vimos no fundo dela, a umas três braças de profundidade, uma imensa pedra de mármore em cujo centro estava uma argola de metal azinbrado. Uma das grossas cordas foi passada por essa argola e, sendo puxada com certa dificuldade, a tampa se ergueu, deixando perceber uma escura abertura quadrada. Os três se agacharam e, apoiando-se nos lados da abertura, foram lentamente, um após o outro, descendo por ela, pendurados na corda, sem que víssemos onde seus pés se estavam apoiando.

RECONSTRUINDO O TEMPLO

Olhando à minha volta, vi que para mim a pedra onde esse buraco quadrado fora aberto era tão transparente quanto as pedras cúbicas de que o Templo fora feito, e que dentro dela fluía uma seiva de luz formada por infinitas letras de fogo branco, circulando à volta da abertura. Emocionado, olhei para o lado, vendo que esse fluxo vinha diretamente do lugar reservado para o *Debir*, fluindo através da grande pedra subterrânea que marcava o âmago do Templo. Ali havia algo que me enchia o coração de ansiedade: os três já estavam havia algum tempo dentro do buraco, quando essa ansiedade se tornou insuportável. Ergui-me, sem pensar, e, movendo-me para fora dali, disse:

— Quando tiverem qualquer notícia, chamem-me. Tenho mais o que fazer.

Sem esperar que ninguém me acompanhasse, na manhã baça e pesada de sempre, atravessei o planalto onde estávamos, saindo dele pela antiga Porta dos Cavalos, e desci as ruas estreitas em direção aos fundos do palácio, desejando encontrar Rhese em seu pomar, para aliviar o estado de nervos em que me encontrava. Quando me aproximei do caramanchão onde suas uvas verdejavam em inúmeras folhas, percebi haver alguém com ela, e, ao atravessar uma imensa moita de coentro, vi meu irmão Jael andando atrás de Rhese com um balde de madeira cheio de água, do qual ela retirava com uma colher perfurada o líquido que espargia sobre as ervas. Ao perceber-me, os dois tiveram um momento de espanto, pois não me esperavam ali, mas eu imediatamente tomei o grande balde das mãos de meu irmão e lhe disse:

— Descansa, Jael, para que eu deixe por alguns instantes de ser rei e seja jardineiro.

Jael sentou-se em um banco de pedra que eu mandara colocar ali, enquanto eu segui Rhese por toda a volta do pequeno pomar, observando a graça com que ela, faces afogueadas e testa franzida, cuidava de suas plantas. Pedi a Jael que fosse buscar para nós três uma ânfora de vinho verde, e quando ele se afastou de nós aproximei-me de Rhese e roubei-lhe um beijo, que ela devolveu com uma inesperada sofreguidão, dizendo-me aceleradamente, depois de um longo silêncio em que só me olhou, como se as palavras lhe estivessem presas na garganta:

— Senti tua falta, meu senhor, e pensei: estando eu hoje no centro exato de meu ciclo de fertilidade, é bem possível que este seja o melhor dia para que vosso filho seja plantado em mim...

Agarrei-a pela cintura, enlevado com seu pedido, que era feito de maneira muito séria, como se estivéssemos falando dos negócios de estado que tanto me entediavam. Eu, de minha parte, sentia-me feliz por essa demonstração de apreço vinda de Rhese, e logo meu membro deu sinal de vida com tal vigor, que eu, não resistindo ao desejo que me assomava, como havia muito não acontecia, sentei-me ao banco de pedra e, sem me despir nem despir a Rhese, puxei-a para meu colo e penetrei-a profundamente, enquanto nos beijávamos com paixão. Perdi completamente a noção de onde estava e do tempo que *passou*: só sei que minha semente, mais rapidamente do que eu estava acostumado, escapou explosivamente de meu membro e preencheu a macia cavidade pulsante de Rhese.

Quando voltei a meu normal, ainda ofegante, Rhese continuava em meu colo, de olhos fechados. Quando os abriu, foi para olhar-me com extremo carinho, passando a mão pequena e macia em meu rosto, e dizendo:

— Eu te amo muito, meu senhor, e faria qualquer coisa pela tua felicidade...

Gargalhei, mais enlevado ainda que antes, recompondo-me: e então Jael retornou com a jarra de vinho, de que eu tomei vagarosamente uma taça, saboreando o ácido sabor das uvas adocicadas de que era feito, enquanto Rhese, sem me dar mais atenção, voltou a seu labor entre as plantas. Era um daqueles raríssimos momentos de perfeita felicidade, dos quais eu conhecera tão poucos, tão afastados uns dos outros pelo tempo, que eu não conseguia me recordar do anterior. Ergui-me do banco e, com Jael em meus calcanhares, preparei-me para entrar no palácio, despedindo-me de Rhese, que respondeu a meu aceno sem se virar em minha direção, entretida com os galhos entrelaçados de sua videira.

No palácio, havia alguns poucos casos a resolver, e um dos litigantes, caravaneiro das trilhas entre Dimashq e Jerusalém, acabou por me dar notícias de meu irmão Cyro, de quem eu não ouvia falar desde algum tempo. Seu método de governar era diferente de tudo o que se podia pensar: ele concedia absoluta liberdade a todos os que estivessem sob seu domínio, sem nada exigir-lhes que não fosse a colaboração com seus desejos de igualdade para todos, Nós de Jerusalém, que durante algum tempo havíamos comido o trigo que ele nos concedera, e que chegava regularmente a nossos celeiros, vindo de outros celeiros imperiais à nossa volta, agora já podíamos cooperar com essa distribuição de alimentos, pois estávamos produzindo figos em grande quantidade, e as figueiras em toda a volta da cidade estavam carregadas de brotos que certamente eclodiriam em belos e sumarentos frutos, mais do que suficientes para alimentar-nos e a quem mais estivesse próximo. Fiz uma anotação para que, quando chegasse o mês de Shebat, em que os figos de inverno amadurecem, fizesse chegar um grande carregamento ao próprio Cyro, como prova de seus esforços finalmente recompensados.

O caravaneiro me falava com grande familiaridade, desacostumado aos rapapés das cidades e cortes, e eu me sentia homenageado por isso: era difícil encontrar entre meus compatriotas quem não se revestisse de grande empáfia para falar comigo, até mesmo quando estava me ofendendo. Esse caravaneiro, com sua maneira rude, estava mais próximo de mim que muitos outros que assim o pretendiam:

— O Imperador Cyro está quase terminando seu palácio em Pasargad, e agora quer aumentar os limites do Império. As últimas notícias diziam que ele ia invadir a terra dos Massagetai, porque propôs casamento à Rainha Tomyris, e ela o recusou. Ele reuniu o conselho dos chefes, e o rei dos lídios, o riquíssimo Creso, que é seu aliado, o está apoiando nessa empreitada.

Meu irmão Cyro não cessava de ampliar seu território, por quaisquer meios que lhe estivessem ao alcance: temi pela vida dessa rainha, que certamente pereceria em suas mãos, caso não restasse outra alternativa. Com certeza ele preferiria o movimento pacífico que um casamento pode gerar, mas se tivesse que combatê-la com violência, assim o faria, cuidando dos Massagetai como ela própria cuidaria, e talvez ainda melhor, porque colocaria toda a capacidade do Império a serviço dessa terra e povo distantes.

O cheiro de Rhese ainda estava em meu corpo, e a cada movimento de minhas pernas; subia até minhas narinas, fazendo com que eu fechasse os olhos para melhor recordar os momentos de prazer que havíamos tido. Em minha maneira de entender, deve-se sempre casar por amor, desde que a escolhida seja digna de ser amada. Para um rei, é difícil agir dessa maneira, mas eu havia encontrado amor verdadeiro entre os frutos de meus acordos políticos e comerciais, na figura dessa Rhese, filha de Belsan, a quem meu pai tinha garantido como minha esposa. Tudo poderia ter-se desmanchado no ar, acordos, promessas: mas o destino havia feito com que eu estivesse novamente em condições de realizar os desejos de meu pai, e com espanto percebi que, mesmo se não fosse Rei dos Judeus, estaria casado com Rhese, e ela seria minha preferida.

Uma agitação se aproximou de minha sala, fazendo-me abrir os olhos: era Jael que chegava correndo, dizendo-me:

— Meu rei, estás sendo chamado com urgência ao sítio do Templo!

Eu havia esquecido da descida ao subterrâneo, e por um instante temi que alguma desgraça houvesse acontecido. Ergui-me incontinenti do trono e saí em desabalada carreira, subindo as ruas em espiral que me levavam às obras, lá chegando em tempo muito curto, acompanhado de perto por um Jael mais suado que eu.

No canteiro de obras estava tudo calmo, irmãos de todas as nacionalidades erguendo pedras e colocando-as em suas posições, segundo meus desígnios. Passei para trás da parede de pedras mal erguida, que ocultava o subterrâneo e a armação de madeira pela qual passavam as grossas cordas, perdendo-se no fundo do buraco, e entrei novamente na tenda escura, para ver os três velhos da Grande Baab'el, empoeirados e sujos de terra, sentados no chão, ofegantes. Ao me verem, tentaram erguer-se, mas eu os dissuadi com um gesto, acocorando-me ao pé deles:

— E então, meus irmãos, encontrastes o que fostes buscar?

Os três me olharam, e a semelhança entre seus olhos era tanta, que me senti como que olhando um homem só. Shedrach me falou, enquanto os irmãos mais velhos que nos cercavam se punham instantaneamente atentos:

— Assim que descemos pela abertura quadrada, descobrimos dois pilares imensamente belos, irmãos. A pouca luz que se filtrava pela abertura só nos permitiu admirar sua deliciada simetria: avançamos um pouco pelo que nos pareceu ser uma galeria levemente inclinada, e fomos encontrando mais pilares idênticos, sete pares, contando com o primeiro, que pareciam ser parte da galeria subterrânea que levava ao Lugar Mais Sagrado, segundo o pergaminho de cobre. Fomos seguindo cuidadosamente por esse corredor, limpando-o dos dejetos e cacos de material que estavam em nosso caminho, e aí demos de encontro com o que nos pareceu ser rocha sólida.

— Eu a toquei acidentalmente com minha ferramenta, meu rei. — Assim falou Mezzech, mostrando um martelo de madeira. — Ela soou oca, e logo percebemos que era apenas uma superfície lisa e trabalhada pelo homem, e que abaixo dela provavelmente haveria mais coisas.

Abdnego continuou:

— Já não estávamos enxergando quase nada, e fomos escavando e retirando todos os detritos do caminho com nossas ferramentas, afastando-os e limpando o lugar onde nos encontrávamos, em forte penumbra. Foi nesse momento que percebemos estar sobre um teto abaulado, que os construtores haviam erigido através de arcos feitos de pedra, e logo conseguimos retirar duas delas, deixando um grande vão, pelo qual decidimos passar.

As imagens que eles descreviam eram de grande poder, e nosso silêncio atestava isso: para mim, no entanto, eram fortemente familiares, ainda que eu não conseguisse precisar como.

— Tiramos a sorte para ver quem desceria pelo vão, e a escolha recaiu sobre mim. — Abdnego falava cada vez mais calmamente, como que recordando com dificuldade do que se passara. — Fiquei sinceramente receoso, porque pressentíamos, pelo eco gigantesco que ouvíamos abaixo da abertura, que fosse um lugar tremendamente espaçoso, e não sabendo o que encontraria, já que o pergaminho de cobre nada revelava, podia estar descendo para nossa destruição.

Mezzech continuou:

— Não havia nenhum ponto de apoio para os pés e mãos, e por isso decidimos amarrar Abdnego pela cintura com uma corda, combinando um sinal para que, se alguma coisa lhe acontecesse, um ferimento ou mal-estar devido a qualquer vapor nocivo, pudesse ser reerguido até nós da melhor maneira possível.

Abdnego cerrou os olhos, como que se recordando das sensações que experimentara na escuridão da abertura:

— Fui descido lentamente, girando para um lado e depois para o outro, e o espaço abaixo de mim parecia não ter fim. Subitamente, cheguei a seu fundo e pedi a meus irmãos mais corda, para que pudesse explorar o lugar onde estava. Tateei pelo espaço até encontrar à minha frente um pedestal de pedra onde estavam gravadas certas marcas e figuras que não consegui decifrar só pelo tato.

A sensação de familiaridade era cada vez maior: eu quase conseguia visualizar o lugar, imerso em trevas também dentro de minha memória. Abdnego continuou:

— Fiz o sinal de que deveriam alçar-me novamente, e ao chegar na parte superior da abóbada relatei a meus companheiros o que havia encontrado. Decidimos, de comum acordo, que eu desceria novamente, e como a esta altura a claridade do sol estava a pino, havendo uma abertura nas nuvens que deixava sua luz descer até o fundo da abertura, fui novamente baixado, e desta vez pude ver com bastante clareza o lugar onde estava. Era uma grande sala formada por nove arcos de incomensurável tamanho, que não compreendo como se mantinham intactos, pois só havia colunas de sustentação em cada extremidade deles, e mais nenhuma que os apoiasse no centro.

Num relâmpago, recordei aquilo que Abdnego descrevia: eu já vira esse lugar: era o salão que surgira dentro de mim, após atravessar o túnel de luz dourada, durante a segunda metade de minha iniciação. O templo onde isso se dera imitava esse lugar mítico, sendo uma cópia infinitamente menor do lugar de portentos que Abdnego descrevia, e foi ecoando suas palavras com as minhas que o ouvi dizer:

— A claridade do sol iluminava indiretamente a sala, mas quando uma nuvem mais forte passou pela frente do sol, lá na superfície, a penumbra não se instalou onde eu estava, porque no centro desse salão está um pedestal triangular de alabrastro, sobre o qual um cubo de ágata protege o triângulo de ouro onde se inscreve o Nome Inefável de Yahweh!

Finalmente havia surgido a sala de nove arcos que Enoch havia construído para ocultar o conhecimento que eu sempre buscara. Ergui-me, ansioso, gritando:

— Tragam cordas e archotes! Eu também quero descer a esse subterrâneo! Preciso ver com meus próprios olhos o lugar que Yahweh mostrou, dentro de mim! Tenho que tomar esse cubo com minhas próprias mãos!

Todos os que lá estavam, a começar por Ananias, tentaram de todas as formas demover-me dessa idéia, ciosos do perigo que ela envolvia: mas eu estava completamente tomado pela possibilidade de tocar o que até então fora apenas delírio de meu coração, mas que certamente seria a fonte definitiva do poder absoluto sobre tudo o que eu desejava. Meus três irmãos da Babilônia, vendo que meu desejo não podia ser contornado, dispuseram-se a descer comigo, protegendo-me de todo o perigo. Shedrach falou:

— Segundo o pergaminho de cobre, esse pedestal é apenas o início das maravilhas de que o salão de Enoch está cheio. O irmão deve seguir-nos e obedecer sem hesitar a todas as nossas ordens, para não corrermos riscos desnecessários enquanto estivermos nos subterrâneos.

Concordei sem pensar, já amarrando a corda na cintura e abaixo dos braços, desejando estar no lugar que meu coração conhecia tão bem: Shedrach e Mezzech, juntos na mesma corda, desceram à minha frente, com um archote aceso nas mãos. Eu desci logo atrás deles, girando pendurado no espaço por algum tempo, vendo o brilho do fogo logo abaixo de mim, até que o archote parou de mover-se e logo depois meus pés tocaram uma superfície dura. O ar era ao mesmo tempo úmido e seco, quente e frio, e um estranho suor começou a empapar-me as vestes. Abdnego se juntou a nós, e ele e eu começamos a ser amarrados na mesma corda para sermos descidos juntos, com a força dos braços de Shedrach e Mezzech, quando um estranho tremor me fez perder o equilíbrio. A abóbada em que estávamos pisando, sem motivo aparente, começava a tremer, e, à nossa frente, exatamente no ponto onde as duas pedras de formato oblongo haviam sido extraídas, revelando a abertura que levava ao grande salão que eu apenas vislumbrara em minha mente, começou a ruir. Nossa vida corria mais perigo do que eu desejava, e quando meus três irmãos, aos gritos, pediram que quem estava acima de nós nos erguesse a todos imediatamente, foi com absoluto desespero que fui reerguido para a superfície. Eu queria, mais do que tudo, conhecer o salão de Enoch, que só vira dentro de mim pela magia das letras de fogo negro, mas o tremor e a destruição da abóbada impediram que isso acontecesse, e foi aos gritos de profunda frustração que cheguei à borda do terreno, rojando-me ao solo e soluçando, enquanto ouvia a voz de Mezzech dizendo:

— Tudo ruiu: apenas parte dos nove arcos permanece de pé, mas o salão e tudo que nele se encontrava está coberto de pedras, como se nunca houvesse existido.

Prostrado e aos prantos, eu julgava ter perdido a maior das oportunidades de minha vida, quando um par de mãos fortes me ergueu do chão, dizendo com voz forte as palavras que eu não conhecia:

— *Hamelach Gebalim!*

Era Feq'qesh, como sempre surgido não se sabe onde, que me abraçou enquanto eu soluçava convulsivamente em seu ombro. Mais uma vez em desalento e aflição, eu perdera a última oportunidade de salvação: com o poder de Enoch, eu seria o maior dos reis, supremo chefe e comandante do povo de Israel, ganhando para sempre seu respeito e adoração. Isso estava perdido para sempre, e a descoberta que justificaria minha vida era agora uma vaga e triste lembrança, permanecendo em mim cravada qual lança envenenada, destilando em meu corpo o veneno cruel de que estava embebida.

Feq'qesh foi-me afastando do lugar onde eu tivera mais uma de minhas perdas. Seu braço em volta de meus ombros era um consolo pequeno demais: eu perdera o fio de esperança que cristalizara no delírio do poder absoluto. Não havia mais subterrâneo, nem triângulo de ouro, nem salão dos nove arcos, nem poder, nem nada. Eu era novamente apenas o que sempre fora, o pobre rei de um pobre povo, inutilmente crente na obra gigantesca que pretendia erguer, e que estava infinitamente acima de minhas forças.

Abandonado como me sentia, fui saindo do lugar onde estávamos: algumas pedras haviam caído ao chão, certamente derrubadas pelo abalo que fizera ruir o salão de Enoch. Meus pés se arrastavam por sobre o cascalho e a poeira. Desavorado como estava, acabei por tropeçar, caindo ao chão sobre as palmas das mãos, que se arranharam profundamente na superfície áspera. Ainda deitado, olhei para elas, soprando-as para diminuir a dor, quando um brilho no chão, à minha frente, me chamou a atenção. Alguma coisa metálica brilhava atrás de uma pedra, e quando a afastei, vi uma fita de cor verde, debruada de dourado, um relicário redondo na extremidade, suja de poeira e lama. Ergui-a contra o sol, sem atinar com o que estava acontecendo, e, como um raio que me irrompesse pelo crânio, reconheci minha fita de *tarshatta* de Jerusalém, a mesma que o Grande Cyro me dera como sinal de meu poder, e que eu perdera a centenas de milhas dali, durante a batalha contra os assírios na ponte sobre o Gabbarah. Com as mãos trêmulas, abri o relicário: lá dentro, brilhando esverdeada, estava a moeda insondável que mais uma vez ressurgia como centro milagroso de minha vida.

Capítulo 33

Nem sei como atravessei o espaço de terreno que me separava de meu palácio: o coração batendo doidamente no peito, as mãos apertando o reencontro com a primeira vez em que a mão de Yahweh me mostrara Seu incomensurável poder. A moeda continuava dentro do escrínio, intacta, apenas um pouco mais azinabrada, e acelerei meus passos em direção ao palácio, sem pensar em quem estava a meu lado, atrás de mim ou à minha frente. O suor me corria pela fonte, e eu tirei a coroa que a apertava, subindo as ruas estreitas de minha cidade, novamente cheio do poder que acreditava ter perdido para nunca mais recuperar. Podia exibir-me não apenas como Rei de Israel, mas também como *tarshatta* do Grande Cyro, somando sua autoridade suprema à minha, usando-as para realizar o que quer que fosse necessário.

Era impressionante como a balança de minha vida nunca fora capaz de equilibrar-se: ora um, ora outro de seus pratos caía, erguendo o anterior a alturas incomensuráveis, e quando este parecia que ia despregar-se de onde estava e voar pelo infinito, descia celeremente, erguendo o oposto. Nenhum dos lados da balança me servia, e qualquer deles que se sobrepusesse ao outro tornava-se tão maninho quanto o outro o fora, até que esse outro se erguesse e com seu salto transformasse o mau em bom. Chegando à porta de meu palácio, entrei como um vendaval por ele adentro, atirando-me nas almofadas do leito, o coração como o de uma criança, querendo mostrar minha reconquista ao primeiro que de mim se aproximasse.

Ninguém chegou a mim: o silêncio era imenso no palácio, na tarde modorrenta e calma, e eu ouvia apenas os ruídos longínquos da cidade que me cercava. Depois de um tempo, ergui-me, vendo que a claridade diminuía, marcando o aproximar-se do crepúsculo, e decidi buscar companhia, um amigo, um irmão, uma esposa com quem pudesse dividir a alegria que sentia. Pensei em retornar a meu salão, mas a visão da sala vazia não me era agradável: por isso, dirigi-me para o corredor que levava a meu *harim*, e que, por não ter janelas, ficava sempre mais escuro que o resto do palácio. Tateei pelo corredor, atravessando reposteiro após reposteiro, dirigindo-me para a porta do *harim*, querendo convocar Rhese para com ela dividir minha alegria. Quando estava quase chegando, percebi que a porta dos aposentos se abria: dois vultos se desenharam em sua soleira, sem que eu pudesse ver quem eram. Avancei ainda mais, perguntando em voz alta:

— Guardas?

Os cochichos dos dois vultos se interromperam, e um deles, o mais alto, disparou em minha direção, dando-me um encontrão e derrubando-me ao solo, escapulindo por trás de mim, enquanto o outro vulto entrava para o *harim*, batendo sua pesada porta. Ergui-me sem demora, esbravejando, sem compreender o que acontecera: mas logo meus gritos atraíram a atenção das pessoas, e os guardas, de dentro dos aposentos de meu tio Sheshba'zzar, em frente ao *harim*, imediatamente saíram para o corredor e vieram em minha direção. Meus gritos atraíram Jael, que se aproximou afogueado por trás de mim, com uma lamparina de azeite nas mãos, com a qual acendeu algumas outras, enquanto me perguntava:

— O que foi, meu rei? O que te aconteceu?

— Havia alguém estranho por aqui! Saiu do *harim* e me derrubou ao solo, fugindo pelo corredor! Não viste ninguém?

Jael estava ofegante, certamente por causa do susto que meus gritos lhe haviam causado, e disse:

— Não, meu irmão: teus gritos me chamaram a atenção em meus aposentos, ao lado dos teus, e quando vi que vinham deste corredor escuro, apanhei minha própria lamparina, acendendo-a e vindo em tua direção. Não viste quem era?

— O breu deste corredor ainda causará um acidente fatal! — Eu estava possesso. — Como se pode deixar este espaço tão escuro e sem guardas? E se um samaritano ensandecido resolver aproveitar a escuridão para ferir-me, ou matar-me?

O corredor estava cada vez mais cheio de gente, e os guardas que deveriam guardar tanto os aposentos de minhas mulheres quanto a câmara de meu tio, tremiam de medo, esperando que eu os castigasse severamente. Ergui-me, mais ferido em meu orgulho que em qualquer outra parte, recolhendo do chão a faixa que carregava, e voltei para o salão, pisando duro. Mais uma vez, meu humor ficava ao sabor dos acontecimentos: percebendo isso, respirei fundo, olhando para a fita em minhas mãos, mandando chamar Théron, chefe de meus guardas, que andava ocupadíssimo com as decisões sobre a segurança de Jerusalém enquanto o alto muro não estivesse totalmente erguido. O grego entrou em meu salão depois de algum tempo, e minha irritação já tinha quase se desvanecido. Mesmo assim, fiz questão de perguntar-lhe:

— Théron, meu irmão, por que motivo os guardas do corredor dos fundos estavam dentro dos aposentos de meu tio, e não em seu lugar, à frente das portas do *harim*?

Théron ergueu os olhos com incredulidade:

— É verdade, meu rei? Não entendo os motivos dessa indisciplina. Posso chamá-los para que se expliquem de viva voz?

— Imediatamente.

Enquanto esperávamos os guardas, abri o escrínio e mostrei a Théron a moeda que estava dentro dele: Théron a olhou longamente, sem tocá-la, e me disse:

— Nunca tinha visto uma dessas: mas é grega com certeza, e a figura é de Hermes, o mensageiro dos deuses.

Sorri, enlevado: a moeda milagrosa trazia gravada em si a figura de um deus mensageiro, como que atestando a verdade de sua existência. Olhei-a novamente: o deus era uma figura masculina que atava ao pé direito uma sandália estranhamente dotada de asas. Talvez fosse a capacidade de voar como os pássaros que desse a essa moeda o poder de transportar-se de um lugar para outro sem que ninguém a levasse. Ergui os olhos, e à minha frente estava Feq'qesh, que chegara silenciosamente como sempre, mais uma vez sorrindo como se soubesse tudo o que se passava em meu pensamento. Ia dizer-lhe isso, mas os guardas chegaram à sala, ainda aterrorizados, e eu deixei essa conversa para depois: era essencial descobrir quem tinha sido o invasor do corredor escuro, que me teria assassinado sem nenhuma preocupação, se este fosse seu desejo. Meu espírito já estava focado em outros assuntos, mas era meu dever como rei interrogá-los:

— Então, guardas, que motivos tendes para não cumprir as ordens que vos dão?

Os dois permaneceram mudos, cabeças baixas, mas percebi que se entreolharam: insisti, e Théron me secundou:

— Vamos, guardas, é nosso rei quem ordena: quereis que vos acusemos de negligência no cumprimento do dever?

Um dos soldados fez um sinal a Théron, que dele se aproximou, ouvindo o que ele lhe disse em voz baixa. Théron fechou o sobrecenho e, chegando perto de mim, disse:

— Seria melhor esvaziar a sala, meu rei: eles não querem falar em público.

Estranhei, mas pedi que saíssem da sala todas as pessoas que ali estavam, exceto os dois guardas, Feq'qesh, Théron e meu irmão Jael, que se sentara em um escabelo a meus pés, como meu secretário íntimo, quando a sala se esvaziou, o primeiro guarda limpou a garganta e falou:

— Preferimos ficar do outro lado da porta de teu tio Shehba'zzar, meu rei, porque do lado de fora podemos ser levados a agir como não queremos.

Não entendi, e bradei:

— Fala francamente, guarda: nada tens a esconder de teu rei.

O guarda, vexadíssimo, ficou com a face inteiramente corada, e o segundo, vendo seu mal-estar, explodiu:

— Tuas mulheres no *harim* não nos deixam em paz, Rei Zerub: a cada instante em que podem, abrem a porta e nos fazem os mais instigantes convites, insistindo para que entremos e lhes façamos companhia. Dizem que ouviram barulhos, que há gente estranha dentro de seus aposentos, que animais ferozes lá entraram, mas os gestos e os risos são claros o suficiente para que percebamos ser mentira, e que o que desejam é outra coisa...

Desta vez, quem corou fui eu, tomado pela mais pura e absoluta vergonha. Quando ergui meus olhos, vi que todos estavam de cabeça baixa, tentando poupar-me dela. Levantei-me do trono, sem nada dizer e, andando rapidamente, percorri o espaço que separava meus aposentos do *harim*, trilhando o corredor agora iluminado por inúmeras lamparinas de azeite. Eu vi ao fundo as cortinas que marcavam o vestíbulo onde ficavam as portas de meu tio e de minhas mulheres, e desacelerei meu passo, ao mesmo tempo que rezava para nunca conseguir chegar até elas. Uma mão segurou-me pelo cotovelo: era Feq'qesh, que viera atrás de mim, andando silenciosamente como sempre. Envergonhado, olhei para o chão, vendo suas sandálias sempre limpas, com brilhantes argolas de ouro, que mais uma vez me chamaram a atenção. Fiquei de cabeça baixa enquanto ele me disse:

— Acalma-te, respira fundo e prepara-te: o que vais ouvir não te será nem um pouco agradável. Mas lembra-te sempre que o ódio é vício de almas pequenas, e que sua pequenez não deve infeccionar a tua própria alma. Se souberes controlar teu ódio neste momento, saberás controlá-lo sempre.

Eu sabia disso: o que eu ouviria não me seria nem um pouco agradável, e por isso eu adiava a cada passo a minha chegada. Já fazia algum tempo que eu sequer visitava meu *harim*, e minhas noites solitárias eram em número cada vez maior. O mau humor de minhas mulheres devia realmente estar em níveis altíssimos: mas eu o havia gerado com minhas ações, e agora tinha que me responsabilizar pelas conseqüências, quaisquer que fossem elas.

Abri a porta, recebido com uma alaúza de guerra: o alarido de vozes que gritavam, acusando-se umas às outras nas mais diversas línguas, atirando ofensas através do ar e quase chegando às vias de fato, seria fascinante de observar, se não fosse eu o motivo dele. Ao ver-me, a maioria das mulheres se aquietou, temendo algum castigo, mas um pequeno grupo delas, vociferante, avançou sobre mim. Tive que dar um forte grito, calando-as com minha autoridade: mas mesmo assim elas permaneceram murmurando em voz baixa, dardejando chispas de um ódio que eu não compreendia. Eliá, a filha de Selum, os olhos injetados de vermelho se destacando no rosto escuro, torceu a boca num esgar, dizendo:

— Ei-lo, o rei que não cumpre suas obrigações! Será que não nos quer?

— Acho que não é caso de não querer, mas sim de não poder... — Lia, a filha do chefe samaritano Naamani, mordia os lábios num muxoxo. — Nunca soube de alguém que, com tantas mulheres à sua disposição, não desejasse pelo menos uma delas, a não ser que...

Olhei à minha volta, envolvido pelos risos cruéis que as frases de Lia haviam produzido: temeroso de que Rhese estivesse envolvida nessa estúpida rebelião.

Noemi, uma das mais velhas, ergueu sua voz:

— Para que nasçam crianças, é preciso que homens e mulheres se deitem juntos e juntos dancem a dança do amor... com reis, não é diferente: para que nasçam príncipes é preciso que os reis se deitem com suas rainhas. Se os reis não fazem isso, os príncipes não nascem...

Eu não sabia o que era pior: ficar conhecido como um homem que não consegue fazer filhos em suas mulheres, ou como aquele que não se interessa por elas. Algumas me olhavam com ironia e crueldade, decerto pensando em qual das duas categorias eu me inscrevia. Haddasah, a filha de Jedaías, com seus olhos fortemente pintados, chegou à frente, coleando os quadris:

— Se pelo menos tentássemos, meu rei, a vida no *harim* seria mais divertida... mas sem rei que faça uso do que temos para oferecer, só nos restará procurar divertimento em outro lugar...

Recuei, como que tomando forte pancada: Haddasah, percebendo o poder de seu golpe, ergueu as mãos e, meneando ainda mais os quadris, abriu a boca e moveu a língua com rapidez, como fizera em meu corpo, na nossa primeira noite juntos. Fiquei envergonhadíssimo, e ela notou, gargalhando, que me subjugara pela verdade:

— Era melhor que te divorciasses de nós, meu rei. Não somos mulheres que outros homens quisessem desperdiçar dessa maneira. Se não souberes como resolver esse problema, posso garantir que somos capazes de te dar motivos fortes o suficiente para não sermos mais vossas mulheres exclusivas...

Todas riram, enquanto Haddasah continuava a dançar sua dança lasciva, sem tirar os olhos de mim, degradando-me a cada gesto. Tentei encher o peito, mas uma súbita constatação me fez perder a pouca dignidade que ainda tinha: Haddasah estava nesse instante idêntica a Sha'hawaniah, de quem não me recordava havia tempos, mas cuja lembrança inesperada era suficiente para sugar-me a pouca força que ainda tinha. Arrastei-me até um escabelo, sobre o qual me deixei cair, as pernas transformadas em água gelada. As mulheres, a quem já não podia chamar de minhas, cercaram-me, apostrofando-me, rindo de mim, algumas lançando-me maldições em suas línguas: mas a maioria delas, cópias fiéis dessa Sha'hawaniah que morava como roedor no fundo de minha alma, dançava à minha frente, quadris projetados em chicotadas circulares, a língua saltando da boca em movimentos de serpente, a garganta emitindo gritos e gemidos, numa imitação exagerada dos gestos que não fazíamos porque já não nos deitávamos mais. Haveria quem estivesse se aproveitando disso, já que nem todos eram obedientes como os guardas que eu havia interrogado? As tardes e noites nesse *harim* deviam ser, pelo que eu percebia, cheias de prazer, ainda que eu dele não participasse, a não ser como anfitrião involuntário, cedendo o que era meu a quem quisesse se aproveitar, já que eu mesmo não o fazia.

Uma súbita onda de ódio cresceu em meu peito: mas, antes que explodisse em minha boca e minhas mãos, recordei-me do que Feq'qesh me havia dito alguns instantes antes. Procurei-o: não estava mais entre nós. Fechei os olhos, respirei fundo e me levantei, nos lábios o melhor sorriso que pude arranjar

— Haddasah tem razão: negócios de estado não são motivo para que tantos e tão inegáveis talentos sejam desperdiçados. Certamente estareis mais felizes por vossa própria conta, sem fazer parte de um *harim* inútil. Vejo que pretendi morder mais do que minha boca podia abarcar: mas isso se resolve facilmente. As que não estiverem satisfeitas podem voltar para seus pais: eu lhes darei a separação o mais rapidamente possível.

Um susto as assomou: não esperavam por isso, de minha parte. Percebendo isso, continuei:

— Quanto a todas as outras, o prazo de um mês que concedi a mim mesmo, perante vossos pais, ainda está vigorando. Quando terminar, se nada houver acontecido, se nenhum Príncipe de Israel estiver sendo gerado em um de vossos ventres, todos os acordos estarão desfeitos e todas poderão considerar-se livres, desimpedidas, aptas a reiniciar suas vidas onde quer que desejem, na companhia que mais vos agradar, pois já não haverá nenhum motivo para que permaneçamos juntos como marido e mulheres...

Ergui-me, aparentemente refeito, em meio à gritaria geral de rejeição a minhas palavras. O que elas haviam iniciado não dera exatamente o resultado que pretendiam, porque, movidas pelo ódio, permitiram que seus impulsos as dominassem. Nenhuma delas pretendia, na verdade, ser conhecida como rejeitada pelo Rei de Israel: isso as fez recuar em seus intentos, tornando-se todas imediatamente cordatas e submissas, ainda que verdadeiramente não o fossem. Em várias delas, a chama da discórdia e do despeito tremeluzia no fundo dos olhos, mas os sorrisos de aceitação estavam em todas as bocas, e cada uma voltou a fazer uso de seus talentos pessoais para tentar destacar-se, despertando novamente meu interesse. A energia de Sha'hawaniah, ou de sua deusa, pairava sobre todas elas, num último hausto, uma última tentativa de ser mais poderosa que qualquer outro deus, principalmente este a cujo serviço eu estava, cada vez percebendo menos os motivos que O levaram a escolher-me.

Na saída dos aposentos, em um canto, envolvida em seu manto, vi Rhese. Olhei-a de relance e percebi que havia chorado. Meu primeiro impulso foi o de conversar com ela, buscando saber os motivos de sua emoção: mas achei melhor erguer a cabeça e deixar os aposentos com um mínimo de autoridade. Saí do *harim*, fechando suavemente as portas, e soltei o ar, como se tivesse vencido uma terrível batalha: esta seria apenas a primeira de muitas, no combate a meus inimigos, que eu já não sabia quem eram.

De volta a meu salão, tive nova surpresa. Havia um mensageiro me aguardando, um dos estafetas do serviço postal que Cyro havia organizado em todo o seu Império, reduzindo o tempo que um edito oficial levava para chegar aos mais distantes lugares. Eu esperava, a qualquer instante, notícias do ataque aos Massagetai da rainha Tomyris, certamente a esta altura já sob o domínio de Cyro, o grande conquistador. O ar compungido do estafeta, suado e empoeirado pela extenuante viagem a cavalo, levou-me a esperar pelo pior. A mensagem oficial estava em minhas mãos, uma cópia em argila da que havia sido traçada em pedra, assinada por um selo que eu não reconhecia:

"Assim fala Cambyses, herdeiro de Cyro, como ele Rei da Pérsia, Imperador do Mundo, dominador de Hircana, Partia, Drangiana, Aracosia, Margiana e Báctria, vencedor de Babilônia e provedor da paz dos Aquemênidas para todo o mundo sobre o qual reina."

Meu peito se apertou, na dor da perda de mais um amigo: Cyro, o Grande Senhor do Mundo, estava morto, e seu filho reinava em seu lugar. Sentei-me ao trono, segurando a placa de argila, que lia com dificuldade, não apenas por não ser o melhor dos leitores, mas por estar tomado de tristeza incalculável. A tentativa de subjugar os Massagetai dera em nada, e Cyro, tentando dominar esse pequeno e aguerrido povo, caíra morto pelas mãos de Tomyris, a rainha vingativa, que lhe dera o mesmo fim por ele imposto a seu filho Spargapises, degolando-o em pleno campo de batalha. A rainha cortara a cabeça de Cyro, mergulhando-a em um odre cheio de sangue, para que finalmente matasse sua sede. Cambyses, herdeiro do Império por ser o primogênito, imediatamente tomara o poder, assumindo o trono de seu pai para ser o novo Senhor do Mundo.

Minha preocupação foi evidente a todos: Cyro era minha segurança frente a meus inimigos, graças ao cargo que me havia feito ocupar, tornando-me seu representante na terra de meus antepassados. Sem ele, meu futuro e o futuro de Jerusalém estavam em perigo. O final da mensagem era específico para os *tarshattas* do Império, entre os quais eu me incluía, e não me dava nenhuma segurança quando à minha permanência no cargo:

"Os editos firmados por Cyro em todo o seu Império serão objeto de estudo por parte do Grande Cambyses, e respeitados na exata medida de sua importância para a continuidade do Poder Imperial em toda parte. Enquanto isso não se dá e nenhuma decisão é tomada, os *tarshattas* devem continuar a agir em nome do Império exatamente como antes, pois, sem uma palavra definitiva do Grande Cambyses, continua a ser lei tudo o que foi decretado pelo Grande Cyro."

O poder é estranho, principalmente quando somos apenas seus depositários: Cyro havia concentrado o seu, delegando-o em vez de dissipá-lo, mas tudo o que concedera estava fundamentado especificamente em sua pessoa, como Senhor do Império. Agora que estava morto, e que outro homem o sucedia, só podíamos esperar que seu sucessor seguisse seus preceitos, respeitando as concessões de poder que ele fizera. Era quase impossível garantir a continuidade do poder de Cyro: uma vez morto, ele se desvanecia como fumaça, e nosso poder, reflexo do seu, só valeria alguma coisa se seu filho respeitasse seus desígnios à risca.

Na noite seguinte, realizamos uma cerimônia em homenagem a Cyro, durante a reunião da fraternidade dos pedreiros, da qual ele também era membro, seguindo à risca a tradição das pompas fúnebres. Estavam presentes praticamente todos os pedreiros de Jerusalém e redondezas, entre eles os três vindos da Grande Baab'el, Sedrach, Mezzech e Abdnego, que depois da cerimônia se despediram de mim, prontos para sua viagem de volta à cidade de origem. Nossa despedida foi carregada de tristeza, pois tanto eles quanto eu havíamos perdido o objetivo de nossa expedição ao subterrâneo. Eles haviam apenas vislumbrado a grande sala de Enoch, onde certamente jaziam os mais fascinantes segredos do passado: eu, nem isso. No fim das contas, entretanto, a vantagem era minha: graças ao terremoto que fizera ruir o subterrâneo, eu acabara por reencontrar minha moeda milagrosa, junto com a faixa de *tarshatta* que agora, mais do que nunca, me seria útil.

Abdnego, falando por seus companheiros, despediu-se de mim com o beijo fraterno na face esquerda, dizendo-me:

— Meu irmão, aquilo que juntos vivemos estará para sempre em nossos corações e mentes. Quando um dia nos reencontrarmos, seja onde for, haverá um laço a mais entre nós, do qual nunca esqueceremos.

Os três, como haviam chegado, se foram, deixando-me um travo amargo na boca: eu não entendia como tantas pessoas passavam por minha vida, cruzando meu caminho por maior ou menor tempo, e um dia desapareciam, deixando-me apenas sua recordação, que em certos casos ia-se desvanecendo lentamente, até se tornar mais impressão que lembrança. Pensei que um dia eu também desapareceria da vida de todos: nesse momento, eu é que os perderia a todos, de uma vez só.

Passei os dias seguintes em atenção redobrada: os ataques dos samaritanos haviam cessado como que por encanto, desde a notícia da morte do Grande Cyro, e levei um bom tempo para aceitar que a suspensão das hostilidades não era apenas uma coincidência. O conselho dos mais velhos voltou a se reunir, coisa que não fazia desde algum tempo, e ficávamos tentando compreender o que estava se passando e de que maneira poderíamos nos defender do que o futuro nos traria. Yeoshua, cada vez mais envelhecido por sua postura hierática, voltou a sentar-se a meu lado no grande salão: não falava comigo, mas também não me enfrentava mais, preocupado com a sobrevivência de nosso povo. Ageu de vez em quando entrava na reunião, observava a cada um com seu olhar rutilante e saía, sem nada dizer, aliviando-nos muito. Nada seria mais terrível que uma de suas profecias, num momento como esse.

Os negócios em Jerusalém estavam parados, e pelo que podíamos ouvir das raras caravanas que chegavam até nós, era exatamente o que acontecia em toda parte do Império, um marasmo intenso e inexplicável, enquanto Cambyses não tomasse suas primeiras atitudes como novo Senhor do Mundo. Uma intensa preocupação tornou-se parte do dia-a-dia de todos: sendo verdade a máxima que reza que "atrás de mim virá quem bom me fará", certamente teríamos em Cambyses alguém que serviria, antes de tudo, para glorificar a Cyro. Nós de Jerusalém não imaginávamos de que maneira nossas certezas de grandeza e poder seriam transformadas em pó.

Numa dessas tardes de modorra preocupada, minha mãe surgiu repentinamente à porta da sala de reuniões. Ergui-me, solícito, pois não a via com tanta regularidade quanto devia, e só me recordava disso quando ela me caía sob os olhos: ela entrou no salão, quase sem ser notada, e, em voz baixa, disse-me ao ouvido:

— Maz'al'tov!

Durante um instante, não percebi porque ela me saudava, mas, olhando em seus olhos e vendo seu sorriso, apertei-lhe as mãos: ela me dizia que eu finalmente, com as graças de Yahweh, seria pai. Minha mãe repetiu mais alto a palavra, e de repente todos de mim se acercaram, erguendo as mãos para o céu e saudando-me como pai do futuro Rei de Israel. Até mesmo Yeoshua, tão sério e compenetrado, permitiu que os restos de nossa amizade permeassem seu papel e veio saudar-me, pondo as mãos em meus ombros e dizendo, com voz alta:

— *Avibnu Malkhenu, chamol alehnu veal olalehnu vetapehnu!*

Ouvi sua voz emitindo essa prece e imediatamente me veio à mente sua figura rechonchuda, à beira do Eufrates, gritando as bênçãos para mim e Daruj, enquanto nosso barco celeremente descia a torrente. Cercado pelos que me cumprimentavam, perguntei à minha mãe:

— Qual delas, minha mãe, qual delas será a mãe de meu primeiro filho?

E minha mãe, sem o saber, encheu-me o peito de alegria, ao dizer:

— É Rhese, a filha que teu próprio pai escolheu para florescer-lhe a casa...

RECONSTRUINDO O TEMPLO

A alegria foi redobrada, e os cumprimentos passaram a ser dados também a Belsan, velho amigo de meu pai, por ser pai de Rhese, a mãe de meu filho, a mulher que me salvara da maldição da infertilidade, dando-me a certeza de que o reino de Israel seria longo e que, com ele, a Casa de David seguiria existindo para todo o sempre.

A notícia se espalhou por toda a cidade, e logo o alarido das comemorações subiu até as janelas sempre abertas do palácio: até as nuvens pesadas que nunca se afastavam de Jerusalém pareciam menos ameaçadoras, e enquanto as festas se iniciavam e estendiam pela noite adentro provei, pela primeira vez em muitos anos, algumas taças de vinho doce e fresco, que logo me puseram a cabeça a rodar. Eu estava feliz, e essa tontura me pareceu deliciosa, sentindo-me reompensado depois de tanta ansiedade. Dormi ouvindo o regozijo do povo, que se estendeu até de manhã, pois a notícia, como havia predito Ageu, havia chegado exatamente no dia da festa da semeadura do trigo, que se multiplicou graças à notícia de que o futuro Rei de Israel nasceria, sendo com a graça de Yahweh o primeiro de uma longa série.

No dia seguinte, encontrei Rhese, como sempre cuidando de seu pomar, compenetrada. Saudei-a, e ela manteve os olhos baixos, mesmo quando eu, com carinho, afaguei-lhe o ventre, agradecendo-lhe pela criança que ela trazia. Sua face ficou corada, mas mesmo assim ela me abraçou com extremo carinho, dizendo:

— Meu senhor, não há o que eu não seja capaz de fazer para te dar o que desejas.

Graças à notícia da prenhez de Rhese, meus outros sogros ficaram em polvorosa, exigindo que eu, agora que já era capaz disso, lhes emprenhasse também as filhas. Meu coração, encantado com a gravidez daquela que ele mesmo escolhera, nem pensava em ver-me envolvido com outras: mas eram negócios de estado, e eu tive que voltar a recebê-las em meus aposentos. Não digo que isso fosse pouco prazeroso, pelo contrário: mas certamente meu coração não estava nem um pouco envolvido no conúbio e prazer que tínhamos, e eu me deslindava daquilo com certa rapidez, para voltar a meu próprio eu, relaxado e feliz.

A barriga de Rhese foi crescendo, e depois de três meses começaram os comentários: porque só ela havia sido emprenhada? Nenhuma outra de minhas mulheres, trancadas dentro do *harim*, dava sinais de prenhez, e não foram poucos os comentários durante as reuniões do conselho político de Jerusalém sobre esse estranho fato. Eu passava incólume por eles: minha fertilidade estava garantida, e nada havia que a pudesse tirar de mim.

Pensei assim até que, chegando a meus aposentos uma noite, antes de receber a esposa do dia, vi um rolinho de pergaminho sobre as almofadas. Curioso, abri-o, e ao decifrar as poucas palavras que trazia escritas, soltei-o como se fosse brasa. O rolo entreaberto ficou em meu leito, enquanto as palavras nele escritas giravam incessantemente por minha cabeça: "O filho não é teu."

Depois de algum tempo, impaciente com a maldade dos que me cercavam, rasguei o pergaminho em mil pedaços e decidi esquecer-me dele. A esposa daquela noite, Eliá, já entrava, vestida de carmesim e recendendo a rosas. Deitamo-nos no leito e executamos a bela dança do amor, e o gozo que tivemos aliviou um pouco a opressão que o pergaminho havia deixado dentro de mim. Como de costume, virei-me para o lado e comecei a dormir, tendo a exata sensação de que havia em meu futuro uma felicidade constante, e que só me faltava estender o braço para alcançá-la. Nesse lugar ensolarado e cercado pelo sol e o vento da Grande Baab'el, estiquei a mão, e à minha frente estava Sha'hawaniah, seu sorriso ensombrecido pelo véu azul-escuro, dizendo-me:

— Minha senhora Ishtar manda dizer que o filho não é teu.

Saltei do leito, agarrando-lhe o pulso, e quando percebi, estava em meu próprio quarto de dormir, apertando o pulso de Eliá, que me olhava de olhos arregalados. Gritei:

— O que disseste?

— Meu senhor? — Ela não sabia a que eu me referia. — Só vos saudei antes de voltar ao *harim*...

Eu a sacudi com violência, vendo suas faces ficarem extremamente brancas:

— Repete o que disseste, palavra por palavra, vamos!

As lágrimas corriam pelas faces atemorizadas de Eliá:

— Perdão, meu senhor, mas eu te disse que minha senhora Ishtar te manda lembranças...

— Mentira! Disseste outra coisa! Quem te mandou aqui? Confessa!

O alarido que eu fazia chamou a atenção dos guardas de meus aposentos, que se moveram entrechocando suas lanças do lado de fora dos reposteiros, e logo depois ouvi a voz de Jael, dizendo meu nome. Sentei-me ao leito, soltando Eliá, que se encolheu em um canto de parede, trêmula, até que ergui o braço e sussurrei, entre dentes:

— Sai daqui.

Ela escorregou para fora de minha câmara, e do lado de fora eu pude ver o semblante preocupado de Jael, a quem mandei entrar. Ele atravessou o umbral, e eu lhe disse:

— De hoje em diante, exijo guardas durante todo o tempo à porta de meus aposentos: ninguém deve entrar aqui sem tua vigilância! Se alguém tentar colocar qualquer objeto estranho dentro dessas quatro paredes, deve ser imediatamente levado até mim para que eu lhe aplique o castigo devido! E quanto a minhas mulheres, nunca mais pretendo ouvir-lhes a voz: devem entrar e sair daqui em silêncio, sem proferir nem uma palavra! Diz-lhes que, se me desobedecerem, pagarão com a própria vida! Vai!

Eu mesmo estava me desconhecendo. Jael, percebendo meu extremo abalo, curvou-se suavemente e saiu da sala, deixando-me sozinho. Tomei grandes goles de água, e lentamente fui-me acalmando, voltando a um estado próximo da normalidade, chegando mesmo a rir de meu descontrole ao fim de algum tempo. Alguma imbecil, certamente movida por ciúme de meu carinho para com Rhese e de sua sorte em estar prenhe do futuro Rei de Israel, decidira empanar-me a alegria com essa maledicência sem sentido: eu, quase adormecido, havia mantido em minha mente a mensagem escrita, ouvindo-a da voz de Eliá como se fosse a de Sha'hawaniah, e sofrendo duas vezes pelo que já havia sido rasgado e destruído.

É terrível pensar que nada seja esquecido, que nenhuma palavra seja proferida que não permaneça soando através do tempo, numa incessante onda de som, e que nenhuma prece seja murmurada que não esteja para sempre estampada na Natureza com a assinatura de Yahweh. O que eu lera no pergaminho e ouvira em meu sonho nunca mais se apagou de minha mente, e desse dia em diante foi-me lentamente envenenando o coração, amargando-me os dias e esgotando qualquer resquício de prazer que eu pudesse experimentar. Quando encontrava pessoas, nas reuniões do conselho ou nas ruas de Jerusalém, e alguma delas me olhava e fazia um comentário em voz baixa com algum vizinho, eu tinha certeza do que dizia: "O filho não é dele." Durante algum tempo, pensei em reagir, mas depois de algum tempo tive a certeza de que todos sabiam do que me afligia, de que o filho que estava no ventre de Rhese não era meu, e que não havia o que eu pudesse fazer. Por isso, fechei-me, entrando em estado de mutismo quase paralítico, olhos baixos, fonte cerrada, voltado para dentro de mim mesmo, onde só enxergava essa dúvida insuportável.

Não tive coragem de falar dela com ninguém: Feq'qesh, o único dentre os que conhecia com quem me sentiria menos envergonhado de tocar no assunto, havia mais uma vez desaparecido, e como sempre ninguém sabia quando ou mesmo se haveria de voltar. Meu mutismo foi-se acentuando, até a ocasião em que, antes de sair de meus aposentos para mais um dia de absoluta inação à frente de meu reino, os reposteiros se abriram e a pequena figura encurvada de Ragel entrou, olhos semicerrados, cheirando o ar à sua frente. Envelhecera muito, meu irmão médico, e foi com grande alívio que se sentou em um escabelo, tirando o peso de sobre suas pernas e pés cansados. Colocou-me a mão sobre os ombros e apalpou-me os pontos de pulsação do corpo, nas têmporas, na garganta, no peito, em ambos os pulsos, na barriga, nas virilhas, atrás dos joelhos, nos tornozelos. Permaneci calado durante esse exame, e Ragel, percebendo meu mutismo, disse:

— Algo te incomoda, Zerub? Alguma dor constante, algum mal-estar inexplicável, algum amargor na boca?

Como podia dizer-lhe que o amargor estava mais profundamente enraizado? Tomei-lhe as mãos, como se faz com um pai, e eu nunca fizera com o meu, e disse-lhe:

— Meu irmão, existe alguma possibilidade de que o filho de Rhese não seja meu?

Ragel inspirou o ar rapidamente para dentro do peito, retendo-o lá por alguns instantes: depois exalou-o suavemente e, soltando as mãos e cruzando-as no colo, disse-me:

— Queres a verdade ou devo mentir?

Cobri o rosto com as mãos, aterrorizado: Ragel me abraçou ao peito, cobrindo-me a cabeça com seu próprio manto, e enquanto estávamos dentro desse dossel de proteção, disse-me:

— Eu te havia dito que muito dificilmente serias pai. Se tua mulher emprenhou, e é honesta, deve ter sido um dos milagres do poderoso Yahweh. Eu, que já vivi muito, só creio em milagres que eu mesmo tenha experimentado, e certas dúvidas um homem carrega para seu túmulo. Esta será a tua, meu irmão, e nada que eu te diga pode extingui-la, mas pensa que certamente será melhor que nunca se dissipe...

Saí desse encontro absolutamente tomado pela noção de que o que em mim era apenas uma dúvida já se configurava como certeza em todos que me cercavam. Os meses foram passando, uns atrás dos outros, a cada dia sem notícias de que outra de minhas esposas houvesse emprenhado tornava mais poderosa a dúvida terrível, preenchendo-me a alma com seu pântano negro. Os negócios de estado, o reerguimento do Templo, a muralha em torno de Jerusalém, tudo se interrompera, pois minha inação infectava o reino com uma imensa preguiça, e tudo era deixado para amanhã, já que não sabíamos como Cambyses, de quem nada ainda se ouvira, trataria as questões que seu pai havia deixado pendentes.

Rhese a cada dia carregava com mais dificuldade a imensa barriga, e o brilho da pele esticada e rosada a fazia ainda mais bela. Como estava grávida, eu respeitava seu período, e só voltaria a tocar nela quando estivesse parida e purificada pela *mikvah*. Eu sentia sua falta, mas todos os dias passava por seu pomar para vê-la e com ela conversar um pouco. A dúvida continuava a verrumar-me o crânio: agora, meus próprios sogros já me chamavam de "arqueiro de uma só seta", e esta piada de mau gosto se espalhara pela cidade, adejando à minha volta cada vez que eu a atravessava. Até mesmo meu amigo Jael, respeitando meu mutismo, pouco aparecia em minha presença: conhecedor dos negócios essenciais, tocava-os sem me incomodar com eles, livrando-me de preocupações das quais eu não tinha como me ocupar. Os únicos que não me tratavam de nenhuma maneira diferente da de antes eram meus irmãos pedreiros, entre os quais me refugiava para purgar meu silêncio e minha extrema solidão.

Numa noite de lua cheia, de que me recordo por estar em frente a uma de minhas janelas comendo os primeiros figos de Shebat, um burburinho ao fundo do corredor chamou-me a atenção, e logo uma das mulheres veio informar-me que Rhese estava iniciando os trabalhos do parto de nosso filho, o único que eu já gerara até esse dia. Tentei entrar no *harim*, mas fui impedido: a tradição reza que os pais não se aproximem de suas mulheres nessa hora. Por isso fiquei em meus aposentos, aguçando os ouvidos a qualquer ruído diferente, até que adormeci com a cabeça sobre a mesa de trabalho, olhando o embrulho onde minha harpa jazia, esquecida, prometendo a mim mesmo voltar a tocá-la em homenagem a meu filho, assim que ele pudesse escutar-me. Um alarido feliz, risos e gritos soaram no fundo do corredor, e eu aguardei que Jael me viesse avisar que meu filho havia nascido. Quem veio, no entanto, foi um dos guardas, dizendo que a criança logo estaria em meus aposentos, para que eu a pudesse ver.

Duas mulheres mais velhas, acompanhando minha própria mãe, que segurava um bebê embrulhado em panos brancos, entraram na sala, saudando-me aos gritos. Eu era pai! Sentei-me em meu escabelo e esperei que elas o colocassem em meu colo, abrindo os panos para vê-lo por inteiro. Era um menino lindo, de cor trigueira como a minha, os cílios longos e os cabelos castanhos de Rhese. Seus bracinhos e perninhas eram macios e rechonchudos, e os dedinhos dos pés e das mãos beiravam a perfeição. Virando-o de costas, percebi uma mancha em sua perna, que cuidei ser alguma sujeira que tivesse escapado à limpeza de depois do parto: era um sinal de nascença.

Ergui o menino contra a luz da lua, e, para meu horror, vi na parte traseira de sua coxa esquerda um sinal triangular que eu já conhecia, e que por um instante não pude precisar onde o vira. Subitamente recordei, o coração trespassado pela dor que se prenunciava havia meses: era a mesma mancha de nascença de Jael, meu amigo, meu irmão, aquele a quem eu tinha confiado a minha vida. Meu filho não era meu filho: o sinal idêntico ao de seu pai, que a Natureza se encarregara de colocar-lhe no mesmo lugar, era o fim de minhas dúvidas. Eu não as levaria para o túmulo: agora sabia com certeza que o pai dessa criança era Jael, e não eu. Milhares de imagens passaram por minha cabeça, das inúmeras vezes em que eu o vira conversando com Rhese. A noite em que alguém me dera um encontrão, fugindo do *harim* escuro, saltou-me à frente dos olhos como se eu a estivesse revivendo, só que desta vez eu via quem me derrubara. Era Jael, meu irmão, meu amigo, meu traidor, a serpente que eu criara em minha própria casa para que me mordesse onde a dor era mais profunda e mortal!

Meu ar de desespero não passou despercebido à minha mãe, que me perguntou:

— O que tens, meu filho?

Disfarcei, ainda que muito mal:

— Nada, minha mãe: é a emoção de ser pai pela primeira vez. Segura esta criança: devo dar a notícia a meus conselheiros.

Saí de meus aposentos, rumando diretamente para os de Jael, a poucos passos de onde eu estava. Ergui os reposteiros: seu leito estava vazio. Perguntei aos guardas por ele: ninguém o havia visto. As sentinelas do palácio me informaram que havia saído logo depois do pôr-do-sol, com um saco às costas, indo em direção à cidade. Apanhei minha espada e fui atrás dele. Alucinado de dor, atravessei a cidade adormecida aos berros, gorgolejando o nome de Jael, às vezes o de Rhese, às vezes o de Yahweh. Devo ter atravessado toda a cidade umas duas ou três vezes: nenhum sinal havia de meu traidor. Retornei ao palácio como um sonâmbulo, e vendo acima de mim as janelas iluminadas, atrás das quais as pessoas se movimentavam, como numa festa, saudando o nascimento do futuro Rei de Israel, percebi que estava no pomar de Rhese, onde tivéramos a tarde de amor em que eu jurava ter sido gerada essa criança. Enganado, em meu desespero sem limites, ergui a espada e pus-me a derrubar, metodicamente, toda e cada planta que ali se erguia: girassóis, figos, moitas de coentro e salsa, todas caíram ao chão sob o fio de minha espada, que queria ferir carne e ossos. Cheguei a pensar em cortar-me a mim mesmo, para ver se a loucura se esvairia de dentro de mim, mas persisti em minha ira progressiva, e quando o sol começou a nascer sobre a cidade abafada, nada mais havia de pé. Estava em meio às ruínas do que Rhese erguera com suas mãos e seu cuidado, enquanto gerava em seu ventre o filho que não era meu. Com as faces, os braços e as pernas manchadas de pó e pedaços de folhas, subi as escadas de pedra e madeira, buscando esconder-me.

Quando cheguei a meu salão, ele estava cheio, e todos se calaram ao me ver. No meio de soldados do Império, entrevi a Re'hum e Sam'sai, e logo atrás deles meu amigo Mitridates, seu braço mirrado oculto por faixas de pano. Os soldados se perfilaram, Re'hum de um salto sentou-se em meu trono, e antes que eu pudesse fazer qualquer coisa, Mitridates, frio como sempre, estendeu-me uma placa de argila gravada com o sinete de Cambyses, dizendo-me, em voz baixa:

— Perdão, Zerub, ser eu quem te traga essa notícia.

Erguendo a voz, proferiu, sem olhar-me:

— De ordem do Grande Cambyses, como está inscrito nesse documento, tu não és mais o *tarshatta* de Jerusalém.

A sala deu um grito de horror e desaprovação. O único que não o secundou fui eu mesmo: se já havia perdido tudo que me era mais caro, o que mais poderia pretender manter em meu poder?

Tudo ruíra, tudo viera ao chão, nada mais estava de pé: eu era como as ervas que havia arrancado, e jazia morto e decepado sobre os restos de minhas próprias vãs esperanças. Templo erguido, templo derrubado. Quem o haveria de reconstruir?

Capítulo 34

Enfrentei a derrocada como se fosse apenas um observador não envolvido com os fatos. Nunca em toda a minha vida havia percebido de maneira tão absoluta ser a mudança a única força permanente do Universo. O próprio Yahweh, com todo o Seu poder, parecia também estar sujeito a essa força incontrolável: se era verdadeiramente o deus de justiça como me haviam dito, algo mais que o simples capricho deveria movê-Lo em tantas variações de que minha vida vinha sendo alvo, como se nela nada existisse que fosse íntegro, concreto e durasse mais que alguns instantes. Se tudo dependia da vontade de Yahweh, Yahweh dera, Yahweh tomara, Yahweh erguera, Yahweh destruíra. Eu nada podia fazer quanto a isso: era simplesmente Sua marionete, um desses bonecos de madeira que os titereteiros do mercado movem por trás de panos finos, distorcendo os movimentos e as formas de suas sombras e subitamente tirando-os do campo de visão de quem os observa. Quando somem de vista, é como se nunca tivessem existido, e eu era um desses a quem se rouba a existência simplesmente por tirá-lo do alcance da luz.

No salão repleto, os habitantes de Jerusalém rojavam-se ao solo, os samaritanos se regozijavam com sua vitória, os soldados de Cambyses impunham sua presença poderosa, e eu estava vazio. Perdera no mesmo momento o amor, a força, o poder, a honra, atributos que nunca mais seriam meus: mesmo que a roda da fortuna desse mais uma de suas vertiginosas voltas e me reerguesse às alturas das quais fizera parte, eu nunca mais seria o mesmo. Uma parte de mim se quebrara, e eu levaria muitos anos para perceber que parte era essa.

Os samaritanos enviaram uma embaixada a Cambyses, tão logo tiveram certeza de que ele não tinha motivos para proteger-me ou apoiar-me, como seu pai havia feito. Os documentos que chegaram ao novo Senhor do Mundo, assinados por Re'hum, eram uma obra-prima de distorção dos fatos, mas, como tinham a perfeita lógica que as distorções de fatos costumam apresentar, calaram fundo no coração de Cambyses:

— "Grande Cambyses, Senhor do Mundo, teus servos sírios, fenícios, amonitas, moabitas e samaritanos, sempre preocupados com a integridade do Império erguido por teu pai Cyro, agora sob teu comando, vêm a ti reiterar as denúncias que já haviam feito a teu pai, que delas não se deu conta por estar ocupado com as guerras contra os Massagetai. Como em outro documento que já a ele havíamos enviado, Re'hum, *tarshatta* da Samaria, Sam'sai, seu secretário, e Mitridates, seu escriba, junto a todos os outros oficiais da Síria e da Fenícia, teus servidores, julgamo-nos obrigados a advertir-te que os judeus, que já tinham sido escravizados na Babilônia, voltaram a este país. Eles reconstroem Jerusalém, que havia sido destruída por causa de sua revolta. Erguem novamente suas muralhas, estabelecem seus mercados e também reconstroem seu Templo. Se isso lhes for mesmo permitido, ó Grande Cambyses, e eles continuarem seus trabalhos, logo que os terminarem certamente hão de se recusar a pagar o tributo a ti, e também a fazer o que tu lhes determinares, porque estão sempre prontos a se opor aos reis, pela inclinação que têm de querer mandar e nunca obedecer. Por isso, vendo com que entusiasmo eles trabalham na reconstrução desse Templo e no erguimento das muralhas de seu país, julgamos nosso dever avisar-te que, se te aprouver ler os registros dos reis, vossos predecessores, verás que os judeus são naturalmente inimigos dos soberanos e que é por esse motivo que sua cidade foi destruída. A isso podemos acrescentar que, se tu permitires que eles a reconstruam e cerquem novamente com muralhas, eles vos fecharão a passagem da Fenícia e da Baixa Síria."

Urros de desespero tomaram os que estavam no salão, ouvindo a leitura que Mitridates fazia, friamente como sempre, das inverdades enviadas a Cambyses pelos samaritanos e seus aliados. Permaneci de pé, como se nada tivesse a ver com aquilo: meu coração definitivamente quebrado não me permitia sentir o que quer que fosse. Re'hum, refestelado em meu trono, ouvia os comentários maldosos de Sam'sai, enquanto Mitridates apanhava outra placa de argila, marcada com o selo do Grande Cambyses, e lia dela, sem olhar-me:

— "De Cambyses, Imperador, a Re'hum, da Samaria, a Sam'sai, seu secretário, a Belcem e outros habitantes da Samaria, Síria e Fenícia, nossa saudação. Depois de recebida vossa carta, mandamos consultar o registro dos reis, nossos predecessores, e lá constatamos que a cidade de Jersualém foi sempre, desde todos os tempos, inimiga dos reis, que seus habitantes são sediciosos, sempre prontos a se revoltar, que ela foi governada por príncipes poderosos, muito empreendedores, os quais exigiram à força grandes tributos da Síria e da Fenícia. Para impedir que o atrevimento desse povo possa levá-lo a novas rebeliões, proibimos que continuem a reconstruir a cidade."

Mentiras, exageros, distorções, gerando novas distorcões, exageros, mentiras, tudo com objetivos claramente inconfessáveis, e um móvel apenas: a vingança. A meu redor, o mundo dos habitantes de Jerusalém se esboroava. Eu nada sentia, a não ser a faca de amargor insuportável enfiada em meu peito até o cabo, tornando-se a cada instante parte inegável de mim. O mundo que ruía à minha volta era reflexo do mundo destruído que meu interior se havia tornado: e mesmo sabendo da imensa soma de inverdades cruéis com que os fatos estavam sendo gerados, eu não me abalava. Estava morto, tendo perdido, de uma só vez, amigo, mulher, filho, poder, objetivo.

Das falas de Re'hum, depois da leitura dos documentos que o estabeleciam como *tarshatta* tanto da Samaria quanto de Jerusalém, não me recordo: eram favas contadas, velhas conhecidas, filhas de suas idéias de mando, as mesmas que eu já conhecera nos tempos de juventude. A volúpia pelo poder encontrara nele e em seus seguidores o mesmo terreno fértil que encontrara em Cambyses, e se lhes faltava fundamento para os atos que realizariam, tinham de sobra em seus espíritos a sofreguidão que move os tiranos. Pouco me recordo do que se passou: sei apenas que, em determinado momento, lembrei da moeda guardada no relicário preso à faixa verde e dourada de *tarshatta*, que me fora posta ao peito pelo próprio Cyro, agora em meus aposentos, logo atrás do trono onde Re'hum se sentava, tomando posse de Jerusalém e de seu povo. Ele certamente exigiria a faixa, e nada havia que eu desejasse menos que lutar por algo que só me trouxera perdas e sofrimento. Dei dois passos em direção aos reposteiros: dois guardas avançaram em minha direção, as espadas desembainhadas a meio. Meu ar de alheamento, contudo, devia ser tão grande, que eles se limitaram a me acompanhar enquanto entrei naqueles que já não seriam mais meus aposentos, tomando de um pequeno saco de pano, de onde tirei a faixa envelhecida e rasgada. Ao abrir o relicário, não me surpreendi: a moeda não estava lá. Pensei em chorar sua perda, mas entendi que todas as perdas eram parte desse momento de minha vida, e que finalmente estava livre de tudo que me prendesse a meu passado. Pendurei o saco em um dos ombros, de novo atravessando os reposteiros, seguido de perto pelos guardas do Império. Parando à frente de Re'hum, estendi-lhe a faixa, para vê-lo gargalhar e dizer:

— Que quero eu com esse pedaço de lixo?

Seus seguidores riram, enquanto outros ficavam em silêncio: eu estava reconhecendo o poder de Re'hum sobre minha pessoa, entregando-lhe o símbolo de meu poder sobre tudo. Ele não o desejava, no entanto: por isso, abri os dedos e deixei que a faixa caísse ao solo, virando as costas e saindo do salão. A grita da turba atrás de mim era imensa, e tanto os samaritanos e aliados de Re'hum quanto meus próprios compatriotas, em busca de um alvo para sua ira, apostrofaram-me e xingaram-me de todas as formas possíveis, suas faces distorcidas se deformando em frente a meus olhos, enquanto as lágrimas deles porejavam, no caminho para fora do palácio que não era mais meu, talvez porque nunca o tivesse sido.

Atravessei a cidade como um morto ambulante, percebendo de imensa distância as reações do povo aos últimos acontecimentos. Desci ruas, dobrei esquinas, caminhando sobre a poeira das ruas como se caminhasse sobre mim mesmo, arrastando os pés um após outro, até que dei por mim em frente à taberna dos pedreiros, vazia. Entrei em seu interior de penumbra, e num canto mais escuro enrodilhei-me, fechando os olhos e enfiando o saco vazio que trazia ao ombro sobre a cabeça, sentindo o cheiro de poeira que nele havia, mergulhando dentro de minha dor silenciosa. Quando meus irmãos chegaram, mais tarde, encontraram-me na mesma posição, enrodilhado sobre mim mesmo. Ergueram-me, sem que eu desse sinais de percebê-los. Na reunião de pedreiros que se seguiu, ouvi como que vinda de muito longe a discussão sobre meu futuro. Isso não me interessava: na verdade, nada mais me interessava. Não queria saber, recordar, agir: desejava apenas que meu corpo, refletindo o estado de meu espírito, também morresse.

Um irmão recém-chegado, que eu não conhecia, disse:

— Nosso irmão Zerub teve sorte em conseguir sair do palácio antes que decidissem prendê-lo. As patrulhas do Império já estão batendo a cidade, perguntando a todos onde ele se escondeu.

Ananias se ergueu:

— É preciso tirá-lo daqui: breve estarão invadindo todas as casas em sua busca.

Ragel, olhos semicerrados, falou:

— Tiveste sorte, irmão Zerub: eu estava lá e percebi isso. Apanhaste a todos de surpresa com tua saída tão inesperada do palácio: só depois que já estavas fora dali, é que pensaram se não seria melhor prender-te, ou matar-te. Mas como o povo todo estava contra ti, naquele instante, iludiram-se com o que acharam ser seu momento de glória, permitindo que andasses pela cidade para ser ofendido como eles desejavam. Só agora perceberam que tua liberdade pode ser um problema, e que precisam ter-te sob as unhas.

Ananias voltou a falar, com sua voz grave e cansada:

— Onde o ocultaremos? Lembrem-se, irmãos, que nosso irmão Zerub tem, junto conosco, uma missão a cumprir. É preciso preservá-lo para que possa, quando chegar o momento certo, retomar sua tarefa.

Théron, meu chefe da guarda, despido de todos os adereços de seu cargo, para não chamar a atenção de ninguém, pôs sua mão em meu ombro:

— Irmão Zerub, nada temas: a fraternidade dos pedreiros é responsável por tua integridade física, já que somos fiadores da tarefa que tens a cumprir. Nós te protegeremos, nem que para isso tenhas que desaparecer da vista dos homens.

O que discutiram nessa noite, não sei: enquanto me levavam para uma alcova sem janelas ao fundo da taberna, barrando-lhe a porta com uma pesada mesa e cobrindo-a com inúmeras coisas pesadas, tateei entre o sono e o delírio, respirando um ar viciado, revivendo tudo o que tivera e perdera. A cada instante, o coração se sobressaltava com a lembrança dos fatos recentes, que doíam como no momento em que aconteceram. Em minha alma não havia diferença entre fato e lembrança: os sentimentos que cada coisa vivida me causava eram idênticos à realidade, em toda a sua força e vigor.

No dia seguinte, abriram a porta da alcova e me retiraram dela. Os irmãos que lá estavam eram poucos, porque a maioria dos pedreiros havia saído para realizar as tarefas necessárias, buscando não chamar a atenção de ninguém sobre a fraternidade de pedreiros e sobre minha pessoa. Era preciso que eu fosse esquecido o mais rapidamente possível, e assim os pedreiros espalharam pela cidade boatos sobre minha fuga para o Egito do Faraó, que alguns dias depois já eram considerados não só verdade mas também prova de minha traição aos desejos de Cambyses. Enquanto isso, minhas barbas foram raspadas, minha pele escurecida com tinta feita de argila, minhas roupas substituídas por trajes mais condizentes com minha nova aparência. Eu fora transformado em simples aprendiz de pedreiro, e quando caminhei pelas ruas de Jerusalém, sem ser reconhecido por aqueles de quem tinha sido rei até poucos dias atrás, não percebi neles nenhuma diferença. Estavam vivendo da mesma maneira que antes, e em alguns até percebi sorrisos de alegria, como se o fato de haver-se livrado de mim os aliviasse profundamente. O grupo em que eu seguia, carregando ferramentas de trabalhar a pedra, passou por uma ou duas patrulhas de soldados do Império, que não nos deram mais que um olhar de soslaio. Eu desaparecia entre meus irmãos como o mais ínfimo e desimportante deles, e quando descemos às profundezas das reabertas Pedreiras de Salomão, onde eu me ocultaria de todos, foi como se estivesse sendo enterrado vivo, desaparecendo definitivamente para o mundo em que vivera.

O trabalho nas pedreiras, depois de alguns dias de interrupção, voltou a ser feito com mais empenho que antes, porque os samaritanos que dominavam Jerusalém pretendiam usar a bela pedra de que dispúnhamos no erguimento de seu próprio Templo para Yahweh, em lugar não muito distante do sítio do original. Escolheram, para isso, um pedaço de terreno a leste da Torre de Hananeel, em linha direta com a Porta dos Peixes, e lá demarcaram os limites do que seria a sua obra magnífica. Pelo que soube enquanto ainda tive notícias do mundo exterior às cavernas, durante longo tempo esse Templo não passou disso: as marcas de seus alicerces permaneciam no solo onde haviam sido traçadas, e as pedras que cortávamos se acumulavam à sua volta, porque não fora encontrado nenhum pedreiro disposto ao trabalho nesse surrogato da Obra verdadeira. Os pedreiros de Jerusalém desapareceram como que por encanto, e os que se dispunham a trabalhar na obra, não conhecendo o ofício, acabaram por causar mais problemas que qualquer outra coisa. A arte de erguer paredes de pedra, colocando os blocos esquadrejados e polidos uns sobre os outros, não é para qualquer um: pelo que contavam os poucos irmãos que permaneciam em Jerusalém exercendo outras profissões, nenhuma parede erguida ficava de pé mais que algumas horas, ruindo com fragor e gerando cada vez mais desespero entre os samaritanos. Os hebreus diziam, à boca pequena, que os invasores sofriam esses revezes por não serem verdadeiros filhos de Yahweh, e mesmo quando, para provar-se dignos, os novos senhores de Jerusalém decidiram reconstruir o Templo original como eu o havia reorganizado, o resultado foi o mesmo: paredes que se erguiam e vinham ao solo com estrondo tão grande quanto a frustração que geravam, porque não conheciam os sinais com que eu as marcara, dando-lhes a única ordem possível.

Imerso nos pensamentos que apodreciam meu íntimo, eu sequer dava atenção a isso, quando me traziam notícias do mundo da superfície: deixara de ser rei até de mim mesmo, e nada me interessava. Meu desinteresse foi afastando as pessoas de mim, e eu comecei a viver mais isolado e só a cada dia, sem balbuciar qualquer palavra. Como raríssimos dentro das cavernas sabiam quem eu fora, tomaram-me como um carregador qualquer, e eu confirmei isso levando blocos de pedra bruta de um lado para outro, conforme as necessidades dos artesãos. Não havia outra coisa que eu soubesse fazer: não tinha nenhuma experiência como trabalhador da pedra, não conhecia as ferramentas, e me entregava a esse mister repetitivo e sem criatividade numa tentativa insana de esmagar a alma desagregada que ainda restava em meu interior. As imagens de Rhese e Jael em conúbio amoroso, mais que quaisquer outras, revoluteavam em minha mente o tempo todo, repetindo-se incessantemente, como se eu as tivesse visto com meus próprios olhos e não apenas imaginando-as.

A imaginação, aliás, foi a irrecusável companheira dos tempos que passei nas pedreiras: não era uma imaginação de qualidade, mas apenas constante, perseguindo-me durante o dia. À noite, quando tudo se acalmava e eu deitava em meu canto, ela recrudescia e tomava meu corpo inteiro. Minha insônia se tornou mais poderosa ainda, e os lampejos de cenas que me surgiam na mente durante o dia se concretizavam durante a noite, refletindo-se no escuro das cavernas sem luz, como se as paredes de pedra fossem a superfície onde algum deus mesquinho gravasse as imagens de minha desgraça. Minha vida passava sem parar à minha frente: mesmo quando eu estava acordado, carregando pedras para os outros operários, as imagens se acumulavam em minha mente, surgindo poderosas e vívidas no período de escuridão. Os dias foram se repetindo, um após o outro, idênticos em qualidade, e de repente eu já não conseguia mais distingui-los um do outro, mesmo mantendo deles uma contagem que me parecia correta. Só sabia que um dia havia terminado quando o trabalho se interrompia e a refeição da noite chegava a nós. Eu a comia com a mesma falta de apetite da refeição da manhã, deitando em meu canto para assistir ao desfile ininterrupto de meus delírios na parede de pedra à minha frente.

Sucedendo-se sem nada que os diferenciasse uns dos outros, chegou o momento em que meus dias, sendo todos iguais, deixaram de interessar-me, e eu parei de contá-los. Os delírios pelos quais passava eram sempre idênticos em minha mente, finalmente acabando por reduzir-se a um só, constante e eterno, como se o tempo ali passado fosse uma eterna noite de trevas sem fim, caos de repetição absoluta e incontrolável.

Muito tempo depois, vim a perceber que essas imagens já não tinham tantos detalhes. Os traços com que se haviam fixado em meu espírito iam lentamente ficando menos precisos, e mesmo dentro de minha memória magoada e cheia de ferimentos, não eram mais como antes. As imagens dos rostos eram humanas, mas eu não os reconheceria se os visse no mundo real: tornavam-se mais e mais apenas manchas de cor difusa, os olhos dois buracos de sombra, os corpos a cada instante uma representação mais canhestra do que haviam sido, como esculturas que tivessem sido esboçadas e nunca se tornassem prontas e acabadas, desgastando-se pelo abandono. Coisas e pessoas que eu não via tomavam esta característica quase diáfana em minha memória, seus traços lentamente se desvanecendo. Não sei quando chegou o momento em que, deitando-me para tentar dormir, a parede à minha frente nada mostrou. Eu estava vazio, como se nada mais em mim houvesse. Tentei com todas as forças recordar-me do que vivera, vira, experimentara, sentira. Nada. Qualquer memória seria bem-vinda, até mesmo a das dores que sofrera, mas nada me vinha ao espírito. Eu me esvaziara de todo: quando tentava recordar do que me ocorrera, essa recordação não se fixava em meu ser. Tudo era fugidio, nada permanecia, e eu estava vazio. Um de meus últimos pensamentos nesse dia foi se isso não seria a morte, minha inimiga de tantas ocasiões. Hoje, ela nada significava: não era mais nem amiga nem inimiga, mas sim a perfeita estranha que vinha ao meu encontro envolta em nada para me ofertar o nada de que se cobria.

Eu nunca fora daqueles que sonham vividamente, e talvez por isso não tivesse lembranças do que sonhava. No momento em que acordava, ainda tomado pela sensação que o sonho me havia causado, ele se desvanecia rapidamente, escorrendo para dentro de algum buraco escuro de onde nunca mais retornava. Por isso é que guardo dentro de mim o único sonho de que me recordo completamente, integralmente, porque substituiu as imagens de um passado que já não existia nem mesmo como limite de território percorrido. Foi a partir desse sonho que me tornei o que hoje sou, não sei se por obra de minha vontade ou pela sua ausência.

Na vaziez de mais uma noite nas cavernas, deitei-me, a cabeça limpa de todo desejo e memória, o corpo exânime como sempre ficava quando não era preciso que me movesse, as costas sobre a areia fina do trecho onde eu me ocultava dos outros que ali também estavam, enrolado em meu manto a cada dia mais roto, fitando as trevas acima de minha cabeça. Sem que eu percebesse exatamente quando, no centro brumoso de minha visão surgiu um ponto de luz, que eu acreditei a princípio ser uma dessas manchas que vemos quando estamos na escuridão, mas a mancha começou a girar e tomar velocidade, tingindo-se de dourado. Dentro dessa luz, eu vislumbrei minhas velhas e olvidadas companheiras, as letras do alfabeto hebraico, com que Yahweh havia construído a espiral dupla da Criação, que girava lentamente, erguendo-se e caindo no Universo como a chuva dos céus, desfilando à Sua frente e à minha como seres humanos em passo cadenciado, matéria-prima de mundos a construir, saindo de dentro de meu próprio peito, abandonando-o e esvaziando-o mais ainda com cada abandono.

Em primeiro lugar, saiu *thau*, que, sem deixar de ser a letra feita de línguas de fogo negro, tinha toda a aparência de meu pai, com seu eterno manto e ar severo, carregado de Verdade e ao mesmo tempo recheado de Morte, pois Verdade e Morte eram o oposto uma da outra em sua figura esguia e de olhar brilhante, passando por nós como se não tivesse qualquer utilidade, apesar de tudo o que fizera ter sido bom. Logo após ele, em línguas de fogo tríplices que formavam a letra *shin*, saiu de meu peito o amigo a quem nunca mais vira e de quem mais falta sentia, Daruj, apoiado sobre um só pé em meio a uma guirlanda de fogo, dividido em duas partes por uma cicatriz quase obscena, um lado feito de Verdade absoluta, e o outro de absoluta Mentira, cercado por um touro, uma águia, um leão e um estranho homem alado. Como surgiu, desvaneceu-se, e o homem alado se transformou em Na'zzur, e as letras *tzadi*, *resh* e *khaf* tomaram a aparência dele e de seus dois asseclas, dentro de uma cova no solo, recheada de instrumentos de tortura, no flagrante exercício da injustiça. Sem que eu pudesse precisar de que sexo eram, abraçaram-se e afundaram no solo, que começou a encher-se de água.

À frente de um lago cujas águas fervilhavam, surgiu de mim a letra *peh*, que logo tomou a aparência de Feq'qesh, estranhamente sem olhos: seu rosto era liso como se nunca os tivesse tido, e sua lira vertia a água que fervilhava nessa superfície, engolfando-o. Quando essas águas baixaram, vi no horizonte a letra *ayin*, alta como uma torre, sobre a qual estavam Re'hum e Sam'sai, erguendo os braços vitoriosos, até que um raio imenso desceu dos céus e rachou a torre em duas, atirando-os ao solo, pelo qual foram tragados. O solo começou a tremer, rachando-se, e dele se ergueu, com as formas de *samech*, a imensa figura de Bel'Cherub, arrastando os animalizados Re'hum e Sam'sai por meio de grossas correntes, um de cada lado de seu corpanzil. Sua boca asquerosa se abriu e ela comeu-se a si mesma, restando em seu lugar a letra *nun*, que, com um braço mirrado, era idêntica a Mitridates, o amigo cujo Temor e Coragem tão bem se equilibravam, permitindo-lhe, sem maiores abalos, ser tudo o que devia ser, ainda que isso magoasse os que lhe estavam próximos. Mitridates deu um de seus tristes sorrisos, e quando avancei a mão em sua direção, também afundou no solo, ficando apenas com a cabeça de fora: desse mesmo solo, outras cabeças começaram a despontar, junto a mãos, pés, como uma estranha lavoura que estivesse no ponto para ser colhida, e um descarnado Belshah'zzar, estranhamente semelhante à letra *mem* mas sem nenhum dos atributos de sua Realeza, ergueu uma foice e começou a segar o que estava no solo. Fixei o olhar sobre as cabeças, notando que uma delas era a do próprio Belshah'zzar: mirei a figura descarnada do segador, e ele era Nabuni'dush, que com um golpe mais forte separou a cabeça de seu *puhu* das raízes e a atirou rolando em minha direção. Olhei-a a meus pés enquanto ela afundava no solo, e de meu baixo-ventre, subitamente cheio de dor, rompeu um abscesso que atirou à distância uma letra *lamed*, enroscada como uma grande serpente das águas. Quando esta serpente se solidificou à minha frente, transformou-se em Ragel, pendurado de cabeça para baixo por um de seus pés, velho, cego, inerte, morto.

Um trovão rolou pelos céus, e do horizonte, avançando para meu peito, surgiu um poderoso leão, trazendo em sua boca uma chave, vindo em minha direção como se fosse atacar-me. Do lugar em meu peito onde o trovão se refletira, irrompeu uma letra *khaf*, aberta como uma boca, imediatamente transformada em Yeoshua, não como agora era, mas sim como fora em nossa juventude, amedrontado, pequeno e rubicundo. Ele saltou sobre o leão e, abrindo-lhe as fauces com as mãos, tomou a chave que trazia entre os dentes: mas, ao segurá-la, sua aparência se modificou e ele se transformou no Yeoshua hierático que eu viera a conhecer nos últimos anos, e que me virou as costas, colocando-se à minha esquerda, sem me olhar.

Quando eu ia tocá-lo, desejando que falasse comigo, outro trovão soou, e do horizonte veio caminhando de costas sobre as mãos e os pés, como uma aranha, Ageu, a boca escancarada e babosa, os olhos completamente brancos. Andou rapidamente em minha direção, erguendo-se apoiado em um cajado feito da Vontade de Yahweh, com a forma de uma letra *yod*. Gargalhando convulsivamente, virou-me as costas e se colocou à minha direita. Minha fonte começou a doer terrivelmente: erguendo as mãos até ela, percebi que o que me apertava o crânio era a coroa de esmalte azul com estrelas de ouro que eu usara enquanto fora rei de meu povo. Atirei-a ao solo, e ela, tomando a forma de um *thet*, imediatamente começou a parecer-se com Ananias, vestido com os mais pobres andrajos que se pudesse imaginar, segurando nas mãos um candeeiro de pedra que emitia uma luz puríssima. Ele me pôs as mãos sobre a cabeça, exatamente no lugar onde a coroa havia feito surgir a dor, fazendo-me virar para trás, para que eu visse o céu se abrir e dele surgirem duas colunas cercando um gigantesco ser. Era um *chet*, que tomou as feições de meu irmão Cyro, o Grande, sorrindo tristemente enquanto erguia a balança e a espada que segurava. A espada foi colocada em minhas mãos, e sua lâmina tinha um gume de Maldade e outro de Benevolência, e quando a sopesei, apertando-lhe o punho, um grito de milhares de bocas soou em uníssono, e me vi novamente sobre a ponte do Rio Gabbarah, onde um carro de proporções gigantescas vinha em minha direção, trazendo os cadáveres de todos os homens que eu matara na batalha.

Recuei dois passos, segurando a espada à minha frente, e depois os ataquei sem temor, pois estavam mortos, espalhando seu sangue por todo o Universo. Estes cadáveres, tomando a forma de milhares de letras *zayin*, caíram sobre mim como chuva, lavando-me de todo o sangue que me recobria. Nu como havia vindo ao mundo, de meu peito um estranho ser feito de sombra e luz, as letras *vau* e *heh* reunidas em uma só, saiu rodando no espaço, com as formas de Rhese e Jael, em conúbio amoroso, e tudo o que eles sentiam eu também sentia. Meu ventre se distendeu mais uma vez, dessa vez sem dor, e eu acabei por colocar no mundo uma criança também feita de luz e sombra, que eu sentia ser meu filho, mesmo sabendo que não o era. Segurei-o em meus braços e olhei-lhe o rosto, que era ao mesmo tempo o meu e o de Rhese e o de Jael, como se os três houvéssemos colaborado em partes iguais para que nascesse. A criação de que eu fora incapaz se fazia possível em sonho, mais fabulosa ainda quando o recém-nascido, olhando-me com a profundidade de um homem feito, abriu a boca e disse:

— Quem nada possui, nada tem a perder.

Uma música fortíssima começou a soar, e de dentro de meu peito foi vagarosamente saindo a letra *beth*, com a força da Criação à minha frente transformando-se em Sha'hawaniah, dançando e meneando os quadris com a volúpia de que sempre me recordava, e que mais nada me fazia sentir. Ela, grudada em meu peito por fios de uma matéria que eu não sabia qual fosse, a cada instante fazia mais força para causar-me algum efeito, e quanto mais esforços fazia, menos eu sentia. Os filamentos que me ligavam a ela foram se esgarçando e rompendo, até que restou apenas um, que foi-se afilando e ficando mais tênue, partindo-se e jogando-a no fundo do abismo insondável do Universo, que era o vazio de meu peito, onde ela deixou de valer qualquer coisa digna desse nome. Tudo que eu vira e que saíra de dentro de mim também caiu no vazio desse abismo das eras, desaparecendo e deixando-me vazio, em trevas, sem ver, nem ouvir, nem pensar. Eu era Nada, e o Nada era Tudo.

Lentamente, depois de um tempo que não sei precisar, o brilho dourado ressurgiu à minha frente, e quando o fixei, já não estava mais sonhando: via a pedra verdadeira à minha frente, transparente como se fosse feita do vidro que os egípcios haviam inventado. Eu via as veias dessa pedra, por onde corria a luz que vinha de alguma fonte à minha direita, dentro do subsolo em que me encontrava. A luz dourada que a tudo permeava se espalhava pelos salões sucessivos das cavernas, de lá explodindo no mundo a que iluminava totalmente. Quando olhei para mim mesmo, também estava cheio dessa luz dourada, que fluía do centro de meu peito e se espalhava por meus membros, tomando-me todo, como se eu também fosse feito de vidro egípcio. A luz fluía dentro de mim, e em meu peito havia agora a pedra que não era mais sem forma, mas finalmente, e para sempre, lapidada e polida por tudo que eu vivera. O que eu perdera era exatamente o que nela havia de excesso, cuja retirada a transformara na lápide cúbica absolutamente perfeita que ecoava a Luz de Yahweh. Meu peito vazio era simplesmente o espaço onde brilhava a luz da vida, nada mais sendo preciso para que eu de novo estivesse vivo, ou quem sabe finalmente vivo pela primeira vez.

Seguindo um impulso irresistível de meu espírito, ergui-me e comecei a trilhar os caminhos que me levariam para fora da caverna. Atravessei salões de todos os tamanhos, ocupados ou vazios, alguns deles coalhados dos restos das pedras que neles haviam sido trabalhadas, outros completamente abandonados, depois de explorados pela mão dos homens que os haviam extirpado de pedaços de rocha. Um salão desses era uma abóbada imensa onde havia uma pequena cachoeira e a piscina natural onde eu me banhava quando lá não havia ninguém. Havia outros homens fazendo sua higiene nessa água, nesse dia, e ao me verem não conseguiram reprimir um movimento de susto, fixando-me em estranho silêncio quando passei por eles. O caminho de saída era um tanto íngreme, e eu o galguei com meus pés descalços, sem saber onde estavam as sandálias com que por ele havia entrado. As juntas de meus braços e pernas doíam: enquanto eu galgava essa trilha gasta pelos inúmeros pés que a haviam trilhado, um grande número de trabalhadores na pedra parava o que quer que estivesse fazendo para ver-me passar. Eu ficara oculto no mais profundo das pedreiras durante tempo suficiente para que se esquecessem de minha existência, e minha presença lhes era no mínimo estranha. Olhei minhas mãos, gretadas e enrugadas, a pele estranhamente pálida. Afastei os cabelos que me caíam sobre os olhos, sentindo que minha barba era imensa, indo muito abaixo do peito. Minhas roupas estavam velhas e esburacadas, encruadas com o pó de pedra que a tudo penetrava. O cansaço me permeava por inteiro, mas a luz dourada que eu ainda sentia pulsando em minhas veias me empurrava para a frente, sempre mais para a frente e para cima, em direção à claridade externa que cada vez aumentava mais, enevoando minha visão.

O mundo exterior à caverna já surgia ao longe, fora da abertura que a cada instante ficava maior e mais clara, e eu recrudesci em meus esforços para chegar ao ar livre, de cujo perfume sequer me recordava. A luz difusa da Jerusalém eternamente encoberta por nuvens plúmbeas ficava a cada instante mais forte, mais próxima. Cheguei à abertura da caverna, cuja frente estava coalhada de pedras polidas dos mais diversos tamanhos, arrumadas em montes diligentemente organizados. Minha figura chamou imediatamente a atenção dos que ali estavam, e que pararam imediatamente de fazer o que quer que estivessem fazendo, permanecendo paralisados, olhando meu lento caminhar para fora das pedreiras. Ergui-me sob a luz do céu, colocando a mão sobre os olhos, enquanto o vento quente me sacudia as vestes e os cabelos, refrescando o suor que cobria a superfície de minha pele.

À minha esquerda, vindo da cidade, um grupo de homens andava em passo cadenciado, e quando se aproximaram quase pude reconhecer alguns deles: um era forte e trazia uma espécie de armadura, outro era velho, as barbas totalmente brancas, e outro, cujos traços me escapavam ao olhar, trazia nas mãos um saco vermelho de formato triangular. Todos vestiam aventais de pedreiro, feitos de branca pelica de carneiro, andando sem mudar de ritmo, vindo em minha direção. Quando o homem mais velho me olhou, teve um sobressalto, e, dizendo alguma coisa aos que o acompanhavam, apertou o passo, fazendo com que todo o grupo também se apressasse.

Foram chegando mais perto, e o homem que carregava o saco vermelho deu um sorriso. Recordei seu nome: Feq'qesh. Os que o cercavam também eram meus conhecidos, mas eu não conseguia juntar nomes a pessoas, pelo menos nesse momento: minha mente estava vazia como se tivesse sido lavada. O homem de armadura correu à frente de todos e, colocando um joelho em terra, gesto que me recordou outro gesto idêntico num passado mais que remoto, colocou os lábios na fímbria de meu manto sujo e quase desfeito. Com as mãos em seus ombros, ergui-o, seus olhos cheios de lágrimas. O homem mais velho chegou-se a nós e me disse:

— Irmão Zerub, como sabias que vínhamos à tua procura?

Tentei falar, mas minha garganta seca não respondeu à minha vontade: a saliva não escorria com facilidade: depois de duas ou três tentativas, consegui emitir alguns sons roucos:

— Não sei de nada. Apenas tive vontade de sair da caverna. Quem sois vós, por que me procurais?

O silêncio era de espanto e incredulidade: eu não entendia por que essas pessoas me estranhavam, já que de nada me recordava e ali estava apenas pela vontade de meu corpo, que me trouxera ao exterior da caverna. O homem que segurava o saco vermelho sentou-se ao chão e abriu-o, tirando de dentro dele uma harpa triangular, que colocou ao colo e sobre a qual começou a passar os dedos, dela extraindo sons que me penetraram a alma mais profundamente que qualquer outra coisa. De chofre, como uma tromba-d'agua, a lembrança de quem eu era e do que fora a minha vida até esse momento me cobriu, fazendo-me abrir a boca em busca de ar, como se me afogasse. Eu era Zerub, o rei proscrito de Jerusalém, que os irmãos da pedra haviam escondido nas pedreiras de Salomão para proteger-lhe a vida e a missão. A idéia de que o Templo tinha que ser reerguido caiu-me em cima como uma pedra: nenhuma dessas coisas me tocava de perto, no entanto, sendo como a vida de uma outra pessoa a quem eu tivesse conhecido, e nada além disso, pois nenhum desses acontecimentos, idéias ou possibilidades tinha qualquer ligação mais profunda comigo. Respirei o quente ar da manhã, virando meu corpo de frente para o lugar onde o sol se erguia, por cima das pesadas nuvens, enchendo profundamente o peito. Estar ao ar livre era uma sensação inacreditável, e eu me sentia renascer, depois do tempo que passara enterrado como se estivesse morto, e do qual agora me erguia como se ressuscitasse. O homem mais velho, Ananias, me disse, enquanto Feq'qesh tocava sua lira, com notas cada vez mais curtas e rápidas:

— A situação mudou, a nosso favor: o filho de Cyro, Cambyses, nosso inimigo e protetor dos samaritanos, morreu e foi substituído por outro Senhor do Mundo. Pelas notícias que nos chegam, este novo é inimigo de tudo o que Cambyses representava e fazia; portanto, deve permitir-nos reiniciar a obra de nossas vidas. Tu te sentes pronto para, mais uma vez, ir à Grande Baab'el pedir por nós e por nosso Templo?

A idéia não me causava nada: passava por mim como a água que escorre por nosso corpo, perdendo-se no chão. Meu protetor grego, de quem agora recordava o nome, Théron, disse:

— Desta vez, irás à Grande Baab'el como Rei dos Judeus, apenas para exigir que se cumpra o decreto de Cyro: se este novo imperador segue seus princípios, certamente não se negará a conceder-nos essa justiça.

Ananias chegou mais perto de mim:

— Tu te sentes disposto a isto, Príncipe Zerub?

O céu clareava, e eu passei a língua nos lábios gretados. Meu coração nada sentia, e eu não via por que não fazer o que me pediam, se isto em nada me incomodava. Sorri:

— Se é o que desejam de mim...

Ananias se aproximou mais, falando com voz mais baixa:

— Mas o teu desejo, Príncipe Zerub, qual é?

Olhei para o lado onde o sol se erguia por detrás das nuvens cinzentas e virei meu corpo e face em sua direção, respirando profundamente, sentindo o ar penetrar-me. Como alguém que tivesse morrido e de repente fosse trazido de volta ao mundo dos vivos, não sendo nem uma coisa nem outra, eu estava suspenso entre vida e morte, sem desejos nem anseios. Olhei para dentro de minha alma, e dela retirei uma única vontade verdadeira:

— Quero beber um pouco d'água.

Théron estendeu-me um pequeno odre feito de pele, e eu bebi o líquido refrescante, que me escorreu pela garganta abaixo, enchendo-me de alívio. Recordei-me de uma viagem por um imenso deserto onde me haviam ensinado que o pior que se pode fazer pela sede é saciá-la: afastei o odre dos lábios e disse:

— Creio que também preciso de um banho e roupas limpas.

Alguém me pôs à cintura um avental de couro, e um manto foi atado em meus cabelos, deixando meu rosto muito barbado ao ar livre. Cercado pelos que ali estavam, começamos a nos dirigir para a cidade que se avolumava logo além. Pisei os pedaços de pedra desgastada que calçavam as ruas e os reconheci como idênticos à pedra que eu fora, eles e eu agora polidos e gastos. As ruas de Jerusalém ficavam a cada instante mais cheias, enquanto nos dirigíamos para o centro da cidade, muitas pessoas à minha volta cuidando diligentemente de seus afazeres. Eu, não: traçava meu caminho sem ritmo nem preocupação, e a harpa de Feq'qesh pontuava meu caminhar, tocando uma música solta, leve, quase sem forma.

Virei-me para Ananias e perguntei:

— Quanto tempo fiquei nas cavernas?

Feq'qesh deu na lira um toque brusco que interrompeu a canção que tocava, e ficamos cercados de silêncio. Olhei-o: ele tinha na face o mesmo sorriso misterioso que era o que dele eu mais me recordava. Os homens que me cercavam também haviam interrompido suas conversas e me olhavam, dando-me a sensação de que toda a Natureza à minha volta se calara. Ananias franziu o cenho e disse, com sua voz muito grave:

— Não te recordas, irmão Zerub?

Olhei-o sem entender:

— Certamente que não. — Ninguém respondeu. — Quanto tempo?

Ananias me olhou e depois falou:

— Sete anos.

Um súbito raio de sol rompeu as nuvens e me atingiu os olhos, fazendo-me cambalear, as pernas subitamente transformadas em lama.

ZOROBABEL

Sentei-me ao solo, exatamente onde estava, cercado pelos rostos preocupados dos que vinham comigo, entendendo após alguns instantes que, por todos os anos em que estivera nas cavernas onde minha alma se modificara, Yahweh me havia dado a bênção da inconsciência, enlouquecendo-me para que eu não percebesse a passagem do tempo. Assim, eu me tornara nisso que agora era, sem precisar sofrer mais do que já sofrera.

Capítulo 35

A taberna onde os pedreiros se reuniam foi o lugar seguro para onde me levaram, ainda cambaleante pela descoberta de que o tempo, até então o maior de todos os tiranos, havia passado docilmente e com muito mais rapidez do que eu imaginara. A sucessão de dias e noites absolutamente idênticos nas profundezas das pedreiras me fizera perder a noção dos dias, e o progressivo isolamento em que me refugiara, afundando nas imagens de minha obsessão com os fatos de minha vida, me haviam feito perder mais ainda o sentido de sua passagem. Trancado dentro das cavernas de mim mesmo, tudo fora apenas um dia e uma noite, até que me sobreviesse o desapego de tudo, garantido pelo sonho de que me recordava nos mínimos detalhes, indicando não haver mais nada dentro de meu peito antes repleto. Tudo de mim se esvaíra, nada em mim restara, e era como se eu tivesse renascido em vida nova, absolutamente deslumbrado por tudo o que me cercava. Cada imagem que me entrava pelos olhos, cada som que me preenchia os ouvidos, cada cheiro, cada gosto, cada sensação tátil, tudo me era rigorosamente desconhecido, como se eu nunca tivesse vivido antes, ainda que me recordasse de ter estado vivo. Meus pensamentos também eram estranhamente novos: eu me ocupava com um de cada vez, dando-lhe toda a atenção que podia, até que um novo tomasse seu lugar. Sentia estar experimentando uma mente nova, e queria ver até onde ela podia ir.

Fiquei sem sair ao ar livre até que meus cabelos e barba fossem cortados e minha aparência lentamente trazida de volta ao que se considerava digno do rei que eu deveria voltar a ser para realizar o que de mim se esperava. A pele de minhas mãos e pés estava dura e gretada, e só depois de alguns dias de massagens com mel e sal grosso, é que voltou a ser como antes. Meu corpo se modificara muito, e as roupas que me apresentaram, todas de excelente qualidade, a princípio me caíram muito mal. Eu não tinha mais o hábito de me vestir, mas minha conformação natural imediatamente se pôs a responder ao trabalho, e a musculatura obtida em sete anos carregando pedras acabou por me dar uma nova postura, de que os que me vestiam acabaram por se aproveitar.

Meus irmãos na pedra fizeram tudo isso por mim em absoluto segredo, pois ninguém poderia saber nem de minha existência nem de meus objetivos. Com a morte de Cambyses e depois a queda da democracia dos atenienses experimentada durante um ano pelos Magos da Pérsia, e logo após a subida ao trono do Príncipe Darius, que reconduzia ao poder a dinastia dos Aquemênidas, os samaritanos haviam ficado em silêncio e inativos, como eu mesmo estivera quando da morte de Cyro. O poder central do Império mudava de mãos e a tudo paralisava, até que o poderoso do momento determinasse com precisão o papel de cada um de seus súditos no cômputo geral das coisas.

Depois de minha primeira semana de recuperação, fui examinado dos pés à cabeça por dois irmãos que já conhecia da oficina de Ragel. Estranhando sua ausência, perguntei por ele:

— O irmão Ragel está morto — disse-me um deles, com a face entristecida. — Foi encontrado de manhã em sua oficina, caído para trás em seu banco, os olhos abertos mirando o céu, a boca com um leve sorriso...

Por um instante, recordei-me de sua figura mirrada e franzina, seus olhos a cada dia mais fechados, o nariz que se abria para cheirar o que ele não conseguia ver, muito mais velho e cansado do que queria acreditar. Fiquei triste, mas essa tristeza dentro de mim era diferente. O que me doía era a falta que Ragel me faria: o sofrimento pela morte alheia é sempre profundo egoísmo, mas seu sorriso na hora final era claro. Ela viera como um alívio de suas dores e achaques, libertando-o do sofrimento da mesma forma que ele a tantos havia libertado dos seus. Isso era o mais importante: a obra que ele deixara justificava sua existência sobre a terra, e eu só desejava que isso também ocorresse com a minha.

RECONSTRUINDO O TEMPLO

Numa tarde muito quente, fiquei no pátio interno da taberna dos pedreiros, olhando para o céu nublado, sentindo o mormaço em meu rosto, quando percebi a presença de Feq'qesh, surgindo silenciosamente a meu lado, sua harpa em uma das mãos e a minha na outra, e na boca o sorriso que eu já não achava mais tão misterioso. Meu mestre sentou-se a meu lado, estendendo-me meu instrumento, e começando a fazer soar o seu, instigou-me a dialogar com ele, opondo-me ao que tocava e complementando sua música, como ele certamente faria com a minha.

Experimentei a medo as cordas de minha harpa, velhas conhecidas a quem eu não vira durante tanto tempo, meus dedos engelhados ao contato com elas. Os sons que delas tirei, hesitantemente a princípio, ainda que inseguros e desentoados, entraram por minha alma a dentro como um bálsamo: guiadas pelas melodias e ritmos de Feq'qesh, minhas notas tatearam o caminho dentro de mim até encontrar aquele lugar íntimo onde todos estamos sozinhos. Circulei por este espaço interno, feito da bela pedra cúbica e polida em que minha antiga pedra bruta se havia transformado: era templo e jardim, e o sol que o iluminava morava dentro dele. Eu tocava com Feq'qesh, quase adivinhando seus próximos movimentos e propostas, essas imagens se firmando dentro de mim, e repentinamente percebi que meu mestre havia parado de tocar, apenas me observando e escutando. A música que soava naquele pátio interno da pobre taberna era agora de minha inteira responsabilidade, e eu dei o melhor de mim, como que prestando homenagens a essa luz que aquecia meu íntimo.

Quando eu já havia dito tudo que tinha para dizer, terminei minha música, recostando-me na parede de alvenaria às minhas costas, novamente de olhos fechados, deliciando-me com o calor do sol em meu rosto. Feq'qesh disse:

— Deste um grande e inacreditável salto como tocador de harpa. Certamente pensaste que, depois de tanto tempo, tivesses perdido o traquejo.

— Não sei de onde vem isso, Feq'qesh. Sabes que sequer me recordei dela enquanto estive nas cavernas? Não acredito que depois de tanto tempo de abandono eu tenha conseguido fazer o que fiz.

— Quando a alma tem valor, ela domina nossa vida, e permeia tudo o que fazemos. A tua teve um imenso crescimento, e por isso é que escorre através de teus dedos para soar em tua harpa. Não te enganes: se não tiveres alguma coisa dentro de tua alma, nada terás para tocar. A música é apenas o verdadeiro sentimento que tens a dividir com os outros: se ele não for real, tua música também não será.

Ficamos olhando o nada por um tempo, e Feq'qesh, mudando de tom, perguntou-me:

— Tu te sentes pronto para enfrentar mais uma vez os poderosos deste mundo e realizar aquilo que se espera de ti?

Perscrutei meu próprio interior: o que poderia ser medo, raiva, insegurança não havia mais, e eu me sentia livre de todos as imposições emocionais, para finalmente agir de acordo comigo mesmo. No meu interior, não falava mais nenhuma voz que não fosse a minha, porque ali dentro não havia mais ninguém senão eu mesmo: das palavras de meu pai, de meus amigos, de todos aqueles que me haviam um dia dito "faz isso!" ou "fala isso!" ou então "é proibido!", "não deves agir dessa maneira!", "um rei não se comporta assim!", nenhuma restara. Todas as vozes se haviam calado depois do sonho em que meu passado saíra de dentro de mim, e eu agora só escutava o silêncio de meu próprio espírito, sem palavras, indicando-me o caminho da maneira mais suave e gentil. Virei-me para Feq'qesh e lhe disse, com uma calma que eu mesmo desconhecia:

— Meu mestre, não há o que eu não possa fazer, porque nada temo. Só posso temer aquilo que conheço, e tudo o que já conheço está em meu passado. Meu passado não pode mais ser vivido, e o futuro me é totalmente desconhecido. Por que o temeria?

Feq'qesh riu alto e falou:

— Mudaste muito, Zerub: e espero sinceramente que essa tua nova maneira de ser perdure por todo o tempo em que for necessária. Mas... não temes mesmo mais nada? Ninguém em teu passado te causa ainda qualquer emoção, rancor, ódio, desprezo?

— Ninguém.

Feq'qesh debruçou-se sobre mim:

— E se eu te fizer agora uma lista de pessoas e fatos de teu passado, podes dizer-me o que cada um deles te faz sentir?

Percebi um certo abalo em meu interior, mas não tinha mais como recuar: olhei meu mestre, e ele sorria cada vez mais. O desafio era grande: eu tinha que enfrentá-lo, e disse:
— Como quiseres, Feq'qesh.
Feq'qesh falou:
— Teu pai?
Uma imensa tristeza me assomou, mas eu resisti e disse:
— Nada.
— Teu irmão?
Uma tristeza um pouco menor:
— Nada.
— Heman? Iditum?
Uma certa saudade, mas nem um pouco digna de nota:
— Nada.
— Os homens a quem mataste?
Percebi que esses nem rosto tinham, e disse, com segurança:
— Nada.
Feq'qesh respirou fundo, e atirou-me em rápida sucessão:
— Re'hum? Sam'sai? Na'zzur? Bel'Cherub? Sha'hawaniah? Jael? Rhese?
Um grito escapou de meus lábios, enquanto as imagens dessas pessoas que me haviam feito tanto mal me vinham à mente, e as lágrimas se projetaram aos borbotões para fora de meus olhos, porque em meu peito ainda havia alguma mágoa, ira, tristeza, represadas e aparentemente esquecidas, mas nem por isso menos doloridas. Feq'qesh me abraçou e, confortando-me, disse:
— Assim é melhor, Zerub, muito melhor. Bota para fora o que ainda resta aí dentro de ti, livra-te desse lixo sem utilidade. Pensa que, como me disseste há pouco, tudo isso está em teu passado e não pode mais te afetar. Por isso, tenta dentro de ti descobrir de onde vem essa raiva e tristeza, e se elas têm existência real no mundo em que vivemos. Se por acaso encontrares alguma dessas pessoas em teu futuro, não deves estar livre de toda emoção em relação a elas, mas sim ser capaz de controlar a emoção que sentires, por compreender que ela não existe, e portanto de nada vale. Examina teu interior, enquanto sofres tanto, e diz-me: consegues saber onde nasce isso que estás sentindo?

ZOROBABEL

Respirei fundo e pus-me a reparar em mim mesmo, vendo que nenhuma de minhas emoções tinha fonte definida, sendo todas causadas diretamente pela perda de que me sentia vítima, a perda de minha dignidade, de minha integridade, meu poder, meu amor. Se alguém me fizera mal, fora eu mesmo: a responsabilidade sobre minha vida era toda minha, e não dessas pessoas em quem projetava tanta culpa. Livre da culpa inexistente, eu não possuía mais nada, e só podia retomar um passado irreal, já que era ele a única coisa que conhecia. Experiência era apenas o nome que eu dava a meus delírios e sofrimentos, e finalmente compreendi o que sentira ao sair da caverna. Só me restava o futuro a viver, e eu só o conheceria quando o encontrasse: o passado não existia mais, e eu estava livre dele.

Meu peito se esvaziou novamente, e fiquei tranqüilo: as emoções pelas quais acabara de passar agora eram todas apenas objetos de estudo, e encará-las dessa maneira era a única forma de enfrentá-las. Olhei para meu mestre, que sorria, e sorri de volta: só me restava a decisão de seguir vivendo, enquanto vida houvesse, e eu a percebia assim. Meu mestre repetiu uma frase que me havia dito muito tempo antes, e que só agora eu compreendia:

— Para que um rei seja rei, precisa antes deixar de sê-lo, tornando-se pedreiro de si mesmo. Com tempo e trabalho, há de acordar numa determinada manhã e perceber que a pedra bruta se transformou em pedra polida.

Olhamo-nos, erguemo-nos de nossos lugares, seguindo em frente para tratar do que devia ser tratado.

Na reunião de pedreiros dessa noite, tentaram dar-me o lugar de honra, entregando-me o malhete de que Ananias, o condutor dos trabalhos, fazia uso, como símbolo de sua autoridade. Recebi-o na entrada do salão, demonstrando reconhecer a deferência que me faziam, mas imediatamente o devolvi a Ananias, sentando-me a seu lado na ponta da grande mesa do fundo, em torno da qual estávamos. Fiquei calado enquanto a assembléia decidia os próximos passos que eu daria na missão de que ainda era portador. Os samaritanos haviam silenciosa e gradativamente abandonado a Jerusalém que nunca os havia aceitado: nada do que tentaram erguer ou implementar, durante os anos em que Cambyses reinou, dera qualquer fruto ou permanecera de pé. Seus hábitos religiosos, muito fiéis aos costumes dos judeus, só se diferenciavam destes por ser mais rígidos e imutáveis, uma versão mais antiga de nossos cultos, preservada para satisfação da curiosidade das futuras gerações, e nada além disso. Seu poder político se fundamentava na força dos soldados de Cambyses, e quando estes partiram da cidade para exercer seu mister onde ele era mais necessário, a única coisa que manteve os samaritanos no papel de senhores dela foi a falta de rebeldia dos habitantes de Jerusalém. Os religiosos, comandados por Yeoshua, haviam erguido a voz alto o bastante para serem ouvidos pelos que lhes estavam próximos, mas nunca o suficiente para que o palácio os escutasse, porque isto criaria um estado de coisas que não seria confortável para ninguém. Ageu, o louco profeta, continuava calado, confinado, mas dizia-se à boca pequena que seus delírios, por ordem de Yeoshua, vinham sendo anotados para uso no futuro.

Quando os samaritanos deixaram o palácio, voltando para suas cidades ao norte de Jerusalém, levaram consigo mais da metade do *harim*, Rhese inclusive, além de um grande número de crianças que haviam sido geradas dentro dele, entre elas o filho de Rhese. Os judeus mais próximos, sabendo de minha incapacidade de gerar filhos, depois da fuga de Jael somaram dois mais dois e chegaram à conclusão de que a criança não era fruto de minha semente. Esta notícia, ainda que sub-repticiamente, espalhou-se pela cidade e pelo povo. Eu não gerara nenhum herdeiro, e quando desaparecera nas cavernas do esquecimento, tornara clara a necessidade de uma nova dinastia para o reino de Israel e Judah. Yeoshua acabara por assumir esse papel de dirigente do povo, quando da fuga dos samaritanos, mas sua ação, ao que tudo indicava, estava sempre ligada à religião, e nenhuma questão prática conseguia ser enfrentada se não fosse através desse ponto de vista um tanto limitado.

Um dos irmãos ergueu-se e disse:

— Irmãos da pedra, a política e a religião não são problemas nossos. Temos apenas o dever de reerguer o Templo como nos comprometemos a fazer, e nada mais! Quanto mais afastados estivermos dos problemas mundanos do reino e das disputas sectárias entre devotos deste ou daquele deus, melhor estaremos cumprindo nosso papel.

Muitos irmãos bateram com as palmas das mãos sobre a mesa, externando sua aprovação. Mas Feq'qesh, erguendo-se também, falou:

— Quem te disse que estamos acima das questões políticas e religiosas, meu irmão? Tudo o que é humano interessa à fraternidade da pedra, e as disputas religiosas e políticas não devem ser tratadas como se não existissem. A fraternidade não pode nem deve, é verdade, tomar partido em nenhuma delas. Mas cada um de nós, na medida de sua vontade e raciocínio, tem que participar, porque ninguém pode abrir mão da vida da qual faz parte. E é a soma dessas questões políticas e religiosas, portanto questões da vida, que acabará por nortear-nos comportamento e ação.

Ananias, sentado a seu lado, fazendo uso de sua autoridade de chefe da assembléia, continuou:

— Disseste-o bem, irmão Feq'qesh: a soma de todas as questões, e não a rejeição ou o abandono forçado de nenhuma delas. Tudo deve ser levado em consideração, e, ao final da soma, o resultado deve ser encarado como a verdade, ainda que venha a não satisfazer este ou aquele.

— Perdão, irmãos, mas não compreendo... — disse o irmão que havia levantado o assunto. — Se temos pensamentos diferentes sobre a religião e a política, como podemos discuti-las sem prejudicar nossa união?

— Exatamente porque nossa união está acima de todas essas questões, irmão! — respondeu Ananias. — O laço que nos une está acima de tudo isso, porque é mais antigo, mais profundo e mais sólido, além de completamente independente daquilo que pensarmos ou da crença que tivermos. Nossa sobrevivência está em saber agir coletivamente a partir das decisões individuais que tomamos, pois de nada vale uma decisão da fraternidade se ela não tiver nascido da livre vontade expressa de cada irmão que dela faz parte! Somos homens que pensam antes de agir, meu irmão, e o que aprendemos na fraternidade é exatamente isso: moldar nosso espírito para que ele se torne operário das causas justas e perfeitas. Na fraternidade da pedra, aprendemos a ser exatamente os irmãos de que a fraternidade precisa.

Feq'qesh disse esta frase e um silêncio se fez. Do meio deste silêncio, busquei minha própria verdade. O que eu devia fazer, para que a fraternidade cumprisse seu papel, já havia se tornado parte de mim: eu agora era apenas o responsável pela reconstrução do Templo de Yahweh em Jerusalém, por ser esta a parte que me cabia na obra. Não tinham mais importância alguma minha descendência, as profecias, o meu desejo ou a minha recusa: o que devia ser feito, eu faria, porque aprendera a fazê-lo, nada mais. Eu me tornara o artífice de uma obra única. Levantei-me e, sentindo todos os olhares postos em minha face, disse:

— Estou pronto a cumprir o que falta de minha missão. Quando partimos para a Grande Baab'el?

Timidamente a princípio, mas depois cada vez mais alto e rápido, as mãos bateram sobre a mesa em sucessão ininterrupta, os rostos se acenderam em largos sorrisos, e os irmãos presentes se regozijaram. O que nos faltava era apenas isso, a decisão de seguir em frente na consecução de nossa missão, independentemente das questões políticas e religiosas que a cercavam. Todas as discussões eram apenas uma maneira de adiar o momento irrecusável, pois, uma vez posto em movimento o carro de nossa tarefa, nada poderia fazê-lo parar. Quando o burburinho cessou, Ananias tomou a palavra:

— Nosso irmão Zerub tem razão: estávamos perdendo de vista o objetivo desta reunião. Já enviei mensagem para nosso irmão Jerubaal, e sua caravana chegará a Jerusalém nos próximos dias, pronta para levar-nos através do deserto até a Grande Baab'el, onde nosso irmão Zerub se apresentará em nome de Israel para conseguir que os decretos de Cyro sejam honrados por Darius. Este é nosso objetivo, e não descansaremos enquanto ele não for alcançado.

A sorte estava lançada: mais uma vez, a última, eu enfrentaria os desertos da terra e do poder, voltando à minha cidade natal para encontrar o destino de meu povo e de seu Templo, inextricavelmente unidos através das pedras que um dia se reergueriam graças aos esforços da fraternidade dos pedreiros, da qual eu me sentia mais parte que de qualquer outra coisa em minha vida, o que não era vantagem nenhuma, pois depois de minha saída das pedreiras não me sentia mais parte de mais nada.

Quando a reunião terminou, haviam sido tomadas várias decisões: eu sairia de Jerusalém como apenas mais um pedreiro, e só quando estivesse fora do alcance dos samaritanos, é que assumiria o papel de Príncipe da Paz e Rei dos Judeus, para entrar triunfalmente na Grande

Baab'el, nela recuperando o poder que Cyro dera e Cambyses tirara. Desta vez, eu estava disposto a tudo, e não seria impedido por nada, porque nada do que queria reaver era meu. A única maneira de vencer é não temer a derrota, e só não se teme a derrota quando ela nada significa. Quando o medo não está presente, nem a cobiça, nem o desejo, a vitória é certa, porque a derrota não existe.

Quando a caravana de Jerubaal chegou a Jerusalém, alguns dias depois, eu estava pronto para a viagem final de minha tarefa: as roupas finas e os adereços de poder que deveria usar frente a Darius, inclusive a coroa de ouro e esmalte que eu abandonara sete anos antes, estavam preparados e guardados sob o fundo falso de um grande arcaz, para que ninguém desconfiasse do que pretendíamos. Estive com Yeoshua, a sós: ele queria saber o que pretendíamos, pois eu falaria em nome de Jerusalém e do povo judeu. Foi um encontro canhestro: meu antigo amigo, olhar duro, maxilar travado, enfrentava-me como se eu fosse um seu inimigo:

— Só te recebo aqui, Zerub, porque temos um objetivo em comum, mas quero que saibas que nada me une nem a ti nem a teus pedreiros, e que não esperes de mim nenhum apoio a nada que ponha essa maldita fraternidade à frente de Yahweh ou de Jerusalém!

Em outros tempos, eu até tentaria argumentar com veemência, na defesa do que acreditava: mas agora, vazio de desejos e de certezas, só me restava fazer o que devia ser feito. Fiquei em silêncio e depois disse:

— Não te preocupes com isso, Yeoshua: só queremos reerguer o Templo de Yahweh, porque essa é nossa obrigação. Uma vez realizada essa tarefa, ele te será entregue. Mas preciso de tua ajuda para ir até o novo senhor do Império, Darius, pedir-lhe que respeite os decretos de Cyro.

— Pedir? Deves exigir! — Yeoshua parecia querer contrariar-me a qualquer custo. — Ainda és o Príncipe da Paz, mesmo que não tenhas sido capaz de distribuí-la a teu povo... ainda és o Rei de Israel e Judah, mesmo não sendo capaz de gerar descendência... essa, sim, é tua obrigação! Deves ir até esse poderoso de ocasião e exigir dele o respeito que todos devem a Yahweh!

Yeoshua estava mergulhado em um poço de intolerância. Pensei se não seria melhor que ele não tivesse nenhuma crença, a ter essa que o tornava tão amargo contra os que não pensavam como ele. Yahweh não esperava isso de seus devotos: o Deus que tudo criou o fez com a mais absoluta liberdade, amor e respeito. Se nos desejasse todos iguais, a todos teria feito iguais: se nos fez assim tão diferentes, algum motivo tem, talvez o aprendizado do respeito por tudo que os outros não têm igual a nós. Sentei-me, sem tirar os olhos de um Yeoshua quase apoplético, e disse:

— Não estamos juntos por causa de nossas semelhanças, mas sim a despeito de nossas diferenças, Yeoshua. Se pudermos ser úteis um ao outro, sejamos, até que chegue o tempo de nos separarmos. Quanto a Darius, também pretendo estar ao lado dele enquanto isso for útil ao teu e ao meu objetivo, e quem sabe também aos dele. Estou de partida para a Grande Baab'el, onde conseguirei a permissão para continuar as obras interrompidas. Só o poder do Império garantiu aos samaritanos essa interrupção, só o poder do Império pode garantir que retomemos nosso trabalho.

— Que seja. Se quiseres, podes te apresentar como o príncipe que já deixaste de ser, ou o rei que nunca foste! Mandarei que os escribas tracem um documento que garanta a tua autoridade, ainda que ela não seja verdadeira, porque por Yaweh eu sou capaz de tudo!

— Isso me alegra muito, meu amigo... — A palavra fez tremer a Yeoshua, e ele me olhou com dureza: no fundo de seu olhar estava o menino avermelhado que fora meu amigo quando ambos éramos crianças, e eu senti a sua emoção controvertida. — Espero que desta vez também estejas em minha partida, para abençoar-me com a Prece dos Viajantes, como fizeste no ancoradouro da Grande Baab'el...

Yeoshua virou-se de costas para mim, como se quisesse apagar-me de sua visão: mas suas costas trêmulas indicavam que tentava esmagar dentro do peito uma lembrança muito dolorosa. Não quis causar-lhe mais nenhum mal: levantei-me e lhe disse:

— Adeus, meu amigo. Fica em paz.

Saí do palácio, enrolado em meu manto, a face escondida de todos, atravessando a cidade coberta de poeira levantada pelo vento. Cheguei à taberna dos pedreiros com marcas nas faces, porque algumas lágrimas havia riscado sulcos em meu rosto empoeirado, à volta dos olhos, molhando o manto que me cobrira a boca e o nariz. Esse pranto não era amargo: na verdade, parecia mais um pranto de alívio. Minha amizade não interessava mais a Yeoshua: como uma planta frágil, ela necessitara de cuidados intensos e constantes. Não os tendo, murchara, sem encontrar terreno fértil onde crescer. Mais uma perda em minha vida: como no sonho que tivera antes de sair ao sol, galgando os caminhos de pedra, tudo saía de meu peito e desaparecia no turbilhão do Universo. Agradeci a Yahweh por isso, porque, nesse momento, nada me era mais adequado que esse vazio.

Na alcova onde eu dormia, escondido de todos menos de meus irmãos mais proximos, sentei-me nas almofadas do leito, segurando a velha e puída fita de *tarshata* que Cyro me dera, e que alguém havia recuperado quando Re'hum a recusara, sopesando o relicário que ela trazia em sua ponta, aberto e vazio. A moeda, efetiva e inexplicavelmente, desaparecera, mensageira que era de meus ganhos e perdas, deixando-me com uma única certeza: assim que se aproximasse um novo ganho, uma mudança de rumo, uma transformação radical, ela de novo surgiria em minha vida, dando-me o sinal que eu nunca antes soubera ler.

Na manhã seguinte, recebi Jerubaal, que, com exceção de mais alguns cabelos brancos nas têmporas, era o mesmo rijo e seguro chefe de caravana que fora. O abraço que me deu, o beijo na face esquerda que trocamos mostraram que eu finalmente traçaria de volta o caminho que havia seguido, e que agora desfaria sobre meus próprios passos, retornando a meu princípio. Uma vida feita de atalhos, e eu entrara em todos, um após o outro, desde que abandonara a Grande Baab'el. Podia agora tomar o rumo certo: bastava para isso voltar ao ponto de partida e dali, sem hesitação, seguir o caminho reto que deveria ter seguido, se a volúpia por atalhos não fosse tão forte dentro de mim. Jerubaal percebeu minha mansa alegria e me disse:

— Estás bem diferente de quando te conheci, Zerub: mais velho, mais vivido, certamente mais sábio.

— As duas primeiras afirmativas podem ser verdadeiras, meu irmão, mas a última é grandemente exagerada — disse eu, sorrindo. — Não estou nem um pingo mais sábio do que quando nos conhecemos, à beira do fogo, na caravana dos pedreiros de Qornah...

Jerubaal também sorriu, dizendo:

— Impossível, meu irmão: teus olhos indicam um conhecimento que não tinhas quando nos conhecemos. Sabedoria é usar esse conhecimento. Quantos há que conhecem muito mais que qualquer um de nós, e no entanto estão longe da Sabedoria? Não basta conhecer: é preciso saber usar esse conhecimento, e teus olhos não me enganam. Tu o sabes.

Mudei de assunto:

— Com que então partimos amanhã, meu irmão?

— Sem dúvida: assim que as primeiras trombetas soarem, estaremos a caminho. Tu verás quantas mudanças o Império produziu na rota que já traçamos juntos: cada oásis se tornou um abrigo perfeito para os viajantes do deserto, como nós, e certamente essa década que passou trouxe grande progresso.

— Mudou muito? Serei capaz de reconhecer os lugares por onde já passei?

— Nesse ponto, Cyro foi justo e perfeito: criou as condições para que cada um de nós realize sua tarefa com facilidade e menos sofrimento. As estradas com que rasgou o Império de ponta a ponta geram uma valiosíssima economia de tempo, esforços e recursos. Seu descendente real usufruiu dessa vantagem, mas nós, os que delas precisamos para realizar nossa tarefa, usufruímos mais ainda. Estás preparado para enfrentar o novo senhor do Império?

— Eu certamente já o conheço: pelo nome, deve ser o ruivo *vezz'ur* de Cyro, elevado ao cargo máximo pelos serviços prestados ao Império. Homens como ele, que ficam ao lado do poder, um dia conseguem tomá-lo para si próprios da maneira mais inesperada. Ele há de se lembrar de mim, pois estava presente quando Cyro traçou os editos que desejamos ver restabelecidos.

— Darius tornou-se importante ao denunciar Smerdis, o irmão de Cambyses, como impostor, matando-o, para alegria dos persas. Cambyses já havia matado o irmão em segredo, e quando chegou a hora da sucessão, o impostor se apresentou como sendo o verdadeiro Smerdis, mas Darius, que o conhecia, percebeu o embuste e o matou, tornando-se ídolo de todos e com isso se alçando ao poder.

Estranhei a história:

— Não havia ninguém na dinastia Aquemênida para seguir a linha sucessória?

Jerubaal sacudiu a cabeça:

— Ninguém: o único que restou com sangue aquemênida nas veias foi Darius, primo afastado de Cyro, que acabou por tomar o poder com a aprovação de todos. Os Magos tentaram impor-lhe a democracia grega, como forma de controlá-lo, mas ele fez vencer a idéia da monarquia, sagrando-se Imperador dos Persas e herdeiro do Grande Império de Cyro. Parece querer superar seu antepassado em tudo, repetindo-lhe os feitos em dobro: se Cyro ergueu Pasargad, Darius constrói ao mesmo tempo duas cidades, Susa e Persépolis, ocupando milhares de obreiros nesses dois lugares.

Suspirei aliviado:

— Isso me alegra. Se ele pretende duplicar os feitos de Cyro, tendo Cyro sido o melhor homem que conheci, forçosamente terá que ser duas vezes melhor que ele, o que só facilita nossa missão. Podemos seguir viagem o quanto antes, irmão, para quanto antes retornar à execução de nossa tarefa.

A caravana saiu de Jerusalém três dias depois, dirigindo-se para leste, onde tomamos a Estrada do Imperador, que Cyro havia mandado construir ao sul de seu território, atravessando os desertos altos e baixos que eu mesmo percorrera em minha primeira viagem para fora da Grande Baab'el. Não reconheci quase nada nesta viagem: as grandes lajes de pedra, as estalagens erguidas à borda dos rios perenizados pelas grandes cisternas que acumulavam a água cuidadosamente represada, a travessia milagrosa do Wadi Shir'han, o extenso e rico vale que era quase a concretização do Paraíso na terra, tudo tinha uma aparência nova, de coisa recém-criada, e esse efeito era ampliado por minha nova maneira de ser, para a qual tudo era novo, já que nada era permanente, cada coisa surgindo a meus olhos com o máximo de sua singularidade e individualidade, adquirindo valores insuspeitos. Em meu novo Universo, nada que surgia permanecia, assim como nada que desaparecia estava definitivamente perdido. A roda da fortuna girava constantemente, e eu, que me colocara conscientemente em seu eixo, não sofria suas mudanças, observando-as todas com o mesmo distanciamento.

Logo antes de entrarmos no Wadi Shir'han, quando a Estrada do Rei começou a mostrar-se cercada por tamareiras e figueiras, a dois dias de viagem de Jerusalém, assumimos nosso papel oficial de embaixada do Rei de Israel e Judah, em sua primeira visita ao novo Senhor do Mundo, Darius. Longe dos olhos dos inimigos mais próximos, cada um de nós assumiu seu papel determinado pelo planejamento dos pedreiros, mantido oculto até que chegasse a hora, e fizemos o resto do caminho embasbacando as aldeias que encontrávamos com nossa riqueza, nossas tropas perfeitamente disciplinadas, sob o comando de Théron, e nossas carroças, bois, cavalos e *j'mal* ricamente ajaezados. A notícia de nossa presença nos passou à frente, porque, a partir do momento em que descemos os contrafortes das montanhas em Al'Jauf, todas as populações das aldeias e os viajantes que se hospedavam nas estalagens do Império, à margem da Estrada do Imperador, corriam ao nosso encontro, saudando-nos com alegria e curiosidade. Dei ordem para que fôssemos pródigos com as moedas que enchiam as arcas em uma das carroças, todas ainda com a face de Cyro, que talvez por causa disso em breve não valessem mais nada. A alegria das populações que nos cercavam era cada vez maior, e fomos protegidos por essa alegria durante todo o caminho, até chegar à margem oeste do Eufrates, poucas milhas ao sul da Grande Baab'el. Na estalagem de Al'Samawan, fomos recebidos por um batalhão dos soldados de Darius, que respeitosamente nos escoltaram até a outra margem do rio, pelo vau, e daí em diante para o norte, até que quatro dias depois pudemos ver o brilho das edificações da Grande Baab'el, um arco-íris ao sol nascente.

Fossem outros os tempos, meu espírito se confrangeria com esta visão: mas desta vez eu estava isento de todas as emoções que a Grande Baab'el me causara, de todos os fatos que legara à minha vida, de todas as dores e alegrias que nela vivera e experimentara, pois até mesmo a lembrança do sofrimento, sempre a mais difícil de esquecer, não se fixava em mim. Quando qualquer uma delas surgia à minha frente, eu a atravessava sem lhe dar a menor importância, e ela desaparecia às minhas costas sem me causar nenhum mal. Minha memória, inexplicavelmente, tinha se tornado aquela parte de mim com a qual eu esquecia o passado.

Entrar na Esagila pelo sul da gigantesca cidade, vendo-a renovada, cercada de novos palácios e cada vez mais cheia de gente de todas as procedências e cores, sentindo seus perfumes e ouvindo suas vozes, sua música, suas risadas, foi para mim uma novidade: eu a via como se fosse a primeira vez, e o elenco de homens e mulheres que nessa cidade habitavam, dos quais meu passado andara repleto, surgia e se desvanecia enquanto eu me regozijava com a visão de tudo que o sol iluminava. As passarelas por sobre as avenidas, os templos e palácios, ao longe o brilho azul e dourado da Porta de Ishtar, eu não os percebia como um filho da terra que a ela estivesse retornando, mas simplesmente como um visitante que não pretende permanecer ali mais que o tempo necessário para desincumbir-se de uma tarefa, retornando a seu lar, bem longe dali. Eu não pertencia mais à Grande Baab'el.

Os soldados do batalhão de Darius que nos escoltavam deram sinais de que deveríamos afastar-nos para uma esplanada à frente do Palácio do Rei, cujas portas se abriam de par em par, ao som de inúmeras trombetas de guerra e tambores de profundíssimo som grave. Perfilamo-nos nesse lugar, cercados pela multidão que fixava atentamente o grande desfile que saía do palácio. Subitamente, recordei-me de ter visto coisa similar, e perguntei a um dos guardas:

— Estamos no ano novo? É o décimo dia do festival?

O soldado, curioso, respondeu-me que sim, e eu entendi o que estava por acontecer: o imperador, segundo o ritual, representando Marduq, deveria sair carregado nos ombros dos fiéis para fazer seu percurso até o norte da Babilônia, onde buscaria seu filho Nabuh, que seria trazido em efígie para se juntar às estátuas de outros deuses. Darius, com o poder de Senhor do Império da Babilônia, era o único que poderia fazer esse papel. Seu andor de madeira dourada e marchetada de pedras preciosas já vinha ganhando a avenida, e sobre ele eu finalmente veria Darius, o antigo *ve'zzur* de Cyro, finalmente erguido às alturas que antes apenas tivera ao alcance dos olhos.

O homem sobre o andor, no entanto; não era o ruivo de que me recordava: sua pele morena, os cabelos e pêlos negros da barba frisada eram os de um persa. Pensei se este não seria mesmo um primo distante que também se chamasse Darius, nome razoavelmente comum naquela região, principalmente entre os aquemênidas. O andor gigantesco saiu do palácio e começou a se dirigir para o norte, passando ao nosso lado, sob as aclamações do povo da Grande Baab'el, e Darius, sobre ele, acenava orgulhoso. A um aumento dos gritos da multidão, que desejava sua atenção, ergueu-se sobre seu trono, ficando de pé e levantando os braços musculosos, enfeitados de braceletes. Pelo lado de dentro do braço direito, havia uma cicatriz esbranquiçada, torta, como se tivesse sido costurada pelo mais inepto dos cirurgiões, repuxando-lhe a pele de maneira grotesca. A visão dessa cicatriz me fez cambalear, e me firmei sobre o banco da carroça, sufocado, incapaz de acreditar no que via.

Eu era o incompetente autor daquele curativo, feito quase dez anos antes nesta mesma cidade brutal onde nascêramos e fôramos amigos. Ali, senhor todo poderoso do Império herdado de Cyro, estava Daruj, meu amigo perdido.

Capítulo 36

Meu espanto e descrença foram tão imensos, que, quando dei acordo de mim, o andor já passara, levando meu amigo Daruj inacreditavelmente transformado no Grande Darius. Sem atinar com o que vira, pensei estar delirando pelo cansaço da viagem, ou então vendo coisas como as que vira nas paredes de pedra das cavernas durante os anos de obsessão com meu passado. Impossível, a cicatriz era inconfundível: tendo sido eu mesmo o seu artífice, não me enganaria. Não podia haver duas iguais, assim como não podia haver dois iguais a Daruj. A barulhenta procissão levou muito tempo a passar, e quando finalmente se abriu um espaço à nossa frente, eu estava completamente desarvorado, a tal ponto que Théron, meu general, aproximou-se de mim, preocupado:

— Meu rei sente alguma coisa? Está tão pálido...

Sob o sol causticante da Grande Baab'el, eu tremia de frio: minha pele estava gelada, meu suor viscoso. Fechei os olhos e mergulhei em mim mesmo: sendo Darius meu amigo de infância, tudo provavelmente aconteceria para o melhor, e minha missão estava garantida, mais do que se o novo Senhor do Mundo fosse apenas outro persa poderoso. As palavras que eu queria dizer esbarravam em meus dentes, atropelando-se na língua: eu desejava contar a todos o que vira, mas uma estranha sensação de perigo iminente me impedia. Aceitei essa reação física como um aviso, tomando a decisão de me calar até ter certeza do que fazer, e, assim que abandonei o assunto, meu estado físico foi melhorando, voltando ao normal. Permaneci olhando a procissão que se perdia no Portão de Ishtar, na Esagila cheia de gente a cuidar de seus próprios afazeres.

RECONSTRUINDO O TEMPLO

Os soldados fizeram sinal para que atravessássemos os grandes portões de bronze do Palácio Real, onde fomos recebidos com imensos sinais de respeito, mesuras profundas e olhares de admiração. Nossas grandes carroças foram desviadas para a direita, junto com os animais da caravana e os soldados que por sua carga velariam. Quando eu e meus seguidores, entre eles Théron com sua farda enfeitada de estrelas de prata e Jerubaal com um turbante e um manto de sacerdote, começamos a subir a grande rampa que ascendia em espiral pelo centro do Palácio, circundando a grande cachoeira artificial que a tudo umedecia, olhei para sua metade oposta, aquela que eu descera duas vezes antes de enfrentar as dores mais terríveis de minha vida nos porões de Belshah'zzar. Recordei-me de um adágio que minha mãe costumava repetir sempre que algo de desagradável acontecia pela segunda vez: "não há dois sem três", e temi descer essa rampa pela terceira vez.

Fomos colocados em belos aposentos dois andares abaixo do andar superior, com uma imensa varanda que se abria para o Eufrates. Parecia a câmara onde eu ficara hospedado depois que Cyro me estendera sua mão fraterna, mas isso não tinha a menor importância. Eu só queria encontrar Daruj a sós, colocar em dia os acontecimentos de nossas vidas por todo o tempo em que estivéramos separados, e conseguir a proteção do Grande Darius para as obras do Templo de Jerusalém. Mandei que o soldado que ficava à nossa porta fizesse chegar a seu senhor Darius o meu pedido de uma audiência íntima tão logo ele retornasse ao palácio. Algum tempo depois, junto com os alimentos de qualidade fenomenalmente superior que nos foram trazidos aos aposentos, recebi uma mensagem concisa, que dizia: "O Grande Darius conta com vossa presença na Grande Audiência que terá lugar amanhã no Salão do Palácio, oportunidade perfeita para que receba as homenagens de todos os que vieram à Grande Baab'el reconhecer seu poder e autoridade."

Daruj certamente não havia lido minha mensagem: um escriba ou mesmo seu *ve'zzur* havia se encarregado disso, respondendo com essa fórmula corriqueira, certamente enviada a todos os visitantes que se hospedavam no palácio. O Festival do Ano Novo era a ocasião em que a grande cidade aumentava sua população em pelo menos mais a metade, tornando-se insuportavelmente superlotada, e dessa vez havia gente de todos os quadrantes do Império, como eu pudera notar em nossa subida pelos corredores do grande palácio. Os súditos de Darius vinham se curvar ao poder de seu senhor, pretendendo com isso alcançar vantagens sobre os outros.

Eu sentia uma estranha emoção: minha alegria em reconhecer o amigo de infância sob a pele do Senhor do Mundo se reduzia cada vez mais, e com a chegada da noite, quando nos arrumamos para dormir, tomei de minha harpa e me pus a tocar, tentando compreender o que me acontecia enquanto a dedilhava. Por mais que eu desejasse um reencontro alegre, mais de irmãos que de amigos, a intuição fazia com que eu controlasse minhas expectativas. Sempre, na busca pelo que desejava, eu atrapalhei a alegria com a esperança: antecipei a felicidade, provando-a em meu coração antes que acontecesse. Nas raras vezes em que as alcançara, não satisfizeram nem minha expectativa nem meus desejos, tornando-se menos que nada. Levei muito tempo para compreender isso, e nessa noite usei a música para convencer-me a agir apenas como observador dos acontecimentos, à medida que ocorressem, sem tentar vivê-los antes do tempo em minha imaginação. Não foi fácil: mas finalmente, com o acalmar de meus ânimos pela música, pude dormir o sono vazio e escuro, no fundo do abismo profundo em que caía todas as noites desde que saíra das pedreiras de Salomão.

Na manhã seguinte, logo ao acordar, certo de haver dormido sem sonhar, minha mente estava cheia de figuras do passado, tal como as vira no único sonho vívido de que tinha memória, as imagens de Daruj e Sha'hawaniah se confundindo com as de Na'zzur e Bel'Cherub, a tal ponto que eu já não conseguia mais me recordar da face de uns sem que as dos outros lhes estivessem sobrepostas. Podia ser meu espírito preocupado o autor dessas imagens inexplicáveis, mas eu não me arriscaria a uma decisão antes que os fatos se impusessem sobre mim.

Saímos pela cidade em caravana, eu e meus companheiros de viagem, e enquanto eu caminhava pela Grande Baab'el, meus soldados atiravam ao povo que nos cercava as moedas que enchiam nossas caixas. Isso nos trouxe inúmeras bênçãos e votos de felicidades e mais riquezas, e quando chegamos ao *tel'aviv*, bairro onde eu vivera até fugir, quase não o reconheci. Quem andava pelas ruas não parecia israelita: os trajes, a língua, os odores das comidas, o pequeno edifício da *mikvah* fechado e abandonado, assim como a casa de meu pai, portas cerradas e barricadas por tábuas envelhecidas. Meus olhos se encheram de lágrimas, mas meu coração compreendeu que esse lugar que fora minha terra natal já deixara de sê-lo. Ali eu era estranho em terra estranha, não conseguindo sentir nenhuma intimidade com o menino de antes. O povo do *tel'aviv* me recebeu como se recebe a um potentado, pronto a ganhar as benesses que eu desejasse distribuir, e mesmo assim raríssimos me trataram como rei de seu povo. Não havia mais nenhuma identidade entre o que eram e o que seus pais e avós haviam sido: as pontes entre Babilônia e Jerusalém tinham sido queimadas definitivamente, tornando-os outra gente, diferente de seus antepassados, prontas para enfrentar um futuro que todos desconhecíamos.

Depois desse passeio, voltei para o palácio com uma idéia fixa na mente, e chamei Théron:

— Meu general, meu mestre-de-armas, preciso de tua ajuda.

— Estou às tuas ordens, meu senhor.

Hesitei, mas lhe disse, em voz baixa:

— Preciso saber notícias de algumas pessoas, saber se ainda vivem na Grande Baab'el, como estão. Podes fazer isso por mim?

Théron sentou-se a meus pés e, tomando de um estilete e uma tabuinha de argila, preparou-se para anotar. Ocultei a face nas mãos, envergonhado de mim mesmo: em meu coração, ainda percebia vicejar a tortuosa paixão por Sha'hawaniah. Era dela que eu queria notícias, e disse:

— Pergunta primeiro por uma sacerdotisa de Ishtar que se chama Sha'hawaniah, se não me engano. Com discrição, claro, pois ninguém deve saber que sou eu quem está curioso: o que descobrires, vem relatar-me imediatamente.

Théron, ao ver que eu nada mais dizia, curvou-se e saiu do aposento. Jerubaal fazia suas orações na varanda e eu me uni a ele, também ocultando minha face entre as mãos, curvando-me até que minha testa tocasse o solo entre meus joelhos. A oração, como a música, também me tranqüilizava: nos últimos tempos, eu compreendera que Yahweh só se torna surdo quando nossos corações estão mudos, e nesse templo dentro de mim eu erguia a voz até Ele em todas as ocasiões que podia, para que Ele, sabendo de minha existência, me fizesse conhecer Sua vontade, tornando-a minha.

O tempo passou sem que eu percebesse, como acontecia sempre que eu me concentrava em minhas orações ou minha música. A cidade começou a acender seus milhares de luzes, assim que as trombetas soaram o fim de um dia e o início de outro, e eu me ergui do chão, para me preparar para o banquete. Théron ainda não dera sinal de vida: eu e Jerubaal nos vestimos com nossos trajes mais ricos, dispostos a exibir importância e valor a esse poderoso que ninguém, a não ser eu mesmo, conhecia verdadeiramente. Quando nos preparávamos para sair dos aposentos, Théron entrou, com passo apressado, parando à minha frente: eu lhe estendi meu ouvido, e ele sussurrou:

— Sha'hawaniah retorna esta noite a este palácio, onde ainda mora como Suprema Sacerdotisa de Ishtar.

Depois de um choque, aceitei o desígnio de Yahweh: seria demais enfrentar num mesmo momento o amigo perdido e a paixão inalcançável. Fiz um agradecimento mudo pelo respeito que Yahweh me concedia, e ergui a cabeça, dizendo:

— Vamos, irmãos: chegou o momento da verdade.

Em cada um de nós, esse momento se mostrava com face diversa, na medida exata do que andava em nosso espírito. Eu, com honestidade, só podia dizer do meu, afogado em um turbilhão de emoções e sentimentos, controlando uma ansiedade que seria péssima para o desenrolar dos fatos. Uma frase de Feq'qesh, o mestre que nesse momento tanta falta me fazia, soou em meu espírito, como se ele a estivesse dizendo dentro de mim: "Aquele que busca a verdade não pertence a ninguém a não ser a si próprio."

O imenso salão estava novo e brilhante, como se tivesse acabado de ser erguido, mas suas formas gerais eram as mesmas de que me recordava. Voltei os olhos para a parede onde Yahweh havia traçado as letras de sua sentença implacável, e nada vi. Tudo havia sido refeito, recoberto de tijolos esmaltados de azul e ouro, que refletiam a luz dos inúmeros archotes de nafta e de um grande candelabro de metal retorcido, suportando várias cubas de vidro onde a nafta queimava com luz amarela, inundando de luz e brilho o salão logo abaixo. O assoalho havia sido recomposto, e no oriente desse salão estava um largo degrau onde ficava o trono de pedra que servira já a tantos senhores da Grande Baab'el. Em toda a volta do salão, além dos *wasib'kussim*, os conselheiros de que os reis da Babilônia se cercavam, eu vi as inúmeras delegações de reis e governadores das províncias que Darius dominava. Olhei-os todos, um por um: não havia ninguém que estivesse representando a Samaria, e por conseqüência Jerusalém. Eu, que ali estava por minha própria conta e risco, era talvez o único sem cargo efetivo. Como precisava que Darius aceitasse os antigos decretos de Cyro, vestira sobre minha túnica a faixa de *tarshatta* reencontrada e reformada, mesmo sabendo que a moeda que lhe dava valor não estava em seu escrínio, vazio desde que desaparecera pela última vez.

Estranhamente, os *ve'zzirim* de Darius haviam-me reservado um lugar à direita do trono, encostado ao degrau. Por um instante, pensei que Daruj, tendo-me reconhecido, houvesse desejado prestar-me essa homenagem, para revelar-nos como amigos de infância assim que entrasse no salão. Ergui o rosto, esperançoso, e com um susto vi, na outra ponta do degrau, o corpanzil untuoso e nojento de Bel'Cherub, mais velha e mais asquerosa que nunca, roendo uma perna de animal, que, malcozida, empapava-lhe a cara de gordura e sangue. Era dela o primeiro divã dos *wasib'kussim*, todos à esquerda do trono, e fiquei boquiaberto ao ver nossa antiga inimiga em posição tão destacada. Minha mente se encheu de idéias negativas e suspeitas vigorosas, mas não permiti que ela se envenenasse com as dúvidas que meu coração destilava: fechei os olhos, respirei fundo, esvaziando-me de tudo, aguardando que os acontecimentos que se precipitavam me indicassem o melhor caminho a seguir.

Foi uma bênção ter visto Bel'Cherub antes que Daruj entrasse no salão, porque atrás dele, vestindo a faixa e carregando o bastão de *ve'zzur*, estava Na'zzur, arrogante como sempre, mais até que o próprio Senhor do Mundo, a quem acolitava, olhando para todos os lados de queixo erguido, exibindo ao salão a sua intimidade com o grande imperador. O choque que eu sentira ao perceber a presença da gorda *siduri* havia de certa maneira me preparado para essa visão inaceitável. Quando vi Daruj secundado pelo homem que havia sido seu mais terrível algoz, foi como se os três personagens estivessem unidos em um mesmo lado da realidade. Eu não compreendia essa união: mas, sendo ela um fato que se me apresentava, tinha que aceitá-la como a via, aguardando suas conseqüências.

Daruj/Darius caminhava calmamente, arrastando os pés, o ventre projetado para a frente, um soldado em descanso, sem mostrar a força acumulada em seus músculos. O rosto moreno estava emoldurado por uma barba muito frisada, assim como seus cabelos, semi-ocultos debaixo de uma coroa cônica, feita de ouro em círculos concêntricos unidos por pedras preciosas de todas as cores, as mesmas que se repetiam em sua roupa franjada feita de algum dispendioso material entretecido com fios de metal. O rosto era o de meu amigo, e ao mesmo tempo tão diferente, que cheguei a pensar se esse poderoso senhor não seria apenas um sósia de Daruj, ou quem sabe um *dibbuk* que lhe houvesse tomado o corpo para fins inconfessáveis. Saudado por toda a audiência, que se pusera de pé e o aclamava à moda babilônia, com gritos agudos e estalar de dedos, sorriu, mostrando-se exatamente como dele me recordava, quando atravessávamos pontes e muros da Grande Baab'el de nossa infância, entretidos em nossos sonhos de poder e conquista. A cicatriz por trás de inúmeros braceletes de valor incalculável era sem dúvida aquela que eu costurara tão ineptamente, deformando-lhe para sempre a pele do antebraço.

Havia outras cicatrizes em seu corpo: uma muito vermelha podia ser vista pelo ombro esquerdo sob o manto franjado com que ele se envolvia, subindo pelo pescoço até a curva da orelha, e os pés, calçados com botas babilônias de couro macio, tinham os dedos calejados. De todos os que estavam no salão, fui o único que não ergueu a voz para saudá-lo, paralisado pelo que via e me era profundamente estranho: mas os que estavam à minha volta fizeram tal alaúza, que meu silêncio abismado passou despercebido. Théron e Jerubaal, em pé um de cada lado de meu divã, à moda assíria, aguardavam uma atitude minha. Os olhos de Daruj/Darius percorreram todo o salão, e, ao chegarem ao meu rosto, fixaram-se nele por um átimo de instante a mais. Comecei a erguer minha mão para saudá-lo, mas meu gesto se interrompeu a meio, pois seu olhar abandonou minha face e seguiu seu caminho, deixando-me com a mão erguida no ar e um sorriso triste na boca. A cada acontecimento, desde que o vira sobre o altar de Marduq, minha alma se indecidia entre duas possibilidades, a de que ele fosse o meu amigo e a de que não fosse, e suas atitudes, incompreensíveis e ao mesmo tempo corretas, não aliviavam em nada a dúvida que eu sentia.

Darius/Daruj sentou-se em seu trono de pedra lavrada, e o primeiro de seus *ve'zzirim*, o arrogante Na'zzur, veio à frente, batendo no chão de pedra com um cajado de ponta de metal, símbolo de seu poder, ressoando as dezenas de guizos que o enfeitavam, seu timbre agudamente metálico causando silêncio absoluto entre os presentes. Permanecemos todos de pé, e eu pressentia a presença protetora de meus dois irmãos na pedra, que mesmo sem compreender o que acontecia permaneciam a meu lado, prontos a me dar seu apoio incondicional. Não fosse a certeza de que comigo estariam, não importava o que acontecesse, talvez não tivesse resistido à vontade de tudo abandonar, deixando para trás o salão, a Grande Baab'el, a vida: mas tinha uma missão a cumprir, que já se tornara parte essencial de minha existência. De uma maneira ou de outra, eu levaria para meu povo em Jerusalém uma solução para nossos problemas, e não sairia da Grande Baab'el sem uma resposta a todas as minhas questões.

Na'zzur, com voz estentórea, dirigiu-se à audiência:

— Rendei homenagens ao Senhor Darius, Imperador do Mundo, dividido em vinte satrapias para que ele melhor exerça seu benevolente poder!

Os *ve'zzirim* que o cercavam puseram a recitar em coro os nomes das satrapias que formavam o Grande Império de Darius, com todas as cidades e povos incluídos em cada uma delas, e eu vi que a Palestina, onde tanto Jerusalém quando a Samaria estavamos incluídos, era parte da quinta, junto com toda a Fenícia, a Síria e a Ilha de Chipre, tendo como limites pelo norte as tribos que se denominavam *a'rabs*, e ao sul o Egito, que já era parte da sexta satrapia. Um dos *ve'zzirim*, ao final da listagem de cada satrapia, gritava bem alto o tributo que cada uma delas devia ao Grande Senhor do Mundo: o tributo daquela em que estávamos incluídos era de trezentos e cinqüenta talentos de ouro, soma sensivelmente maior que qualquer outra que Cyro nos houvesse determinado pagar, e a cada grito a platéia soltava um gemido de admiração e espanto. A soma final dos tributos era imensa, uma fortuna incalculável a ser recolhida anualmente aos cofres do Império. Os olhos de Darius/Daruj brilhavam por entre as pálpebras entreabertas, sua mão direita cobrindo a parte inferior do rosto, a cicatriz retorcida se destacando na pele.

    Enquanto essa cerimônia se dava, os serviçais do palácio entraram na sala e colocaram aos pés dos leitos as cestas com grandes molhos de coentro, que perfumavam o ar, recordando-me outro banquete igual, de final funesto e inesperado. Não havia música dessa vez, e o bulício das vozes que soavam sem parar enchia o ar de maneira estranha, fazendo-me recordar Feq'qesh ocupando o lugar de destaque entre os músicos de Belshah'zzar e cobrindo a cabeça com o manto quando a mão de Yahweh surgira para traçar a sentença poderosa. Eu, se pudesse, também cobriria a minha, para não ver os olhos de Daruj/Darius, disfarçadamente, passarem por minha pessoa, ocultos detrás da mão que lhe tampava a meio a face morena. Ele me observava, eu tinha certeza, e exatamente por isso me mantive calmo e imóvel, controlando o desejo de gritar-lhe o nome e revelar-nos amigos de infância, quase irmãos. Se ele não se permitia a explosão de alegria que nosso reencontro exigia, alguma razão havia para isso, e não seria eu quem o constrangeria com a revelação de algo que certamente não lhe interessava: minha amizade por ele ainda era muito forte dentro de mim. Ou então, quem sabe, não seria tudo um imenso e fabuloso delírio de minha mente, desejando ver onde nada havia aquilo que lá não estava. Darius seria apenas mais um poderoso como tantos outros, e eu, um pobre coitado, delirante, ainda por cima.

    Na'zzur, mais emproado a cada instante, coordenava com mão de ferro seus *ve'zzirim*, que estavam agora em coro e alternadamente narrando os feitos de Darius na conquista de cada uma das regiões que lhe deveriam tributos: inexplicavelmente, a Palestina não foi nominada, e eu fiquei sem saber o que pensar disso. Jerubaal, a meu lado, sussurrou:

— Tratam-nos como se não existíssemos... que motivo terão para isso?

Théron concordou, em voz baixa:

— Será Jerusalém assim tão pouco importante para o novo Senhor do Mundo, a não ser na hora de cobrança dos tributos?

Suspirei, e disse:

— Calma, irmãos: se não mencionam Jerusalém entre suas conquistas, também não mencionam os samaritanos. Aguardemos o desenrolar dos acontecimentos, já que não nos resta outra coisa a fazer.

RECONSTRUINDO O TEMPLO

Quando a longa lista de conquistas se encerrou, e as ânforas de vinho grego começaram a circular pelo salão, do fundo da escadaria subiu um ruído cada vez mais forte, e subitamente irrompeu na sala um grupo de pessoas vestidas com trajes coloridos, máscaras exageradas, brandindo cetros, espadas, lanças, objetos dos mais variados formatos. No meio deles vinha um homem de longas barbas brancas, que por um instante pensei ser Feq'qesh, ilusão que abandonei assim que lhe ouvi a voz. Era um *hakawabi*, o contador de histórias da corte, acompanhado por seus aprendizes, preparados para imitar com gestos os fatos que ele contava com voz muito aguda, em versos acompanhados por tambores. A audiência do salão urrou de alegria ao ver a entrada do grupo, que parecia ter grande intimidade com Darius/Daruj, pois o imperador se debruçou para a frente, interessado neles, e até os aplaudiu batendo as mãos uma na outra, no que foi imediatamente imitado por seus acólitos. O *hakawabi* tomou o centro do salão e, a um toque mais forte de um tambor, ergueu os braços e começou a perorar:

— Depois da morte de Cambyses, o usurpador Gaumata tomou o poder, contra a vontade de todos os deuses, pois fingia ser Smerdis, filho morto do Imperador morto! O Grande Darius matou o usurpador, mas, enquanto se dirigia à Pérsia, os Magos tomaram o poder, oprimindo o povo com sua religião!

Os auxiliares do *hakawabi* representavam em mímica a história que ele contava, circulando à volta do salão, atraindo a atenção de todos os presentes. O jovem que representava Darius era alto e andava arrogantemente, pavoneando-se pelo salão, esquartejando inimigos até cortar a cabeça de um deles, que representava Gaumata/Smerdis, fazendo-me refletir como era curioso se um fingidor tivesse sido destronado por outro.

— Uniram-se contra os magos os poderosos Otanes, Megabysus e Darius, e os destruíram em batalha sangrenta! E após essa destruição, reuniram-se para que os deuses escolhessem qual deles deveria ser o Senhor do Império!

Dois homens de mesmo porte do jovem que representava Darius uniram-se a ele no centro do salão. Um deles ergueu o braço a um toque de tambor, e o *hakawabi* gritou:

— Eis Otanes, que quis ser Senhor do Império estabelecendo o regime grego da democracia entre nós, dando todo o poder ao povo, afirmando que o desejo de um só não é nem bom nem agradável!

Outro toque de tambor, o outro homem ergueu o braço:

— Eis Megabysus, que pretendeu ser Senhor do Império estabelecendo a oligarquia como forma de governo, afirmando que o povo não deve ser governado nem por todos nem por um só, mas sempre pelos melhores entre eles!

Um toque mais forte, e o jovem que representava Darius ergueu os dois braços, recebendo os aplausos de todos, enquanto o *hakawabi* gritava:

— Eis Darius, que desejou ser senhor de todo o Império, defendendo a monarquia como a forma mais perfeita de governo, pois só através dela o melhor entre os melhores pode governar a todos os outros! E Darius é o melhor entre todos os homens do Império, pois com sua esperteza foi senhor até da vontade dos deuses!

Esta última frase me intrigou: de que maneira a esperteza de um homem, ainda que senhor de todo o mundo conhecido, poderia ser maior que a vontade dos deuses? Minha vontade era a do Deus que me criara. Ele a exibia a mim das mais diversas maneiras, e eu só me tranqüilizara ao compreender que Sua vontade e a minha eram uma só, não havendo como ser de outra maneira.

Os auxiliares do *hakawabi* haviam vestido grandes máscaras de cavalos, agindo como eles, e circulavam à volta dos três outros, que representavam os poderosos, colocando-se atrás deles como se fossem seu séquito, enquanto o *hakawabi* girava sobre si mesmo, para que todos o ouvissem:

— Darius combinou com Otanes e Megabysus que o poder sobre o Império deveria ser determinado pelos deuses, declarando-se disposto a aceitar o seu julgamento. Este seria feito por suas montarias: quando se reunissem na planície, de frente para o leste, o primeiro cavalo que relinchasse ao surgir do sol indicaria o escolhido dos deuses!

O moço que representava Darius, apertando as mãos dos outros dois, dirigiu-se para um lado do salão, onde outro aprendiz também mascarado como cavalo, mas com movimentos muito femininos, coleava à sua frente: lá, postou-se atrás desse aprendiz e esfregou a mão em sua traseira, fazendo-o relinchar.

— Darius foi às estrebarias e, encontrando uma égua no cio, mergulhou-lhe a sua mão na vulva, impregnando-se com o cheiro que ela exalava. Só então dirigiu-se à planície, onde, montado em seu cavalo, junto de Otanes e Megabysus, aguardou o nascer do sol.

Do lado leste do salão, três aprendizes começaram lentamente a erguer do chão um espelho de cobre amarelo muito polido, que simbolizava o sol nascente; e os aprendizes que representavam Darius, Megabysus e Otanes estavam atrás dos que representavam seus cavalos, como se neles estivessem montados. Quando o espelho estava todo erguido, um toque de tambor nos chamou a atenção para o rapaz que fazia o papel de Darius, que ergueu a mão e a esfregou no nariz da máscara de seu cavalo, fazendo-o relinchar e corcovear, atirando-o ao solo, de onde foi erguido para o alto pelos que com ele disputavam o poder, sendo imediatamente coroado Senhor do Mundo. O contador de histórias sacudia os braços no ar:

— O cheiro da égua no cio fez o cavalo de Darius relinchar e atirá-lo ao solo, de onde ele se ergueu Senhor do Mundo para sempre!!!!

A platéia urrava de prazer, rindo sem cessar da esperteza de Darius, dando-me a certeza de que aquele era meu amigo Daruj! Eu fora testemunha do dia em que Daruj aprendera o poder do cheiro do cio sobre um cavalo, na planície de Jerusalém onde a caravana em que chegáramos estava acampada! A experiência que tivera o fizera usar o cheiro forte da égua para açular o impulso do animal exatamente na hora em que precisava de seu relincho. Sua frase desacorçoada, ao erguer-se do chão, batendo a poeira das vestes, ressoou em minha memória: "Nem sempre o cheiro de uma fêmea há de derrubar um cavaleiro..."

Pela segunda vez em sua vida, o cheiro de uma fêmea o derrubara, mas desta vez para erguê-lo a alturas nunca antes imaginadas. Meu amigo sonhara ser um importante general, mas, por maior que tivesse sido sua ânsia pelo poder, nem mesmo, ele creio, previra algo tão elevado. Olhei-o, e ele tinha os olhos fixos em mim, rindo: mas logo desviou seu olhar, recebendo os aplausos e homenagens de todos que o cercavam. Meu amigo conseguira o que desejara, chegando ao lugar mais alto que o mundo podia oferecer a um homem. Os momentos de nossa despedida em Jerusalém voltaram à minha mente como se tivessem acontecido no dia anterior, tal a clareza com que os recordava. Estávamos novamente na planície, e eu ouvia os argumentos de meu amigo: "Cada um de nós nasce para uma determinada coisa, Zerub, e nada pior do que se tentar ser aquilo que não se é. O que se espera de um rei, mesmo o rei de um reino tão sem valor quanto este, é a capacidade de lutar nas guerras, vencer inimigos, aumentar territórios, acumular riquezas tomadas dos perdedores e defender-se de todos que porventura desejem o seu lugar. Crês que serás capaz disso?"

Eu não era capaz disso, mas era capaz de outras coisas, como minha presença à sua frente provava. Mesmo assim, sofrera, aprendera, lutara, unira meu povo tanto à minha volta quanto contra mim, e ali estava, pronto a conseguir do Senhor do Mundo o que faltava para que minha missão se completasse. Outra frase de Daruj, viva como se ele a estivesse dizendo nesse exato momento, soou em minha memória: "Se chegaste a ser rei, eu também o farei, com ou sem o auxílio dos deuses, e se for sem, maior ainda será o meu valor. Quando isso acontecer, saudar-nos-emos como iguais, e sempre poderemos contar um com o outro, mesmo de lados opostos no campo de batalha!"

Será que ele se recordava disso? Em algum momento dessa noite, a lembrança de nossa antiga amizade ressoaria em seu coração de Imperador do Mundo? Escondi a face nas mãos, tentando acalmar o bulício de meu coração, para não sofrer, caso o que eu desejava deixasse de acontecer. Quando ergui a cabeça, o salão estava livre dos contadores de histórias, e os convidados tinham voltado às conversas de antes, muito mais animados graças ao que haviam visto e ao vinho que circulava cada vez mais prestamente. Na'zzur estava debruçado sobre Daruj, e olhou-me fixamente a uma frase de seu senhor, dando um sorriso canalha em minha direção, relanceando o olhar até Bel'Cherub e voltando a ouvir o que Daruj lhe dizia. Jerubaal percebeu esse movimento e me disse:

— Falam de ti, irmão Zerub: talvez pudesses aproveitar este momento...

Eu não tinha certeza disso, e respondi:

— Pode ser que sim, pode ser que não, meu irmão. Aguardemos a hora certa para nosso pedido.

RECONSTRUINDO O TEMPLO

Yahweh, dizem os seus fiéis, escreve certo por linhas tortas, e tem o costume de nos dar tudo o que pedimos, mesmo que seja para o pior. É preciso ter cuidado com o que se lhe pede: em minha alma, lá no fundo, ressoava silenciosamente o desejo de que me fosse concedido reerguer o Templo de meu povo, em respeito à memória de Cyro. Conseguiria Daruj, agora transformado em Darius, chegar-lhe aos pés?

Na'zzur gritou:

— O poder de Darius é infinito, e infinita a sua força!

Daruj, erguendo as mãos, fez um ar de modéstia, e exclamou:

— Não há rei todo-poderoso, nem mesmo aquele que traz dentro de si a força de um deus... somos todos homens, e ainda que os deuses me tenham escolhido como o melhor entre todos, certamente estou longe da perfeição.

Bel'Cherub, como se acordasse de um sonho, babujou, em voz alta:

— Darius certamente paira entre os deuses e os homens, tal como os semideuses que os tessalienses veneram...

A audiência aplaudiu: o banquete estava se tornando uma oportunidade para que o Senhor do Mundo fosse bajulado por seus súditos, e nas faces ansiosas eu via a pressa de encontrar a frase perfeita, que destacasse o que a dissesse, granjeando-lhe as graças do Grande Rei. Pus as mãos sobre os olhos, fechando-me em mim mesmo, como se estivesse sob o dossel de um manto, na esperança de que o mesmo deus que havia marcado sua presença nesta sala nos fizesse de novo saber de sua existência, através de mim.

Daruj ergueu a mão, com ar cansado, e disse:

— Deve haver aqui alguém que saiba qual é, abaixo dos deuses, a coisa mais poderosa do mundo. Quem tiver essa resposta, que se erga e a profira em voz bem alta e clara, e será recompensado com toda a minha benevolência, podendo vestir-se de púrpura, usar colares de ouro, beber em taças de ouro, deitar-se em leito de ouro, passear em carro de ouro puxado por cavalos ajaezados com ouro, e sentar-se a meu lado, para que eu o trate como a um igual, um parente, um irmão! E além disso ainda poderá ter tudo o que desejar!

O burburinho no salão cresceu: o velho hábito dos governantes, de fazer com que o acaso lhes mostrasse os melhores homens entre seus súditos por meio de charadas e enigmas, deixara a todos em polvorosa.

Cabeças se tocavam, confabulando, olhos se cerravam, enquanto seus donos punham o bestunto a trabalhar, buscando agradar ao Todo-Poderoso Senhor do Mundo. Eu, por meu lado, mantive-me vazio: se Yahweh quisesse me dar a resposta, eu precisava ser uma taça vazia, para que ele a enchesse com o vinho de Sua existência.

Um dos tessalienses que estavam à minha esquerda ergueu-se, arrebanhando o manto, e pigarreou, antes de dizer:

— Nada existe no mundo mais poderoso que um rei! Os homens somos os senhores do Universo, dominando toda a terra, todos os mares, fazendo servir os elementos ao uso que bem nos parece. Mas o rei é o senhor dos homens, reinando sobre aqueles que dominam tudo o que existe. O que pode ser mais poderoso que um rei, se seus súditos estão sempre prontos a obedecer-lhe, indo até mesmo ao combate para defendê-lo e, depois de o fazer, revertendo toda a glória e toda a vantagem da vitória ao rei, que, não precisando nem mesmo semear, goza toda espécie de prazer? Pode-se pois duvidar que o poder dos reis supere todos os outros poderes?

A platéia aplaudiu, batendo as mãos umas nas outras, como Daruj havia feito, mas este nem mesmo se moveu: a frase do tessaliense era por demais adulatória, sendo a primeira que todos haviam pensado em usar, desvalorizando-se por isso. Daruj ergueu os olhos, correndo-os pelo salão e gritando:

— Alguém mais?

Alguns segundos de hesitação, e do lado oposto ao meu ergueu-se um persa vestido com ricos trajes, um tanto mais enfeitado que seu senhor, as faces vermelhas e brilhantes:

— Parece-me, e não há melhor prova, que tudo cede à força do vinho!

Gargalhadas soaram no salão, e o persa continuou, sentindo-se mais seguro por causa delas:

— Tudo cede à força do vinho, porque ele perturba a razão, e até mesmo aos reis põe em tal estado, que eles se tornam crianças, necessitando ser guiados... dá aos escravos a liberdade, empobrece os ricos, alegra os pobres, muda de tal sorte o espírito dos homens, que afoga as maiores misérias e desgraças! E quando, depois do vinho, adormecem, despertam no dia seguinte sem nenhuma consciência do que o vinho lhes causou, encontrando-se com o espírito tranqüilo e limpo... Que dúvida pode haver de que o vinho, sendo mais forte que os reis, seja a coisa mais forte que há no mundo?

Gargalhadas e aplausos da parte dos que tinham suas taças permanentemente renovadas vibraram nas paredes do grande salão, e Daruj, consciente da discutível homenagem que lhe prestavam, ergueu também sua taça, sem dela beber, no entanto. Depois de algum tempo, o persa, percebendo que Daruj não brindava sua vitória, sentou-se desacorçoado, ficando cabisbaixo enquanto seus correligionários e acompanhantes o parabenizavam escandalosamente.

Daruj pousou a taça e novamente percorreu o salão com os olhos, sem nada dizer. Sua atenção passava por sobre minha cabeça, como se eu lá não estivesse. O burburinho do salão era grande, e um estranho homem moreno de barbas e bigodes encerados, vestindo roupas de cores brilhantes e com uma labareda amarela e alaranjada pintada entre os olhos, ergueu-se, juntando as mãos ao peito e depois erguendo os olhos para Daruj. Théron sussurrou-me ao ouvido:

— É um indiano, certamente o governador da imensa vigésima satrapia.

O homem moreno, cujos olhos pareciam delineados com tinta negra, começou a falar com voz pausada, certamente para se expressar com correção em uma língua que não era a sua:

— Estou de acordo com os que me antecederam, mas devo dizer-lhes que o poder das mulheres é ainda maior que o dos reis e o do vinho.

Gritos e gargalhadas por parte dos homens que ali estavam explodiram no ar, em aquiescência. O indiano baixou a cabeça, e só a ergueu quando o ruído da audiência diminuiu:

— Todos os reis tiveram origem nelas, e se elas não tivessem posto no mundo aqueles que cultivam as vinhas, o vinho não existiria. Devemos tudo às mulheres, que com seu trabalho nos concedem as maiores comodidades da vida. Sua beleza tem tanto encanto que nos faz esquecer o ouro, a prata, as riquezas sem tamanho, e basta que uma delas nos conquiste para que por ela tudo abandonemos, pai, mãe, família, rei... eu mesmo já vi a esposa do Grande Darius, Apaméia, tomar-lhe a coroa da cabeça e colocá-la em sua própria, e o Grande Darius não fez mais do que rir, deliciado com ela. Que outro ser neste mundo conseguiria isso?

ZOROBABEL

A platéia delirava, principalmente porque o indiano, com gestos mais que lânguidos, tinha um certo quê dessa fêmea poderosa que tão bem descrevia. Todos ali se recordaram de pelo menos uma dessas, que lhe tivesse um dia acendido o fogo no baixo-ventre, e pela qual tivesse sido capaz das coisas mais terríveis ou sublimes. Eu mesmo me recordei de Rhese, mas a imagem recorrente de seu corpo enleado nos braços de Jael não foi o que me veio à mente: lembrei-me dela como mais gostava de vê-la, em seu pomar, trabalhando a terra.

Um tranco em meu quadril direito me fez olhar para o chão: não havia ali ninguém que pudesse ter-me puxado a faixa de *tarshatta*, mas na ponta dela o relicário a esticava como se dentro dele estivesse pendurada uma pedreira, cortando meu ombro com seu peso, e meu coração deu um salto. Abri o relicário: dentro dele estava a moeda desaparecida, a mensageira de Yahweh, e quando a tomei em minha mão, ela estava quente como se tivesse passado pelo fogo. Apertei-a entre os dedos, e subitamente por detrás de minhas pálpebras surgiu de novo a gloriosa torrente de letras que eu já não via desde muito tempo, dentre elas destacando-se três, um *aleph*, um *mem* e um *thau*, formando a palavra *emet*. Eu sabia a resposta, e me ergui num salto, ficando de pé com os olhos cravados nos de Daruj, que não tinha como desviá-los de mim. A sala estava em silêncio absoluto, e enquanto as letras giravam à minha volta, fazendo-me ver que tudo o que estava naquela sala era formado por elas, ouvi minha voz dizer, como se não fosse de mim que estivesse saindo:

— O maior de todos os poderes é a mais infinita de todas as coisas existentes, à qual nada se compara, nem as mulheres, nem o vinho, nem os reis! A injustiça nada pode contra ela! Enquanto todas as outras coisas são perecíveis e passam como um relâmpago, ela é imortal e subsiste eternamente, e as vantagens com que nos enriquece não duram menos que ela mesma! A fortuna não a pode tirar de nós, nem o tempo alterá-la, porque ela está acima de seu alcance e é tão pura que nada a pode corromper! Por maior que seja a terra, por mais alto que seja o céu, por mais rápido que seja o curso do sol, nada entre o céu e a terra consegue ser maior que seu poder!

Daruj ergueu-se a meio de seu trono, fixando-me pela primeira vez em muitos anos, sobrecenho cerrado, fuzilando-me com seu olhar.

Esticou o braço em minha direção, fazendo um gesto de me apressar, e disse:
— Vamos, revela que poder é esse, eu te ordeno!
Fitei-o durante um longo tempo, tentando enxergar, sob a pátina que ele exibia e expressava, o amigo de infância que me fora tão caro ao coração. Nada vi, a não ser um homem endurecido por suas conquistas e para quem a amizade deixara de ter qualquer valor. Suspirei profundamente, a moeda queimando-me a palma da mão, e antes que um trovão poderoso soasse no céu sobre o grande palácio, disse, em voz alta e clara:
— A Verdade!

Capítulo 37

O salto que Daruj/Darius deu, os olhos injetados, os punhos cerrados, numa exibição flagrante de ódio, arrancou das bocas de todos que ali estavam um grito surdo de espanto. Ele deu dois passos para a frente, em minha direção, pronto para saltar-me à garganta como um animal faminto de sangue e vingança. Mantive meu olhar fixo no seu, movido por essa força incontrolável que me conduzia, preenchendo-me de uma compreensão tão perfeita das coisas do mundo, que eu imediatamente vi o que o movia. Não era ódio: era medo, e seu corpo poderoso era todo formado por inúmeras repetições das mesmas três letras, *peh*, *heh* e *daleth*, formando a palavra *pachad*. O que Daruj sentia era medo de mim e do que eu sabia: eu, e apenas eu, podia revelá-lo como sendo quem ele realmente era, não um príncipe descendente de Hystapes, mas sim o filho de um tapeceiro, erguido aos pincaros da glória ao apoiar-se em uma mentira. Em minhas mãos estava o destino do mais poderoso de todos os homens, pois eu era o único que podia revelá-lo sem nada perder. A seu lado, a figura grotesca de Na'zzur também se recheava de *pachad*, misturado com as três letras, *nun*, *zain* e *kuf*, formando a palavra *nezek*, prejuízo. Todos naquele palácio temíam o prejuízo que se configurava. Essa palavra pairava por sobre todas as cabeças de quem ali estava, e era quase como se a mão de Yahweh a estivesse traçando em letras de fogo negro por sobre todas as coisas, assinando de próprio punho Seu Nome em todas as suas criaturas.

Percebi de repente, olhando para Daruj, que onde parecia haver força, havia medo, onde parecia haver poder, havia medo, onde parecia haver segurança, havia medo. Eu não pretendia ameaçá-lo: em respeito à amizade que havíamos tido, deixei de lado o poder e a força de causar-lhe medo, baixando a cabeça e fechando os olhos, sem nada dizer. Era preciso que eu preservasse em mim a amizade que sentia, sem me preocupar se era recíproca ou não. Bastava nesse momento que eu fosse amigo de meu amigo, poupando-o do constrangimento de ver revelada publicamente a verdade sobre sua origem, e nossa amizade se perpetuaria. Eu devia dá-la a ele como um presente, em holocausto do que tínhamos sido, mesmo que isso significasse a perda do que eu havia ido buscar, porque pobre é o Senhor do Mundo que não conhece a amizade, e o mundo ainda é preço baixo demais a pagar por ela.

Não sei quanto tempo se passou, mas quando abri os olhos, Daruj arrebanhava seu manto e se preparava para deixar a sala, virando-me as costas. Foi para suas espáduas tensas que eu disse, em voz alta, tentando concretizar aquilo a que me havia proposto:

— Grande Darius, Senhor de Todo o Mundo! Como teu súdito e verdadeiro *tarshatta* de Jerusalém, peço-te que me concedas o direito de reiniciar as obras do Templo de Yahweh, como o determinou vosso antepassado Cyro! Esse edito ainda existe em teus arquivos, e basta que o faças cumprir, em honra daquele que foi tão grande quanto tu!

Na'zzur virou-se em minha direção, irritado:

— Em nome de quê fazes esse pedido, infiel? Como ousas tentar impor tua vontade sobre teu senhor Darius?

— Em nome da Verdade! — As espáduas de Darius tremeram ao som dessa palavra. — Lembra-te que, ao cumprir o desejo de teu antepassado, podes vir a ser maior do que ele! Esta é a Verdade das Verdades!

Darius parou, mas depois saiu caminhando em passo mais lento e deixou o salão, sem se virar nem uma vez, passando pelo grande arco sob as saudações dos súditos que nada compreendiam do que se passara entre nós. Virei-me para Jerubaal e Théron e lhes disse, com tristeza:

— Vamos, irmãos, está tudo perdido.

Meus irmãos me ladearam, e eu, em passo lento, os olhos enevoados por lágrimas amargas, deixei o grande salão de banquetes. Yahweh me enchera com Sua vontade, e essa vontade dera resultados terríveis. A qualquer momento, a ira de Darius cairia sobre nossas cabeças: sendo ele um verdadeiro todo-poderoso, esperaria o momento certo para aplicar-me o corretivo por minha ousadia. Isso levaria algum tempo, contudo: minha morte teria que esperar o instante adequado, para que ninguém sequer desconfiasse do que se havia passado entre nós. Ainda me restava algum tempo de vida.

Guardei a moeda miraculosa em seu escrínio na ponta de minha faixa e subimos os corredores em passo lento. Eu me sentia descendo para as masmorras onde sofreria a tortura final. A qualquer instante, os soldados de Darius poderiam manietar-me e levar-me para os horrendos porões de meu amigo, ou quem sabe, numa curva mais escura dos corredores uma faca bem colocada entre minhas espáduas daria cabo da ameaça que eu representava. De minha parte, nada disso era problema: eu fizera o que podia, dera o máximo de mim, e, como Feq'qesh já me havia dito, Yahweh não espera que cumpramos a tarefa, mas apenas que não nos eximamos dela, e eu não me eximira da minha.

Quando íamos chegando à porta de nossos aposentos, um vulto se ergueu das sombras. Théron saltou à minha frente, com a espada curta em riste, mas era apenas um sacerdote de Ishtar, o rosto pintado de azul-índigo, que se curvou à minha frente, entregando-me um rolinho de papiro. Quando o abri, o perfume que dele se evolou me fez girar a cabeça, e a frase escrita em letras do mesmo azul-índigo flutuou ante meus olhos:

"Sha'hawaniah, Sacerdotisa de Ishtar, aguarda uma visita imediata do Rei dos Judeus, para dar-lhe o que sempre lhe negou."

Meu coração disparou, e do fundo de minha alma uma onda de imensa carência se ergueu, quase me sufocando em sua violência. Mas minha alma não era tudo o que eu tinha dentro de mim, e a razão me trouxe à lembrança uma outra recusa, sem motivo justo. Nada havia mudado em minha condição: eu ainda não era Rei dos Judeus, segundo as exigências que ela mesma estabelecera daquela vez, e não pretendia mais ser um joguete entre seus dedos, como já fora em tantas oportunidades, até que a consciência da Luz de Yahweh me desse as armas para enfrentá-la.

Théron percebeu minha emoção, dizendo-me:

— Meu Rei, o que quer que esteja escrito nesse papiro te deixou mais abalado que a reação inesperada de Darius. Posso ajudar-te de alguma maneira?

Suspirei, fitando Jerubaal pela porta entreaberta, enrodilhado ao solo em oração, a cabeça coberta pelo manto. Meu desejo também era o de fechar-me em mim mesmo, enterrando a cabeça na areia até que a tempestade passasse, como se aquilo que eu não visse não me pudesse afetar: mas essa não era mais a minha natureza, e eu desaprendera como fugir de mim mesmo. Envolvi-me novamente no manto que acabara de tirar, e disse a Théron:

— Podes ajudar-me, sem dúvida: apanha minha harpa e ora por mim.

Abraçando meu instrumento musical como um escudo, segui o acólito de Ishtar com seu passo curto, subindo para um andar acima do meu, traçando o caminho até os aposentos de Sha'hawaniah, sem permitir que meu coração sentisse qualquer coisa, e ao mesmo tempo temendo que ele explodisse, por tantas emoções nele represadas. Quando lá chegamos, a porta se abriu como que movida por vontade própria, e, na penumbra olorosa, as sombras se moviam por entre os inúmeros panos que me separavam do leito, um território de sombra mais escura a poucas braças de mim. O som das campainhas muito agudas e das vozes sussurradas me tonteava, mas eu apertei contra o peito o saco vermelho onde minha harpa estava guardada, sentindo seu volume e forma tão familiares, neles me reassegurando de minha própria existência.

Eu já passara por aquilo duas vezes, num suplício que nunca chegara a bom termo: mas desta vez minha vontade teria que ser maior que meu desejo, já que o que se avolumava em meu baixo-ventre, depois de tantos anos sem me recordar que ali existia uma fonte de prazer avassalador, fazia com que eu lentamente perdesse o pouco controle que ainda tinha. Quando estava a dois ou três passos da borda do leito, depois de superar as incontáveis barreiras sucessivas de panos transparentes e azul-escuros, estanquei. Não conseguia avançar mais. Sentei-me ao solo, as pernas subitamente amolecidas: a harpa permaneceu à minha frente, defendendo-me. Numa súbita inspiração, buscando uma segurança que não possuía, tirei-a do saco e experimentei suas cordas com as pontas dos dedos. Isso me deu um pouco de confiança, e eu me pus a tocar uma linha melódica calma e descansada, que se repetia sem cessar, como que me concentrando em um só ponto de meu interior para que não me perdesse de mim. Quase não percebi a mão de unhas pintadas de negro que saiu pelos cortinados e avançou em direção a meu rosto, só a notando quando me tocou a face com leveza, enquanto sua dona emitia o mesmo som sibilante da primeira vez que nos víramos, ela sobre um andor no porto da Grande Baab'el e eu no chão, entre seus adoradores. Minha melodia se interrompeu por um instante, mas logo a retomei, cada vez mais suave, enquanto Sha'hawaniah, uma sombra por trás dos panos em sombra, disse:

— Recebi todos os recados que me enviaste, e de cada vez que a luz de teu deus me tocou, foi como se me tivesses ferido de morte. Doeu muito, mas foi pior quando não tive mais notícias de ti, como se tivesses desaparecido no fundo da terra. Por que não aceitaste minhas ofertas de prazer? Cada uma de minhas fiéis era como se fosse eu mesma, e eu as enviei a ti como prova de meu amor e interesse. Eu nunca te esqueci, meu príncipe, mas só percebi a falta que me fazias quando começaste sistematicamente a rejeitar minhas ofertas. Se eu não podia dar-me a ti, elas eram a melhor forma de me manter em tua companhia...

Eu não compreendia: então as inúmeras mulheres que me haviam saudado em nome de sua senhora Ishtar eram enviadas de Sha'hawaniah, e a cada vez que eu rejeitara uma delas era Sha'hawaniah que eu estava rejeitando? Se pelo menos eu tivesse sabido disso... mas o mal que essas mulheres me faziam era mais forte que eu, e minha integridade pessoal só se tornara verdadeira quando eu as enfrentara, fazendo com que a vontade de Yahweh e a minha fossem uma só. Baixei a cabeça, ainda em silêncio, e continuei tocando. A voz de Sha'hawaniah cresceu e ficou trêmula, e ela quase gritou:

— Por que te calas? Não me queres? Não tens nada a dizer? Estou aqui preparada para arriscar tudo e ser tua, sem reservas, sem nenhum tipo de condição, deixando que a deusa que mora em mim se una com o deus que tens dentro de ti, para que juntos dominemos o mundo! Não me desejas mais?

Minha voz se embargava na garganta, e eu não sabia o que fazer, o que dizer, de que maneira agir. O medo de mais uma recusa me paralisava, e, a não ser pelos dedos que não paravam de se mover por sobre as cordas, eu era como uma estátua de carne. Sha'hawaniah avançou por sobre a borda do leito, abrindo os cortinados, e na penumbra seu vulto se avolumou sobre mim, suas mãos sacudindo-me os ombros, terna mas fortemente:

— Fala! Não é possível que nada me tenhas a dizer. Se não me queres mais, fala! Teu silêncio me desespera... fala!

Tirei as mãos da harpa e, subitamente envolvido em uma certeza extrema do que deveria dizer, falei-lhe:

— Que meu senhor Yahweh te cubra com Sua Luz.

Um súbito relâmpago iluminou o leito onde estava Sha'hawaniah, gritando, e a imagem que vi não era a da bela morena com que sempre sonhara, mas sim a de uma mulher muito mais velha, cansada, os cabelos degrenhados, o corpo descarnado. Foi só uma visão fugaz, à luz do raio, mas que se queimou em minhas retinas profundamente, lá permanecendo por muito tempo depois que a sala voltou à penumbra. Sha'hawaniah soluçava:

— Já não te disse o quanto essas palavras me ferem? Por que me queres magoar com esse teu deus de crueldade infinita? Vem, deita-te comigo: hoje serei toda tua...

Alguma coisa em minha alma se desavinha: ao lado do desejo imenso e antigo, uma estranha desconfiança se avolumava. A imagem da mulher que o relâmpago iluminara, a boca escura como um poço seco, não estava de acordo com a imagem da mulher que eu aprendera a não desejar, para minha própria tranqüilidade de espírito. Disse-lhe:

— Quero-te ainda, e muito... mas quero-te onde pela primeira vez me deste o prazer: na varanda por sobre o Eufrates.

Ela recuou, e os cortinados caíram entre mim e ela, enquanto dizia:

— O leito é tão melhor para o amor entre um deus e uma deusa, meu príncipe. Se nos unirmos, eu serei tua sacerdotisa e tu finalmente serás o meu rei... vem!

Sua mão me segurava pelo pulso, puxando-me para dentro dos cortinados: a pele dessa mão era fria e viscosa, como a de alguém que tivesse acabado de passar por um ataque de febre. Segurei-lhe o pulso, para não ser arrastado, e seu punho estava fino como um bracinho de criança. Soltei-a assustado, preso de surdo e dolorido pressentimento, erguendo os cortinados para vê-la como realmente era, e não com os olhos de meu desejo ou minha memória. Ela se arrastou para o fundo do leito, ocultando-se de bruços atrás de uma pilha de almofadas: eu a segui, de gatinhas, arrancando os cortinados em meu caminho, e quando todos já estavam no chão, cheguei até ela, virando-a com decisão.

O que vi à minha frente era uma imitação cadavérica da mulher que eu desejara tanto, e que agora parecia feita de gravetos e lama, magra além do humanamente possível, as faces encovadas, os ralos cabelos desgrenhados para dar a impressão de volume, a pele pintada com argila rosa para parecer saudável, sem conseguir mais do que aumentar meu choque, pelo contraste. Ela gritou, debatendo-se para escapar de mim, e sua boca era um buraco hiante, dentro do qual não havia um dente sequer. Onde estava a fascinante mulher que me excitara ao ponto de fazer-me gozar sem nem mesmo tocar-me? Ela se retorceu em meus braços, e eu a soltei, pois tive medo que se quebrasse em minhas mãos, transformando-se em cacos à minha frente. Estava muito doente, pelo que eu podia perceber, e quando caí desavorado sobre as almofadas, e ela percebeu que meu primeiro susto já passara e sua aparência terrível se tornara mais suportável, disse-me, as ralas melenas ocultando sua face, dentro da qual só os olhos fundos brilhavam como se fossem brasas vivas:

— Sim, meu príncipe, é isto o que me tornei! Meu corpo hoje nada tem daquilo que te gerou desejo... mas eu sou a mesma de antes, não vês? Meu espírito ainda é o mesmo que conheceste, a deusa que vislumbraste em mim ainda continua viva aqui dentro! Não temas, não estou leprosa: a doença que me enfraquece é só minha, e podes me tocar à vontade sem que ela te seja transmitida... só quero te dar o meu amor, que te espera faz tempo....

Minha face certamente expressava tudo o que eu sentia, ao vê-la assim tão sem atrativos: nesse momento, entendi que o que me atraía para ela era simplesmente o físico, nossos corpos se aproximando em negaceios, como pássaros em uma dança de acasalamento. Não havendo atrativos na fêmea, o macho se desinteressa dela, e eu estava repleto de desinteresse, como meu corpo me revelava sem deixar dúvidas.

Sha'hawaniah também notou isso, e sua face se encheu de raiva impotente: puxou-me pela mão e contra a minha vontade arrastou-me para um lado dos aposentos, onde o espelho de metal muito polido refletia a luz dos archotes que o ladeavam:

— Tens nojo de mim, de meu corpo? Pois olha o teu!

RECONSTRUINDO O TEMPLO

 Se meu susto ao percebê-la tão destruída fora grande, não se comparou ao que senti quando enxerguei no espelho, ao lado de sua degradação física, um velho de faces rugosas, ventre encovado, joelhos cambaios, com trajes de qualidade que não conseguiam ocultar sua decadência. Os sete anos que eu passara enterrado nas pedreiras haviam se multiplicado por pelo menos três, e se minha idade real era a de quase trinta anos, o homem corrompido que me olhava de dentro da superfície metálica tinha o dobro disso. Eu e Sha'hawaniah, lado a lado, éramos duas múmias ressecadas, como as que os egípcios faziam de seus mortos e que de quando em vez afloravam à terra, qual tubérculos apodrecidos da morte. A vida, o tempo, nossas missões, nos haviam cobrado um preço alto demais, e éramos agora os restos daquilo que poderíamos ter sido.
 Ela ergueu a mão até um ombro e, desatando a fivela que segurava suas vestes, desnudou o seio esquerdo, quase inteiramente roído por um cancro, olhando-me com olhos tristes. Havíamos deixado de ser homem e mulher: eu era incapaz de perpetuar minha semente, e ela não podia sequer pretender amamentar as crias que porventura tivesse. Baixei a cabeça, para não ver a mim mesmo, e as lágrimas saíram de meus olhos aos borbotões, empapando as mãos que eu erguera até o rosto, envergonhado de minha própria miséria.
 Sha'hawaniah suspirou profundamente, e disse:
 — Tens razão: somos verdadeiramente asquerosos, porque cada um ainda sonha consigo e com o outro como fomos antes de nos tornarmos o que somos. É preciso extinguir essa ilusão, esse engano. Já entendi que não tens nenhum desejo por mim, mas preciso saber se não te desperto pelo menos um pouco de amor ...
 Meu silêncio foi o suficiente: depois de algum tempo, ela disse, com um fio de voz:
 — Eu te entendo. Teu corpo também não me oferece nenhum atrativo, mas eu ainda sinto no coração o amor que durante todos esses anos te neguei. Tranqüiliza-te, não te peço mais nada: se te amo, como te amo, não quero te condenar à prisão perpétua a meu lado, porque já basta que estejas obrigado a ela dentro do teu próprio corpo.
 Um urro lancinante escapou de sua garganta:

— Oh, Ishtar, deusa de quem fui filha devota e fiel, dá-me a graça da transformação! Faze de mim novamente aquilo que eu sempre fui! Interrompe o tempo! Faze-o voltar atrás!

Seus punhos cerrados esmurravam o ar acima de sua cabeça, mas nada aconteceu, e ela deixou que seus braços caíssem ao longo do corpo, derrotada. Depois, erguendo os olhos, aprumou-se e disse:

— Quero dar-te um último presente, o único de que ainda sou capaz de dispor. Vem comigo até a varanda...

Minha respiração se interrompeu, e ela continuou, com um sorriso triste:

— Acalma-te, meu príncipe: não pretendo te obrigar a nada. Quero dar-te o melhor de minha arte sagrada, pois a deusa que vive dentro de mim ainda é capaz de dançar. Eu ficaria profundamente honrada se me desses a honra de fazê-lo ao som da harpa tocada pelo deus que mora dentro de ti...

Hesitei, mas depois compreendi que estávamos predestinados a isso: ela e eu éramos apenas vestígios dos deuses a quem servíamos, e que nunca poderiam unir-se, nem mesmo se o desejassem. Sendo duas partes de um deus, separados como estávamos, nunca mais poderíamos ser um só: aquilo que se parte não se recompõe jamais. A única coisa que poderíamos fazer juntos era a que nos unira pela primeira vez, minha música e sua dança, círculos excêntricos que nunca se tocariam, ainda que girassem cada vez mais próximos um do outro. Recordei-me de uma vez em que Feq'qesh me falara da Lua e do Sol perseguindo-se eternamente pelos céus, sem nunca se encontrar, e se a Lua só se iluminava quando tocada pela luz do Sol, este só se justificava ao dar-lhe a luz de que ela necessitava para brilhar.

Recuei até onde deixara minha harpa, tomei-a nas mãos e acompanhei Sha'hawaniah até a varanda onde ela me dera o prazer pela primeira vez, sentando-me no mesmo banco de madeira e tijolos em que antes estivera. Ela se postou à minha frente, banhada pela luz da Lua cheia que clareava o céu estrelado, erguendo os braços por sobre a cabeça, esperando por mim. Fiz soar a frase musical que era minha mais remota lembrança, tangendo as cordas da harpa com todos os dedos, vendo a resposta imediata nos quadris ossudos de Sha'hawaniah. Sem tirar os olhos de seu corpo debilitado, fui acrescentando notas e ritmo a meu toque, percebendo que cada detalhe se refletia nos movimentos que seus membros e ventre faziam, de tal forma que a partir de certo instante não conseguia mais saber se minha música gerava a sua dança ou se era precisamente o contrário. Unidos em criação espontânea, tornamo-nos um só, e seu corpo, começando a perlar-se de gotas de suor que o faziam brilhar como se jovem fosse, coleava e se movia em uníssono absoluto com meus dedos nas cordas da harpa. Sob meus olhos, a transformação que ela pedira a sua deusa se processava miraculosamente, e eu podia ver o organismo doente se renovando de dentro para fora, a cada movimento. Em mim, também essa força e juventude se renovavam, e meus dedos se moviam com a mesma rapidez que minha mente, propondo melodias, acrescentando um toque a mais ou a menos na frase de ritmo ímpar, sublinhando e contrapontando a dança que a iluminava por dentro. Em minhas veias corria um fogo que eu não sentira existir durante muito tempo, e quando, sem que isso precisasse ser acertado entre nós, começamos a agir como quem conversa, minha música e sua dança perguntando e respondendo, imitando e acrescentando, seu corpo e meus dedos unidos e complementares.

Um relâmpago súbito me fez tremer: sua luz fria desvendara a ilusão a que nossas artes nos estavam induzindo. Nem ela mudara nem eu retornara ao que antes fora: continuávamos exatamente como éramos antes da dança começar, pois o tempo sempre traz à luz aquilo que andava oculto, ao ocultar aquilo que brilha em todo o seu esplendor. Meus dedos se ergueram das cordas, e os movimentos de Sha'hawaniah se interromperam, deixando-a inerte sobre o chão de tijolos vidrados da varanda, banhada em suor, ofegante. Fechei meu olhos e busquei na memória um presente que lhe pudesse dar, como sinal de despedida. Nada me vinha à mente, e o silêncio só era cortado pela respiração difícil de Sha'hawaniah. Do fundo de minha mente cansada, surgiu como a luz de uma pequena candeia o Cântico de meu avô Salomão, que Feq'qesh cantara na primeira vez em que o ouvira, uma fonte de água limpa em meio à sujeira da taberna de Bel-Cherub. Limpei a garganta e, com a suavidade de quem se despede para nunca mais voltar, cantei-lhe:

— "Cruel como os abismos é a paixão, suas chamas são chamas de fogo, e ainda assim uma pequena faísca do Deus que nos criou. As águas da torrente jamais poderão apagar o amor, nem os rios afogá-lo. E se alguém quisesse dar tudo o que tem para comprar o amor, seria tratado com desprezo..."

Sha'hawaniah me olhou fixamente por entre os cabelos durante todo o tempo em que cantei, e quando minha voz cedeu ao final de meu fôlego, estendeu as mãos para dois de seus acólitos, que se aproximaram dela e tomaram cada um um de seus braços descarnados, as longas unhas negras sobressaindo mais ainda, tal a palidez de sua pele. Eles a ergueram com cuidado, e Sha'hawaniah ficou de pé sobre a balaustrada, sorrindo em minha direção:

— Eu te liberto, meu príncipe, ficando na prisão por ti e por mim mesma. A deusa que mora em mim foi finalmente derrotada, e é preciso que se oculte para poder ser revelada quando sua hora chegar. Vive tua imortalidade terrena, junto a teu deus: eu de minha parte me entrego a minha deusa, para não ter que entregar-me à morte viva da terra.

Quando ela abriu os braços, revi-a sobre a mesa de ouro de Marduq, ao fim de sua dança, enlevada pela presença de Ishtar dentro de sua alma. O sorriso que ela abriu era idêntico ao que nesse dia eu vira em seu rosto, dando-me a certeza de desejá-la acima de qualquer outra coisa, inclusive eu mesmo. Ela tomara esse mesmo ar divino quando se atirara para trás, sendo apanhada pelos doze sacerdotes de Marduq, que a levaram sobre as cabeças para dentro do aposento onde Ishtar e Marduq se tornavam um só, garantindo a fertilidade da Grande Baab'el por mais um ano.

Desta vez não havia doze sacerdotes para apanhá-la: seus olhos miraram o céu por sobre sua cabeça, e com as palmas das mãos viradas para cima, o corpo perfeitamente reto, ela se deixou cair para trás, mergulhando desse terraço vertiginoso sem mover um músculo sequer. Dei um salto para a frente, debruçando-me sobre a balaustrada, e vi seu corpo imóvel caindo em direção às águas revoltas que ficavam no fundo desse abismo, desaparecendo nele com um forte ruído, que chegou até mim tão alto quanto meu próprio grito de desespero. Virei-me para seus acólitos, todos contritos e silenciosos, sem mover um músculo sequer. Agitei-me entre eles, buscando algum sinal, alguma reação, e repentinamente descobri que tudo havia sido planejado por ela, o chamado, a sedução, a dança, a subida na balaustrada, o mergulho final por sua própria vontade antes que a morte a viesse buscar sem que ela soubesse quando. Voltei à balaustrada e olhei longamente as trevas abaixo de mim, enquanto os acólitos de Sha'hawaniah se punham a trautear um canto surdo e repetitivo, que vibrava em meus ouvidos. Era sua última homenagem a sua senhora, e eu, movido por um impulso incontrolável de minha emoção, tomei de minha harpa, acariciando-lhe as cordas pela última vez, e depois atirei-a no mesmo abismo em que Sha'hawaniah se jogara. A dança da deusa e a música do deus finalmente unidos no silêncio da morte, como não fora possível em vida. Virei-me para a porta de saída, deixando para trás a cena perfeitamente estática dos fiéis que oravam. Saindo dos aposentos da sacerdotisa, fechei a porta atrás de mim, encerrando o momento final dessa dor constante que nunca havia sido o resultado de nenhum prazer ou pecado, mas apenas e tão-somente a incompreensão que ambos tivéramos de nossos papéis na batalha divina pelo poder sobre as criaturas.

    Desci o longo corredor em passos cada vez mais lentos, consciente de que, agora sim, finalmente tudo perdera, tanto aquilo que me era caro quanto aquilo que não desejava, e nada mais possuía. Minha missão chegara a um final inglório, eu não tinha mais nenhum objetivo em minha vida, pois até minha música havia sido entregue a quem de direito. Perdera amigos, amores, prazeres, ao mesmo tempo em que me livrara de adversários, ódios, sofrimentos. Nada fora como eu desejara, tudo fora como eu temera, mas isso não tinha qualquer importância. A impermanência de todas as coisas era como uma segunda pele em minhas costas, cobrindo-me e agasalhando-me como nenhum manto jamais o fizera.

    Entrei em meus aposentos: à luz dos candeeiros que os iluminavam, vi Théron e Jerubaal refazendo os fardos de viagem, ajudados por quatro de nossos servos. Sobre um escabelo ao lado de meu leito estavam meus trajes de viajante, perfeitamente dobrados e arrumados, limpos de todo sinal de poeira. Passei a mão sobre eles: sua aspereza era bem-vinda, pois, para quem em seu íntimo nada mais sente, a aspereza de um tecido assume o valor de uma carícia. Meus irmãos perceberam meu mutismo e delicadamente nada disseram, permitindo que eu me banhasse e deitasse em meu leito sem nenhuma pergunta ou frase. O homem mais poderoso do mundo certamente é o que se sente mais só, e nessa noite eu certamente era o mais poderoso de todos os homens.

Acordei pela manhã com fortes batidas na porta: quando me ergui sobre as almofadas, percebi que Théron já tinha sua espada curta desembainhada, os pés firmemente plantados no solo, colocado entre mim e quem quer que estivesse por entrar. Não havia, no entanto, mais nada que me pudesse ameaçar, e por isso pus os pés no chão, passando por Théron e gritando:

— Entra!

A porta se abriu com um repelão: do lado de fora estava a figura arrogante de Na'zzur, o *ve'zzur* de meu senhor Darius, que havia sido meu amigo Daruj, antes de transformar-se no poderoso que era agora. Na'zzur me olhava com um sorriso cínico no rosto, perguntando-me:

— O poderoso *tarshatta* de Jerusalém permite que eu entre? Trago importante mensagem do Grande Darius, Senhor do Mundo!

Olhei-o sem que nenhuma emoção me movesse a alma: nada mais havia no mundo com poder sobre mim. Eu me entregara a meu destino de forma absoluta, e o que quer que se passasse desse momento em diante efetivamente nada significava. Fiz-lhe um sinal que entrasse, sentando-me no escabelo de ébano e couro que ficava a meio caminho entre nós dois. Ele franziu o sobrecenho, dizendo:

— O *tarshatta* já se prepara para partir? Por que motivo?

Eu sorri, ele também: certas coisas não precisam ser ditas. Sem desviar os olhos de mim, Na'zzur bateu palmas, e pela porta entraram dois escribas, trazendo nas mãos várias placas de argila, apoiadas em duas placas de pedra que os faziam suar, pelo peso. Na'zzur fez um sinal para eles, que colocaram as placas no chão entre nós dois, retirando-se com uma reverência. A porta se fechou, e Na'zzur disse:

— Seria melhor que ficássemos a sós, *tarshatta*. O que tenho a dizer não deve ser ouvido por outra pessoa além de nós dois.

Théron soltou um muxoxo de incredulidade: como aquele homem podia pretender ficar a sós comigo? Na'zzur bateu as mãos por todo o corpo, deixando de lado seu cajado de *ve'zzur*, dizendo:

— Não tema, general: não estou armado, e só trago comigo, além das palavras escritas na pedra e no barro, as palavras que devo dizer. Serão elas mortais? Eu duvido...

RECONSTRUINDO O TEMPLO

Olhei-o longamente, percebendo que não o temia em absoluto. Nem ele nem mais ninguém tinha qualquer poder sobre mim: eu me tornara apenas a ferramenta de meu deus Yahweh, e se um dia haviam pretendido que eu fosse Moisés, David, Salomão, agora eu era apenas uma espécie de Ageu, tomado por um poder maior que eu mesmo, sobre o qual não tinha nenhuma ascendência. Disse a Théron:

— Meu irmão, tu e Jerubaal podem sair do aposento por alguns instantes, sem preocupações. Conheço esse homem, e ele não representa nenhuma ameaça.

Théron hesitou, mas Jerubaal, olhando-me com firmeza, acenou em concordância e, tomando o braço de Théron, retirou-o dos aposentos, acompanhados pelos quatro servos, já carregando os fardos que haviam refeito. A porta se fechou atrás deles, e Na'zzur, relaxando, sentou-se em outro escabelo à minha frente, passando a perna por cima de um dos braços do assento, olhando-me com um sorriso de ironia. Não desviei os olhos dele, que finalmente falou:

— Com que então voltamos a nos encontrar, não é verdade?

— Desta vez, sim — retruquei, sem pensar muito. — Mas teremos realmente nos encontrado alguma vez antes dessa, Na'zzur?

Na'zzur riu, deliciado:

— O *tarshatta* recorda meu nome? Quanta honra... mas não falemos de encontros e desencontros. Vês essas placas de pedra e de argila? São tuas, *tarshatta*, ainda que eu não saiba por quê....

Olhei as placas, friamente. Uma das placas de pedra era mais velha que a outra, e a mais nova trazia ainda o pó cinzento que havia produzido ao ser marcada com o cinzel do escriba. Eu também era uma pedra, marcada pelo cinzel do deus que me usava, com palavras que até para mim eram incompreensíveis, e, como ela, só tinha a dizer o que esse deus em mim escrevesse com seu cinzel. Pedra vazia, continuei olhando para Na'zzur, que deixou de rir e disse:

— São documentos de Darius confirmando o edito de Cyro sobre a reconstrução do Templo de Jerusalém, que meu senhor mandou buscar nos arquivos do palácio e reeditar com seus próprios selos. *Tarshatta*, tu conseguiste o que querias, ainda que eu não entenda nem como nem por quê...

ZOROBABEL

    Nem eu entendia, mas Yahweh, por meios inalcançáveis, dava-me novamente a oportunidade de satisfazer a meu povo, minha terra, meus irmãos e a Si mesmo. O preço que eu pagara por isso era alto, e o que eu provavelmente ainda pagaria podia ser maior. Não importava. À minha frente estava o que eu viera buscar, e o cumprimento da obrigação só me enchia de um sentimento: conseguira o que durante tanto tempo desejara, e ao alcançar esse objetivo me descobria completa e finalmente livre. Fiquei extasiado, como nunca antes em minha vida, pois o vazio dentro de mim começou finalmente a se preencher da mais absoluta gratidão que um ser humano pode sentir, feita de minha memória e minha compreensão, erguidas até Yahweh como reconhecimento de Seu poder e Sua vontade infinitas. Minha vontade e a de Yahweh finalmente eram uma só.

Capítulo 38

Na'zzur me olhou com curiosidade: meu rosto certamente espelhava todo o êxtase de que eu era recipiente, nesse momento sem jaça. Quando me recompus, ainda tomado pela felicidade de perceber minha vontade como sendo a de Yahweh, ele afivelou no rosto mais um de seus sorrisos cínicos, dizendo:

— Se não houvesse Daruj, esta conversa seria bem diferente, Zerub...

Estranhei a frase: ele certamente ousava muito, ao referir-se a seu senhor e a mim com os nomes com que nos conhecera antes que nos tornássemos aquilo que agora éramos. Eu e Daruj o enfrentáramos quando ele ainda era apenas um soldado de Belshah'zzar. No entanto, olhando-o bem, percebi que mudara muito: do grosseiro soldado que assassinava colegas na suja sala da taberna de Bel'Cherub, do covarde que se disfarçara com os trajes do inimigo para sobreviver, do torturador que seguia as ordens expressas de seus senhores, transformara-se em um homem com grande aparência de dignidade, o que certamente lhe era muito útil para o exercício de seu cargo. Sendo o faz-tudo do Senhor do Mundo, tinha em suas mãos o poder de agradá-lo da maneira que desejasse. Ele se debruçou para a frente, a cara risonha muito perto da minha, e falou:

— Tu te recordas quando eu te disse que a diferença entre nós era eu ser necessário, e tu seres dispensável, e que nenhum poderoso pode prescindir de gente como eu, disposta a fazer as coisas com que eles detestam sujar as mãos, e que tu serias sempre vítima, porque dentro de ti não existe a capacidade de ser amo e senhor? Lembras-te disso?

Eu o recordava tão vivamente quanto me lembrava da dor que o arame incandescente me causara. Sorri, percebendo o grotesco da situação, mas Na'zzur certamente entendeu mal meu sorriso, pois franziu a testa, apertando os olhinhos porcinos e mostrando os dentes num esgar de desprezo:

— Eu sabia que chegaria ao ponto em que agora estou. Quando reconheci no Grande Darius, Senhor do Mundo, o ladrãozinho que já estivera diversas vezes em minhas mãos, agradeci a Marduq não tê-lo matado quando pude: o conhecimento da verdade sobre ele me tornou indispensável, porque, além dessa, também sei de muitas outras coisas que me tornam essencial ao exercício de seu poder. Teu amigo nunca aprendeu a ler nem escrever, e não conhece nada senão a vida das casernas e acampamentos entre batalhas, e só se move bem em espaços abertos e nos caminhos entre territórios conquistados. Dentro de seu palácio, ele depende de mim para tudo, e não ergue uma palha sem que eu lhe diga como, onde e por quê. Eu sou o verdadeiro poder do Império, porque meu poder subjuga o poder de Daruj...

Recostou-se no escabelo, olhando-me com curiosidade:

— Não sei o que aconteceu de ontem para hoje: quando lhe confirmei que o *tarshatta* de Jerusalém era seu antigo amigo, ele chegou a erguer-se do leito para ir a teu encontro. Mas convenci-o de que isso não era bom, com argumentos irrecusáveis, e ele acabou por desistir de te dar o reconhecimento dessa antiga amizade. Eu vi Darius tremer, Zerub, eu vi Daruj sofrer quando lhe acenei com a possibilidade de que tu fosses o denunciador de sua farsa. Ele não quis nem te olhar: pretendia tratar-te como mais um de seus inúmeros governadores, dar-te as ordens necessárias e descartar-te da melhor maneira possível, destruindo-te, se fosse preciso. Darius não pretende arriscar nenhuma de suas conquistas, e para mantê-las ele conta só comigo, que guardo como um tesouro o seu segredo.

— Esse segredo é teu poder, certamente, mas não és senhor nem de ti mesmo, Na'zzur...

Um ódio imenso chispou nos olhos de Na'zzur:

— O que dizes? Estás louco?

Foi minha vez de rir:

— Folguei muito em ver tua senhora Bel'Cherub entre os *wasib'kussim* da Grande Baab'el... ela ainda faz de ti tudo que quer?

RECONSTRUINDO O TEMPLO

Os olhos de Na'zzur se arregalaram, e no fundo de seu olhar eu percebi a velha chama de submissão à asquerosa giganta. Ele desviou os olhos, dando-me a certeza de tê-lo tocado em ponto sensível, e por isso continuei:

— Se tens tanto poder assim sobre o Senhor do Mundo, igualando-te a um deus, o que diremos do poder daquela que te domina? Deveríamos considerá-la uma deusa acima de todos os deuses?

Na'zzur baixou a cabeça, mas não estava derrotado. Ergueu-se do escabelo e, pegando uma das plaquinhas de argila, mostrou-a de longe:

— Vês esta plaquinha? Foi a primeira que Darius mandou traçar: nela está a tua sentença de morte imediata. Mas ao preparar-se para passar-lhe o cilindro com o sinete real, tornando essa ordem oficial, ele hesitou. Por mais que eu insistisse em que eras um perigo, ele não teve forças para apoiar o sinete na superfície úmida. Olhou longamente a cicatriz que tem no braço direito, antes de largar o sinete e virar as costas para mim. Desse momento em diante, eu não compreendi mais nada: sem me olhar, Darius ordenou que eu chamasse um escriba para traçar as ordens que permitem a reconstrução de teu Templo e, o que é mais estranho ainda, obrigam os teus inimigos a sustentar esse esforço como indenização pela interrupção que causaram. Nos arquivos, foi encontrado o edito original de Cyro, e ele fez com que o copiassem letra por letra, nessa nova placa de pedra que aí está, firmando-a com seu próprio selo logo abaixo da assinatura de Cyro. Quatro escribas trabalharam a noite inteira, sob a supervisão dele, que não cerrou os olhos nem um instante, e quando o sol nasceu ele mandou que tudo fosse juntado e que eu, seu *ve'zzur*, tudo trouxesse a ti, sem perda de tempo.

Na'zzur sorriu:

— Confesso que tive vontade de nada trazer-te, mas certas ousadias nem eu mesmo me arrisco a praticar. Olha bem esta outra placa de argila: essa garatuja que aqui vês foi feita pelas mãos do próprio Senhor do Mundo.

Fitei longamente a placa de argila: traçada da direita para a esquerda estava a palavra Darius, insegura e torta, o quarto sinal mais torto que os outros, como se seu autor tivesse começado a escrever uma coisa e se decidisse subitamente a escrever outra, corrigindo a palavra Daruj para que se tornasse Darius. Daruj não estava morto, continuava vivo dentro de Darius, por sua vontade expressa, dando-me esse sinal disfarçado de sua existência, que nem Na'zzur havia notado, preocupado com alguma possível ameaça a seu próprio poder, sem perceber os sinais particulares que só eu poderia reconhecer.

— Portanto, Zerub, segue teu caminho. — Na'zzur se ergueu, retomando a posse do bastão de *ve'zzur*. — Volta à tua terra e faze o que deves fazer, enquanto Darius segue sua vida vitoriosa longe de ti. De minha parte, só espero que teu povo cumpra tudo o que se espera dele, pagando todos os tributos e mantendo-se o mais afastado possível da Grande Baab'el. Tratemo-nos como vizinhos que não se dão mas que não podem se mudar, como irmãos que se detestam mas não podem negar seus laços de sangue. Vai-te embora com o que conseguiste, sem pensar em conseguir nada além disso. Tudo o que Darius espera de ti e de teu povo é distância.

Era definitivo: meu amigo não queria me ver, nem falar comigo, e muito menos reatar nossos antigos laços, e eu devia levar em conta essa verdade. Não me interessavam os motivos pelos quais ele se unira a seu antigo inimigo, nem de que forma esse inimigo exercia tanto poder sobre ele, nem mesmo de que maneira conviviam: esta era a sua decisão, e eu devia respeitá-la integralmente, respeitando a amizade que ainda sentia por ele. Ergui-me de meu escabelo, parando ao lado das placas de pedra e argila:

— Dize a meu amigo que a amizade que nos une é a mesma de sempre, e mesmo se ele não a reconhecer como tal, ela continua existindo, porque dentro de mim nunca morrerá. O desejo de seu coração é também o meu. Que sua vida seja a mais longa de todas.

Na'zzur olhou-me, com um estranho ar em seu rosto:

— Interessante que me digas isso: a idéia original de matar-te pode ter adormecido dentro de Darius, mas não se apagou em mim. Pensa sempre que um belo dia, quando tudo estiver esquecido, a morte te alcançará. Meu braço é longo, pequeno ladrãozinho...

— O que me ofereces não é nenhuma novidade. O braço da morte é mais longo que o teu, e também te alcançará, um dia, sem que saibas quando nem por quê, da mesma maneira que a mim e a Darius. Nenhum de nós é imortal, servo de Bel'Cherub...

Na'zzur endureceu-se: assumindo o ar arrogante de sempre, dirigiu-se à porta, dizendo:

RECONSTRUINDO O TEMPLO

— O Grande Darius espera que faças uma boa viagem de volta, *tarshatta* de Jerusalém! Desejo-te saúde e vida longa...

— E eu te desejo paciência, Na'zzur. Nada sabemos do futuro, e tudo o que ele trouxer só será de nosso conhecimento quando acontecer. Aguardemos.

Os olhos de Na'zzur chisparam, ele abriu a porta e saiu dos aposentos, passando por Jerubaal e Théron, que o olhavam boquiabertos. Meus irmãos entraram na sala onde eu estava, ao lado das placas que autorizavam o cumprimento de nossa missão, e por sobre elas nos abraçamos. Era hora de retornar à nossa cidade e retomar o rumo de nossas vidas.

Na tarde desse mesmo dia, saímos do palácio, tomando o rumo sul da Grande Baab'el para encontrar em Suk-ash Shuyuk a estrada que atravessava a parte inferior do Império de Darius, e que retraçaríamos de volta a Jerusalém. Na hora da partida, assim que meu carro chegou à Esagila, uma súbita inspiração me fez voltar a cabeça para o alto do palácio. Lá estava uma figura morena, mãos apoiadas na balaustrada dos mais elevados jardins, olhando para baixo. Ergui meu braço em sua direção, saudando-o: a figura, depois de um tempo, ergueu também seu braço direito, passando a mão esquerda sobre a cicatriz que o marcava, como que a desenhando para sempre em nossa memória, e repentinamente voltando as costas para mim e se refugiando no interior de seus aposentos. O que nos poderia ligar era nosso passado comum, e este não era de seu interesse, portanto nada mais havia em que nos firmássemos para continuar sendo quem fôramos. Baixei minha cabeça, enquanto os cavalos, bois e *j'mal* de nossa caravana iniciavam seu esforço em direção à nossa meta final. Era mais um tempo que se encerrava, deixando-me pronto para o tempo seguinte.

Enquanto a viagem se processou, tive muito que pensar: sem harpa através da qual pudesse expressar o que me ia na alma, só me restava perscrutar-lhe os desvãos e apaziguar-me comigo mesmo. Foi isso que fiz durante os quase sessenta dias em que a viagem se deu. De tudo o que se passara comigo, duas figuras brilharam com mais freqüência: Rhese e Jael, minha mulher e meu irmão, bruscamente alijados de meu convívio por sua traição, de que era prova o menino que eu vira apenas uma vez. O tempo de viagem foi-se passando, e quando saímos do WadiShir'han, onde uma caravana de irmãos pedreiros se juntou à nossa, eu já não considerava mais traição o que havia acontecido entre eles. Nunca percebi em nenhum dos dois qualquer sinal de malícia e dissimulação: tudo o que mostraram durante nossa vida em comum fora amizade e amor por mim, além de uma extrema preocupação com meu bem-estar e felicidade. Seria possível que, movidos por impulso tão animal, tivessem urdido uma traição sub-reptícia, que desagregara suas vidas tanto quanto destroçara a minha? Ou o inacreditável teria acontecido, e os dois, sinceramente preocupados com minha incapacidade de gerar descendentes, tivessem feito uso desse expediente tão discutível para garantir-me a prole? Pensei muito sobre isso, e minha única dúvida foi a seguinte: se em vez de agir dessa maneira oculta, tivessem me informado do que pretendiam, o que faria eu? Ofender-me-ia e os mandaria matar, antes que ousassem ferir-me a honra, ou seria capaz de compreender seus motivos e objetivos e até colaborar conscientemente com eles?

De toda forma, esse problema não era deles, era meu, envolvendo não apenas a compreensão do que haviam feito, como também minha capacidade de entendê-los e perdoá-los. Um irmão e uma mulher, com quem temos ligações mais fortes do que quaisquer outras, merecem permanecer vivos dentro de nós, mesmo depois de mortos ou desaparecidos, mesmo quando dentro de si mesmos nos tenham esquecido ou esmagado. No terreno novamente virgem de meu espírito, eu só precisava replantar os que me eram caros exatamente como eu os conhecera, ainda que na realidade estivessem muito diferentes disso: Rhese, Jael, Daruj, Yeoshua, Mitridates, meu pai Salatiel, e até mesmo o filho que eu tanto desejara e que não tinha em suas veias nem uma gota de meu sangue. Mantê-los vivos e perfeitos dentro de mim era a única forma possível de nunca perdê-los, porque dentro de mim sempre seriam o melhor que poderiam ter sido. O Universo onde esses seres magníficos se moviam dentro de mim era de absoluta perfeição e beleza, porque o amor e a justiça de que eu sempre fora vítima se haviam equilibrado, gerando uma linha direta de compaixão por tudo que vivia, fazendo com que pelo alto de minha cabeça a luz de Yahweh entrasse e me percorresse por inteiro, saindo sob meus pés para espalhar-se no solo onde eu pisava.

Nessa mesma noite, à beira da fogueira, um dos irmãos pedreiros que se juntara a nós me disse:

— Irmão, conheceste um de nossos irmãos por nome Jael?
Sufocado pela coincidência, eu disse que sim, e ele continuou:
— Ele verteu grossas lágrimas ao mencionar vosso nome, quando o encontrei numa aldeia ao norte da Síria, sofrendo a distância que o separa de ti.

Algum tempo antes, eu teria encarado como falsas as lágrimas de Jael: mas depois de entronizá-lo em perfeição dentro de mim, junto com todos os outros, não tinha mais como duvidar de sua verdade, e disse ao irmão que me dera a notícia:

— Pois eu pronuncio o dele com um riso de felicidade, prenunciando o que sentirei se um dia o reencontrar...

As decisões sobre o futuro se organizavam lentamente em meu íntimo, tomando forma tão definida e concreta, que eu não tinha mais como modificá-las nem discuti-las: aquilo que em meu espírito se estruturava assim permanecia, somando-se ao que se estruturaria no momento seguinte, erguendo dentro de meu peito uma construção tão sólida quanto imponderável. Quando estávamos a pouco mais de uma semana dos limites de Jerusalém, Théron enviou uma patrulha de seus soldados para avisar de nossa chegada, confirmar as boas notícias que certamente já teriam chegado por lá, e preparar o reinício dos trabalhos, e eu passei a me mover apenas em direção a esse momento, que percebia ser definitivo, o coroamento de minha vida até então, e o início do novo tempo onde eu finalmente seria quem deveria ser.

Ao superarmos o meio-pântano do norte do Mar de Arabah, onde a Estrada do Imperador já não existia, tivemos que acampar nas cercanias de Guilgal, recuperando forças para galgar as encostas do Anatot, que nos separavam de Jerusalém. Nosso acampamento foi montado de maneira muito frugal, apenas para que as bestas de carga e montaria descansassem, podendo realizar um último estirão até nosso objetivo. Essa última noite foi especial: as nuvens permanentes que cobriam o céu sobre a região de Jerusalém desde que Nebbuchadrena'zzar havia destruído o Templo que eu deveria reerguer, não estavam tão compactas quanto antes, e nos intervalos entre um bloco de nuvens e outro eu pude observar a lua e as estrelas. Sha'hawaniah estava entronizada em meu altar interno da amizade, não como eu a tinha visto antes que se atirasse ao abismo do Eufrates, mas sim perfeita como era no dia em que a conheci. A Lua me iluminava a intervalos, e adormeci certo de que o dia seguinte seria de decisões a tomar baseadas exclusivamente naquilo que eu aprendera e que me tornara.

Pela manhã, fui acordado com o som de trombetas e vozes de muitas pessoas, a agitação do acampamento multiplicada por outras presenças. Ao sair de minha pequena tenda, a luz fria da manhã brilhando através das nuvens cinzentas, encontrei-me em meio a um grande grupo de habitantes de Jerusalém, vestidos com seus melhores trajes, liderados por Yeoshua e seus acólitos, todos vestidos com apuro, seus trajes rituais brilhando de tão limpos. Yeoshua, um turbante de centro cônico na cabeça, vestia o peitoral feito de doze pedras preciosas gravadas com o nome das doze tribos de Israel, tal como fora feito por meu avô Salomão com a ajuda do verme *shamir*, e que era o atributo principal do Sumo-Sacerdote de nosso povo. Havia cantores, tocadores de harpas, trombetas e sistros, todos colocados em ordem na planície em frente à minha tenda. Quando me aprumei, todos me saudaram, e Yeoshua, irreconhecivelmente hierático em suas vestes e atitude, bradou:

— Exaltar-te-ei, ó Eterno, porque tu me reergueste e não deste gosto aos meus inimigos contra mim!

Os que o cercavam repetiram essas palavras, mas antes que ele continuasse eu o interrompi:

— Yeoshua, meu amigo, o que é isso?

Os olhos de Yeoshua brilhavam, e, mesmo agastado pela interrupção, ele mantinha seu ar de júbilo:

— Não é sempre que Israel e Judah podem ungir seu rei. Teu tio está morto, Zerubbabel, e és tu quem agora deve sentar-se ao Trono de Israel e Judah! Deves entrar na cidade como manda a profecia, montado em um jumentinho branco, para que te reconheçam como o Messias prometido!

Todos gritaram, abanaram seus instrumentos musicais e as folhas de palmeira que também traziam, os rostos sorridentes. À minha frente, as pessoas se afastaram, e duas delas empurraram até mim um jumentinho branco, olhos lacrimosos, musculatura retesada, estranhando muito o que lhe estava acontecendo. Olhei-o com carinho: de todos que ali estavam, era quem mais se parecia comigo:

— De forma alguma, Yeoshua. Se há alguém aqui que seja o jumento do Messias, este sou eu. Minha missão está cumprida, e o Templo de Yahweh já pode ser reerguido, e Israel e Judah, montados em minhas costas, alcançaram o que desejavam. Levai embora esse animal: ele não me serve para nada. Aqui não há nenhum Messias que ele possa carregar.

A multidão reagiu mal, e os que pior se comportaram foram os acólitos de Yeoshua, franzindo suas faces barbadas, mostrando-me seus dentes e gritando impropérios. Afinal, eu os estava impedindo de realizar seu desejo, não deixando que me impusessem o papel que tinha que ser meu. Yeoshua aproximou-se de mim, a face purpúrea, falando entre dentes:

— Não sejas estúpido, Zerub! Teu povo espera que cumpras o que deve ser cumprido: como podes pensar em negar-lhe isso?

Eu estava em paz: calmo, tranqüilo, a cabeça totalmente lúcida, absolutamente seguro do que estava por fazer:

— Meu amigo, entende: quando me impuseram a missão que acabo de cumprir, exigiram que eu fosse líder, rei, general, e eu já o fui. Guiei nosso povo pelo deserto para que encontrasse a Terra Prometida. Comandei-os em batalha contra nossos inimigos, reinei sobre eles como Yahweh me ordenou, organizei-os em torno do Templo e de sua reconstrução, busquei por todos os meios recuperar sua grandeza. O Templo é vosso e basta remontá-lo segundo as marcas que pus em suas pedras. Não há mais nada que eu possa fazer. Durante todos esses anos, fui vosso Moisés, vosso David, vosso Salomão: agora só posso ser meu próprio Zorobabel.

Yeoshua não acreditou no que ouviu: como podia eu rejeitar o que me concediam? Era exatamente esta a questão: já se passara o tempo em que eu deveria fazer o que me mandavam fazer e ser o que desejavam que eu fosse. Eu estava abrindo mão daquilo que para eles era a mais subida honra, mas que para mim nada significava. Se eu aceitasse o que não desejava, por qualquer razão que fosse, estaria mentindo para mim mesmo, e isso não me era mais possível: meu tempo de mentiras, ilusões e enganos já se havia passado.

Virei-me para a tenda onde havia dormido, e Yeoshua, irritadíssimo, apanhou-me pelo braço, sacudindo-me:

— Idiota! Infiel! Como podes negar a teu Deus aquilo que Ele te ordena fazer? As profecias de Ageu e de nosso novo profeta Zacarias dão conta de teu reinado e poder! Como podes pensar em desmenti-los? Suas palavras são as palavras de Yahweh!

— O que meu Deus me ordenou já foi feito, Yeoshua: eu deveria garantir o reerguimento do Templo, e fiz isso de todas as maneiras possíveis, nas mais diversas ocasiões. Vê as placas de pedra sobre aquela carroça: está tudo escrito, selado e entregue, e nada mais me resta a fazer. O jumento do Messias só tem uma utilidade: depois disso, não preserva nenhuma importância ou função, sendo esquecido. Eu também já posso voltar a ser o que era antes de realizar a missão para a qual fui designado.

— Mas a Casa de David não pode se interromper! Como ficaremos sem um rei que nos governe?

Eu sorri tristemente:

— Sabes tão bem quanto eu que a Casa de David acabou-se em mim, quando me tornei incapaz de gerar descendentes...

A multidão recuou com um esgar de surpresa, e Yeoshua ficou mais irado ainda, o rosto congestionado pela ira:

— Não digas isso! É uma infâmia! Tens um filho que saiu de tuas entranhas...

Sorri mais uma vez:

— Não das minhas, Yeoshua, não das minhas, tu sabes bem disso. Quando segui até a Grande Baab'el para cumprir as ordens de Yahweh e caí nas mãos dos torturadores de Belshah'zzar, eles extinguiram minha capacidade de procriar. Eu sou aquilo que Yahweh fez de mim: para cumprir-Lhe a ordem de reerguer-Lhe o Templo, entreguei-Lhe em holocausto a minha semente. Tudo tem um preço a ser pago, Yeoshua: o meu foi esse. Como podes pretender que a casa real de Israel e Judah se fundamente em uma mentira? Não existe mais Casa de David: ela está tão morta quanto minhas entranhas.

Yeoshua gritou, para ser ouvido pelos que o cercavam:

— O rei está equivocado! Sua mulher Rhese deu-lhe um filho, Abiud, que mora no palácio! Esse filho é a prova viva de que Zorobabel pôde procriar, e que a Casa de David continua viva!

— Se essa mentira te basta, que assim seja: mas não me peças para que colabore com ela. Os que aqui estão, e que conhecem a verdade, não permitirão que a mentira prevaleça.

Jerubaal, a meu lado, disse:

— A fraternidade dos pedreiros apóia nosso irmão Zorobabel, aceita o que ele diz, respeita sua verdade e confirmará para sempre que a Casa de David termina nele e com ele.

A multidão se desesperou: vários dos cantores se rojaram ao solo, jogando pó sobre a cabeça e rasgando as vestes. Yeoshua não sabia o que fazer ou dizer, debatendo-se de um lado para o outro, sem saber a quem transformar em objeto de sua ira: eu, meus irmãos pedreiros, ou até mesmo o próprio Yahweh, que lhe frustrava os planos. Sentindo isso, ergui os braços e me dirigi à multidão:

— Conterrâneos, não sou nem vosso rei, nem vosso líder, nem vosso messias. Para vós não significo mais nada, e esta é a vossa chance de recomeçar do presente, sem ter quem vos imponha os vícios do passado. Devolvei esse jumentinho a seu verdadeiro dono, e segui vosso caminho: o Templo precisa ser reerguido, para que Yahweh volte a habitar dentro dele. Sois perfeitamente capazes disso, sem que eu precise reinar sobre vós. Desejo-vos boa sorte na empreitada, e vos digo adeus.

Alguns ainda pensaram em discutir o assunto, mas eu havia sido tão definitivo e calmo em minha alocução, que logo desistiram, voltando sobre seus próprios passos para a Jerusalém em que eu nunca mais pisaria. Não pertencia àquele lugar, nem a qualquer outro, e devia seguir em busca de meu próprio destino, onde quer que ele estivesse. Yeoshua foi o último a partir: seu olhar agora triste dava sinais de medo do que o futuro traria, e ele me disse:

— Se ficasses conosco, garantirias a volta de Yahweh a Jerusalém... sem isso, o Templo pode ser erguido, mas será apenas uma casca vazia...

Numa súbita inspiração, eu lhe disse:

— O verdadeiro Templo não se ergue em pedra sobre pedra, mas de agora em diante dentro do coração dos homens...

Um relâmpago intenso feriu nossos olhos, e quando olhamos para o alto, as nuvens começaram lentamente a se abrir, deixando passar cada vez maior quantidade de raios de sol, aquecendo a terra e iluminando o solo, por tantos anos estéril, de Jerusalém. A luz de Yahweh, depois de tantos anos de nebulosidade, abençoava a terra de nossos pais e avós, como que garantindo a veracidade de minhas palavras, e até Yeoshua curvou a cabeça, tomado por forte emoção. Quando ergueu de novo os olhos para mim, era outra vez meu amigo de infância, e nos abraçamos em despedida:

— Eu te compreendo, Zerub: tu, como eu, tens que fazer o que tens que fazer...

— Segue tua vida, meu amigo, e faze o que Yahweh te ordenar, aí dentro de teu coração. Não existe melhor conselheiro que Ele. Deixa que tua vontade e a Dele se tornem uma só, e vive feliz entre teu povo.

Yeoshua me olhou durante um tempo: depois, voltando a ser o Sumo-Sacerdote de nosso povo, beijou-me ambas as faces e se dirigiu para a cidade do outro lado dos montes, acompanhado por seus acólitos mais próximos, que o seguiram discutindo asperamente. Ficamos na planície apenas eu, os membros de minha caravana, entre eles os soldados que me haviam acompanhado, e o grupo de pedreiros de Jerusalém que viera saudar-me, e que eu agora via ser comandado por Ananias, a quem abracei longamente tão logo reconheci. Ananias enxugou-me as lágrimas de alívio com seu manto puído, e disse-me:

— Tenho uma surpresa para ti. Quero te apresentar um irmão a quem ainda não conheces...

Virei-me para o grupo de pedreiros, e do meio deles, usando um avental branco e vazio, ainda com a abeta levantada, saiu meu amigo Mitridates, o braço mirrado apoiado em uma tipóia, o eterno ar de frieza racional no rosto. Abracei-o com força, como se quisesse trazê-lo para dentro de mim e nunca mais deixá-lo escapar: ele suspirou longamente, como que num esforço para reter a emoção, e me disse:

— Então és tu o amigo a quem agora posso chamar de irmão?

Nossa conversa foi intensa: ele havia abandonado seu povo, consciente dos malfeitos a que se dedicara enquanto estava a seu serviço, e retornara a Jerusalém, indo procurar refúgio na taberna dos pedreiros, onde batera e a porta lhe fora aberta. Quando se apresentara como meu amigo, fora aceito sem hesitação. Com o sobrecenho franzido, disse-me:

— Compreendo agora a mudança que sinto em ti, Zerub: eu também a pressinto como possível dentro de mim, e felizmente não a temo...

— Mitridates, meu irmão, tens uma tarefa importante a realizar, e eu te peço que não a rejeites: só com tua ajuda organizada, Jerusalém poderá sobreviver aos percalços e dificuldades, e tornar-se aquilo que deve ser. Vai até Yeoshua e, em nome de nossa antiga amizade, oferece-lhe teus serviços de *al'mushariff*: Serás muito útil para este reino sem rei.

— Este reino não precisa de nenhum rei, meu irmão: basta que cada um de nós ouça claramente a voz que lhe vem do coração. Conta comigo: eu farei por ele o mesmo que faria por ti...

Meus olhos marejaram, porque ainda tinha pedidos a fazer:

— O menino filho de Rhese certamente será um joguete nas mãos dos que anseiam por poder. Há de haver mesmo quem pretenda impô-lo como Rei de Israel e Judah, para com isso alcançar uma realeza que não possui. Cuida dele com o desvelo que merece uma criança sem pai, e um dia conta-lhe a verdade, mas só depois que ele, como tu e eu, já tiver sido transformado em irmão da pedra. E se encontrares a mãe dele, diz-lhe... diz-lhe que em meu coração não existe nada a não ser o entendimento do que ela fez, e que ela já teve o meu perdão.

— Conta comigo, meu irmão: seguirei tuas ordens fielmente. Podes não ser o rei de Israel, mas certamente és o meu...

Meu peito não suportava mais: virei-me e entrei na tenda, atirando-me nas almofadas e ocultando o rosto entre elas, deixando que o pranto me corresse livremente. Ninguém me seguiu nem tentou consolar-me: é da natureza dos pedreiros não constranger nenhum de seus irmãos em momentos difíceis, sabendo deixá-lo sozinho até que sua presença seja necessária, e então dando-lhe tudo de que precisar. Durante algum tempo, eu os ouvi do lado de fora da tenda, cantando seus cânticos, que foram diminuindo de volume até que sobreviesse o silêncio.

Quando mais tarde me ergui, arrumando meus poucos pertences em uma trouxa de pano grosso, e trocando minhas roupas pelos trajes simples de um cameleiro, saí da tenda e me encontrei sozinho na pequena planície. Todos já haviam partido, pedreiros e soldados meus irmãos, entre eles Mitridates, Théron, Jerubaal, Ananias, uma nuvem de poeira a oeste indicando que haviam todos seguido para Jerusalém. Voltei-me na direção contrária e parti, desviando para o norte a cada poucas braças, tentando alcançar a margem do Jordão acima de onde estávamos, para de lá seguir adiante. Havia água à vontade no rio que ficava à minha direita, havia figueiras e tamareiras do lado de fora das cabanas pelas quais passava, e a antiga estrada das caravanas para Dimashq, seu piso amaciado por incontáveis pés e patas que a haviam trilhado, parecia muito macia a meus passos. O sol a cada instante estava mais forte, as nuvens se dissipando com uma rapidez impressionante, o azul esmaltado do céu se impondo sobre minha cabeça, o cheiro de sal que se evolava do mar de Arabah às minhas costas preenchendo-me as narinas. Eu seguia a esmo, um pé após o outro, iniciando minha vida real e verdadeira com alguns anos de atraso, mas desta vez definitivamente.

À minha frente, uma curva da estrada era ladeada por algumas tamareiras entre grandes blocos de pedra, e dentro deles ouvi alguém que cantava: apurando o ouvido, pecebi que a voz era acompanhada pelas notas de uma harpa. Meu coração deu um salto, ao mesmo tempo em que meus pés se apressaram no caminho, e avistei meu mestre Feq'qesh sentado em uma das pedras menores, a perna apoiada sobre um tronco caído de tamareira, os dedos ágeis ativando a sonoridade da harpa, o eterno sorriso divertido no rosto, quando o ergueu em minha direção, dando-me a nítida impressão de que já sabia que eu me aproximava, e que ali estava me aguardando. Parei à sua frente, a alma tão clara quanto o claro céu sobre nossas cabeças, enquanto os pássaros da beira do Jordão volteavam sobre nós:

— Meu mestre! Mais uma vez me surges quando menos espero...

— Sempre ouvi dizer que, quando o discípulo estiver pronto, seu mestre há de aparecer. Nunca acreditei muito nessa idéia, pois, quando o discípulo esta pronto, o mestre se torna inútil... a não ser que o mestre que surja seja o próprio discípulo, transformado em mestre, por já estar pronto e poder sê-lo para outros... estás de viagem para o norte?

Minha alma se alegrou ao ver meu mestre tão animado e descansado, e por isso sentei-me a seu lado, enquanto ele passava os dedos pelas cordas da harpa, perguntando-me:

— Não vejo tua harpa. Onde está?

Recordei-me tristemente de meu instrumento seguindo o mesmo destino do corpo de Sha'hawaniah, mas o ar animado de Feq'qesh me deu novo alento, e contei-lhe tudo o que se passara durante minha última estada na Grande Baab'el. Ele me ouviu atento, interessado, sem nunca tirar dos lábios o sorriso divertido. Quando terminei minha narrativa, contando-lhe inclusive minha recusa a ser ungido rei de meu povo, parou de tocar e me disse:

— Então abriste mão de tudo? Em nome de quê, Zerub? Tu sabes?

Eu me calei: na verdade, não percebia claramente os motivos pelos quais havia feito o que fizera. Meus impulsos para o abandono de tudo que me cercava tinham nascido da sensação de que tudo o que possuía era sem eternidade, e portanto sem valor real. Nada verdadeiramente me fazia falta, a não ser a música, e eu senti um aperto no coração ao ver a harpa de Feq'qesh, recordando a minha, e dizendo-lhe, baixinho:

— Só quis me livrar definitivamente de tudo o que fui...

Feq'qesh soltou uma gargalhada:

— Impossível, Zerub: somos feitos de tudo o que vivemos e experimentamos, mas principalmente daquilo tudo que é parte integrante de nós mesmos. Não se pode abrir mão de tudo, no esforço de renascer: o verdadeiro talento deve sempre ser preservado, pois é nele que reside a chama original de nossa existência. Não importa qual seja a nossa natureza, não devemos nunca abandonar o dom que nos foi dado. O que Yahweh nos projetou para sermos, é exatamente aquilo em que poderemos dar o melhor de nós: mas se te decidires a ser outra coisa, prepara-te, pois acabarás sendo dez mil vezes pior que se não fosses nada...

Baixei os olhos: as sandálias de Feq'qesh, pousadas sobre o tronco empoeirado de tamareira, não exibiam nenhum sinal de uso: estavam limpas, claras, novas, nenhuma faísca de pó, como se ele tivesse chegado até ali sem pisar as estradas. Comparei seu calçado com o meu: a diferença era gritante. Quando ergui os olhos para meu mestre, intrigado, ele estava me olhando e rindo ainda mais, e foi com esse largo sorriso em seu rosto que continuou:

— Não devias ter abandonado tua verdade: a música não espera por ninguém, mas também não fica parada quando corremos atrás dela. Deves caminhar lado a lado com ela, apoiando-a, para que ela se desenvolva cada vez mais. Se observares bem, verás que essa é que é a tua missão no mundo...

— Missão impossível, meu mestre: não disponho mais nem da ferramenta com a qual exercê-la...

Feq'qesh parou de tocar e disse:
— Por isso não, Zerub: queres a minha harpa?
Arregalei os olhos, apenas para ouvi-lo matar minha esperança:
— Posso vendê-la a ti...
— E com que a compraria, Feq'qesh? Pois se nada mais tenho de meu...
— Minha harpa não custa caro: para ti, apenas uma moeda...
Feq'qesh me olhava com seu ar divertido, os olhos faiscantes perfurando os meus, a harpa pendurada entre os dedos anular e mínimo da mão esquerda, enquanto a mão direita, a palma voltada para o alto, encostava em meu ventre.

A luz da compreensão me assomou, de súbito: era da moeda de Yahweh que ele falava. Mas onde estava ela? Joguei minha trouxa ao chão, abrindo-a com sofreguidão: no meio de meus ralos pertences, estava a faixa de *tarshatta*, com seu escrínio de ouro e esmalte brilhando ao sol. Abri-o: dentro dele, a moeda azinabrada descansava, a imagem desgastada do deus de asas nos pés ainda visível. Tomei-a com a mão esquerda, estendendo-a para Feq'qesh, enquanto esticava minha outra mão para a harpa que balouçava lentamente entre seus dedos.

A moeda saltou de minha mão e ficou pairando no ar, girando cada vez mais depressa, até se tornar uma mancha esverdeada entre nós dois. Caí ao solo de joelhos, as pernas amolecidas, porque Feq'qesh, à minha frente, começava a iluminar-se por dentro, ganhando na pele e cabelos um brilho intenso jamais visto por meus olhos, ficando imensamente mais alto do que era. O pó que cobria suas roupas saía delas formando uma nuvem em torno dele, e quando essa nuvem se dissipou, meu mestre já não era o homem que eu conhecera e que em tantas ocasiões vira: seu rosto translúcido perdera todas as rugas e marcas do tempo, tornando-se fascinantemente jovem, seus cabelos e barba macios e com leve brilho dourado, e mesmo suas roupas completamente diferentes das que vestia antes, transmutadas em suave e alvo tecido de branco brilhante. E os olhos de Feq'qesh! Eram dois sóis, duas estrelas rutilantes, duas gemas de brilho intenso, a tal ponto que desviei meu olhar, fixando seus pés, e percebendo enfim que suas sandálias não se empoeiravam porque nunca tocavam o solo! Ele pairava acima da terra e do pó dos caminhos, e certamente não fazia parte desse mundo: mas quando sua mão direita pousou sobre meu ombro, seu toque era firme, palpável, quente, e me preencheu com a súbita visão da Natureza do Universo formada pelas letras de fogo negro de que tudo era feito, até mesmo dentro dele, transformadas no alvo fogo divino que me acalentava. Eu já não estava mais ajoelhado no caminho à beira do Jordão, mas sim suspenso em um fulgurante mundo de letras e luzes que partia de meu peito e a ele retornava, numa dupla espiral que a tudo penetrava, caindo do céu como a chuva e subindo para o alto como a mais leve e olorosa fumaça dos holocaustos. Sobre a cabeça de Feq'qesh raios de luz formaram um cubo que era ao mesmo tempo estrela e coroa, e de suas costas se abriram, como um pálio que o cobrisse, dois pares de asas alvíssimas, imensas, nascidas do nada, fazendo-me chorar de enlevo. A voz de Feq'qesh, grave e profunda, ainda tão calma quanto sempre fora, soou em meus ouvidos, sem que seus lábios se movessem:

— Quando a inspiração de Yahweh te penetrou para que revelasses a teu amigo a inutilidade do Templo que ele erguerá, reconheci que estás pronto... Yahweh não precisará mais de nenhum altar, de nenhuma casa, de nenhuma morada, se Sua verdade estiver firmemente enraizada dentro do coração dos homens...

Eu estava quase sem poder respirar, imerso na luz que me cercava, e balbuciei:

— Quem és?

— Assim como me vês, sou Metatron, aquele que impediu Abraão de imolar seu único filho, aquele que lutou por toda uma noite com Jacó, aquele que guiou o povo escolhido pelo deserto durante quarenta anos. Antes de me tornar o que agora sou, contudo, fui tão humano quanto tu, e meu nome era Enoch.

O construtor do subterrâneo que eu em vão tentara invadir ali estava, à minha frente, subitamente transformado nesse ser de aparência divina e inacreditavelmente luminosa. Minha mente girava como a espiral de letras que partia de meu peito, e ele continuou, dizendo:

— Também saiu do peito de Jacó essa espiral que ele chamou de escada, mas só depois que lutou comigo por toda uma noite, sem compreender por que meu rosto era idêntico ao seu. É no coração dos homens que fica o verdadeiro Templo de Yahweh: o de Jerusalém nada significará se os homens que o reconstroem não erguerem seu próprio templo dentro de si próprios.

Uma ponta de tristeza espinhou-me o peito:

— Então lutei todo esse tempo para que se reerguesse uma obra inútil?

— Nunca! Não existem obras inúteis quando a alma de quem as ergue é verdadeira! O que tornaste possível teve como único motivo o mundo que erguias dentro de ti, com sofrimento e dificuldade, à custa de tudo o que consideravas ser tua felicidade. Tu és *lamed vavnik*. Certos homens nascem marcados por Yahweh, Zerub, trinta e seis em cada geração, e eu sou o responsável por sua instrução. Nas vezes em que desapareci de tuas vistas, sem dar notícias nem sinais, estava ocupado com algum outro desses trinta e seis parceiros de Yahweh, guiando-os como fiz contigo, para que sua missão se cumpra e o Universo Vivo se mantenha de pé.

— Mas por que tanto sofrimento? Por que tanto equívoco? Bastaria a Yahweh colocar-me no peito a ordem de obedecê-lo, e eu o faria!

— De nada valeriam teus atos se não escolhesses por ti mesmo realizá-los: quando vai ser gerado um *lamed vavnik*, eu levo até Yahweh uma gota do sêmen que o produzirá e Lhe pergunto que pessoa será, forte ou fraco, sábio ou tolo, rico ou pobre, mas nunca se será justo ou iníquo, *tsadik* ou *rash'á*, porque é o livre-arbítrio de cada um que justifica esta escolha, e só o próprio homem pode decidir o que fará de sua vida, e se verdadeiramente lhe interessa ter a vontade de Yahweh e a sua como uma só. Esta é uma decisão que cada homem deve tomar por si, e os homens justos, os *tsadikin*, mais que todos os outros.

— Yahweh deveria ter escolhido por mim!

— Não, meu filho: Yahweh não faz essa escolha pelos homens porque tudo está nas mãos dos Céus, menos o medo dos Céus... e até mesmo os enganos dos que fazem escolhas equivocadas são parte importante da Providência Divina.

O mundo girava à minha volta, e eu me integrava às letras que o formavam, como se nunca o tivesse visto de outra maneira. Metatron, Enoch, meu mestre Feq'qesh, sorria em minha direção, e eu lhe ouvi a voz:

— A Jerusalém onde foste tão feliz e infeliz é para Yahweh exatamente o que o Templo é para ti: uma imitação da verdadeira Jerusalém. Para Yahweh, a verdadeira Jerusalém é a Jerusalém Celeste, que descerá pronta e acabada por sobre a terra no dia em que todos os corações forem templos e o mundo nenhum valor mais tiver...

Meu coração ansiou por isso, por essa Jerusalém Divina, por essa libertação da prisão de meu corpo de carne, essa prisão perpétua onde estivera condenado a viver durante tantos anos, e que agora entreabria suas portas para me dar uma pálida visão da verdadeira liberdade. Eu a desejei imediatamente, não podia mais esperar por ela, e disse a meu mestre:

— Mostre-me esta Jerusalém, meu mestre! Quero vê-la, antes que Yahweh me apague a luz dos olhos!

Metatron me olhou firmemente, perscrutando minha alma:

— Tens certeza disso? Ninguém pode olhar o esplendor de Yahweh e sobreviver. É um preço alto a pagar. E se te arrependeres?

Não havia possibilidade disso: minha identidade com meu Deus finalmente se concretizara: minha vontade e a Dele já eram uma só. Ergui-me na estrada poeirenta, que minha alma percebia idêntica a mim mesmo e a meu Criador, como tudo mais no mundo à minha volta, e disse-lhe:

— Sou parceiro de Yahweh: meu coração está livre de todo o medo.

Metatron me olhou, e com um pequeno gesto de sua mão direita fez estancar o movimento da moeda mensageira, que ainda girava entre nós. O pequeno círculo de metal subiu celeremente para o céu, deixando um rastro de luz em seu caminho, e quando se aproximou do azul que nos cobria, expandiu-se em inúmeros raios de luz, formando a imensidão de uma cidade suspensa nos céus, vinda de Yahweh e bela como uma noiva adornada para suas bodas. Os raios de luz da moeda foram se ajustando uns aos outros, formando as paredes e muros e torres de uma cidade tão clara quanto o jaspe e tão brilhante quanto o cristal, flutuando na Glória Divina da qual era menos que a mais ínfima parte, e ainda assim tão gigantesca e perfeita que meus olhos se encheram de lágrimas por sua beleza ímpar. De mim até o céu, a moeda traçara uma estrada de luz, uma ponte que ia de meu peito até essa cidade maravilhosa, a verdadeira Jerusalém, da qual a imitação terrestre nem chegava a ser semelhante. A voz de Metatron soou em meus ouvidos:

— Não há nenhum templo nessa cidade divina, Zerub: ela inteira é o Templo de Yahweh, e não precisa nem de Sol nem de Lua, eternamente banhada que está em Sua Luz! Esse é o Verdadeiro Templo!

A mão de Metatron passou-me à frente do rosto, e antes que eu pagasse o preço final de meu desejo, e a luz do mundo se apagasse para sempre em meus olhos, ouvi sua voz soando como milhares de trombetas:

— Os que ainda virão se recordarão de ti!

Epílogo

Darius teve longa vida como Senhor do Mundo, e quando morreu de morte natural, trinta e seis anos depois de ascender ao poder, foi sucedido por seu filho Xerxes, que lhe herdou o trono e o respeito para com todos os deuses. Seu nome, enquanto viveu, foi gravado nos templos das mais diversas crenças com palavras de agradecimento e simpatia, e Xerxes recebeu de seu pai um imenso Império totalmente unido e pacificado, havendo até quem dissesse que a benevolência e justiça de Darius eram maiores que as de Cyro, até essa data o mais justo entre todos os homens. Firme e destemido, Darius enfrentou com o próprio corpo as rebeliões que espocavam nos mais remotos rincões de seu Império, mas, para seus momentos de descanso e prazer, ergueu as cidades de Susa e Persépolis, onde fixou seu governo e capital, pois, tendo desenvolvido verdadeira ojeriza pela Grande Baab'el, nunca mais nela pisou, a não ser durante duas rebeliões, que fez questão de esmagar pessoalmente.

Os judeus de Jerusalém ergueram seu Templo da melhor maneira possível, organizando-se em torno de Yeoshua, que reiniciou as obras com objetivos muito precisos: as muralhas que Cyro havia ordenado serem erguidas voltaram a ser de seu interesse, tanto que as ampliaram além do projeto original, havendo mesmo visitantes que estranharam um Templo mais parecido com uma fortaleza que com um lugar de devoção. Muitos anos depois, quando Esdras, sacrificador da Grande Baab'el, decidiu-se a trazer de volta para Jerusalém as novas gerações de judeus lá nascidos, para que ocupassem a terra de seus pais, Xerxes não apenas permitiu que essa mudança acontecesse, mas seguiu o exemplo *do pai e auxiliou-os de todas as formas possíveis, cedendo-lhe riquezas, alimentos e operários, para que fizessem a viagem de volta sem grandes sofrimentos, preservando a amizade de Israel e Judah, que já eram novamente um só reino, poderoso e rico.*

No Império, o comércio floresceu sem barreiras, e as moedas, que agora traziam o nome e a face de Darius, circulavam livremente, pois as mercadorias atravessavam todo o imenso território sobre o lombo de bois, cavalos e camelos, assim como dentro de barcos de todos os tamanhos e feitios, indo da Índia à Síria, da Pérsia ao Egito, de Roma à Macedônia. As estradas eram cada vez mais freqüentadas, e inúmeras tabernas e estalagens se desenvolveram em torno das postas onde os correios do Senhor do Mundo trocavam de montaria, para que suas ordens não demorassem a chegar aonde deveriam.

....

Nessas tabernas, de vez em quando, sem que se soubesse quando nem de onde vinha, aparecia um harpista cego, que arrastava verdadeiras multidões para ouvi-lo, principalmente os membros da irmandade dos pedreiros. As platéias nessas noites eram maiores que normalmente, e quando o cego surgia junto aos músicos, todos o saudavam com alegria, pois seu talento lhes garantia horas de prazer indescritível, que se prolongavam mesmo depois que ele já havia ido embora. Os olhos completamente opacos desse cego não eram, no entanto, impedimento para seus movimentos, e ele andava pelos lugares como se os enxergasse, muitas vezes antecipando-se a acontecimentos que ninguém era capaz de prever: quando sua voz soava, cantando os diálogos do Cântico dos Cânticos, era como se dentro de si estivessem O Amado e A Amada, personagens dessa coleção de poemas, tal a capacidade que tinha de representá-los com sua voz maleável e seus dedos ágeis. Muitos o consideravam um mensageiro divino, como se tivesse dentro de si o deus e a deusa que os que ouviam pressentiam em seu canto.

Antes de cantar qualquer canção, o cego fazia questão de dedicar sua arte a seu mestre, um outro harpista por nome Feq'qesh. No final de suas apresentações, dedicava a esse mestre sempre o mesmo poema, de quem o ouvira pela primeira vez, cantando-o com tal emoção, que não

RECONSTRUINDO O TEMPLO

havia quem conseguisse controlar o pranto, enquanto sua voz soava com a tristeza dos que se condenaram à solidão perpétua:
— *"Grava-me como um selo em teu coração, como um selo em teu braço, pois o amor é forte, é como a morte! Cruel como os abismos é a paixão, e suas chamas são chamas de fogo, uma faísca de Yahweh..."*

São Paulo, de 9 de Maio de 2000 a 1º de Setembro de 2004

Z. RODRIX.

Agradecimentos

Um livro exige dedicação e atenção, não à si próprio, mas sim à vida que acontece fora dele e que, muitas vezes à revelia do autor, acaba sendo filtrada pelos acontecimentos de que a obra se faz veículo.

Com este *Zorobabel* não é diferente: o personagem histórico, de quem tão pouco se sabe, exigiu um mergulho profundo no lado escuro dele (e de mim mesmo) na tentativa de decifrar-nos as verdades individuais, pois das dele a história nada conta, e sem elas nenhum livro se escreve. Seguir a história possível da Maçonaria em seus primórdios também não teria sido possível sem que a evolução de meu personagem como ser humano se desse a cada página, refletindo cada ser humano, maçon ou não, que caminhou, caminha e ainda caminhará sobre a face do planeta.

Isso só foi possível porque inúmeras pessoas, a maior parte delas totalmente desconhecidas, fez alguma coisa que se marcou em minha mente como parte da história que aqui conto. Há gente que nunca saberá ter sido quem impulsionou determinado ponto de sua escrita, assim como há os que certamente lerão determinado trecho e se descobrirão falando e agindo pela voz e vida de meus personagens. Aqueles cujo nome conheço e de cuja amizade privo certamente se reconhecerão em determinado ponto do livro: os outros, os que sequer nomeio, sobrevivem cada um à sua maneira, às vezes com uma pequena palavra, exatamente aquela que os ouvi dizer e que se marcou em mim como essencial, ficando para sempre guardada no que escrevi, como forma silenciosa de agradecimento.

De toda forma, não posso deixar de nominar especificamente:

— aos Iir:. Maçons de todas as oficinas do Universo, nos Graus Simbólicos, Filosóficos, Capitulares, Kadosh, Consistórios, de Marca, de Arco Real e Nautas da Arca, em todos os ritos e de todos os tempos,
— a Annette Trzcina, Ricardo Lara e Leda Vilella, pelos motivos que os três conhecem,
— aos buscadores da verdade e da arte que encontrei nas listas de internet chamadas Hécate (em especial Vera Tanka e Marcelo Brasil) e M-Musica (saudando a todos na pessoa de nossa querida "mãezinha" Nana Soutinho),
— aos inacreditavelmente abnegados amigos da Associação dos Profissionais de Propaganda, prova real de que ainda existe verdadeira humanidade em nosso ofício,
— Aos 100 Amigos (na verdade ainda 38), capazes de tudo em nome da amizade,
— aos companheiros de todo dia do Clube Caiuby, a quem devo meu renascimento para a música,
— aos fenomenais colegas de todo sábado na Sociedade dos Poetas Vivos, em especial Mario Chamie, Aquiles Rique Reis, Jose Nêumanne Pinto e Humberto Mariotti,
— à minha mãe Maria de Lourdes, com todo o carinho,
— a meus filhos Marya, Joy, Mariana, Rafael, Antônio e Bárbara, e minha netas Morgana e Amodini, de cuja existência dependo mais e mais a cada dia,
— e à minha mulher Júlia, em quem deposito todo o amor de que sou capaz: com ela aprendi a vivê-lo intensa e verdadeiramente, não importa como nem por que, pois a felicidade não é um objetivo a ser alcançado no futuro longínquo, mas sim uma prática diária que não pode nem deve ser abandonada.

Bibliografia

1. *New Encyclopædia Britannica*, 83ª ed.
2. *Jerusalem-A Sacred City of Mankind*, T.Kollk & M.Pearlman, Weidenfield & Nicholson, 1968.
3. *Throne Unter Schutt Und Sanã*, H&G Schreiber, Paul Neff Verlag, Viena, 1957.
4. *Assim Viviam Nossos Antepassados*, I.Lissner, trad. O. Mendes, Itatiaia, Ltda., Belo Horizonte, 1959.
5. *The World of Ancient Israel*, R.E.Clements, Cambridge University Press, 1989.
6. *History of Ancient Israel*, R.E.Clements, Cambridge University Press, 1989.
7. *A Maçonaria e sua herança hebraica*, J.Castellani, A Trolha, Londrina, 1993.
8. *Sidur Completo*, org. Jairo Fridlin, Sefer, 1997.
9. *Machsor- Livro de Rezas para os Dias Sagrados* — H. Lemle & Fr. Pinkuss, CIP-SP/ARI-RJ — 1966.
10. *A Chave de Hiram*, C. Knight & R. Lomas, trad. Z. Rodrix, Ed. Landmark, São Paulo, 2002.
11. *Israel and the Palestinian Territories*, A. Humphreys & N. Tilbury, Lonely Planet Publications, Austrália, 1996.
12. *O mundo da Bíblia*, D. & P. Alexander, trad. J.R. Vidigal, Paulinas, 1985.
13. *O Templo do Rei Salomão na Tradição Maçônica*, A. Horne, trad. O. M. Cajado, Pensamento, 1995.
14. *Dicionário Básico Português Hebraico*, H. Zlochevsky, Chevra Kadisha, 1998.
15. *Dicionário Hebraico-Português*, Rifka Berezin, EdUsp, 1995.
16. *Qabalah-A Tool for Your Life*, J.Ben-Chaim, Brooklin Press, 1996.
17. *O Poder da Qabalah*, Yehuda Berg, trad. Shmuel Lemle, Imago, Rio de Janeiro, 2001.
18. *Dictionary of Jewish Lore and Legend*, Alan Unterman, Thames & Hudson, Inglaterra, 1991.
19. *História dos Hebreus*, Flavio Josefo, trad. Vicente Pedroso, Rio de janeiro, CPAD, 1990.
20. *The Book of Letters*, Lawrence Kushner, Jewish Lights Publishing, 1990.

21. *Dictionnaire des Symboles*, J. Chevalier & A. Gheerbrant, Ed. Robert Lafont, França, 1982.
22. *Almanaque de Qabalah*, Sigalith Koren, STs Editora, São Paulo, 1996.
23. *O Árabe Prático*, Luis Haiek, São Paulo, s.d.
24. *The Kabbala*, Erich Bischoff, Samuel Weiser Inc., Maine, 1985.
25. *Maçonaria: Introdução aos Fundamentos Filosóficos*, Octacilio Schüler Sobrinho, Livraria e Editora Obra Jurídica, Florianópolis, 2000.
26. *Os 33 Graus do Rito Escocês Antigo e Aceito*, Mario Leal Bacelar 33°, Ed. Mandarino, Rio de Janeiro, 1972.
27. *Dicionário de Maçonaria*, J.G. de Figueiredo 33°, Pensamento, São Paulo, 1978.
28. *Dicionário Hebraico-Português & Aramaico-Português*. São Leopoldo- Petrópolis: Sinodal-Vozes, 1987.
29. *Tradiciones Y Costumbres Judías*, Erna G. Schlesinger, Ed. Israel, Buenos Aires, 1951.
30. *Comentários sobre Moral e Dogma*, Henry C. Clausen 33°, Neyenesch Printers, Califórnia, 1974.
31. *Os 72 Nomes Sagrados de D'us*, Centro de Estudos da Qabalah, 1998.
32. *Wanderings*, Chaim Potok, Alfred A. Knopf, 1978.
33. *Talmud Bavli, The Schottensteisn Edition*, Mesorah Publications, Brooklin, 1992.
34. *Pictorial History of the Jewish People*, Nathan Ausubel, Crown Publishers, New York, 1964.
35. *Sefer Yetzirah, The Book of Creation*, Aryeh Kaplan, Samuel Weiser, Maine, 1990.
36. *As Letras do Alfabeto na Criação do Mundo*, Elias Lipiner, Imago, Rio de janeiro, 1992.
37. www.cerqueira.hpg.ig.com.br/Templos_Jerusalem.htm
38. www.bartleby.com/65/x-/X-Zorobabe.html
39. www.htmlbible.com/kjv30/nave/nave5316.htm
40. www.oznet.net/cyrus/cyframe.htm
41. www.iranchamber.com/history/cyrus/cyrus.php
42. www.artamene.org/
43. www.farsinet.com/cyrus/
44. www.iranchamber.com/history/cyrus/cyrus_charter.php
45. www.plato-dialogues.org/tools/char/darius.htm
46. www.firma-darius.de/
47. www.livius.org/da-dd/darius/darius
48. www.gatewaystobabylon.com/
49. www. ce.eng.usf.edu/pharos/wonders/gardens.html
50. www.unmuseum.org/hangg.htm
51. www.templemount.org/
52. www.keyway.ca/htm2002/jerfacts.htm

Este livro foi composto na tipografia
Revival565 BT, em corpo 11/14, e impresso em
papel off-white no Sistema Digital Instant Duplex
da Divisão Gráfica da Distribuidora Record.